D0232612

PRINTEMPS BARBARE

HÉCTOR TOBAR

PRINTEMPS BARBARE

Traduit de l'américain
par Pierre Furlan

belfond
12, avenue d'Italie
75013 Paris

Titre original :
THE BARBARIAN NURSERIES
publié par Farrar, Straus and Giroux, New York

Si vous souhaitez recevoir notre catalogue
et être tenu au courant de nos publications,
vous pouvez consulter notre site internet :
www.belfond.fr
ou envoyer vos nom et adresse
aux Éditions Belfond,
12, avenue d'Italie, 75013 Paris.
Et, pour le Canada,
à Interforum Canada Inc.,
1055, bd René-Lévesque-Est,
Bureau 1100,
Montréal, Québec, H2L 4S5.

ISBN 978-2-7144-5083-8

Belfond | un département **place des éditeurs**

place
des
éditeurs

Pour Dante, Diego et Luna

Livre un

Le jardin aux succulentes

« Le mystère américain s'épaissit. »

Don DeLillo, *Bruit de fond*

1

SCOTT TORRES ÉTAIT ÉNERVÉ parce que la tondeuse à gazon ne voulait pas démarrer. Il avait beau tirer sur la corde de toutes ses forces, elle ne se mettait pas à rugir. Ses efforts ne provoquaient qu'un bref crachotement semblable à la toux d'un enfant malade et suivi d'un long silence uniquement troublé par le bourdonnement de deux libellules qui dessinaient des huit au-dessus de l'herbe encore intacte. C'était un gazon précoce, ambitieux, du faux kikuyu qui atteignait vingt centimètres de hauteur et qui, pour l'instant, pouvait bien rêver de devenir une jungle dont l'ombre, un jour, protégerait la maison du soleil. Les lames bougeaient seulement tant qu'il tirait sur la corde, et la tondeuse toussait. Agrippant le manche en plastique au bout de la corde, il marqua une pause, se pencha en avant pour reprendre à la fois son souffle et son élan, puis réessaya. La tondeuse gronda un instant, sa bouche noire protubérante cracha une touffe d'herbe, et elle s'arrêta. Scott recula d'un pas et lança à la machine le regard furieux bien connu du père frustré, du bricoleur qui n'a plus la main.

Araceli, sa bonne, qui était mexicaine et qui avait les mains couvertes des bulles blanches du liquide vaisselle, le regardait depuis la fenêtre de la cuisine. Elle se demanda si elle devait révéler au *señor* Scott le secret qui faisait rugir la tondeuse. Quand on tournait un certain bouton situé sur un côté du moteur, le démarrage de la machine devenait aussi facile que tirer d'un pull un fil défait. Elle avait vu Pepe jouer avec ce bouton à plusieurs reprises. Mais non, elle décida de laisser *el señor* Scott le trouver tout seul. Scott Torres s'était séparé de Pepe et de ses solides muscles de jardinier : que cette lutte contre la machine soit sa punition.

El señor Scott ouvrit le petit bouchon de l'endroit où l'on mettait l'essence, juste pour vérifier. *Oui, il y a de l'essence.* Araceli avait vu Pepe remplir le réservoir deux semaines auparavant, la dernière fois qu'il était là, le jeudi où elle avait presque eu envie de pleurer parce qu'elle savait qu'elle ne le reverrait jamais plus.

Pepe n'avait jamais de mal à faire démarrer la tondeuse. Quand il se baissait pour tirer sur la corde, son biceps émergeait de la manche, découvrant une masse de peau cuivrée tendue qui laissait imaginer d'autres zones de peau et de muscles sous les vieux tee-shirts en coton qu'il portait. Araceli voyait de l'art dans les taches des tee-shirts de Pepe : elles formaient, comme dans l'expressionnisme abstrait, un tourbillon de verts, d'ocres argileuses et de noirs produit par l'herbe, la terre et la transpiration. Quelques rares fois, elle avait, non sans audace, promené ses doigts esseulés sur ces toiles-là. Quand Pepe arrivait le jeudi, Araceli ouvrait les rideaux de la salle de séjour et vaporisait du détergent sur les fenêtres qu'elle nettoyait ensuite à fond rien que pour regarder Pepe transpirer sur le gazon et pour s'imaginer blottie dans le berceau protecteur de sa peau couleur cannelle. Et puis elle se moquait d'elle-même à cause de ça. *Je suis encore une fille qui fait des rêves éveillés ridicules.* La masculinité désordonnée de Pepe conjurait l'envoûtement qui la faisait habiter et travailler dans cette maison, et lorsqu'elle l'apercevait par l'encadrement de la fenêtre de la cuisine, elle pouvait s'imaginer en train de vivre dans le monde extérieur, dans une maison où elle aurait eu sa propre vaisselle à laver, son bureau à cirer et à ranger dans une pièce que personne ne lui aurait prêtée.

Araceli appréciait sa solitude, son sentiment d'être à l'écart du monde, et elle aimait penser à son travail auprès de la famille Torres-Thompson comme à une sorte d'exil qu'elle s'était imposé pour s'éloigner de la vie devenue sans but qu'elle avait menée à Mexico. Mais, de temps à autre, elle aurait voulu partager les plaisirs de cette solitude avec quelqu'un, sortir de l'existence silencieuse qui était la sienne en Californie, entrer dans l'une de ses autres vies, celles qu'elle explorait dans ses rêves : elle serait alors une fonctionnaire d'État mexicaine de niveau moyen, une de ces femmes dures et grosses, dotées d'un méchant sens de l'humour et d'une coiffure léonine couleur rouille qui régentent leur petit fief dans un quartier de Mexico ; ou alors une artiste qui aurait réussi – voire un critique d'art. Dans nombre de ses fantasmes, Pepe jouait le rôle de l'homme tranquille et patient, père de leurs enfants aux noms aztèques très chic tels que Cuitláhuac et Xóchitl. Dans ces longs rêves éveillés, Pepe devenait un architecte-paysagiste ou un sculpteur, tandis qu'Araceli elle-même pesait dix kilos de moins et retrouvait à peu près le poids qui était le sien avant de venir aux États-Unis, car ses années en Californie n'avaient pas été tendres pour sa ligne.

À présent, toutes ses rêveries sur Pepe étaient terminées. Même si elles étaient absurdes, elles lui avaient appartenu, et leur absence soudaine lui donnait l'impression d'un vol. Au lieu de Pepe, elle avait devant les yeux *el señor* Scott qui se bagarrait avec la tondeuse à gazon et la corde censée la faire démarrer. Scott venait enfin de découvrir le petit bouton. Il procéda à quelques ajustements et tira de nouveau sur la corde. Il avait des bras minces, couleur de bouillie d'avoine ; il était ce qu'on appelle ici un « demi-Mexicain », et au bout de vingt minutes sous le soleil de juin, ses avant-bras, son front et ses joues prenaient la teinte cramoisie des pommes McIntosh. Une fois, deux fois, trois fois, *el señor* Scott tira sur la corde, jusqu'à ce que le moteur entre en action, crachote et rugisse enfin. En un rien de temps, l'air devint tout vert tellement l'herbe volait ; Araceli vit les lèvres de son patron se soulever de satisfaction silencieuse. Puis le moteur s'arrêta et le bruit s'assourdit aussitôt parce que la lame calait devant une trop grande quantité d'herbe.

Ni l'un ni l'autre de ses patrons n'avait averti Araceli, nul ne lui avait annoncé la nouvelle capitale qu'elle serait la dernière Mexicaine à travailler dans la maison. Araceli avait deux patrons dont les noms attachés l'un à l'autre par un trait d'union formaient un attelage bizarre et bilingue : Torres-Thompson. Curieusement, *la señora* Maureen ne se disait jamais Mme Torres, bien qu'elle et *el señor* Scott fussent bel et bien mariés, comme Araceli l'avait remarqué dès son premier jour de travail grâce aux photos de mariage dans le séjour et aux anneaux en or identiques qu'ils portaient au doigt. Araceli n'était pas du genre à poser des questions ni à se laisser entraîner dans des discussions ou des bavardages, et ses dialogues avec ses *jefes* étaient souvent austères, dominés par les monosyllabes « Oui », « *Sí* » et, occasionnellement, « Non ». Elle passait douze jours sur quatorze chez eux, et pourtant elle était souvent complètement ignorante des nouveaux chapitres qui s'ouvraient dans la saga familiale des Torres-Thompson. Ainsi, quand Maureen fut enceinte du troisième enfant du couple, Araceli ne l'apprit qu'en voyant sa *jefa* vomir de façon répétée un après-midi.

« *Señora*, vous êtes malade. Je crois que mes *enchiladas verdes* sont trop fortes pour vous. *¿ Qué no ?*

— Non, Araceli. Ce n'est pas la sauce verte. Je vais avoir un bébé. Vous ne le saviez pas ? »

L'argent était prétendument la raison du départ de Pepe et de Guadalupe. Araceli avait appris la chose deux semaines plus tôt, un mercredi en fin de matinée, grâce à une conversation animée entre *la señora* Maureen et Guadalupe qui s'était déroulée dans la cour et qu'Araceli avait suivie depuis les portes en verre coulissantes du séjour. Quand leur discussion fut terminée, Guadalupe entra dans la maison pour annoncer à Araceli d'un ton cassant : « Je vais chercher à travailler pour des Chinois. Ils pourront me payer décemment, eux, pas me donner des *centavos* comme ces gringos-là. » Guadalupe était une Mexicaine qui ressemblait un peu à une fée avec ses longues tresses, son goût pour les chemisiers brodés façon Oaxaca et pour les bijoux indigènes surchargés. Comme Araceli, elle avait étudié à l'université. À présent, elle avait les yeux rougis par les pleurs et sa petite bouche était tordue par un sentiment de trahison. « Après cinq ans, ils devraient me donner une augmentation. Mais c'est tout le contraire : ils veulent me payer moins. Voilà comment ils récompensent ma fidélité. » Quand elle regarda dehors par les fenêtres du séjour, Araceli vit que *la señora* Maureen essuyait elle aussi des larmes. « *La señora* sait que j'ai été comme une mère pour ses garçons », dit Guadalupe. Ce fut l'une des dernières paroles qu'Araceli lui entendit prononcer.

Maintenant, il ne restait qu'Araceli, toute seule avec *el señor* Scott, *la señora* Maureen et leurs trois enfants dans cette maison sur une colline dominant l'océan, dans une impasse sans piétons, sans enfants qui jouent dans la rue, sans circulation, sans marchands ambulants et leurs boniments, et même sans agents de police. C'était une rue de silence sans fin. Quand les Torres-Thompson et leurs enfants partaient pour leurs excursions quotidiennes, Araceli communiait seule avec la maison et ses bruits, avec le démarrage et le ronron du frigo, avec le faible sifflement des ventilateurs cachés dans le plafond. C'était une maison avec des lavabos en acier et des salles de bains au parfum exotique, mais aussi avec une cuisine qu'Araceli en était venue à considérer comme son bureau, son centre de commandement, le lieu où elle préparait plusieurs repas chaque jour : petit déjeuner, déjeuner, dîner ainsi que divers en-cas et des biberons pour le bébé. Une rangée unique de carreaux de Talavera bordait les murs couleur pêche : ils représentaient des pâquerettes aux pétales bleus et au cœur couleur de bronze. Après avoir essuyé la dernière casserole cuivrée et l'avoir suspendue à un crochet à côté de ses sœurs, Araceli s'acquittait de son rituel quotidien consistant à passer sa main sur le carrelage. Le bout de ses doigts la transportait fugitivement jusqu'à Mexico où ces mêmes carrés de céramique étaient érodés et craquelés, décorant des belvédères et des chambranles de porte. Elle se souvenait de ses longues promenades au gré de vieilles rues datant du XVIe, du XVIIIe et du XIXe siècle, dans une ville bâtie avec de la lave ancienne et du verre réfléchissant, une ville coloniale mais aussi Art déco et moderniste. Dans sa solitude, elle laissait ses pensées vagabonder depuis Mexico jusqu'aux autres étapes du voyage qu'avait été son existence – toute une série de rencontres et de malheurs qui finissaient inévitablement par former un cercle la ramenant au présent. Elle vivait maintenant dans un quartier américain où tout était neuf, où le paysage était dénué des nuances et des significations qu'y dépose le temps, où toutes les maisons, peintes en coquille d'œuf conformément au règlement associatif, semblaient être des exemples d'architecture totalement banale jetés par une main humaine sur un bout de savane déserte. Araceli pouvait discerner les touffes jaunies signalant les prés colonisés : elles se cachaient dans des espaces peu visibles autour de la demeure des Torres-Thompson, surgissaient près des conteneurs à ordures et de l'imposante machine à conditionner l'air, et puis dans les rectangles découpés dans le trottoir où poussaient de jeunes arbres déjà à hauteur d'homme.

Quand Araceli, debout devant la baie vitrée du séjour, regardait le vaste océan à deux ou trois kilomètres, elle pouvait s'imaginer sur ce flanc de colline à l'époque où il était intact et couvert d'herbes sauvages. Plusieurs fois par jour, elle sortait de la cuisine et entrait dans le séjour pour contempler l'horizon, cette ligne brumeuse où le gris-bleu de la mer se fondait dans un ciel sans nuages. Puis les cris et les hurlements des deux petits Torres-Thompson et les pleurs intermittents de leur bébé sœur la ramenaient à l'ici et maintenant.

Quand ils étaient trois *Mexicanos* à travailler dans cette maison, ils pouvaient agrémenter les heures de labeur par du badinage et du commérage. Ils se moquaient du *señor* Scott et de son très mauvais accent de *pocho* [1] lorsqu'il tentait de parler espagnol, et ils essayaient de deviner comment un tel homme, aussi maladroit et aussi peu soigné de sa personne, avait pu se retrouver uni à une Nord-Américaine ambitieuse. Guadalupe, la nurse, s'extasiait devant Samantha, le bébé, et jouait avec Keenan ainsi qu'avec l'aîné des garçons, Brandon. C'était Guadalupe qui avait appris aux garçons des expressions comme *buenas tardes* et *muchas gracias*. Araceli, qui faisait le ménage et préparait les repas, était responsable des salles de bains et de la cuisine, des aspirateurs et des torchons, de la lessive et de la salle de séjour. Quant à Pepe, dont les mains faisaient pousser droit les énormes feuilles de l'alocasia et fleurir les spathes couleur crème des arums, il avait aussi des muscles qui empêchaient le gazon de dépasser une taille respectable. À eux trois, ils remplissaient la maison de reparties espagnoles : Guadalupe taquinait Araceli sur la beauté de Pepe, et Araceli répondait par des mots à double sens qui semblaient passer au-dessus de la tête de Pepe.

« Ta machine est si puissante qu'elle pourrait couper n'importe quoi.

— C'est parce qu'elle a plein de chevaux.

— Oui, je vois bien toute la puissance qu'il y a dans tes chevaux. »

Pepe était un magicien, le Léonard de Vinci des jardiniers, et il valait deux fois plus que son salaire. Combien de temps encore les becs orange des héliconias s'ouvriraient-ils au ciel quand les doigts épais mais intelligents de Pepe ne seraient plus là pour les faire naître ? Il fallait que la situation financière fût très mauvaise. Pour quelle autre raison *el señor* Scott serait-il dehors en train d'exposer sa peau pâle aux brûlures de ce soleil blanc ? L'idée que ces gens-là puissent être à court d'argent n'avait pas grand sens pour Araceli.

---

1. Un *pocho* est une personne d'ascendance mexicaine qui a oublié son héritage culturel et, entre autres, parle un espagnol truffé d'américanismes. *(Toutes les notes sont du traducteur.)*

Mais, si ce n'était pas le cas, pourquoi Maureen changerait-elle de ses propres mains les couches du bébé ? Pourquoi jetterait-elle ces regards exaspérés aux garçons qui restaient trop longtemps à s'amuser avec leurs jouets électroniques ? Guadalupe, qui aspirait à devenir institutrice, n'était plus là pour les distraire par d'autres jeux qu'ils organisaient à l'extérieur, sur l'herbe, avec des bulles de savon, ou à l'intérieur, avec des cartes de loterie mexicaine – et l'on entendait les garçons crier « *el corazón* », « *el catrín* » et « *¡ lotería !* ». Par la baie vitrée du séjour, Araceli suivait *el señor* Scott dans sa lutte pour pousser la tondeuse par-dessus le bord le plus éloigné de la pelouse, là où le terrain partait en pente raide. TORO, tel était le nom inscrit sur le sac accroché au flanc de la tondeuse. Pas étonnant qu'*el señor* Scott ait tant de mal : la tondeuse était un taureau ! Seul Pepe, dans un costume étincelant de torero aux épaulettes dorées, pouvait provoquer le *toro* et le faire avancer.

Araceli prépara une citronnade à l'intention d'*el señor* Scott et sortit sous la lumière aveuglante pour la lui donner – mais tout autant, en fin de compte, pour inspecter son travail.

« *¿ Limonada ?* demanda-t-elle.

— Merci », répondit-il en prenant le verre mouillé. Des gouttes d'eau coulaient le long du verre comme les gouttes de sueur sur le visage d'*el señor* Scott. Il détourna le regard pour examiner les brins d'herbe étalés sur l'allée de ciment qui passait au milieu de la pelouse.

« Ce travail, c'est très dur, se hasarda à dire Araceli. *El césped.* L'herbe, elle est très épaisse.

— Ouais, fit-il en la regardant d'un air méfiant parce que la conversation de cette bonne maussade mais fiable dépassait soudain ce à quoi elle l'avait habitué. Cette tondeuse est trop vieille. »

Pourtant, elle était assez bonne pour Pepe ! Araceli jeta un coup d'œil à l'herbe, vit les petits arcs de cercle qu'*el señor* Scott avait creusés par inadvertance dans le tapis vert et essaya de ne pas avoir l'air contrariée. Pepe avait l'habitude de s'arrêter à cet endroit pour rajuster la hauteur de la tondeuse, et Araceli sortait lui donner de la citronnade comme elle venait de le faire pour *el señor* Scott. Pepe lui disait « *gracias* » et lui lançait un sourire canaille à l'instant où leurs regards se croisaient, puis il se détournait aussitôt.

El señor Scott avala la citronnade et rendit le verre à Araceli sans un mot de plus.

Alors qu'elle regagnait la maison, l'odeur persistante de l'herbe coupée la plongea dans un moment de dépression. Quelle était l'exacte gravité de cette situation financière ? se demanda-t-elle. Combien de temps encore *el señor* Scott allait-il tondre lui-même le gazon et se battre avec le toro ? Que se passait-il dans la vie de ces gens ? Ils s'étaient séparés de Guadalupe, et, à en juger par la colère de Guadalupe, Araceli supposait que c'était sans lui verser les deux mois d'indemnités de licenciement qu'en pratique on accordait dans les bonnes maisons de Mexico – sauf si l'on vous avait prise en train de voler les bijoux ou de maltraiter les enfants. Araceli commençait à comprendre qu'elle devait s'intéresser de plus près à la vie de ses employeurs. Elle devinait que de nouveaux événements risquaient de venir bientôt perturber l'existence d'une *Mexicana* qui ne savait pas ce qui se passait et qui, par ailleurs, était de nature confiante. De retour dans sa cuisine, elle regarda une fois de plus *el señor* Scott par la fenêtre. Il ratissait l'herbe coupée et la rassemblait en tas verts, puis il prenait chaque tas entre ses bras et le versait dans un sac-poubelle, gardant des brins collés sur ses mains et sur ses bras couverts de sueur. Elle le vit en train d'enlever l'herbe de ses bras et, soudain, il lui apparut sous un aspect pathétique inattendu : *el señor* Scott, l'improbable seigneur de ce palais riche et bien tenu, réduit au rôle de laboureur, en train de récolter le produit rebelle de la terre alors qu'il aurait dû rester à l'intérieur, à l'ombre, loin du soleil.

Quelques instants après qu'Araceli se fut éloignée de la baie vitrée, ce fut Maureen Thompson qui vint prendre sa place pour, pendant une longue minute, inspecter le travail de son mari. La maîtresse de maison était une élégante petite femme de trente-huit ans, à la peau crémeuse et à l'air perpétuellement sérieux. En cette matinée d'été, elle portait un pantacourt et elle parcourait la maison d'un pas confiant et détendu mais très volontaire. Elle dirigeait la maisonnée comme le cadre moyen qu'elle avait été autrefois, avec un œil sur l'horloge et sur tout ce qui pouvait s'effilocher dans sa vie quotidienne, se montrant très vigilante à propos des jouets laissés çà et là, des poubelles à moitié pleines et du travail de classe non terminé. En voyant son mari aux prises avec la tondeuse, elle mâchouilla brièvement les extrémités de ses cheveux roux. *La señora* pouvait-elle apercevoir les arcs de cercle jaunes au début de la pente ? se demanda Araceli. Ou bien était-elle seulement dégoûtée de voir son mari laisser tomber des gouttes de sueur sur le ciment ? Araceli examina *la señora* Maureen qui, elle-même, examinait *el señor* Scott, et elle songea avec intérêt que lorsqu'on travaille ou qu'on vit suffisamment longtemps avec quelqu'un, on peut laisser son regard s'appesantir un certain temps sur cette personne sans qu'elle le remarque. Pepe, qui était un étranger, surprenait toujours le regard d'Araceli quand elle le contemplait.

En grande partie comme sa bonne mexicaine, Maureen Thompson avait senti ce que ce jeu absurde qui se déroulait de l'autre côté de la vitre avait de gênant : son théoricien, son homme distrait épris de grandes idées, celui qu'elle avait un jour proclamé, dans un chuchotement post-coïtal, « Roi du XXIe siècle », était tenu en échec, en ce samedi après-midi, par une relique technologique du millénaire précédent. Ils étaient mariés depuis douze ans, pendant lesquels ils avaient connu des triomphes professionnels et des humiliations entrepreneuriales, des rentrées d'argent inespérées et des nuits à veiller des enfants malades, mais jamais rien qui ressemblât à cette comédie-là. *Il a du mal rien que pour faire tourner cette machine. Elle marche à l'essence : est-ce que ça peut être si compliqué que ça ?* Les yeux de Maureen se tournèrent vers les rideaux tirés des maisons voisines, vers les fenêtres vides qui reflétaient le ciel vide de Californie, et elle se demanda qui d'autre pouvait bien le voir. Elle n'avait pas été d'accord avec les calculs de son mari – cette série de chiffres barrés qui signait le départ de leur jardinier, un homme fiable et plus que compétent, un homme à la noblesse silencieuse qui, sentait-elle, avait dû cultiver la terre dans un lointain village tropical. Scott faisait dans le soft, à la fois littéralement puisqu'il mettait au point des logiciels et plus métaphoriquement dans le sens où c'était quelqu'un pour qui le monde physique était un assemblage déroutant de phénomènes biologiques et mécaniques imprévisibles, tels que le processus miraculeux de la photosynthèse, les variétés mystérieuses de mauvaises herbes propres à la Californie du Sud, ou les gestes subtils et experts apparemment nécessaires pour manœuvrer une tondeuse sur un terrain inégal. *Plus tard, en revoyant cela, il en rira.* Son mari était un homme d'esprit qui savait repérer l'ironie des choses, mais à présent cette qualité l'avait déserté, si l'on en jugeait d'après sa mine renfrognée et suante. *Un dur labeur te guérira de ton ironie :* cette leçon, apprise quand elle était enfant puis jeune femme, lui revenait maintenant à l'improviste.

La distance était courte jusqu'à une deuxième fenêtre panoramique, de l'autre côté du séjour : de là, on voyait le jardin tropical de l'arrière-cour, lequel subissait une dégradation subtile mais, à sa façon, plus avancée que celle du gazon trop long de la pelouse devant la maison. Ce jardin, ils l'avaient planté cinq ans auparavant, peu après avoir emménagé, pour remplir les mille mètres carrés de terrain vide à l'arrière de leur propriété. Et, jusqu'à maintenant, il avait miroité et brillé comme un organisme d'un seul tenant, sombre et humide, rafraîchissant l'air qui s'engouffrait en lui. Il suffisait d'actionner un interrupteur pour faire couler un ruisseau de trente centimètres de large à travers ce jardin, et les eaux se rassemblaient dans un petit bassin au pied du bananier. À présent, les feuilles du bananier se craquelaient et les fougères proches viraient au doré. Peu après que Scott eut lâché sa petite bombe concernant Pepe, Maureen tenta sans conviction de désherber « *la petite*[1] forêt fluviale », pour reprendre l'expression qu'elle et Scott employaient, et, pour cela, commença par explorer la partie du garage où elle avait vu Pepe entreposer des produits chimiques. Elle n'avait pas la main verte, mais elle devina que pour maintenir en vie un jardin tropical dans ce climat sec, il fallait avoir recours à quelque intervention pétrochimique : engrais, insecticides, désherbants. Malheureusement, elle fut effrayée par les bouteilles et les mises en garde de leurs étiquettes. Maureen avait cessé de donner le sein à son bébé depuis quelques semaines seulement, et elle n'était pas encore prête à renoncer à la pureté de corps et d'esprit qu'engendrait l'allaitement maternel. Si elle n'avait pas cédé à la tentation d'un petit coup de tequila – chose à laquelle elle soupçonnait devoir succomber sous peu –, pourquoi irait-elle ouvrir une bouteille portant une tête de mort et le logo encore plus menaçant d'une grande compagnie pétrolière ?

---

1. En français dans le texte.

Des retombées de poussière et de terre étaient en train de tuer leur petite zone pluviale ; Maureen allait devoir intervenir, faute de quoi celle-ci se flétrirait dans cet air sec. En y songeant, elle éprouva une pointe d'anxiété, un très bref moment où elle eut le souffle coupé. *Il ne s'agit pas seulement du jardin et de la pelouse, n'est-ce pas ?* Maureen Thompson avait passé son adolescence puis ses années entre vingt et trente ans à se protéger de certains souvenirs dont l'origine remontait à une rue très ordinaire du Missouri, une rue bordée d'érables à sucre qui donnaient une belle ombre et dont les feuilles changeaient de couleur en octobre, un endroit où il neigeait quelques jours chaque hiver, où les intempéries faisaient vieillir les objets que les gens laissaient sur leurs vérandas sans que personne, apparemment, ne s'en soucie. Cette époque-là lui paraissait lointaine, à présent : elle n'occupait pas plus de deux boîtes au fond d'un de ses placards, bien peu par rapport aux nombreuses autres boîtes remplies des souvenirs de son arrivée en Californie et de sa vie avec Scott. Ici, sur leur flanc de colline, dans cette rue du nom de Paseo Linda Bonita, les jours se suivaient selon un rythme aussi prévisible que confortable : les repas étaient préparés, les enfants étaient habillés le matin et mis au lit le soir, et, entre-temps, un soleil de feu se couchait sur le Pacifique avec un étalage quotidien et presque ridiculement surchargé de splendeur naturelle. Tout allait bien dans l'univers de Maureen, et puis brusquement, et souvent sans aucune raison perceptible, elle éprouvait cette sensation vague mais pénétrante d'obscurité et de perte imminentes. La plupart du temps, cela se produisait quand ses deux garçons étaient en classe et qu'elle se trouvait dans leur chambre : elle ressentait alors une absence qui, à tout moment, menaçait de devenir permanente. Ou bien quand elle était nue dans la salle de bains, ses cheveux mouillés dans une serviette, et qu'en apercevant brièvement son corps dans le miroir elle avait le sentiment de sa vulnérabilité, de sa propre mortalité, et elle se demandait si elle lui en avait trop demandé en mettant trois enfants au monde.

Mais non, tout cela venait de passer, maintenant. Elle retourna dans le séjour, devant la baie vitrée où le drame qui se jouait sur la pelouse de devant avait trouvé une sorte de conclusion, car le Roi du XXIe siècle balayait l'herbe dans l'allée.

Quand Scott Torres était gosse et qu'il habitait à South Whittier, il tondait le gazon lui-même, et maintenant, alors qu'il poussait la machine sur la pente de la propriété démesurée qu'il possédait dans le domaine des Laguna Rancho Estates, il essayait de tirer parti des leçons que son père lui avait inculquées deux décennies auparavant, dans une impasse appelée Safari Drive, où les pelouses ne faisaient toutes qu'un quart, à peu près, de celle qu'il était en train de tondre. *Essaye de faire avancer la tondeuse sans à-coups, vérifie la hauteur des roues, regarde s'il n'y a pas d'objet dans l'herbe, parce que les lames l'attraperont et le projetteront en l'air comme une balle de fusil.* Son père le payait cinq dollars par semaine : c'était la première fois que Scott gagnait de l'argent. Comme les deux autres adultes de sa maison, Scott était d'humeur pensive depuis les événements inhabituels des deux dernières semaines. Il y avait d'abord eu le départ de deux membres de leur équipe d'employés de maison, et puis, dans les saisons du calendrier familial, on arrivait en juin. Les vacances d'été se profilaient ; on avait passé la journée précédente à célébrer la fin de l'année scolaire de leurs deux fils qui étaient rentrés de leur dernier jour de cours élémentaire et de cours moyen avec de volumineux dossiers remplis de tout un semestre de devoirs et de projets artistiques un peu trop grandioses sur lesquels leur mère n'avait pas arrêté de s'extasier. Scott amena la tondeuse sur le dernier carré de gazon non tondu : il allait lui faire une coupe, à lui aussi.

Scott arrêta le moteur et inhala la senteur de l'herbe fauchée de frais et l'odeur d'échappement de la tondeuse : c'était un bouquet âcre puissamment évocateur de ses corvées d'adolescent. Il se souvenait de l'olivier devant la maison familiale des Torres, à South Whittier, et de bien d'autres choses qui n'avaient rien à voir avec les pelouses ou les tondeuses à gazon, comme d'avoir travaillé dans l'allée sur sa Volkswagen – sa première voiture – ou comme la fille un peu rondelette qui habitait de l'autre côté de la rue, qui mettait des plumes dans ses cheveux châtains et portait des jeans Ditto. Comment s'appelait-elle ? *Nadine.* Les fruits noirs de l'olivier tombaient sur le trottoir, et l'un des travaux de Scott, à l'époque, consistait à laver les taches à l'aide d'un tuyau d'arrosage. Le quartier de sa jeunesse était un assemblage de boîtes toutes minces qu'on avait déposées en plein milieu d'un pré à vaches et qui ne tenaient que par du papier peint et de la résine époxy. Le domaine des Laguna Rancho Estates était une tout autre affaire. Lorsque Scott était arrivé dans cette maison, le gazon n'avait pas encore été semé, il n'y avait qu'un terrain nu dans lequel on avait enfoncé des piquets reliés par une corde, et il avait vu les équipes d'ouvriers mexicains débarquer avec des plateaux de faux kikuyu à planter. Cinq ans plus tard, les racines avaient créé un entrelacs vivant et dense dans le sol, et il s'était donné beaucoup de mal pour que sa tonte ait l'air bien régulière ; d'ailleurs, il avait échoué. Après avoir ratissé l'herbe, il remarqua les brins qui collaient à ses bras couverts de sueur, et, en les enlevant, il pensa que chacun d'entre eux était comme un sou quand on compte combien on a économisé en coupant l'herbe soi-même.

Deux semaines auparavant, il avait rapidement calculé la somme qu'il versait au jardinier en une année, et il était arrivé à un nombre à quatre chiffres étonnamment élevé. Le problème, avec ces jardiniers mexicains, c'était qu'il fallait les payer en argent liquide : on devait mettre dans leurs mains calleuses de vrais billets verts à la fin de la journée. La seule façon de s'y prendre autrement, c'était d'aller soi-même au soleil et de faire le boulot, car ça revenait cher de faire venir chez soi ces Mexicains durs à la tâche ; au bout du compte, toutes ces heures pendant lesquelles ils avaient travaillé sans se plaindre aboutissaient à une sacrée addition. C'était aussi le problème avec Guadalupe : trop d'heures.

Les parents de Scott étaient des gens frugaux, assez semblables à Pepe le jardinier : Scott s'en rendait compte à sa façon méthodique et prudente de compter les billets qu'il lui donnait. Pepe rayait la somme à l'aide d'un petit crayon de golf qu'il gardait dans son portefeuille avec un morceau de papier invariablement sali. Le père de Scott était mexicain, ce qui, dans la Californie de la jeunesse de Scott, était synonyme de pauvre. Sa mère était une rebelle, une femme à la mâchoire carrée qui venait du Maine, un endroit où la pratique protestante ordinaire voulait qu'on soit discipliné dans l'emploi de toute chose. *Utilise-le à fond, porte-le jusqu'à ce qu'il soit usé, fais avec ou débrouille-toi sans.* Scott se rappela un jour où sa mère, aujourd'hui décédée, se tenait dans l'embrasure de la porte de leur maison de South Whittier, à l'ombre de l'olivier, et, avec ses yeux de femme économe, elle le regardait gagner ses cinq dollars. Du coup, lorsqu'il se retourna vers la maison blanche au toit de tuiles ocre qui s'élevait devant lui, il eut l'impression de dessoûler après une longue beuverie. Sa demeure était devenue un coffre baigné de soleil et rempli par une surprenante variété d'objets achetés : une table basse en pin mexicain patiné réalisée par un artiste de Pasadena ; plusieurs vitres épaisses en verre à bulles soufflé artisanalement ; des grilles en fer forgé importées de Provence ; un canapé Chesterfield en cuir vert mousse ; un berceau fait à la main en République tchèque.

Nous nous sommes mal conduits et nous avons très mal dépensé notre argent. Scott se cramponna à cette idée tout en poussant dans le garage la tondeuse qui grinçait et refroidissait. Il éprouvait une certaine autosatisfaction mêlée à de l'humilité et une impression de semi-défaite. *J'ai coupé cette saleté d'herbe moi-même. Pas besoin d'être un génie pour ça.* Il rentra dans la maison, et sa bonne mexicaine lui adressa un sourire bizarre où perçait un deuxième sens qu'il ne pouvait pas déchiffrer. Cette femme était plutôt du genre à ne pas vous répondre quand vous lui disiez bonjour le matin ou à faire une moue de désapprobation si vous lui suggériez quelque chose. Néanmoins, ils avaient de la chance de la conserver comme dernière employée. Araceli était la seule personne, à part Scott, qui avait le sens des économies : elle ne manquait jamais de garder les restes dans des Tupperware ; elle réutilisait les sacs en plastique que donnaient les supermarchés et passait la journée à éteindre les lumières que Maureen et les enfants laissaient allumées. Scott n'était jamais allé dans le Mexique profond d'où venait Araceli, et il ne s'était rendu qu'une seule fois au pays de sa mère, dans les régions septentrionales du Maine, mais il avait le sentiment que ces deux endroits produisaient des gens pondérés qui avaient des bouliers compteurs dans la tête.

Quelques instants plus tard, Scott s'était glissé hors de la cuisine et, en regardant à travers les portes de verre coulissantes qui donnaient sur la cour de derrière, il eut le sentiment d'être un imbécile. Il avait oublié le jardin, le prétendu et mal nommé jardin « tropical » qui, en réalité, était un jardin « subtropical » selon les braves gens de la pépinière qui l'avaient mis en place. Pour la première fois, Scott contemplait ses ombres et ses creux verdoyants avec l'œil d'un travailleur, maintenant qu'une ampoule ou deux s'étaient formées sur ses paumes à la suite de ses efforts sur la pelouse. Il se rappela Pepe qui entrait dans cette semi-jungle avec une machette, le bruit brutal de la lame en train de frapper des plantes charnues, et de nouveau Pepe qui en émergeait en portant de vieilles palmes ou des fleurs flétries. Scott n'était pas prêt à pénétrer dans cette jungle aujourd'hui, même s'il allait bientôt devoir le faire. Il lui semblait qu'il faudrait tout un village de Mexicains pour maintenir ce jardin en vie, un peloton d'hommes à chapeaux de paille qui, les pieds nus, marcheraient dans le ruisseau factice qui le traversait en son milieu. Pepe l'avait fait sans aide. Apparemment, c'était un village à lui tout seul. Mais comme Scott n'en était pas un, il décida, pour l'instant, de laisser tomber le jardin tropical qui, après tout, se trouvait dans la cour de derrière – qui le remarquerait ?

2

DANS LA FAMILLE TORRES-THOMPSON, l'anniversaire de chaque enfant était une fête savamment orchestrée autour d'un thème unique ; à cette occasion, *la señora* Maureen commandait spécialement des serviettes et des assiettes en carton, et elle engageait parfois des acteurs pour jouer divers rôles fantaisistes. Avec ses propres fournitures d'artiste, elle confectionnait des banderoles portant l'inscription JOYEUX ANNIVERSAIRE ; elle fouillait les bazars pour dénicher de vieilles écharpes et des costumes qu'elle transformerait en déguisements, et elle achetait sur Internet des perruques et d'autres accessoires. Elle suspendait des serpentins au-dessus des portes et chargeait Guadalupe de réaliser de grandes fleurs à l'aide de ballons gonflables, tandis qu'Araceli s'employait dans la cuisine à faire des cookies en forme de sorcières et de dinosaures. Keenan, le plus jeune des deux garçons et le deuxième des trois enfants, aurait huit ans dans deux semaines. Mais, pour l'instant, il fallait qu'Araceli prépare la pâte pour le projet en papier mâché. Cela n'embêtait nullement Araceli, car elle aimait bien l'idée d'un anniversaire conçu comme un événement familial, organisé par des femmes en cuisine et célébré par de grands groupes en plein air et au soleil – c'était ainsi qu'on fêtait, lors de week-ends, les anniversaires dans les parcs de sa ville natale. Cet anniversaire-ci, comme tous les autres, aurait lieu dans l'arrière-cour de la famille Torres-Thompson, dans un cadre orné par les décorations simples et, comme il se doit, enfantines de *la señora,* dont la plupart porteraient les couleurs primaires que l'art populaire mexicain affectionne lui aussi. Araceli était d'avis que si l'on avait transplanté cette femme à Oaxaca, elle aurait fait de la très belle poterie, ou bien de ces papiers découpés qu'on appelle *papel picado,* ou qu'elle aurait été un excellent régisseur pour une troupe de théâtre qui aurait parcouru les banlieues du District fédéral.

Araceli apporta le bol de pâte prête à *la señora* Maureen dans la salle de jeux. Elle trouva sa *jefa* à genoux sur le plancher au-dessus d'une feuille de papier jaune cartonné, tenant fermement un crayon rouge et portant un sarrau d'artiste sur son pantalon de yoga marron.

« *Señora, aquí está su* pâte, dit Araceli.

— Merci. » Comme quelques secondes s'écoulaient sans que celle-ci s'éloigne, Maureen leva les yeux et vit Araceli en train d'examiner son travail avec son habituelle expression neutre, un regard presque fixe comportant une note passive-agressive. Maureen avait trop souvent vu cet air insondable sur le visage large et plat de la jeune femme pour en être troublée. Elle gratifia donc sa bonne d'un demi-haussement d'épaules, leva les yeux au ciel avec un brin d'agacement ironique, comme pour lui dire : *Oui, me voilà une fois de plus à genoux en train de gribouiller un projet artistique comme si j'étais une gamine de maternelle.* Araceli s'arracha à sa transe en haussant un sourcil et en hochant la tête pour montrer qu'elle avait compris : ce genre d'échange avait lieu plusieurs fois par jour entre elles, une reconnaissance muette des responsabilités qu'elles partageaient en tant que femmes exigeantes dans une maison dominée par les manifestations désordonnées de deux garçons, d'un bébé et d'un homme. Maureen était en train d'écrire JOYEUX ANNIVERSAIRE dans la police classique, aux lourds empattements, des bâtiments et monuments de Rome. Au-dessous de ces lettres, *la señora* essayait de dessiner ce qui ressemblait à un casque romain – ce thème d'anniversaire ayant été inspiré par le récent engouement de Keenan pour une bande dessinée européenne. Maureen traça encore une ligne sous le regard d'Araceli, puis elles sursautèrent toutes les deux en entendant le cri d'un bébé qui semblait être juste derrière l'épaule de *la señora.* Se retournant vivement, Araceli aperçut des lumières rouges clignoter dans tous les sens sur le Baby-Phone. Maureen se leva avec calme et se dirigea vers la chambre du bébé.

Quelques instants plus tard, elle réapparut dans le couloir avec Samantha, le bébé de quinze mois dont les yeux noisette étaient encore humides des pleurs qu'elle avait versés pour s'échapper de son berceau. Elle avait le teint laiteux de sa mère et ses cheveux fins, mais ses boucles étaient d'un châtain plus foncé. Tenant sa fille dans ses bras, *la señora* sautilla en faisant des petits bruits de baisers jusqu'à ce que l'enfant arrête de pleurer, puis elle fit quelque chose qu'elle n'avait encore jamais fait : elle tendit Samantha à Araceli. Chez les Torres-Thompson, ce bébé avait l'aura d'un objet sacré et délicat, comme un vase japonais sur deux jambes vacillantes. Au cours des semaines précédentes, elle avait commencé à marcher, entrant ainsi dans un nouveau monde de possibilités et de dangers, et, en trébuchant, elle traversait la pièce d'une démarche instable à la Frankenstein pour gagner les bras de sa mère. Guadalupe avait porté le bébé tous les jours pendant des heures, mais depuis son départ, il semblait qu'une partie de cette responsabilité allait échoir à Araceli, laquelle n'était pas sûre d'être prête à s'occuper d'un bébé, ni même d'en savoir envie. En quinze mois, Araceli avait jeté plusieurs centaines de couches salies, mais elle n'avait pas changé Samantha plus de trois fois, et toujours à la demande expresse de Guadalupe. La vérité, c'était qu'Araceli ne s'était jamais sentie proche des enfants ; ils représentaient un mystère qu'elle n'avait aucun désir de percer, surtout s'agissant des garçons Torres-Thompson avec leurs cris de bataille et les effets sonores, comme électriques, qu'ils produisaient avec leurs lèvres et leurs joues.

Mais une petite fille, c'était autre chose. Celle-ci connaissait le genre de vie que toute mère mexicaine aurait souhaité pour son enfant. Elle avait une gamme étonnante de roses et de pourpres dans sa garde-robe pleine de grenouillères, de bavoirs, de tee-shirts et de chemises de nuit, et le placard de sa chambre débordait de déguisements de Fée Clochette pour Halloween, de robes bain de soleil miniatures et de tenues comme ce confortable survêtement en velours de coton, couleur rubis, qu'elle portait aujourd'hui. Dans le District fédéral du Mexique, ces vêtements auraient coûté une fortune ; on ne les aurait trouvés – si on les trouvait – que dans ces centres commerciaux aux sols en marbre de la riche périphérie où un voiturier devant l'entrée gare votre véhicule et où l'on injecte du parfum dans les tuyaux d'aération. Araceli toucha délicatement une des barrettes lavande qui retenaient les fines mèches de cheveux de Samantha, et le bébé serra sa petite main autour d'un des doigts de la bonne. En un rien de temps, Araceli se retrouva à roucouler, à faire des bruits enfantins. « *¡ Qué linda ! ¡ Qué bonita la niña !* » Samantha lui sourit, chose tellement inattendue qu'Araceli en fut amenée à se pencher et à embrasser le bébé sur la joue. *Peut-être ne devrais-je pas faire ça.*

Portant le bébé, Araceli marcha en rond tandis que Maureen confectionnait une petite série de casques en papier mâché à l'aide d'un bol qui lui servait de moule. *La jefa* finit par en avoir suffisamment pour équiper toute une section de petits Romains. Laissant alors les casques sécher, elle jeta un regard furtif vers la cour par la fenêtre de la salle de jeux. Pepe n'était plus là, et les plantes du jardin tropical pleuraient son absence encore plus qu'Araceli. Les tiges translucides des bégonias ricinifolia exécutaient une grande révérence en l'honneur de Pepe, se courbant jusqu'à embrasser le sol qui s'asséchait à leur pied, tandis que leurs fleurs, groupées comme des astérisques et dont chaque pétale rose pâle avait la taille de l'ongle du pouce de Samantha, se desséchaient et se fanaient pour finir arrachées par la brise. Tels des flocons de cendres, les pétales aussi fins que du papier étaient soulevés par les courants d'air chaud, puis, flottant comme par magie, montaient et s'éloignaient du jardin et de la fenêtre où deux femmes et un bébé restaient à les regarder.

Plus tard cet après-midi-là, Maureen troqua son sarrau et son pantalon de yoga contre un jean et un tee-shirt STANFORD très ample appartenant à Scott. Elle mit un chapeau de paille à large bord et entra d'un pas décidé dans le garage, choisit de ne pas s'occuper pour l'instant des bidons de produits chimiques et dénicha une paire de gants de jardin tout raides ainsi que quelques outils rouillés. Puis elle alla d'un pas martial jusqu'à *la petite* forêt fluviale et examina de près les mauvaises herbes – des digitaires – qui avaient envahi le sol desséché au pied des arums et du bananier. On pouvait les enlever assez simplement avec un sarcloir, et Maureen s'y attela à grands coups rythmés, thérapeutiques. *Vite, vite, avant que le bébé se mette à pleurer.* Maureen sentait une pointe de culpabilité quand elle se souvenait du départ de Guadalupe, et elle regrettait de ne pas avoir dit à ses fils que leur baby-sitter ne reviendrait plus. Si Samantha oublierait vite Guadalupe, pas les garçons, parce que au bout de cinq ans elle avait réellement fini par « faire partie de la famille » – une expression qui, malgré tout son côté cliché, avait quand même un sens. Ses fils méritaient une sorte d'explication, mais la pensée de leur en fournir une suffisait à contracter la gorge de Maureen, à la condamner au silence : combien de temps encore pourrait-elle maintenir la fiction des « vacances » de Guadalupe ?

Se dépêchant de plus en plus, Maureen alla chercher un tuyau à côté de la maison et envoya des flots d'eau sur les feuilles nervurées du bananier : ça valait la peine d'avoir un arbre tel que celui-ci, ne serait-ce que pour la vaste courbure et la silhouette des feuilles. Car l'envie de planter *la petite* forêt pluviale était venue de la même idée, celle de cacher le mur couleur argile et de créer l'illusion que ces bananiers et ces fleurs tropicales marquaient le début d'une plaine couverte de jungle où vivaient des tribus sauvages et où les plantes grimpantes avalaient les carcasses métalliques des avions tombés au sol. Après ce rapide arrosage, le bouquet de bambous mexicains du genre *otatea* avait meilleure mine, même si Maureen n'avait pas le temps de ratisser les feuilles mortes qui s'amassaient à ses pieds. Avec un arrosage régulier et peut-être un sac de paillis bio – les jardins tropicaux avaient besoin de paillis, n'est-ce pas ? –, il était possible que *la petite* forêt fluviale puisse retrouver sa forme et son bel aspect à temps pour l'anniversaire de Keenan.

Avec l'aide d'Araceli, Maureen parviendrait sans ennui majeur à tout organiser pour le jour de la célébration. Ce jour-là, on fêterait à la fois un anniversaire et les retrouvailles annuelles et informelles de la vieille équipe de MindWare, la société que son futur mari et d'autres avaient fondée dix ans auparavant dans le salon de Sasha « Big Man » Avakian, un charmeur volubile et bonimenteur qui habitait Glendale. Maureen les avait rejoints dix-huit mois plus tard pour devenir leur premier « directeur des ressources humaines », ce qui, dans cette entreprise et en cette période d'indiscipline et de liberté de pensée, faisait d'elle une sorte de cheftaine scoute. Depuis lors, MindWare avait été vendue à des gens qui ne portaient pas des tennis en toile au travail, et les quelque vingt pionniers qui en avaient constitué le noyau dur s'étaient dispersés aux quatre vents de la folie entrepreneuriale et de la servitude managériale. Scott sortait de sa coquille lorsque le « Duo de la Destinée et ses dévoués disciples » étaient de nouveau réunis, et il buvait alors trop de sangria – raison de plus, pour Maureen, de se démener pour que chaque fête soit un petit modèle de perfection.

Maureen rentra dans le séjour où elle trouva Samantha qui, la joue posée sur l'épaule d'Araceli dans un sorte d'hébétude somnolente, regardait dehors par la fenêtre panoramique tandis que des gouttes de sueur coulaient du front d'Araceli. *Elle a gardé le bébé dans ses bras tout ce temps-là.* « Merci, Araceli », dit Maureen en la soulageant du poids de Samantha.

Elle portait Samantha vers la salle de jeux quand un éclair vert sur le sol attira son regard : son mari avait laissé une traînée d'herbe coupée sur le carrelage Saltillo du séjour. Elle suivit les brins d'herbe jusqu'au couloir qui menait aux chambres et à la salle de « jeux » de son mari, les touchant du bout de ses sandales en cuir dotées d'une boucle sur le gros orteil. Avant même qu'elle ait pu appeler Araceli, la Mexicaine était arrivée avec un balai et une pelle et rassemblait les brins épars en un tas grand comme la main. Quand il s'agissait de tenir la maison, l'esprit de Maureen et celui d'Araceli ne faisaient qu'un. L'avoir gardée et s'être séparés de Guadalupe était la meilleure solution dans cette saga de faillite imminente que leur serinait Scott. Car Maureen n'était pas tout à fait persuadée qu'ils flirtaient réellement avec la banqueroute. La perte de Pepe et celle de Guadalupe avaient été trop brusques et survenaient au mauvais moment. Mais en regardant Araceli balayer l'herbe sur le sol, Maureen se sentit moins seule et, curieusement, plus forte devant l'énorme responsabilité qu'elle éprouvait vis-à-vis de sa maison et de sa famille. *Tu payes pour avoir quelqu'un chez toi, et si ça se passe bien, ce quelqu'un devient une extension de tes yeux et de tes muscles, et parfois de ton cerveau.* Ce sentiment d'être protégée persista en elle pendant qu'elle regardait Samantha essayer de faire un pas ou deux dans la salle de jeux et qu'elle écoutait le grondement lointain et apaisant de l'aspirateur : Araceli s'employait à effacer les dernières traces du passage de Scott dans les couloirs moquettés.

Scott pénétra dans la chambre de ses fils et trouva sa progéniture la tête penchée et les yeux fixés sur de minuscules écrans. Leurs doigts cliquaient de manière assourdie et déclenchaient dans les appareils qu'ils manipulaient des *zap*, des *zip*, une sorte de musique métallique d'accordéon. Il les contempla un instant : deux garçons transportés par des semi-conducteurs dans une série de défis conçus par des programmeurs dans une tour de Kyoto. Keenan, son fils cadet, pourvu d'une tignasse noire et folle ébouriffée et déformée par l'oreiller, écarquillait ses yeux noisette avec une intensité démente ; Brandon, l'aîné, avec ses longs cheveux de rock star châtain-roux, était affalé et avait la mine renfrognée de celui qui s'ennuie, comme s'il attendait que quelqu'un vienne le sauver de son début d'addiction – chose que

Scott était justement venu faire. Maureen lui avait dit de les sortir de la maison et de les faire « courir un peu », parce que, sans Guadalupe pour les entraîner à l'extérieur et les arracher à l'insidieuse nocivité de leurs gadgets aux images animées, la première semaine de l'été n'avait guère apporté de couleurs à leur teint. « Tu devrais jouer au football américain avec eux », lui avait dit Maureen, et, bien entendu, Scott avait mal pris cette suggestion, car, comme tous les bons parents, il vivait pour ses enfants. Quand il prenait un livre dans leur bibliothèque pour le lire ou quand il les regardait nager dans la piscine au fond de la cour, les sommes dépensées pour ce palais perché sur une colline lui apparaissaient moins comme de l'argent perdu. D'ailleurs, c'était ce qui avait sous-tendu l'achat de cette maison : offrir à leurs garçons, et maintenant à Samantha, un endroit où ils pourraient courir et s'éclabousser, avec une grande cour, des pièces pleines de livres et de jouets indéniablement éducatifs tels que le télescope « Jeunes Explorateurs » rarement utilisé, ou l'appareil de planétarium, à peine plus gros qu'une balle de base-ball qui projetait les constellations sur les murs et les plafonds.

« Pourquoi ton jeu aboie-t-il ? demanda Scott à son fils aîné.

— Je suis en train de promener Max », répondit Brandon.

Après quelques secondes de perplexité, Scott se rappela que son fils aîné élevait des chiots virtuels. Il promenait ses chiens, leur faisait des shampooings et les dressait. Les bêtes – des images animées – grandissaient à l'écran pendant une heure ou deux, se soulageaient sur le tapis et faisaient d'autres choses que font les chiens. *Nous n'avons pas de vrai chien parce que ma femme ne supporte pas leurs saletés.*

« O.K., les gars, ça suffit. On arrête les jeux... s'il vous plaît. »

Brandon referma vite son jeu et l'éteignit, mais Keenan continuait à cliquer. « Je veux juste sauvegarder celui-là.

— D'accord, sauvegarde-le. » Scott était programmeur et il aimait bien lui aussi ces jeux électroniques : il se rendait compte que son fils maniait un jouet qui racontait une histoire et qu'il pouvait en perdre le fil en appuyant sur OFF. Scott s'approcha pour voir exactement dans quel monde de jeux son fils était entré, et il aperçut la figure familière d'un plombier en salopette. « Ah, M. Miyamoto », dit Scott à voix haute. L'alter ego du Japonais qui avait créé ce jeu sauta d'une plateforme flottante à une autre, tomba à terre, fut électrocuté, ressuscita miraculeusement et finit par s'introduire dans des passages qui menaient à des représentations virtuelles de forêts et de lacs de montagne. Dans cette version pas plus grande que la paume de la main, le jeu gardait la simplicité des anciennes salles de jeux vidéo et, pour le programmeur Scott, les maths et les algorithmes qui produisaient ses graphiques bidimensionnels étaient si palpables qu'il en avait même la nostalgie : le mouvement selon les abscisses et les ordonnées, les séquences logiques écrites en code C++ : *insérer, faire pivoter, positionner*.

« Tu te débrouilles bien, dit-il à son fils. Mais je pense vraiment que maintenant tu devrais t'arrêter.

— D'accord », répondit Keenan en continuant à jouer.

Scott leva la tête et parcourut des yeux les livres et les jouets de l'espace réel qui les entourait, les volumes géants entassés en désordre dans des bibliothèques de pin achetées au Nouveau-Mexique, les seaux en plastique remplis de cubes et de modèles réduits de voitures. Ici aussi, il décelait la manie de trop dépenser – même si, dans cette pièce, une bonne partie de l'excès venait de lui. Combien de fois était-il entré dans un grand magasin de jeux ou dans une librairie avec des intentions fort modestes pour en ressortir avec un kit d'électronique pour enfants fabriqué en Allemagne ou avec une encyclopédie destinée à la jeunesse ou, pour Samantha, avec un jeu de cubes « innovant » et excessivement cher qui devait éveiller, dans un proche avenir, sa capacité de reconnaissance des chiffres et des lettres ? Sans la diminution graduelle d'argent liquide dont ils disposaient et sans les taux d'intérêt croissants des cartes de crédit et des hypothèques, il aurait bien été capable, aujourd'hui même, de combiner quelque chose pour les emmener au magasin de jouets haut de gamme du coin, le Wizard's Closet, où il avait acheté des articles qui répondaient à ses propres désirs d'enfant inassouvis, par exemple les miniatures historiquement exactes des soldats de la guerre de Sécession – lesquels soldats, en ce moment précis, faisaient le siège de deux dinosaures sous les deux lits superposés. Les étagères étaient remplies de ces choses-là : fiches reproduisant les tables de multiplication, kit de questions de géographie, nécessaire de polissage de pierres, boîte de cubes sur l'architecture classique. Les parents de Scott avaient consenti des sacrifices pour qu'il connaisse une vie meilleure que la leur ; ils avaient économisé et ils s'étaient passés de tout ce qui fait le luxe. Scott, en revanche, dépensait sans compter pour s'assurer du même résultat auprès de ses propres enfants. Il se rappela la leçon que représentaient les mains de son père, les volutes qu'y dessinaient des cicatrices vieilles de trente ans, acquises dans des travaux d'usine et de ferme. Plus d'une fois son père avait demandé à son fils de les inspecter, de les contempler et de communier avec la souffrance enfouie dans la préhistoire de Scott, une souffrance non dite et oubliée devant la promesse d'un présent et d'un avenir propres et sans sueur.

« Papa, Keenan continue à jouer, dit Brandon qui était remonté sur son lit pour reprendre le livre qu'il lisait la veille au soir.

— Keenan, s'il te plaît, éteins ce jeu », dit Scott d'une voix lointaine que ses fils auraient pu trouver inquiétante s'ils avaient eu quelques années de plus et s'ils avaient été un peu plus au fait de certaines émotions d'adultes telles que la rumination et le remords. Il avait éprouvé la même chose la nuit où Samantha était venue au monde, pendant les trois heures qu'il avait passées submergé par la peur d'avoir tenté le diable car sa femme et lui avaient leur troisième enfant alors qu'ils allaient avoir quarante ans. Son Dieu, en partie protestant grippe-sou et en partie catholique vengeur, allait leur infliger, à sa femme et à lui, un châtiment aussi terrible que saint parce qu'ils avaient été trop gourmands et avaient voulu avoir la fille qui donnerait à leur famille l'équilibre « parfait ». Mais Samantha était venue au monde plus facilement que ses frères, après un travail frénétique mais bref, et c'était une enfant éveillée, en bonne santé. Non, la note à payer venait de l'endroit le plus évident, celui auquel on s'attendait le plus, du tableau désastreux de ses mauvais investissements privés. Je me croyais avisé. Tout le monde me disait : « *Ne laisse pas ton argent moisir, ne le laisse pas dormir – c'est stupide. Entre dans le jeu.* » Qu'un investissement à six chiffres dans un instrument financier portant le nom de « sécurité » puisse se réduire aussi vite et aussi définitivement pour se transformer en petite monnaie était une absurdité qui restait encore inexplicable. Il s'inquiéta des deux génies qui se trouvaient dans cette chambre, se demandant s'il était sur le point de les lancer dans un voyage tumultueux qui commencerait par la vente de cette maison pour déménager dans des lieux moins spacieux. Scott contempla le lecteur précoce assis sur le lit du haut, puis son jeune frère qui semblait posséder un don surnaturel pour les défis logiques, si l'on en jugeait par la rapidité avec laquelle son niveau montait dans ce jeu. Et il se demanda s'il n'allait pas bientôt être obligé d'enlever à leur vie quelque chose d'essentiel.

3

LES PREMIERS INVITÉS ARRIVÈRENT et sonnèrent dix minutes plus tôt que prévu – une habitude nord-américaine qu'Araceli trouvait terriblement impolie. En roulant des yeux exaspérés, elle laissa dans la cuisine un tas de *sopes* [1] qu'elle devait encore garnir de fromage d'Oaxaca, se dirigea vers le doigt qui avait actionné le carillon électrique, mais s'arrêta quand deux centurions nains armés d'épées en papier mâché la dépassèrent à toute vitesse. Brandon et Keenan firent la course jusqu'à la porte en tenant leur casque sur leur tête, et Araceli écouta, sans les trouver drôles, les vers que Maureen leur avait dit de réciter : « Romains, compatriotes, amis... lança Keenan avant de chercher la suite jusqu'à ce que Brandon finisse par : Entendez-moi ! »

« Que c'est mignon, s'exclamèrent les invités en avance. Des petits Romains ! »

Quand le deuxième et le troisième groupe d'invités arrivèrent, exactement à l'heure convenue, les garçons étaient déjà partis jouer avec les enfants du premier groupe, tandis que Maureen et Scott étaient occupés à l'arrière de la maison, laissant à Araceli le soin d'ouvrir.

« *On est ici pour la fête de Keenan.* » Une Américaine aux traits vaguement asiatiques, avec un gamin et un mari en remorque, essayait de regarder au-delà d'Araceli vers l'intérieur de la maison ; son expression laissait entendre qu'elle s'attendait à y voir des choses magiques et mirifiques.

---

1. Épaisse tortilla faite de farine de maïs trempée dans du jus de citron vert et recouverte de divers légumes et viandes, de crème ou de fromage.

« *Sí, adelante.* » Ce qu'Araceli voulait vraiment dire, c'était : *Pourquoi, vous tous, insistez-vous pour traiter une simple réunion entre amis comme le lancement d'une fusée spatiale ? Pourquoi arrivez-vous comme si vous aviez avalé une pendule ? Comment est-ce que je peux finir les* sopes *que veut* la señora *Maureen si vous n'arrêtez pas de sonner à la porte ?* » Au Mexique, il était entendu que lorsqu'on invitait des gens pour une fête à une heure de l'après-midi, cela signifiait que l'hôte serait *presque* prêt à une heure et que, par conséquent, les invités devaient arriver sans se presser au moins une heure plus tard. *Ici, on fait les choses différemment.* Ces invités très ponctuels passèrent devant elle et lancèrent des oh ! et des ah ! en voyant les décorations du séjour et les panneaux en carton dont les lettres romaines affichaient de chaque côté du canapé Chesterfield JOYEUX ANNIVERSAIRE KEENAN et VIII. Ils s'exclamèrent encore en découvrant les colonnes doriques en polystyrène surmontées de copies de casques en plastique. Araceli reconnut ce couple, ainsi que les invités qui le suivaient, parce qu'ils étaient déjà venus ici pour des fêtes. Elle les avait souvent vus lors de ses débuts chez les Torres-Thompson, à l'époque où *el señor* Scott possédait sa propre entreprise. Ils arrivaient dans les tenues extrêmement décontractées qu'en Californie du Sud les gens mettent pour leurs fêtes de week-end : bermudas en coton et sandales de cuir, jeans délavés jusqu'au bleu blanchâtre du ciel d'été du comté d'Orange, tee-shirts passés plusieurs fois de trop dans le lave-linge. Sa *jefa* voulait que tout soit parfait, et maintenant ces gens qui arrivaient de si bonne heure dans leurs vêtements en tissu naturel qu'ils ne repassaient même pas empêchaient Araceli de terminer les tâches qu'on lui avait fixées. La façon de s'habiller de certaines de ces personnes était l'envers de leur ponctualité : ils ressemblaient à des gamins qui s'accrochent à leur couverture ou à leur chemise favorite, ils plaçaient le confort au-dessus de la présentation, n'ayant pas conscience du spectacle qu'ils infligeaient à la Mexicaine surmenée qui devait les accueillir, ou alors ils s'en fichaient. Quelle déception, de travailler aussi dur pour préparer une maison à un événement élégant et puis de se retrouver devant des invités aussi négligés.

« Hello, j'ai apporté quelques cookies pour la fête, déclara l'invitée précoce suivante. Je peux vous les confier ? »

La femme qui était venue avec des cookies aux éclats de chocolat s'appelait Carla Wallace-Zuberi et avait occupé le poste de directrice de communication de la défunte société MindWare Digital Solutions. C'était une femme blanche rondelette issue d'une famille d'Europe de l'Est et qui arborait des lunettes rectangulaires ainsi qu'un air matriarcal. Elle se tint un instant près de la porte pendant que son mari entrait chez les Torres-Thompson avec leur fille, et son regard s'arrêta sur Araceli pendant les quelques instants que prit l'insolente Mexicaine pour jauger les cookies. Carla Wallace-Zuberi s'enorgueillissait de savoir détecter les fortes personnalités, et elle en trouvait une, ici, qui pouvait manifestement remplir toute une pièce – et cela pas seulement parce qu'elle était un peu plus grande que la plupart des autres domestiques mexicains. Araceli se coiffait en tirant ses cheveux en arrière et en les rassemblant en deux boules grosses comme le poing juste au-dessus de ses oreilles – un style absurde qui faisait penser à une paysanne allemande désorientée. *La seule chose qu'accomplit cette Mexicaine en tirant ses cheveux en arrière, c'est se donner l'air sévère : il se peut que ce soit ce qu'elle cherche.* Une petite touffe de cheveux, juste une frange semblable à l'aigrette incurvée de certaines cailles, jaillissait sur le front d'Araceli comme une concession accordée à contrecœur à la féminité. Ce jour-ci, comme tous les autres jours de travail, elle portait un *filipina*, cet uniforme rectangulaire proche de celui des infirmières qui était le vêtement standard des domestiques de Mexico. Araceli en possédait cinq et, aujourd'hui, elle avait mis le jaune pâle parce que c'était le plus neuf. Elle prit les cookies des mains de la directrice de communication d'un air renfrogné qui disait : puisque vous insistez pour me les donner... Carla Wallace-Zuberi réprima un gloussement étonné. *En voilà une dure, une mère qui ne s'en laisse pas conter. Regardez ces hanches : cette femme a enfanté. Bien entendu, elle est en colère parce qu'elle est séparée de son ou ses enfants.* Elle-même se décrivait comme progressiste, et, quelques jours avant cette fête, elle avait passé vingt minutes dans la librairie de son quartier à examiner la quatrième de couverture, les rabats de la jaquette et les premiers paragraphes d'un livre intitulé *Le Choix de María* qui racontait les pérégrinations d'une Guatémaltèque obligée de laisser ses enfants sur place tandis qu'elle allait travailler en Californie. *Quelle horreur,* avait pensé Carla Wallace-Zuberi, *que c'est pénible de savoir que de telles gens vivent parmi nous.* Ce petit bout d'information l'avait d'ailleurs suffisamment troublée pour qu'elle n'achète pas le livre, et, pendant le reste de la fête, chaque fois que Carla Wallace-Zuberi apercevait Araceli, la culpabilité et la pitié l'obligeaient à détourner la tête et à regarder ailleurs.

Lorsque Sacha « Big Man » Avakian apparut à la porte d'entrée cinq minutes plus tard, son regard soutint celui d'Araceli d'une façon qu'elle trouva à la fois irritante et familière. C'était un homme grand et corpulent, avec des boucles châtain-blond et des sourcils bien plus foncés en forme de wagons de train. Quand ses yeux rencontrèrent ceux de la bonne mexicaine, il souleva les deux wagons avec entrain. Big Man avait été partenaire d'affaires du *señor* Scott, et il y avait eu une époque où il fréquentait souvent cette maison et assaillait Araceli de ces mêmes regards de diablotin. Se décrivant lui-même comme un « hâbleur professionnel », Big Man voyait en Araceli l'authenticité qui manquait à quatre-vingt-dix-neuf pour cent des gens qui croisaient son chemin. Aucun de ses traits d'esprit, aucune de ses reparties adroites n'arrivait à dérider et à charmer cette femme, contrairement à ce qui se passait avec les personnes issues du cercle même de Big Man, celui des entrepreneurs en software de la Californie anglophone. Il avait vu Araceli sans uniforme, avec des cheveux plus longs qui n'étaient pas tirés en arrière et noués comme aujourd'hui, et il avait même un jour réussi à la faire rire grâce à un jeu de mots bilingue. Le souvenir de son rire, de son visage rond qui s'éclairait, du miroitement de ses dents d'ivoire était resté en lui. Elle travaillait alors avec une autre fille, Guadalupe, trop petite et trop artificiellement gaie pour retenir son attention, et dont, aujourd'hui, il remarquait à peine l'absence. Big Man savait aussi, s'étant donné la peine de le découvrir au fil des ans, qu'Araceli n'avait pas d'enfant, pas de petit ami connu de Scott ou de Maureen (du moins pas de ce côté-ci de la frontière), et que Scott la considérait comme une sorte de sphinx. Scott et sa femme lui avaient inventé des surnoms comme « Madame Bizarre », « Sergent Araceli » ou l'ironique « Mon p'tit brin de soleil », mais elle était extrêmement fiable et digne de confiance en plus d'être une excellente cuisinière. Big Man eut l'estomac qui gargouilla quand il contempla les hors-d'œuvre mexicains qui allaient être offerts pour cette réception comme pour toutes les autres que donnaient les Torres-Thompson. Il entra dans la maison en précédant son fils et sa femme, valétudinaire de longue date, et il n'adressa à Araceli qu'un « *Hola* » marmonné.

Le ressentiment latent qu'on lisait dans le tourbillon couleur chocolat des yeux d'Araceli pouvait aussi être ressenti par tous les autres invités quand, après avoir passé la porte d'entrée, ils se rendaient dans la cour, guidés par le bruit des enfants qui hurlaient et des adultes qui bavardaient. Aucune des mères invitées à la fête n'avait de domestique à demeure, et, chez ces femmes, la présence soumise de cette Latino-Américaine suscitait l'envie et des sentiments d'insuffisance. Elles connaissaient les qualités de cuisinière d'Araceli et sa réputation de travailleuse infatigable, et elles se demandaient fugitivement comment ce serait d'avoir une étrangère vivant chez eux, une personne qui éliminerait des surfaces en porcelaine de leur maison tout ce qu'elles y trouvaient de déplaisant. *Est-ce qu'elle fait absolument tout ?* Certaines d'entre elles associaient Maureen et sa belle forme estivale, ainsi que sa beauté fragile, à cette Mexicaine et à l'autre, Guadalupe, qui pour des raisons inexpliquées n'était pas là aujourd'hui. *Donnez-moi deux paires de mains supplémentaires pour tenir la maison et porter le bébé, et moi aussi j'aurai bonne mine.* Pour la plupart des maris, en revanche, Araceli se fondait dans le décor de la maisonnée comme si ce n'était qu'un portier sans intérêt qui gardait l'entrée d'un théâtre étincelant. Le souvenir qu'ils avaient d'elle s'évanouissait vite devant les décorations d'anniversaire, la texture et les couleurs accrocheuses des meubles, les touches ornementales qu'on y découvrait – la tapisserie bolivienne couleur boue dont on avait drapé le sofa, ou le sol au revêtement de pierre qui miroitait parce que Araceli l'avait lavé et ciré la veille au soir, les bibliothèques et les armoires en pin artificiellement vieilli où deux douzaines de photos dans des cadres en étain et en cerisier décrivaient un siècle d'histoire familiale des Torres et des Thompson. Les invités traversaient le prologue impeccable que constituait la salle de séjour, puis, par des portes en verre coulissantes, passaient dans la cour, sur un demi-cercle de pelouse à peu près de la taille d'un terrain de basket encadré par la jungle domestiquée de « *la petite* forêt pluviale », laquelle commençait à paraître desséchée et flétrie parce que le système d'arrosage automatique avait cessé de fonctionner depuis une semaine. Le bourdonnement d'un moteur accompagnait un grand château gonflable installé sur la pelouse, la piscine miroitait sous le soleil avec des rehauts de bleu outremer, et une petite tente abritait une table couverte d'épées et de boucliers factices ainsi que de casques en papier mâché. Un autre VIII peint en blanc marbré sur du carton pendillait au toit de la tente.

Les invités trouvaient Maureen debout près du milieu de la pelouse, portant Samantha sur sa hanche, aussi élégante que d'habitude dans un caraco bleu pastel et une jupe en mousseline de soie taupe à motifs d'orchidée. Elle donnait à chaque adulte une bise sur la joue, prenant plaisir au chic que dénotait ce geste si peu familier aux habitants de la ville du Missouri de sa jeunesse. « Maureen, tu es superbe ! s'exclamaient les gens. Comment as-tu fait pour perdre autant de poids si vite ? » « Regarde Sam, comme elle est grosse, maintenant ! » « Et toutes ces choses pour la fête ! Comment y arrives-tu ? Où trouves-tu le temps ? » Elle répondait en haussant les épaules comme si ce n'était rien, puis elle conduisait les enfants des invités vers la table où se trouvaient les panoplies de Romains. « On a des épées et des casques que vous pouvez essayer, les enfants. Mais, s'il vous plaît, ne vous tapez pas dessus. »

Dès deux heures de l'après-midi, deux douzaines d'adultes étaient réunies dans la cour et plissaient les yeux devant l'herbe gorgée de soleil comme si l'arrivée de l'été les avait pris par surprise, alors même que certains d'entre eux avaient apporté des maillots de bain pour leurs enfants – lesquels, sans exception, n'avaient encore manifesté aucun intérêt pour la piscine. C'étaient des trentenaires et des quadragénaires titulaires de diplômes de programmeur et de MBA [1] ; ils étaient assez jeunes pour avoir démarré de nouvelles carrières et assez âgés pour commencer à ressentir de la nostalgie pour l'aventure qu'ils avaient partagée d'abord au même étage d'un immeuble d'une zone d'activité du comté d'Orange, puis dans celui qui constituait le siège de MindWare – une perle architecturale, en plein Santa Ana, devenue aujourd'hui propriété de la plus grande agence immobilière du comté. On les avait arrachés à des postes sans relief de comptabilité ou de marketing, on les avait tirés des profondeurs de la technologie de l'information au cœur de tours de grandes sociétés, pour qu'ils se lancent dans une entreprise que Big Man comparait sans cesse à la traversée des Rocheuses en chariot par la piste de l'Oregon. Les derniers mois de la montée météorique de MindWare et de sa chute avaient été le théâtre de rivalités hostiles et d'affrontements sur la stratégie à suivre, et lorsque la société vécut

1. *Master of Business Administration* : maîtrise de gestion.

ses derniers jours d'indépendance, avant que des investisseurs responsables ne viennent licencier tous les fondateurs à l'exception de deux d'entre eux, plusieurs des personnes aujourd'hui présentes dans le jardin des Torres-Thompson ne se parlaient plus. Mais le temps avait eu sa façon à lui de transformer ces mauvais sentiments et d'en faire simplement une épice qui flottait sur quelque chose de bien plus agréable au goût, l'histoire des possibles qui, un jour, les avaient tous réunis.

« Hé, voilà le directeur de la recherche ! »

Tyler Smith venait d'arriver avec ses trois enfants et sa femme, une immigrée de Taïwan qui était en train de dire en mandarin à ses gosses de bien se tenir et de ne pas sauter dans la piscine sans leur mère.

« Au fait, ils ont appris à lire, en Sierra Leone ? » s'écria Big Man, reprenant une vanne souvent lancée au directeur de la recherche qui, un jour, s'était rendu en Afrique de l'Ouest pour expérimenter un programme de MindWare censé éliminer l'analphabétisme.

« Dis-moi, Tyler, tu n'es plus en dialyse, n'est-ce pas ? » demanda Maureen. Leur projet, en effet, avait laissé le directeur de recherche aux prises avec une infection urinaire qui avait menacé son pronostic vital.

« J'ai arrêté il y a deux ans.

— Oh, Dieu merci. »

Ce qui avait maintenu la cohésion de MindWare, c'était le souci que Maureen avait manifesté pour le bien-être de tous ainsi que la créativité technique de Scott et son bon sens concret. Tout le monde aimait Scott et Maureen, et les anciens de MindWare qui étaient partis de Californie programmaient leurs vacances d'été de façon à pouvoir venir aux fêtes données pour Keenan.

À présent, Carla Wallace-Zuberi attira l'attention du groupe sur Scott. Debout près de la pompe bourdonnante qui gonflait le château, Scott portait un short kaki, des sandales et une chemise en oxford dont il avait retroussé les manches.

« Scott, la maison est superbe. Les gosses sont si grands.

— Oui, on dirait qu'ils n'arrêtent pas de grandir, quoi qu'on fasse. » *Chaque anniversaire nous trouve un peu plus lourds,* nota Scott, *un peu plus flasques, avec des yeux moins vifs.* Big Man était le seul membre de leur bande qui semblait ne pas avoir du tout changé : Sasha Avakian, qui jadis récoltait des fonds pour l'indépendance de l'Arménie et qui, dans sa réincarnation en tant qu'entrepreneur californien, avait si bien embobiné un trio de spécialistes du capital-risques qu'ils avaient fondé MindWare et ses nombreuses filiales, y compris Virtual Classroom Solutions et Anytime Anywhere Gaming. Et certaines de ces sociétés étaient toujours en activité même si elles n'étaient plus dirigées ou conseillées par aucun de ceux qui, cet après-midi, se réunissaient chez les Torres-Thompson.

« Alors, le thème est romain ? demanda Avakian. Une armée de gamins centurions – et leurs parents, les Huns !

— Il y a toujours un thème. La fête doit en avoir un.

— La dernière fois que j'étais ici, c'était un truc sur la sorcellerie. Et, un peu avant, les astronautes. Le thème que j'ai préféré, c'est le safari, le truc sur les explorateurs. C'était il y a deux ans, c'est ça ?

— Tout à fait », intervint Maureen. Elle le dit sans regarder son invité. Elle tenait Samantha au-dessus de son épaule pour l'inciter à faire sa sieste, et, en même temps, elle gardait un œil sur la piscine encore vide et sur le château gonflé où deux petits centurions échangeaient des coups d'épée entre deux sauts sur le trampoline.

« Comment trouves-tu le temps de faire tout ça, Maureen ? demanda la femme de Big Man. Avec trois enfants.

— Araceli, répondit Maureen en se retournant pour regarder ses invités. C'est un cadeau du ciel. »

Maureen la regarda se diriger vers les invités en portant un plateau de boissons et, une fois de plus, se sentit soulagée par la fiabilité de son employée. Certes, si Guadalupe avait été ici, elle n'aurait pas pris un air renfrogné avec les invités mais aurait ri et bavardé avec eux en mauvais anglais. Mais Maureen n'avait jamais besoin de dire plus d'une fois à Araceli ce qu'elle avait à faire.

Le plateau contenait un bon nombre de grands verres bleus remplis de la sangria que Maureen proposait pour les fêtes d'été. Chaque verre était refroidi par des glaçons extraits d'une dizaine de bacs, car Maureen voulait des glaçons en forme de croissant. Araceli regarda chaque invité prendre un verre où flottaient les croissants qui allaient vite fondre, et elle retourna à la cuisine avec le plateau vide chercher d'autres hors-d'œuvre. Quand elle revint servir les invités, elle refusa de répondre à ceux qui étaient assez polis pour dire merci, et lança un long regard oblique à Mme Tyler quand celle-ci osa dire « *Gracias* ». *Je parle anglais,* aurait voulu dire Araceli. *Pas beaucoup, mais « Thank you » fait partie de mon vocabulaire depuis le cours moyen.* Sur l'un de ces trajets, elle croisa *la señora* Maureen qui revenait dans la cour avec, dans la main, son Baby-Phone. Araceli commençait à ne plus savoir combien d'allers et retours elle avait faits avec les boissons et les hors-d'œuvre. Enfin vint le summum gastronomique, ses *sopes* – variante californienne d'une recette de sa tante. Les *sopes* avaient commencé leur existence sous forme de boules de pâte de maïs que les mains d'Araceli avaient roulées la veille au soir. Chacune avait été frite et garnie d'avocat Hass, de coriandre coupée, de fromage blanc d'Oaxaca et de tomates qui avaient mûri sur pied, de sorte que lorsque Araceli circulait parmi les invités elle présentait les couleurs du drapeau mexicain. *Je pourrais en manger cinq à moi seule,* pensa-t-elle. *Peut-être que si je passe parmi eux assez vite, je pourrai les empêcher de prendre tous les* sopes.

Un public commença à se former autour de Big Man qui régalait le groupe avec des histoires de son nouveau travail de « mercenaire », autrement dit de consultant/lobbyiste. Il venait aux fêtes de Scott et Maureen parce qu'il les respectait pour leur éthique de travail et pour leur fidélité, qualités dont il n'était pas lui-même excessivement pourvu, et une fois arrivé chez eux, le « cadeau » qu'il leur faisait consistait à amuser et à distraire leurs invités. « Donc, voilà qu'on me pousse soudain dans le bureau du maire de Los Angeles. Il est en train de dire au revoir en espagnol à des gens. Ce type, je vous jure, a un boulot ingrat : il y a toute une ville remplie de Mexicains qui l'ont élu et qui croient que ça y est, le jour de leur récompense est arrivé. Ce qui va évidemment poser problème, parce qu'il ne peut pas les satisfaire tous. Il y a trop de Mexicains. C'est mathématiquement impossible. »

Big Man vivait dans le Westside de Los Angeles, mais les autres invités se tenaient loin de cette grande ville et des désagréments de sa surpopulation. La référence aux divisions ethniques de Los Angeles provoqua donc un moment de silence gêné rempli des rires et des hurlements des enfants qui se trouvaient à l'intérieur du château gonflable. Dans le cercle des amis de Scott et de Maureen, tout sujet évoquant l'ethnicité frisait l'impolitesse. Ils étaient nombreux à avoir des enfants métissés, et tous se considéraient comme culturellement très avancés. Ils avaient donné à leur progéniture des prénoms tels qu'Anazazi, Coltrane ou Miró qui reflétaient leur curiosité à l'égard du monde. Ils évitaient de parler de race, comme si la simple mention de ce sujet risquait de briser leurs fragiles alliances. « Mexicain » était un mot qui, pour une raison ou une autre, avait quelque chose de dur, et qui poussa certaines personnes à regarder Araceli.

La bonne de Maureen avait le teint légèrement cuivré, comme un penny tout neuf, et des joues semées d'une poignée de taches de rousseur estivales. Parmi les ancêtres mexicains d'Araceli, il y avait des Zapotèques à la peau foncée et des Prussiens roux, et sa branche de la famille était dans la partie la plus pâle du spectre. Mais en Californie et dans cette fête, elle se distinguait manifestement comme une ambassadrice de la race latino. Elle parut cependant ne pas avoir remarqué les commentaires de Big Man quand elle passa près de lui. D'autres personnes jetèrent un bref coup d'œil à Scott : il n'avait aucune des caractéristiques que, dans cette métropole, les non-Mexicains associaient au terme « mexicain ». Mais, après tout, son nom de famille était bien Torres. Scott buvait sa sangria à petites gorgées ; il venait de fermer les yeux et, en plus, n'écoutait pas. Ce qu'il essayait de faire, c'était de distinguer tous les fruits qui entraient dans cette boisson : le raisin du vin, bien sûr, mais aussi l'orange et la pomme. *Et ne serait-ce pas de la grenade ? De la grenade ? Voilà qui me ramène en arrière.*

« Pourtant, je suppose qu'ils méritent bien une part du gâteau, disait Big Man en reprenant son monologue d'un ton conciliant, comme si, dans son public, pouvait se trouver un Mexicain caché. Mais ce maire, c'est vraiment un cas ! » Et il poursuivit par des commentaires sur le tourbillon de rumeurs qui entourait la vie privée du dirigeant. Brusquement, son fils traversa en courant la petite foule qui composait son public : c'était un garçon de huit ans qui avait les cheveux bouclés et le ventre rond de son père. Il portait un des casques en papier mâché, un plastron d'armure en plastique et une jupe de pièces en carton peintes pour ressembler à du cuir. « Eh, voilà Little Big Man ! » cria quelqu'un, et le rire qui suivit mit fin au monologue de Big Man.

Les adultes cherchèrent des yeux leurs enfants dans le jardin et virent que leurs épées et autres instruments romains faits maison commençaient à tomber en morceaux : le gazon était parsemé de bouts de carton et de papier. Ils entamèrent leurs *taquitos* [1] et

---

1. Petite tortilla roulée, garnie de bœuf ou de poulet.

goûtèrent les petits morceaux de poulet dans une sauce rouge audacieusement relevée par du piment, du *chile de árbol* bio. À présent, Araceli se faufilait à travers les gens avec deux *sopes* sur son plateau : elle venait de s'apercevoir que c'étaient les deux derniers, et elle allait tenter de retourner à la cuisine pour les dévorer en toute impertinence. Mais au moment où elle se dégageait du groupe principal, elle passa sur l'herbe et tomba sur Big Man qui se trouvait seul et qui, soudain, la regarda fixement et baissa les yeux vers son plateau et les *sopes*. Levant alors vivement ses sourcils en forme de wagon, il tendit les mains : de l'une, il prit les deux derniers *sopes*, et de l'autre, posa son verre vide sur le plateau d'Araceli. « Merci, ma fille. »

« *¡ Cabrón !* » marmonna Araceli tout bas, sans que Big Man l'entende parce qu'il était reparti se mêler à la conversation. Celle-ci avait pris le ton de lamentation rétrospective qui finissait par dominer les réunions des anciens de MindWare dès que l'alcool avait commencé à faire son effet.

« On aurait dû s'installer en Inde, disait Tyler Smith. Tout le monde le fait, maintenant. À Bombay.

— Mumbai, corrigea Carla Wallace-Zuberi.

— Ouais. Ou à Bangalore. Tout le monde nous disait de le faire.

— Les actionnaires, précisa Tyler Smith en répétant un mot dont les connotations ne firent qu'assombrir un peu plus leur humeur commune. Le mec du fonds d'investissement spéculatif. Quel connard !

— Shahe ! cria la femme de Big Man en direction du château gonflable. Shahe Avakian ! ôte ton pied du cou de ce garçon ! Tout de suite !

— Ces maisons en plastique font toujours ressortir l'agressivité des gens, dit Carla Wallace-Zuberi.

— Les actionnaires ! Les sacro-saints actionnaires ! lança Big Man dont les molaires écrasaient ce qui restait du dernier *sope* d'Araceli. La première chose à faire, ç'aurait été de les tuer tous, les actionnaires.

— Euh. Ç'aurait voulu dire nous tuer tous, nous aussi.

— Et les membres du conseil d'administration aussi. Où est-ce qu'on a bien pu dénicher des tarés pareils ? demanda Big Man qui le savait pertinemment.

— En fait, ils s'attendaient à ce qu'on gagne de l'argent, dit Scott.

— Tu te souviens de la lettre de l'actionnaire du Tennessee ? demanda le directeur de la recherche. Le mec qui disait qu'il restait avec nous alors même qu'il avait perdu la moitié de son investissement ?

— Et toutes ses suggestions imbéciles, dit Scott. Comme de déplacer notre siège social à Nashville.

— Toyota s'y est installé, répondit sèchement Carla Wallace-Zuberi. Au moins, ce type-là nous était fidèle.

— Je suis sûr qu'il a pas tardé à vendre ses parts.

— Je vis encore sous la dictature des actionnaires », dit Scott. C'était un cadre de rang intermédiaire dans une nouvelle société, et il supervisait d'autres programmeurs. « Les actionnaires mesurent et quantifient tout ce qu'on fait. Pour la plupart, on ne les voit jamais, mais ils semblent savoir tout ce qu'on fait. Comme Dieu, je suppose. Ils te renient si tes chiffres ne sont pas bons et partent en courant vers le mec qui a les bons chiffres. Comme un troupeau. »

Cette observation entraîna une pause dans l'argumentation, l'approbation générale et des hochements de tête entendus.

« Quand on y réfléchit, suggéra Carla Wallace-Zuberi, on se rend compte que tout le système suit la loi de la populace.

— Malheur au pays qui est gouverné par un enfant ! » s'écria soudain Big Man sans aucune raison visible. Les autres se retournèrent et le virent, le visage rouge, contempler l'herbe sans rien regarder de précis, et ils partagèrent alors tous la même idée : *Le voilà qui se soûle de nouveau.*

« Son truc, en ce moment, c'est Shakespeare, expliqua succinctement sa femme. Ce vers-là, il le répète pas mal. Du fait que pour son nouveau travail il apprend à connaître un bon nombre de politiciens.

— Celui-là venait d'un des rois Richard, dit Big Man. Richard II. Ou peut-être III. Non, II. » Il décelait le vin dans la sangria et trouvait cette sensation très agréable.

« C'est ce que nous faisons pour nos loisirs, maintenant, dit la femme de Big Man. Nous cherchons des festivals de Shakespeare. Sasha dit qu'il aime le chantre d'Avon à cause de ses monologues. Il étudie la façon dont ils sont composés – du coup, les voyages, on arrive à les déduire des impôts. On a vu *La Tempête* au milieu des séquoias de Santa Cruz. Inoubliable. On fera Ashland ce mois-ci et peut-être Stratford l'an prochain. Pas vrai, chéri ? » Big Man eut un hochement de tête approximatif et commença à s'esquiver. Il voulait retrouver cette fille, Araceli, voir si elle avait encore de ce plat en forme de tortilla, à peu près de la taille d'une pièce d'un dollar – et peut-être lui parler. Sa femme resta là debout une seconde, sa question demeurant sans réponse, puis elle quitta brusquement le groupe à son tour pour chercher leur fils. Les autres les regardèrent partir dans des directions opposées et, l'espace d'un instant, le pas traînant de Big Man et le regard égaré de sa femme en train de scruter le jardin furent en eux-mêmes comme un fragment de conversation, un potin à méditer.

Quelques secondes plus tard, le premier enfant sauta dans l'eau avec un grand *plouf*, et la plupart des adultes se déplacèrent lentement jusqu'à la clôture qui encerclait la piscine. La femme de Tyler Smith ôta son chemisier et son short pour révéler un maillot de bain d'une seule pièce, plia ses vêtements et les laissa sur l'herbe, puis suivit son fils dans l'eau. Comme ils avaient épuisé les sujets de conversation – les affaires, la politique, la valeur des biens immobiliers –, les invités la regardèrent en silence prendre un peu de temps pour toucher l'eau du plat de la main avant de plonger avec grâce sous la surface. Quelques minutes plus tard, il y avait une dizaine d'enfants dans la piscine, et l'eau luisait sur leur peau jaune clair ou kaki. Avec leurs traits mélangés – asiatiques, africains et européens –, leurs brides épicanthiques et leurs fiers nez arméniens, leurs pommettes chinoises et leurs fronts irlandais qui viraient au safran foncé sous le soleil, ils ressemblaient à un groupe d'enfants tel que Marco Polo aurait pu en rencontrer dans les steppes de la Route de la soie, à l'un de ces carrefours où l'on échangeait des épices, de l'encens et des récipients de bronze au bord d'un fleuve.

Debout tout seul au bord du jardin, Big Man ramassa un des casques jetés dans l'herbe et l'essaya. Comme la coque en papier mâché s'enfonçait autour de ses boucles mais refusait de descendre jusqu'à ses oreilles, il la retira et la laissa retomber dans l'herbe. Il fit ensuite quelques pas vers la « *petite forêt* pluviale », où il examina les azalées avant de se retourner pour étudier Araceli qui, au milieu de la pelouse, distribuait le dernier plat d'amuse-gueules. *Cette femme me paraît malheureuse et esseulée, comme quelqu'un qu'on obligerait à rester assis dans la chambre d'un étranger et à écouter le silence pendant des jours, des semaines, des années.* Il se rappela une nouvelle fois combien elle riait les autres années, et se demanda ce qu'il pourrait bien dire pour la faire de nouveau sourire. *Comment fait-on glousser une Mexicaine ? Qu'est-ce qui pourrait l'amener à ne plus penser à ses soucis et à laisser ses dents blanches étinceler comme un feu d'artifice ?*

Araceli faillit lâcher son plateau quand elle aperçut Big Man en train de la mater encore, quand elle vit ses lèvres remonter lentement en un large et imbécile sourire plein de malice et de désir. Jamais encore il ne lui avait adressé un regard aussi direct et prolongé, et elle se rendit vite compte qu'il était ivre. Oui, ivre, ce qui se confirma quand il se mit à trébucher dans le jardin et qu'il tenta de donner un baiser à une fleur.

Mais ce fut dans les bras du bananier qu'il tomba, et il n'échappa à son embrassade que pour se retrouver au-dessus des azalées et des arums. Chaque fois qu'il venait ici, Big Man prenait un peu de temps pour admirer le jardin tropical, mais aujourd'hui quelque chose ne collait pas. *Ces héliconias ont besoin de soins.* Les arums se flétrissaient et, le long de leur tige, on voyait quelques digitaires grimper comme des serpents. *Que sont ces petits machins qui poussent là ? Des laiterons, des intrus vert pâle venus du désert qui résistent à la sécheresse et dont les fleurs sont aussi sèches que du papier. Et regardez-moi ces tout petits trous dans les feuilles de bananier, qui, sinon, seraient bien jolies.* Le jardin était en train de mourir, et, dans ce délabrement, Big Man sentait le travail d'une force lente mais irrésistible ; peut-être quelque chose d'aussi simple que le passage du temps, ou quelque vérité profonde mais passée inaperçue concernant la famille propriétaire du jardin. Big Man se rappela une de ses citations préférées de *Hamlet* : « C'est un jardin laissé aux mauvaises herbes qui se dégrade, et ce qui l'occupe n'est plus que choses fétides et grossières. » *Quelle superbe poésie, dans ces vers.* Sa voix se fit plus forte à mesure qu'il répétait la phrase, et sa mauvaise imitation d'un accent britannique paraissait chaque fois plus affectée, surtout quand il disait « grossières ». Il tourna son visage vers les autres convives et déclama d'une voix tout à fait théâtrale :

« "C'est un jardin laissé aux mauvaises herbes, et ce qui l'occupe n'est plus que choses fétides et grossières ! Un jardin laissé aux mauvaises herbes qui se dégrade ! Que les choses en soient venues là !" »

Maureen se trouvait à une dizaine de pas, et elle tendait une serviette à Little Big Man à l'entrée de la piscine lorsqu'elle entendit le père du garçon brailler : « Un jardin laissé aux mauvaises herbes !

Honte ! Une nature fétide l'occupe ! Un jardin laissé aux mauvaises herbes ! Honte ! Honte ! Honte ! » *Qu'est-ce que ce cinglé raconte sur mon jardin ?* Elle ne s'était pas escrimée une heure entière sur les azalées pour que Sasha Avakian vienne les insulter par son verbiage. Mais, en réexaminant le jardin alors que le bruit des bavardages de la fête résonnait autour d'elle, elle vit, même de loin, qu'il y avait du vrai dans ce que disait le gros ivrogne. « Un jardin laissé aux mauvaises herbes ! » *La petite forêt* pluviale était desséchée et épuisée, elle manquait d'eau et de pesticides. En milieu de semaine, elle avait demandé à Scott de réparer les arroseurs en panne, mais soit il avait oublié, soit il avait décidé de ne pas s'en occuper. Big Man ouvrait les bras tout grands comme s'il voulait montrer l'ampleur de la dégradation du jardin tropical de Maureen, puis il se tournait pour s'adresser aux convives et tendait la main pour saisir une feuille de bananier et accroître ainsi la théâtralité de son discours. Son monologue circulaire et répétitif avait attiré l'attention des enfants qui s'étaient arrêtés de plonger dans l'eau, de mimer des batailles à l'épée et de jouer à faire des bonds. Ils regardaient Big Man avec l'air perplexe et le front plissé de garçons et de filles qui se creusent la tête pour saisir une vérité d'adulte qui se situe juste au-delà de leur compréhension. Les adultes auraient été prêts à écarter d'un rire le discours ivre de Big Man s'il n'y avait eu la réaction de Maureen qui venait de quitter la piscine et s'approchait de lui, prise d'une fureur qui lui contractait la mâchoire. Se retournant alors vers le jardin, ils remarquèrent ce que Big Man et Maureen avaient vu : un organisme vivant qui vieillissait ; un petit coin vert de cette maison parfaite qui avait été frappé d'une maladie mortelle.

« "Que les choses en soient venues là ! Depuis deux mois seulement qu'il est mort ! cria Big Man. Un jardin laissé aux mauvaises herbes qui se dégrade. Et ce qui l'occupe n'est plus que choses fétides et grossières !" »

Maureen entendit l'un de ses invités, un homme, émettre un gloussement qui semblait plein de sous-entendus. Elle se retourna pour savoir qui avait commis ce gloussement mais ne surprit que Carla Wallace-Zuberi en train de l'examiner avec un mélange de perplexité et de pitié. Aussitôt, la colère quitta le visage de Maureen, et, involontairement, ce fut l'image blême de la résignation qu'elle montra quand elle croisa sur son caraco ses bras nus, couverts de lotion solaire, avant de s'en aller, bouleversée. Tout son travail de découpage, de dessin, de collage, de désherbage et d'organisation n'avait servi à rien. *Quelle farce !* Ses créations en papier mâché se défaisaient, elles aussi, et ses deux fils se tapaient dessus dans ce château à la noix ; elle avait oublié de nettoyer la piscine et ses invités nageaient dans de l'eau dégoûtante. *Tout s'écroule autour de moi, mais est-ce que ça me fait seulement quelque chose ?*

Plus tard cet après-midi-là, bien après que Big Man eut dessoûlé et fut parti avec sa femme très gênée, Maureen dit au revoir aux derniers convives qui sortaient les uns après les autres par la porte de devant. Tyler Smith, sa femme et ses fils. Alors qu'ils se dirigeaient vers leur voiture, Mme Tyler Smith s'arrêta, abasourdie par le spectacle du soleil qui, en boule enflammée, fonçait vers l'horizon de l'océan, striant la stratosphère de rubans pourpres et répandant des couleurs d'orange sanguine dans l'eau scintillante. « Quelle vue incroyable, déclara la femme du ci-devant directeur de la recherche en voulant faire part de sa solidarité et de sa compassion. C'est une maison formidable, Maureen. Quelle chance tu as de vivre ici. » Maureen répondit par un merci un peu distrait : elle pensait encore à Big Man et à *la petite* forêt pluviale, au fait que les mauvaises herbes et les fleurs fanées avaient tout fichu en l'air. Après deux semaines où elle s'était poussée jusqu'au bord de l'épuisement pour organiser entre amis un moment de causerie libératrice, la voix de stentor de Big Man avait attiré l'attention de tous ses amis sur le défaut le plus révélateur de la maison. Quel imbécile. Quel imbécile, ce gros bouffon, et quel imbécile, ce Scott, d'avoir congédié Pepe le jardinier.

4

LA NUIT ÉTAIT TOMBÉE et la fenêtre de la cuisine était de nouveau un miroir dans lequel Araceli surprenait par moments sa propre image en train d'écouter le lave-vaisselle et ses arrosages programmés, ses sifflements rythmiques et le *clic-clac* de début et de fin de cycle. Encore une vaisselle, et elle se retirerait pour la nuit : elle prendrait la porte du fond de la cuisine et passerait devant les conteneurs à ordures pour gagner le logement d'amis. Les trois derniers saladiers en verre, deux casseroles, les grandes cuillères et les spatules correspondantes trempaient dans l'évier où l'eau fumante et le détergent œuvraient pour dissoudre ce qui restait de légumes, d'huile d'olive et de fibres de fruit, souvenirs de la fête maintenant terminée depuis quelques heures. Si cette maison avait été la sienne et pas celle de *la señora* Maureen, Araceli aurait simplement attaqué cette vaisselle à l'éponge et au grattoir, et elle aurait tout bouclé en dix minutes, mais *la señora* insistait pour que tout passe par l'eau brûlante et stérilisante du lave-vaisselle. Araceli aurait cependant pu ne pas tenir compte de sa *jefa,* car ce soir-là *la señora* Maureen se disputait avec *el señor* Scott et se trouvait donc trop occupée pour venir dans la cuisine vérifier le travail d'Araceli. Leur dispute durait par intermittence depuis trois heures, entrecoupée de longs silences empoisonnés ; elle avait commencé quelques instants à peine après que Maureen avait dit son dernier au revoir, s'était répandue en récriminations et cris divers qui avaient rempli plusieurs pièces de la maison, s'était agrémentée de la description des défauts du jardin tropical pour se poursuivre, selon une chaîne bizarre et peu logique, par le rappel d'événements profondément enfouis dans le passé commun du couple. Araceli se demandait comment sa *jefa,* qui manifestement bouillait d'indignation après le départ du dernier convive, avait pu se retrouver si vite sur la défensive. « Tu as déjà dit ça à Barcelone ! » cria Maureen depuis le séjour. La Mexicaine avait raté les paroles de Scott qui avaient renvoyé Maureen à Barcelone, ville qui surgissait de temps à autre dans leurs conversations, la plupart du temps avec des accents sensuels et nostalgiques qui, pour Araceli, suggéraient les images de cartes postales romantiques diffusées par les publicités des magazines et de la télévision, tant hispanophones qu'anglophones, où l'on voyait des couples d'âge mûr en train de s'embrasser. Araceli aurait aimé visiter Barcelone, et si elle avait eu un passeport muni des tampons et des vignettes lui permettant d'entrer et de sortir des États-Unis, elle aurait pris les quelques milliers de dollars qu'elle avait économisés, aurait acheté un billet sur Iberia et serait partie en ne donnant pas plus d'une semaine de préavis.

« Mais bon Dieu, j'avais vingt-cinq ans ! » disait Scott, qui revenait à la charge depuis une autre pièce et dont la voix était assourdie du fait qu'il se trouvait plus loin dans la maison. Araceli ne parvenait à l'entendre que par moments, lors d'une pause du lave-vaisselle ou lorsqu'il entrait dans le séjour pour riposter à une des affirmations de Maureen sur un ton parfois pleurnichard et prépubère, mais parfois aussi avec la voix rauque d'un vieux lancé dans une diatribe. « Tu es totalement pitoyable ! » dit-il en faisant suivre ces mots d'une de ces grossièretés dont l'anglais a le secret et que Maureen lui renvoya aussitôt en ajoutant un « toi aussi » en guise de ponctuation. Araceli se dit que si elle sortait de la cuisine et entrait tout à coup dans la salle de séjour pour se mettre dans la ligne de mire acoustique, ils arrêteraient. Elle l'avait déjà fait, elle avait déjà surgi sur la scène des yeux rougis de Maureen et des tempes palpitantes de Scott, et l'un ou l'autre s'était interrompu en pleine phrase à la vue de leur employée mexicaine sous-payée. D'autres domestiques immigrés auraient pu se sentir mal à l'aise d'être obligés d'entendre leurs employeurs révéler des griefs intimes et apparemment irréparables ; ils auraient même pu verser une larme en ayant l'impression que « leur famille » se désagrégeait – mais pas Araceli. Elle se sentait loin de leur dysfonctionnement. Cependant, comme tous ces cris l'embêtaient, elle prit à la hâte, sans grand espoir de succès, quelques feuilles de basilic dans le frigo et les mit dans un pot de verre rempli d'eau. C'était un vieux remède mexicain, populaire et traditionnel, contre les époux en colère. Sa mère s'en était souvent servie. Un quart d'heure plus tard, la querelle s'arrêta et le lave-vaisselle aussi. En bonne employée qu'elle était, Araceli mit dans la machine les derniers saladiers et les dernières cuillères, puis, s'éclipsant par la porte latérale de la cuisine, traversa la pelouse vide et calme sous la lumière jaune de la lampe anti-insectes et regagna sa chambre, son sanctuaire.

Lorsque l'algarade se fut épuisée d'elle-même, Maureen se retira dans sa chambre et se glissa, toute seule, dans le cocon de coton et de laine de sa couette. Si ç'avait été n'importe quel autre jour, elle n'aurait pas pu se coucher avant d'avoir rétabli l'ordre dans les pièces sur lesquelles donnait la porte en pin fermée, sans avoir obligé ses deux fils à l'aider à chercher tous les jouets éparpillés dans la maison et dans la cour, puis à les remettre dans leurs boîtes ou sur leur étagère, mais il y avait déjà plusieurs heures que les garçons s'étaient retirés dans leur chambre. Maureen trouvait à présent un réconfort dans le silence et l'ordre de cette chambre-ci, où une horloge vintage émettait un tic-tac régulier et rassurant, où une ampoule incandescente brillait, à travers le tissu bordeaux de l'abat-jour, d'une lumière qui suggérait celle d'une cheminée de cabane de montagne. Une fois de plus, elle choisirait la compagnie de sa lampe plutôt que celle de son mari. Il dormait sur le canapé ou peut-être dans la salle de jeux qu'il aimait tant, et, en son absence, cette niche qu'ils partageaient vibrait d'ondes féminines, car c'était un organisme composé de fibres finement tissées, de bois veiné et de métal ancien. Scott le souillait chaque jour par des vêtements jetés n'importe où, des paquets de mémos et des jouets électroniques qu'il essayait de faire passer pour des outils de bureau et que Maureen rassemblait et rangeait dans le tiroir de sa table de chevet. Combien de puces informatiques fallait-il à un homme pour qu'il puisse mettre un peu d'ordre dans sa vie ? Ce type à gadgets, ce collectionneur de sonneries de téléphone portable et de plaques en plastique noir où brillent des lumières vertes l'avait blessée par sa brutalité et ses sarcasmes lorsqu'elle avait osé exprimer sa douleur et son humiliation pour le fiasco du jardin.

Il ne lui restait qu'à s'abandonner au poids du sommeil, lequel était encore alourdi par le souvenir torturant de nombreuses nuits où les pleurs de Samantha l'avaient réveillée dans l'obscurité précédant l'aube. Le bébé ferait-il un cauchemar en se rappelant le regard tendu de son père et ses dents serrées qui rappelaient celles des vilains trolls dans les histoires d'épouvante pour enfants ? *Nous serions peut-être mieux sans lui, ma fille, mes garçons et moi.* Elle remonta la couette jusqu'à son menton et se rendit compte à quel point ce geste, cette recherche de réconfort dans la douceur d'un tissu, était enfantin. *Rien ne semble plus à sa place, dès qu'on ne dort pas.* Le manque de sommeil les rendait tous deux esclaves de leur cerveau reptilien et les amenait presque à crier. *C'est pourquoi il pardonne moins facilement, c'est pourquoi il est moins enclin à enterrer ce que j'ai dit quand nous étions sur la Rambla.* Demain matin, quand ils seraient reposés, ils verraient la profusion de bienfaits qui comblaient leur vie, la voix claire et nette de leurs garçons, la bouche en bouton de fleur de leur fille, la sensation puissante de mère nourricière qu'elle éprouvait quand ils voyageaient tous les cinq, mangeaient ensemble, se rassemblaient devant la table du petit-déjeuner avec des crêpes, du jus d'orange et du chocolat au lait.

Il y avait encore tant de choses à faire, dans cette maison, mais il était tard. Araceli s'en occuperait le matin venu.

Quand elle sortit de sa chambre le lendemain matin, Araceli remarqua dans la cour quelques détritus qui lui avaient échappé la veille dans la lumière faiblissante de la fin de la fête : des bouts déchirés d'une armure en papier mâché qui saupoudraient l'herbe comme une neige fine. La coque démolie d'une *piñata*, boule mexicaine traditionnelle dotée de sept piques représentant les sept péchés capitaux, avait été fendue en plusieurs morceaux, et l'une des piques se trouvait au pied du bananier. Araceli se dépêcha de ramasser ce qu'elle pouvait et se promit de revenir plus tard avec un râteau, puis elle ouvrit la porte de la cuisine où l'éclat du carrelage blanc et la discrète odeur de détergent parlaient d'ordre et de calme. Il ne lui restait rien à faire de ce côté-là. Elle était sur le point de sortir pour évaluer les dégâts dans le séjour, lorsqu'elle remarqua un mot de la main de Maureen sur le carrelage de l'îlot central de la cuisine. « *Araceli : Nous sommes allés prendre le petit déjeuner au Strand. Nous rentrerons vers midi. Désolée pour la maison.* » Ah, le couple en guerre s'est réconcilié ce matin. *Qué bueno.*

Dans le séjour, elle trouva, jetées par terre, quelques capes en tissu rouge que Maureen avait confectionnées, avec des jouets et des poupées que les enfants des invités avaient pris dans les chambres des garçons et de Samantha et qu'ils avaient laissés çà et là sur les meubles et le plancher. Elle rassembla au creux de sa main quelques pièces en plastique d'un jeu de société, ramassa une balle en caoutchouc mousse et un livre intitulé *Avions*, puis se dirigea vers la chambre des garçons. Ramasser des jouets et les ranger dans le réceptacle approprié faisait partie de la routine quotidienne d'Araceli, et l'on pouvait dire qu'elle connaissait les habitudes de jeu et de lecture des enfants mieux que Maureen. Araceli entrait au moins trois fois par jour dans la chambre des garçons qu'elle avait en privé surnommée la Chambre aux mille merveilles parce qu'elle était remplie d'objets sur lesquels on était censé s'étonner et s'extasier, depuis un mobile en verre Art déco de planètes et de comètes suspendu au plafond jusqu'à un bateau viking réalisé avec des blocs de construction danois qui s'imbriquaient les uns dans les autres, sans oublier une bibliothèque de deux ou trois cents livres de tailles fort différentes. Quand elle se trouvait seule dans cette pièce, Araceli passait parfois plusieurs minutes avec les livres, surtout avec la série de douze albums cartonnés conçus pour présenter aux enfants Michel-Ange, Rembrandt, Van Gogh, Picasso et d'autres grands maîtres de l'art. Certains de ces livres, quand on les ouvrait, montraient des dragons et des châteaux en trois dimensions, ou produisaient le chant du grillon, des cris de la jungle et des sifflements. Tout enfant, n'importe où dans le monde, aurait aimé avoir une telle chambre et une mère dont la principale préoccupation était de « stimuler » sa progéniture, même si, bien entendu, les garçons n'appréciaient guère la chose. *Si j'avais grandi avec une mère comme* la señora *Maureen*... Les comparaisons entre sa propre enfance austère et l'abondance qui entourait les garçons Torres-Thompson ne pouvaient que surgir dans l'esprit d'Araceli dès qu'elle pénétrait dans cette chambre – c'était le seul moment, lors de sa journée de travail, où elle s'apitoyait sur son sort et éprouvait du ressentiment devant les manques et les inégalités qui constituaient l'injustice fondamentale de son existence. *C'est un vaste monde, avec d'un côté les riches et de l'autre les pauvres, comme le disaient ces gauchistes sans humour à l'université. Que serais-je devenue si j'avais eu une mère comme Maureen et une chambre comme celle-ci ?*

Ensuite, Araceli fit tous les lits de la maison ; elle ramassa les oreillers et les couvertures du canapé sur lequel *el señor* Scott avait apparemment dormi, les plia et les rangea. Elle retourna dans le séjour pour passer un plumeau sur les meubles, tournant légèrement les plumes quand elle touchait les hautes bibliothèques en pin artificiellement vieilli et les vases, comme si elle appliquait sur chaque objet une touche de fard invisible. Elle passa un peu plus de temps – c'était devenu une habitude – sur les photos de famille rangées dans une des vitrines, parmi lesquelles se trouvait un cliché sépia du père du *señor* Scott. Sur cette photo, le vieux Torres était un garçon à peine plus grand que ne l'était aujourd'hui Brandon, mais il paraissait plus maigre. Appuyé contre un mur en pisé, portant un jean de velours qui ne lui allait pas, il avait dans le regard une expression de trouble étonné. Nord du Mexique, devina-t-elle, un village qui manque d'eau, où les cactus donnent de rares touches vertes à un paysage kaki. Araceli ne se défit jamais de ce sentiment passager de paradoxe qui lui était venu de trouver ce vestige d'histoire familiale mexicaine dans la maison d'une riche famille californienne. Juste à côté se trouvait une deuxième photo du même garçon, cette fois adolescent, devant un petit pavillon d'une ville dont elle supposa qu'il s'agissait de Los Angeles dans les années 1940 ou 1950. À quelques occasions, le personnage représenté sur ces deux photos était venu en visite dans cette maison, mais il était déjà transformé en personne du troisième âge encline aux remarques irritantes. « *El abuelo Torres* [1]. » Ainsi l'appelait Araceli avec une ironie mordante, étant donné que le vieillard ne disait jamais un mot d'espagnol alors même que le faible accent qui colorait son anglais suggérait que sa langue espérait secrètement prononcer un *eñe* ou un *erre* ou deux chaque fois qu'il ouvrait la bouche. Il ne répondait jamais au « *buenas tardes* » d'Araceli par un « *buenas tardes* ». La Mexicaine avait l'impression qu'il avait été banni de la maison, car elle ne l'avait plus vu depuis environ deux ans, et existe-t-il un grand-père mexicain qui ne souhaite pas voir ses petits-enfants autant qu'il le peut ?

Araceli laissa les plumes chatouiller le pauvre petit Mexicain des photos quelques instants de plus que nécessaire, puis elle alla dans la buanderie s'occuper des vêtements. Elle garda pour la fin les rares articles à repasser et empila le reste en le triant par membre de la famille, depuis les sweat-shirts et les pyjamas de Scott jusqu'au tout petit tas de combinaisons et de jupes de Samantha. Une heure, et les

1. Le grand-père Torres.

Torres-Thompson n'étaient toujours pas rentrés. *¿ A dónde habrán ido ?* Les vêtements étaient destinés aux impeccables coulisses de la maison Torres-Thomson, au dressing de chaque chambre dont l'espace était ordonné selon un minimalisme de magazine de design. Les étagères étaient de minces lames de métal qui flottaient dans les airs et sur lesquelles les pulls, les serviettes et les jeans bleus formaient des nuages rectangulaires au-dessus de la tête d'Araceli. Elle trouvait beaucoup de satisfaction dans l'uniformité de ces vêtements empilés, dans la manière dont les plis s'élevaient des étagères en vagues nettes et multicolores ainsi que dans la faible odeur des boules antimites qu'elle avait disposées stratégiquement ici et là lorsque Maureen avait découvert quelques trous dénonciateurs dans un pull.

Une fois le repassage fini, Araceli avait terminé sa journée – et il n'était que deux heures. Il n'y avait encore aucun signe des Torres-Thompson au moment où elle ferma la porte de la cuisine derrière elle et sortit dans la cour pour le court trajet qui la mènerait au logement d'amis, lequel était un clone en miniature de la maison principale, présentant le même schéma de couleur crème, les mêmes moulures de fenêtre, la même porte en bois noir, le même bouton de porte en laiton. Ouvrir cette porte, pour Araceli, représentait son petit triomphe à la fin de sa journée de travail, sa plus grande réussite nord-américaine : c'était avoir une chambre à soi pour la première fois de sa vie. Elle contenait la collection baroque de choses recyclées qui constituait tous ses biens : des affiches sauvées du « nettoyage de printemps » de *la señora* Maureen, divers objets d'art qu'Araceli avait réalisés (y compris un mobile qui pendait au plafond), et une table de rechange qui avait un plateau en aggloméré et qui lui servait pour travailler. Une des deux fenêtres de la pièce s'ouvrait sur la cour à un endroit où l'on apercevait, à travers le feuillage dégarni, le mur couleur argile caractéristique de la propriété des Torres-Thompson. Un instant, elle s'imagina que Pepe marchait dans ce qui avait été son jardin et secouait la tête d'un air entendu. Elle ôta son uniforme, se débarrassant de son identité de domestique en laissant tomber la grande blouse et le pantalon dans la corbeille à linge. Elle ne portait probablement son uniforme que pour cet instant précis où elle pourrait mettre ses vêtements à elle, un caleçon ou un jean qui la transformait en cette Araceli qui avait jadis hanté les galeries et les clubs de Condesa, de Roma et autres quartiers de Mexico. *Merci à vous, mes parents, pour ces uniformes. Je vous envoie des milliers de dollars gagnés à la sueur de mon front et vous m'envoyez cinq* filipinas. Puis, sous la douche, elle chassa l'odeur des produits de nettoyage et de l'assouplissant et passa à une forme d'éveil et de vivacité où elle était tout à fait elle-même.

Elle s'installa à sa table de travail, puis sortit une feuille de papier cartonné sur laquelle elle avait commencé un collage. À ce stade précoce, le projet prenait déjà forme grâce à des images découpées dans des magazines que Maureen jetait tous les mois : *International Artist, Real Simple, American Home, Smithsonian, Elle*. Plongeant la main sous la table, elle saisit une poignée de magazines, ouvrit le petit tiroir de la table et en retira une enveloppe. Toute une série de mains en tomba. Araceli ne savait pas très bien dessiner les mains et s'était mise à les collectionner afin de les étudier – pour communier avec l'anatomie des doigts, des petites peaux et des lignes de vie. Il y avait là des mains peintes par Rembrandt, celles d'une publicité de lotion pour la peau, d'autres portant des gants de jardinage, une main tendue pour serrer une autre main. Jusqu'ici, seules deux avaient été collées sur son tableau en papier, et Araceli les avait placées au centre de ce qui serait sa composition. Peintes à l'huile, ouvertes en supplication, elles provenaient du *Souper à Emmaüs*, tableau du Caravage qui avait été une des œuvres préférées de son professeur d'histoire de l'art à l'Instituto Nacional de Bellas Artes. Pour une raison ou une autre, elles avaient refait surface dans une publicité d'une compagnie d'assurances.

Après avoir essayé de disposer ces mains de diverses façons pendant une heure, puis avoir cherché d'autres mains dans les magazines et en avoir mis quelques-unes dans son collage, Araceli s'interrompit, se frotta les yeux et se jeta sur le lit pour faire un petit somme. Elle regarda la photo encadrée de son neveu âgé de quatre ans, seule photo familiale dans une galerie dominée par des clichés de vieux amis des Bellas Artes. Tous s'étaient dispersés aux quatre vents de l'emploi, dans des restaurants du quartier Polanco de Mexico ou dans des villes américaines au nom exotique qu'Araceli gardait sur une poignée d'enveloppes et de cartes postales : DURHAM, NC ; INDIANAPOLIS, IN ; GETTYSBURG, PA. Lors de moments comme celui-ci, où elle se retrouvait seule pour affronter les contradictions et la solitude de son aventure nord-américaine, son geste naturel était d'allumer la télévision et d'oublier. Au lieu de cela, elle replia son bras sur son visage et ferma les yeux pour s'abandonner à l'épuisement, à l'obscurité et à la richesse de bruits que cette obscurité recélait : un oiseau qui chantait et dont le chant comportait trois notes brèves suivies d'une longue qui ressemblait à un point d'interrogation. Le bruit de basse très lointain d'un moteur, puis les vibrations bien plus aiguës et plus nettes d'une voiture qui entrait dans l'impasse du Paseo Linda Bonita, le moteur qui toussait et s'arrêtait, le conducteur qui mettait le frein. À présent, c'était la voix d'une femme qui parlait dans la maison d'à côté, à moins de deux mètres de sa deuxième fenêtre – celle qui s'ouvrait sur l'étroit passage entre les deux propriétés. Elle entendit une fille répondre à la femme, et bien que les paroles aient été indistinctes, un dialogue entre mère et fille, à l'évidence, une série de questions, peut-être d'observations, qui se succédaient sans précipitation. Chaque fois qu'Araceli entendait ces voix féminines, elle se souvenait de la chambre qu'elle avait partagée à Mexico avec sa sœur aînée et de leurs conversations chuchotées dans l'obscurité qui suivait le moment où elles se couchaient. Pendant les hivers sans pluie, elles étaient réveillées par le bruit de leur mère en train de balayer la mince couche de suie granuleuse que l'atmosphère déposait chaque jour et qui s'accumulait dans la cour que sa famille partageait avec cinq autres. Le balai, fait de minces branches attachées ensemble, émettait un bruit de grattage et de percussion dès qu'il heurtait une surface, ce qui incitait Araceli, alors petite fille, à le voir comme un instrument de musique produisant un chant rythmique qui durait des heures : propre-propre, propre-propre, propre-propre. Pendant la journée, sa mère, sa tante et ses cousins se rassemblaient sur le béton de la cour pour trier des haricots, pendre la lessive et s'affairer autour d'une jardinière où poussaient des herbes aromatiques et des roses. Araceli s'était enfuie de cette maison, mais parfois, lors d'un moment de repos, elle retournait au froid revêtement de ses murs en ciment, à la porte d'entrée en acier qui sautait comme le couvercle d'un bidon quand on l'ouvrait, et au sol dur, couvert de petits cailloux, de la cour. Araceli avait la nostalgie de l'irrégularité de Mexico, de son asymétrie et de ses espaces improvisés. Elle avait la nostalgie de ces femmes et de ces voix, des remarques que faisait sa mère sur les tomates et sur les hommes, de l'arôme des oignons coupés en lamelles et du bœuf mariné dans des casseroles de restaurant qui flottait dans la cour quand ils se réunissaient dehors par un dimanche de beau temps, et même la nostalgie d'une table et d'une conversation coincées entre des voitures garées.

Quand elle se réveilla à peu près vingt minutes plus tard, Araceli s'attendit un instant à voir sa mère, et l'instant suivant elle eut très légèrement la sensation d'avoir laissé en plan une tâche ménagère qu'elle devait faire pour sa mère.

5

AU FIL DES ANS, MAUREEN AVAIT PRIS L'HABITUDE, chaque fois qu'elle sortait son véhicule utilitaire-sport du garage, de garder les yeux baissés et dirigés sur l'allée afin d'éviter de croiser du regard un de ses voisins de l'impasse et de ne pas être entraînée à bavarder. Un échange de plaisanteries l'aurait obligée à se remettre en mémoire certaines rencontres désagréables. La famille d'à côté se composait d'un ingénieur en aéronautique à l'humeur très égale et de sa femme. Ils étaient légèrement plus jeunes que Scott et Maureen, et leur fille unique avait à peu près l'âge de Keenan. Un seul « rendez-vous de jeu » au cours duquel Keenan avait accidentellement arraché le bras d'une des poupées – une imitation d'un modèle ancien – que chérissait Anika avait laissé la petite fille en proie à des pleurs incontrôlés et provoqué un tel embarras chez Maureen qu'elle n'avait plus frappé à la porte de ces voisins depuis lors. Le fossé entre garçons et filles était trop profond, il fallait les maintenir dans des univers séparés, ce qui poserait problème quand Samantha serait plus âgée. En face de chez les Torres-Thompson, il y avait la famille Smith-Marshall dont les deux garçons avaient à peu près le même âge que Brandon et Keenan, mais qui étaient soumis à un tel traitement médicamenteux à cause de leur agressivité et de leur bizarrerie globale que Maureen tremblait chaque fois qu'elle se rappelait le jour où elle était entrée dans leur maison. « Il y a quelque chose de nocif dans cette famille », avait-elle déclaré à son mari. « La mère est dans un état où l'on n'arrive qu'à l'aide de comprimés aux jolies couleurs pastel. » De manière générale, Maureen ne supportait pas l'indéniable superficialité des habitants des Laguna Rancho Estates, la mode de la chirurgie esthétique qui s'était emparée de ce lieu avec autant de force que jadis celle des vérandas au sol en gazon artificiel avait balayé le quartier de la petite ville du Missouri où elle avait grandi. Ses rencontres avec les femmes remodelées des Laguna Rancho Estates lui donnaient tellement conscience de son look de femme mûre que, après avoir donné naissance à trois enfants par des méthodes naturelles (hormis les péridurales, bien entendu), elle avait brièvement songé à se faire retendre le ventre. Mais, au bout du compte, elle avait repoussé l'idée de soumettre les imperfections de son abdomen à la lame d'un chirurgien : elle n'allait pas devenir une de ces Californiennes siliconées dont les gens, chez elle, se moqueraient. L'immobilier haut de gamme dans un nouveau quartier attirait le genre d'individus qui pouvaient masquer leurs incertitudes par de l'argent – définition que Maureen s'appliquait à elle-même lors de rares moments de lucidité. La différence, c'était qu'elle ne se sentait pas trop mal quand elle voyait dans le miroir une version d'elle légèrement plus âgée que celle qui subsistait dans sa mémoire, quand elle découvrait ici et là une mèche argentée dans la vague rousse de sa chevelure ou quand elle s'apercevait qu'une patte-d'oie progressait à partir de très légers plis au coin de ses yeux – étrange mutation gaélique suggérant des plissements du visage répétés face à la puissante brise venue de l'Atlantique. Elle préférait avoir un air riche d'expériences et distingué plutôt que la mine récurée et lessivée que produisait une intervention de trop sur les paupières et les joues. Et elle ne voulait pas du teint orange et irréel dû au bronzage artificiel. *Je ne suis pas moins superficielle qu'elles. J'ai simplement un autre sens esthétique. Je choisis sans hésitation une chaise ou une table usées par les intempéries mais avec du caractère plutôt qu'un meuble neuf mais insipide.* Maureen souhaitait vieillir avec autant de grâce qu'il était humainement possible de le faire dans un climat où chaque jour était un combat pour défendre son teint contre la sécheresse de l'air ; elle souhaitait élever ses enfants sans avoir recours à des ordonnances de psychotropes et sans consoles de jeux comme celle sur laquelle jouait leur père. Ce que voulait Maureen, la seule chose qu'elle était certaine de vouloir, c'était d'introduire le bien et le beau dans la vie de sa famille.

C'est pour cette raison qu'elle se dirigeait vers la pépinière locale : elle cherchait une solution habile, élégante et peu coûteuse au problème de la forêt pluviale en train de mourir dans son jardin.

À travers le verre fumé du véhicule utilitaire-sport, Araceli regardait passer au-dessus de sa tête les panneaux de l'autoroute indiquant les destinations. SAN DIEGO, LOS ANGELES, NEWPORT BEACH. Escorter *la señora* Maureen dans ses voyages en voiture avait été l'une des responsabilités de Guadalupe. *D'autres personnes vont travailler à l'usine. Je dois me glisser dans cette voiture avec cette femme et ses enfants. Et tout cela en vue du moment, à la fin de la semaine, où ils me donneront une enveloppe contenant deux billets à l'effigie de Benjamin Franklin et un autre à l'effigie d'un dénommé Grant*[1].

Personne ne disait mot, mais Araceli entendait Brandon et Keenan, assis à l'arrière, pianoter sans cesse sur leurs jouets électroniques. Brandon avait des cheveux châtain-roux plus foncés que ceux de sa mère mais les mêmes yeux écartés qu'elle, ce qui, pour Araceli, suggérait des ancêtres dans quelque rude village européen, des gens semblables aux paysans de Daumier et de Millet dans son livre d'histoire de l'art, le volume le plus grand de la poignée d'ouvrages qui composaient sa bibliothèque personnelle : des glaneurs, des semeurs, des mangeurs de pommes de terre. Les doigts de Brandon se déplaçaient sur sa petite machine avec une précision artistique et, pendant un moment, Araceli eut le sentiment qu'il pourrait bien profiter de leçons de piano ou de guitare, mais *la señora* Maureen ne le poussait jamais. Pourtant, il fallait parfois pousser les enfants à faire des choses bonnes pour eux ; si jamais elle trouvait un partenaire pour partager ses rêves, ils élèveraient leurs enfants en appliquant ce brin de sagesse mexicaine. Maureen avait mis la clim si fort que le froid faisait couler le nez d'Araceli ; elle renifla avec un bruit théâtral et fit semblant de tousser, mais sa *jefa* parut ne rien remarquer.

Maureen en avait eu l'idée après avoir feuilleté divers guides de jardinage dans une librairie du voisinage. Elle avait commencé par un manuel ou deux sur les jardins tropicaux, mais elle avait vite été découragée par les systèmes d'irrigation élaborés qu'ils préconisaient, par leurs recettes d'engrais compliquées et leurs conseils pour garder en vie des espèces fragiles. Les auteurs lui enjoignaient de maintenir l'humidité de l'air et du sol à plus de soixante-dix pour cent, ils insistaient pour qu'elle installe divers capteurs électriques,

1. Soit deux billets de cent et un billet de cinquante dollars.

puis ils la faisaient saliver par des photos de couples posant à côté de leurs jardins de jungle balinais, ou d'autres photos de sentiers empierrés bordés d'arbres à pain et de feuilles de palme qui dégouttaient d'eau. Un jardin tropical, conclut-elle, était un peu comme un enfant qui a des problèmes de scolarité : on peut l'amener à s'épanouir si on en fait le centre de son univers, mais elle avait déjà trois enfants, donc non merci.

S'enfonçant entre les rayonnages, elle tomba sur un ouvrage intitulé *Les Merveilles des jardins du désert.* Ses cactus et autres plantes grasses l'intéressèrent, mais également un chapitre appelé « Californie du Sud : les possibilités du désert de Sonora » dans lequel on voyait plusieurs photos d'agaves, d'aloès et de cactus oursins des jardins Huntington de San Marino. Dans un autre, elle trouva une carte sur laquelle le désert de Sonora arrivait jusqu'à une chaîne de montagnes en Californie. Or, par temps clair, on pouvait les voir, ces monts Palomar, depuis la route à péage qui traversait les collines derrière la maison de Maureen. *Nous sommes pratiquement à la lisière des déserts de Sonora et de Mojave.* Il lui parut donc bien plus raisonnable de vouloir recréer un écosystème originaire de cette partie de la Californie plutôt qu'un écosystème venu de l'Asie du Sud-Est ou de l'Amazonie. Les jardins du désert, par définition, n'exigeaient que très peu d'eau. L'humidité apportée par la brise océanique occasionnelle ou par les bancs de brouillard qui montaient de la mer jusqu'à leur impasse dans les collines serait plus que suffisante.

Ils arrivèrent à une pépinière. Maureen marchait devant, portant Samantha dans ses bras, suivie par Araceli et les garçons qui traînaient. Ils empruntèrent d'étroits passages entre les tables chargées de plantes.

« Oui, c'est sûr, entretenir vos plantes tropicales coûte les yeux de la tête, conclut la directrice de la pépinière après avoir entendu Maureen décrire le déclin de son jardin. Je pense que vous aurez envie de voir nos plantes grasses. » La directrice était une femme d'une trentaine d'années à la peau brûlée par le soleil ; elle portait un jean et un chapeau de paille à large bord. Elle conduisit Maureen et sa suite dans des allées de pervenches en pot et de roses qui poussaient sous une voûte de tissu translucide jusqu'à une section à l'arrière de la pépinière où le soleil flamboyait sur une foule de tout petits yuccas et d'autres plantes succulentes qui occupaient plusieurs tables à côté de quelques cactus en pot aussi hauts que Samantha.

« À Riverside, dans notre section Désert paysager, nous avons un cactus saguaro spectaculaire qui mesure un mètre cinquante. Une plante majestueuse, vraiment, qui pourrait être la pièce centrale de tout un jardin. Avec les plantes grasses, la clé de la réussite, c'est le drainage. Évidemment, ça ne coûte pas grand-chose une fois qu'on l'a installé… Pour une petite somme, on peut aménager votre jardin pour vous. » Quand on les rencontre pour la première fois, se dit Maureen, ces plantes dégagent une aura menaçante, avec l'armure de leurs piquants, leurs barbes courtes et raides. Elles avaient cependant une architecture qui montrait de la solidité et de la grâce, surtout chez les tout jeunes saguaros dont les arcs s'entrelaçaient. Le vert pastel était leur couleur dominante, mais, quand on passait un peu de temps à les regarder, on remarquait des variations de teinte subtiles. Maureen examina une plante qui ressemblait à un oursin du désert et détecta des tonalités orange et rouges au bout de ses bras piquants. Et puis elles absorbaient les rayons de midi avec le même appétit que les bananiers avalaient l'eau. « Vous allez économiser des masses sur votre facture d'eau, il n'y a aucun doute, déclara la directrice comme si elle lisait dans les pensées de Maureen. Et vous allez économiser du travail, en plus, parce que ces plantes-là poussent pratiquement toutes seules. »

« Brandon, *cuidado* », dit Araceli.

Maureen se retourna et vit son fils aîné en train d'agiter son doigt en formant avec ses lèvres le mot « *aïe* » et puis se mettre à rire. « Même pas mal », dit-il. Oui, Maureen devrait faire poser une sorte de petite barrière pour empêcher les garçons et Samantha d'aller se promener dans le jardin du désert – si elle décidait d'obéir à l'instinct qui lui soufflait que remplacer des plantes tropicales à moitié mortes de soif par un jardin de succulentes était la solution idéale à son problème. Leur peau épaisse, insensible au soleil, chasserait à jamais de sa maison l'humiliation d'avoir entendu Big Man réciter des vers sur les mauvaises herbes et la « nature fétide ».

Alors qu'elle marchait près de Maureen et qu'elle la voyait un peu de côté en essayant de ne pas avoir l'air de l'observer, Araceli remarqua que le regard de sa patronne se concentrait. Manifestement, *la patrona* mijotait quelque action d'éclat avec ces plantes. La directrice de la pépinière, tout en fournissant des explications à Maureen, l'étudiait et surveillait ses réactions. Elle pouvait voir que *la señora* avait de l'argent : la présence mexicaine d'Araceli qui traînait derrière les enfants était l'équivalent d'une voiture de luxe allemande ou d'un bijou tapageur au cou de Maureen. Ajoutez à ce tableau le port royal de Maureen, les longues et langoureuses mèches en forme de croissants de sa récente coiffure, son air de femme dorlotée et distraite, et Araceli ne fut nullement étonnée de constater que la directrice lui accordait ce traitement particulier que les *norteamericanos* réservent à ceux qui ont vraiment de l'argent à dépenser. Elle répondait aux questions de Maureen par des « Bien sûr », « Évidemment », et « Nous pourrions certainement le faire ». Pendant un moment, cette directrice mielleuse ne fit que renforcer la crainte assez inexplicable qui persistait et même augmentait chez Araceli. Car la Mexicaine n'aimait pas marcher entre ces plantes cuirassées, toutes conçues pour blesser, et pas plus l'expression anxieuse et impatiente du visage de sa *patrona*. Maureen tirait à nouveau sur les pointes recourbées de ses cheveux et les mordillait.

« Bon, alors, je vous recontacterai », dit Maureen à la directrice de la pépinière. Après avoir jeté un œil absent sur la collection de petites plantes grasses disposées au hasard sur la table devant elle, elle se tourna vers Araceli et lança : « Allons au centre commercial. »

6

LE PARC CONSISTAIT EN UN TAPIS DE CAOUTCHOUC entouré des toboggans et des balançoires de rigueur, et il était niché au bas d'une pente semée de fétuque irriguée qui dominait la plage et l'océan. La rosée du milieu de matinée recouvrait l'herbe, et le parc était désert, chose qu'Araceli trouva bizarrement décevante. Elle s'était attendue à des foules, des enfants courant partout, de la fumée de barbecues qui monterait vers le ciel, mais ici les seuls mouvements étaient ceux des balançoires vides aux sièges couverts de buée que la main invisible de la brise marine poussait vers l'avant. Au loin, le rugissement du ressac, et parfois la plainte ou le ronronnement d'une voiture en train de descendre le long de la courbe que la rue dessinait autour du parc. Le ciel nuageux formait un toit d'un gris blanchâtre, comme presque tous les matins d'été avant que le soleil ne vienne tout brûler pour ne laisser que du bleu. C'était un tableau de tranquillité, et il aurait été propice à la méditation océanique s'il n'y avait eu le bruit de Maureen grondant ses deux fils dans la voiture qui avançait au ralenti.

Une demi-heure auparavant, alertée par une série de cris et de hurlements, Maureen avait découvert ses deux garçons se cravatant sur le plancher du séjour. Ils étaient au-dessous des étagères à livres qui supportaient non seulement les photos encadrées mais aussi deux vases en verre d'Andalousie qui s'étaient mis à trembler quand, au cours de la lutte, Keenan avait réussi à faire reculer son frère contre les meubles. « Vous allez casser quelque chose ! » avait crié Maureen, parlant autant de leur corps que des objets de la bibliothèque. Ils grognaient, ils glapissaient, et elle avait dû se bagarrer pour les séparer quand Keenan avait tenté de planter ses dents dans le poignet de son frère aîné et que Brandon, tout en hurlant

« Lâche-moi », avait voulu se dégager par un coup de pied. *Il y a une heure, je leur ai ordonné de cesser de regarder la télé, mais sans le pouvoir pacificateur de l'écran, ils sont prêts à faire couler le sang.* Il n'y avait rien de ludique dans leur affrontement : on aurait dit deux ivrognes sur le plancher d'un bar recouvert de sciure. Ça se produisait une ou deux fois par semaine : une bagarre pleine de testostérone jaillissant brusquement d'un moment de paisible jeu fraternel. Maureen croyait qu'une mère se devait d'éradiquer dès l'enfance la maladie de la violence due au chromosome Y, faute de quoi sa famille serait un jour anéantie par d'horribles fusillades comme on en voyait au journal télévisé. Elle avait donc décidé de les faire sortir immédiatement de la maison, de leur faire subir le châtiment d'un après-midi à l'extérieur sous la garde d'Araceli.

Dans la voiture, avec Keenan encore en pleurs et Brandon qui regardait d'un air rebelle par la vitre, Maureen se lança dans un monologue familier où elle énumérait des menaces mentionnant la perte de « privilèges ». « Les garçons ! déclara-t-elle en guise de conclusion. Parfois, j'aimerais pouvoir vous laisser avec votre père, prendre juste Samantha et m'en aller. M'en aller quelque part très loin. » Puis, se retournant pour les regarder bien en face, elle ajouta : « Je voudrais pouvoir juste vous laisser avec votre père ! » C'était d'une méchanceté impardonnable, et Maureen allait plus tard le regretter – en fait, dès qu'elle serait repartie en voiture avec Samantha après avoir vu un air de repli rebelle et pré-adolescent s'afficher sur le visage de Brandon : un rétrécissement du visage qui suggérait une révolte à venir pleine de sueur et d'humeurs masculines désordonnées. Mais elle était si mécontente qu'elle se dit qu'elle s'en fichait, parce qu'il y a une limite à ce qu'une femme peut supporter comme insanités de la part de garçons.

« Écoutez Araceli ! » ordonna Maureen à ses fils après avoir ouvert la portière et les avoir fait mettre debout à côté de leur bonne. « C'est elle qui commande. Et si elle me dit que vous ne vous vous êtes pas bien tenus, vous perdrez le privilège de jouer avec votre Game Boy pour tout le reste de l'été. » Se tournant vers Araceli, elle déclara : « Je serai de retour vers une heure. » Les bras croisés sur sa poitrine, vêtue de pied en cap d'une *filipina* rose, Araceli regarda sa *jefa* avec irritation et perplexité. Maureen songea brièvement que ce n'était peut-être pas une idée formidable, de laisser ses fils dans un parc avec cette Mexicaine mal lunée dont les talents pour élever des enfants n'étaient nullement prouvés. Araceli était allergique à ses garçons ; si cela n'avait tenu qu'à elle, elle aurait limité ses contacts avec eux et se serait bornée à leur préparer leurs repas et à ramasser les jouets qu'ils laissaient partout. Mais le naturel sévère d'Araceli donnait l'impression d'un grand sens des responsabilités, et l'on estimait qu'elle ne paniquerait pas en cas d'urgence. Maureen jeta un coup d'œil autour du parc et aperçut un téléphone public : elle tendit donc à sa bonne une poignée de pièces de vingt-cinq cents. « Vous devriez vraiment vous acheter un téléphone portable, lui dit-elle sans obtenir de réponse. Je serai à la maison avec Samantha. Appelez-moi s'il y a un problème. Je peux être ici en un quart d'heure. »

Araceli tira sur son uniforme en regrettant de ne pas avoir eu la possibilité de se changer. Maureen l'avait cueillie dans la buanderie alors qu'elle pliait un paquet de caleçons du *señor* Scott et, dans le chaos de l'évacuation des garçons, elle avait porté ces sous-vêtements dans la salle à manger où elle les avait laissés sur la table – maintenant, elle était embêtée à la pensée qu'ils seraient toujours là quand elle reviendrait.

Une fois que la voiture eut tourné à l'angle et disparu, les garçons et Araceli partagèrent quelques instants de silence contemplatif. Elle est vraiment partie, pensa Brandon, notre mère nous a laissés ici sur le trottoir. Même annoncée par un discours furieux, l'absence de sa mère lui paraissait dure et soudaine, et, pendant un moment, il s'imagina qu'il avait été largué dans l'intrigue d'un roman mélodramatique, tel le héros orphelin d'une série en plusieurs volumes qu'il venait de lire et qui racontait les aventures d'un adolescent jeté sans qu'il y soit pour rien dans un monde adulte de crime et de magie. Et maintenant, il était seul ici, dans un lieu public, sans même Guadalupe pour s'occuper de lui. Dans l'esprit de Brandon, Araceli ne figurait pas parmi les forces protectrices, et il balaya rapidement le parc du regard comme un jeune guerrier sur le point de pénétrer dans une forêt sombre et menaçante. Il imagina une « brigade d'intervention » qui ferait une descente dans le parc, une armée cagoulée d'individus de la pègre, des bandits armés de mitraillettes d'un de ses livres.

« Tu crois que la mafia russe viendrait jusqu'au comté d'Orange ? demanda-t-il à son frère.

— Quoi ? »

Keenan pensait que son grand frère lisait beaucoup trop, et il le connaissait comme un fabulateur invétéré, enclin à semer le doute dans l'esprit de son cadet et à l'effrayer par des idées délirantes. Dans leur école privée très onéreuse, l'imagination débordante de Brandon lui avait valu de se mettre à dos les enseignants par ailleurs plutôt cool, en premier lieu parce qu'il avait affolé un bon nombre de filles en leur servant des versions nouvelles et plus élaborées de la légende de la Vierge sanglante, ce qui les avait poussées à refuser d'aller dans les toilettes pour filles et provoqué quelques incidents du genre pipi dans le couloir.

« Tu sais bien, insista Brandon, comme dans *Artemis Fowl*[1].

— Na-an, dit Keenan. Il y a trop de soleil, ici, pour la mafia russe. »

Brandon n'avait que onze ans, et il ne garda pas longtemps présente à l'esprit l'imagerie morbide et fantastique des romans pour jeunes : moins d'une minute plus tard, il dévalait la pente herbue avec son frère à ses trousses. Les raisons de leur bataille dans le salon étaient oubliées. Araceli les suivit dans la pente qui aboutissait au tapis de caoutchouc et aux balançoires, et elle s'assit sur un banc en face de l'océan. Brandon l'observa tandis qu'elle regardait au loin un surfeur solitaire qui se jetait dans les vagues : la surface anthracite de sa combinaison était engloutie par une eau de la couleur de celle qui remplissait son seau de nettoyage quand elle passait le balai-éponge. Araceli était une planète de première importance dans l'univers de Brandon, et il l'examinait souvent lors de ses allées et venues dans la maison du Paseo Linda Bonita. Il se demandait parfois si elle était en colère contre lui, s'il avait fait quelque chose pour l'irriter – sinon, pourquoi garderait-elle autant et aussi longtemps le silence en sa présence ? Mais après avoir bien évalué ses propres actes – malgré quelques défauts, il était, selon lui, un « bon garçon » –, Brandon estima qu'Araceli souffrait tout simplement de solitude. Et quand il pensait à cette solitude, il en déduisait qu'elle devrait lire davantage, parce que lorsqu'on lit on n'est jamais seul. Il y a dans les livres des mondes illimités, et aussi de la vérité, parfois brutale et affreuse, parfois heureuse et réconfortante.

Brandon songea à donner à Araceli le livre qu'il avait réussi à emporter, mais il se ravisa et préféra le laisser sur un banc et

1. Série de livres pour la jeunesse écrits par Eoin Colfer.

rejoindre son jeune frère sur la structure de jeux en plastique et son petit pont suspendu. Il se mit donc à jouer, à émettre des bruits de bataille en faisant triller sa langue et claquer ses joues. Araceli les écouta et s'affala sur le banc. Elle leva les yeux vers le ciel gris et se demanda pourquoi ici, le long de la plage, il y avait apparemment moins de soleil l'été qu'en toute autre saison. Le vide du ciel lui rappela curieusement les sous-vêtements de Scott abandonnés sur la table et d'autres tâches non terminées dans la maison sur la colline où Maureen, sans doute, venait juste d'arriver et découvrait le calme d'une demeure sans garçons. Araceli aurait donné n'importe quoi pour être de nouveau à Mexico par un de ces jours d'été où des boules blanches traversent lentement la toile bleue du ciel ; on peut les suivre dans leur déplacement au-dessus de la vallée de la ville, et l'on sait qu'elles vont déverser bientôt une pluie rafraîchissante sur votre visage. Elle voulait sentir quelque chose de froid ou de tiède, parce que, dans cet uniforme et dans ce parc en forme d'amphithéâtre, elle se sentait comme une boîte rose rigidifiée et pas comme un être humain. Quand elle baissa les yeux vers la plage, elle vit que le surfeur sortait de l'eau : c'était un adolescent aux cheveux châtain dans une combinaison noire, et, pendant un instant elle s'imagina que c'était Pepe le jardinier avec de l'eau qui dégouttait de sa poitrine nue. Elle imagina qu'elle était assise sur la plage avec une serviette et que Pepe marchait vers elle, des gouttes d'eau érotiquement accrochées à ses pectoraux, qu'il gravissait le sable pour arriver jusqu'à elle, puis qu'il se penchait sur elle, faisant tomber de l'eau salée sur sa peau sèche et esseulée.

À seize kilomètres du domaine des Laguna Rancho Estates, au deuxième étage d'un immeuble de bureaux, dans une zone d'activité commerciale située le long d'un grand boulevard peu fréquenté d'un coin de la ville d'Irvine – elle-même faiblement peuplée de diverses sociétés de taille moyenne dont les noms génériques étaient faciles à oublier –, Scott Torres travaillait dur, assis devant un écran plat d'ordinateur qui montrait cinq images différentes de la clôture d'enceinte de l'aéroport national de Cincinatti/Northern Kentucky. Il attendait, avec un sens de l'anticipation un peu émoussé, que l'herbe de cinquante centimètres de haut qui poussait au pied de la clôture se balance, fouettée par une rafale de vent ou par le courant d'air d'un avion de passage, ce qui confirmerait que l'image était bien « en direct ». Durant la matinée, Scott avait ouvert sur son ordinateur des fenêtres qui donnaient à voir divers lieux des États-Unis. Il avait noté qu'il pleuvait à la base aérienne de Minot, Dakota du Nord, et il avait regardé les longues ombres de l'été arctique s'étendre sous l'oléoduc Trans-Alaska. Ce pipeline qui allait jusqu'à la mer de Béring était un des endroits qu'on aimait bien visiter l'été, quand on travaillait au bureau d'Elysian Systems, parce qu'on pouvait parfois y voir un élan ou un cerf filer à toute allure dans la toundra. Toute la journée, les écrans des ordinateurs, au deuxième étage du siège de la société Elysian Systems, montraient des étendues de clôtures solitaires qui paraissaient statiques et figées dans le temps, telles des toiles de fond vides de présence humaine et plongées dans un rêve profond et troublant, toiles qui n'auraient que les effets du climat et le mouvement des ombres pour prouver qu'elles se situaient dans un monde réel et vivant.

Scott et ses programmeurs étaient attirés par ces images à cause de leur côté clandestin et lointain, mais aussi à cause du rare plaisir que leur offrait un voyeurisme approuvé officiellement. Si on leur avait donné accès à ce réseau normalement réservé aux agences gouvernementales, c'était pour mettre au point un logiciel, et il se trouvait que ce contrat était la seule source de rentrées d'argent dans la feuille de calcul financière d'Elysian Systems. Quand Scott songeait à sa responsabilité de faire respecter ce contrat en demandant à ses sept programmeurs de ne jamais discuter du projet avec « quiconque en dehors de notre groupe de travail immédiat », ou quand il était obligé de leur demander de signer de multiples promesses de confidentialité et de loyauté à l'égard des États-Unis d'Amérique, il ne pouvait s'empêcher de se trouver idiot, parce que ce genre de mise en garde heurtait de front l'éthique d'informaticien iconoclaste qui avait été la sienne quand il était jeune, et même l'élan fondamental de ses premières incursions dans le monde de l'entreprise. Telle était la contradiction centrale de la vie professionnelle de Scott, celle de devoir imposer et structurer un projet qui n'excitait pas son imagination et d'être le farfelu dans une culture du profit qui, pour l'instant, n'avait produit que peu d'argent. Il faisait figure de relique, de survivant vieillissant de ce clan de « robustes » programmeurs qui avaient connu leur maturité dans l'interrègne entre la règle à calcul et Ethernet. Il y avait des moments, dans sa journée de travail, où il sentait que cette façon de le caractériser se répandait de plus en plus parmi ses subordonnés et les dirigeants d'Elysian ; c'était une sensation éphémère, une vérité juste au-delà de ce qu'il parvenait à saisir, comme lorsqu'on connaît le sens d'un mot sans pouvoir se rappeler le mot même, quand les syllabes qui l'expriment se refusent à notre langue. Personne, ici, ne m'admire, personne ne me prend pour modèle, pensa Scott, sauf peut-être Charlotte Harris-Hayasaki, une jeune conceptrice de jeux encore en mal de réussite, aussi peu à sa place que Scott chez Elysian Systems, et qui souvent lui jetait des coups d'œil furtifs à travers la paroi en verre de son bureau.

Les cadres supérieurs qui dirigeaient Elysian Systems étaient des gens sérieux, d'âge mûr, et ils occupaient un autre étage, le troisième, comme pour s'immuniser contre les excentricités des programmeurs. Ces cadres portaient des costumes et des cravates, et ils décoraient leurs murs des plaques qu'ils avaient gagnées à l'époque où ils étaient cadres moyens chez des fabricants de détergents et de boissons non alcoolisées. Ils avaient confié ce contrat gouvernemental à Scott, le « vice-président de la programmation », alors même que n'importe quel étudiant en dernière année de maîtrise d'informatique aurait été capable d'en rédiger le code de base. Le contrat portait sur le logiciel de « fiabilité » du CATSS (« Système de citoyens sentinelles anti-terroristes »), par lequel le ministère de la Sécurité intérieure, le ministère de la Défense, le ministère de l'Énergie et d'autres organismes sous-traitaient une partie de la surveillance des aéroports, des centrales nucléaires et des bases militaires à des milliers d'Américains qui devaient rester assis chez eux à fixer leur écran d'ordinateur.

La mission informatique de Scott consistait à trouver des moyens pour s'assurer que les « citoyens sentinelles » regardaient bien les 12 538 caméras du système au lieu d'utiliser leur ordinateur pour jouer au solitaire ou acheter des chaussures. Son programme donnait à ces surveillants, comme à des rats dans une expérience de laboratoire, des tâches insignifiantes à accomplir pendant qu'ils regardaient les images de caméra arrivant sur leur ordinateur, puis il les notait sur ces tâches et produisait une cascade de statistiques qui satisfaisaient particulièrement Washington. En cliquant, Scott passa en revue les images de clôtures d'une demi-douzaine d'autres endroits, y compris celle d'une forêt de pins à pignons de Los Alamos au Nouveau-Mexique, puis il retourna au travail qu'il était censé faire, à savoir analyser les progrès de ses programmeurs sur un projet de faux « intrus » animés qui « marcheraient », « creuseraient » et se livreraient à d'autres actes louches le long des clôtures et des portes, ce qui devait effrayer les citoyens sentinelles et les inciter à appuyer sur le bouton ALERTE ! de l'écran de leur ordinateur – geste qui permettrait à un serveur d'Elysian Systems d'enregistrer une nouvelle entrée dans la colonne VIGILANT. Scott essaya l'« homme au turban » : on y voyait un individu au teint foncé, une serviette enroulée autour de la tête, qui courait penché en avant. L'acteur qui le jouait était son programmeur principal, Jeremy Zaragoza, et le clip avait été tourné dans un studio loué où, par la même occasion, on avait filmé d'autres clips, notamment la « dame aux jumelles » et l'« homme à la pelle », tous joués par divers programmeurs du bureau. Scott fit courir l'homme au turban le long de clôtures différentes : le défi consistait à créer des animations proportionnées aux diverses barrières rencontrées sur l'écran et le long desquelles les personnages couraient et creusaient. Or ce défi s'avérait plus difficile que prévu. Après avoir vu l'homme au turban passer de façon tout à fait invraisemblable dans les deux sens à travers la grille en acier de la centrale électrique de San Onofre – on aurait cru un super-héros pourvu de pouvoirs spéciaux –, Scott, sans y prendre garde, cliqua pour afficher les derniers chiffres du NASDAQ [1] qui avaient été particulièrement mauvais toute la matinée.

Personne, à Elysian Systems, ne prenait la peine de cacher le fait qu'il utilisait son ordinateur pendant la journée de travail pour vérifier la cotation de ses actions, de ses fonds communs de placement et de son compte de fonds d'épargne retraite, pas même les dirigeants là-haut au troisième étage. *Avant, on jouait au football américain dans les couloirs avec un ballon Nerf, et on s'exerçait à danser le tango à la cafétéria. Maintenant, on regarde notre épargne retraite fondre dans des graphiques multicolores. Le football et le tango faisaient plus de bien à l'âme.* Ce matin-là, comme la plupart des matins de ces derniers mois, Scott plissait les yeux devant l'écran, agacé par l'affichage dynamique, réactualisé toutes les cinq minutes, qui confirmait l'inanité de son jugement en matière de finances et ses mauvais choix. Pendant plusieurs années, on avait pu compter sur la hausse

---

1. Marché électronique d'actions où sont surtout cotées des sociétés liées au monde de l'Internet et de l'informatique.

du marché, et les gens avaient commencé à prendre ce marché pour une machine qui créait de l'argent, mais ce n'était pas sa vraie nature. Celui-ci ne se comportait selon aucun modèle que Scott puisse discerner. Le fait de transformer l'évolution du marché en graphiques et en courbes comme celles qui remplissaient son écran plat créait l'illusion qu'il s'agissait d'une équation mathématique, que le marché obéissait à des règles comme celles qui sont cachées au cœur des jeux vidéo dans lesquels les joueurs passent des heures à explorer et à tâtonner pour découvrir la logique sous-jacente, la clé qui ouvrira le coffre à bijoux. Les équations régissant le marché étaient en fait bien trop vastes pour qu'un ordinateur les déchiffre : elles étaient la somme des désirs et des peurs de millions de personnes, divisée et multipliée par les calculs en apparence rationnels mais en réalité très subjectifs des « analystes ». Les calculs, en plus, étaient déformés par les tours de passe-passe fiscaux des comptables qui pouvaient se montrer d'un aussi grand flou créatif que des peintres impressionnistes. Scott savait à présent que les chiffres crachés par leurs feuilles de calcul étaient gonflés d'inventions narratives semblables à celles que Sasha « Big Man » Avakian avait l'habitude de raconter lors de rencontres avec des pourvoyeurs de capital-risque. Ces enseignements-là, Scott les avait reçus en regardant Big Man diriger leur société ; il n'avait malheureusement aucun moyen de les appliquer aux décisions qu'il prenait pour ses propres investissements, et il avait passé plusieurs années frustrantes à faire circuler sa prime de départ de MindWare sur le marché et dans divers instruments financiers. Cinq ans plus tôt, les graphiques et les courbes convergeaient sans erreur possible vers de nouveaux domaines exotiques encore à l'essai dans les laboratoires du Research Triangle[1]. Et si ces graphiques avaient continué selon la même logique, Scott ne serait pas aujourd'hui réduit à travailler pour Elysian Systems, il n'aurait pas à s'inquiéter pour son hypothèque, Pepe le jardinier tondrait encore la pelouse et s'occuperait du jardin à l'arrière de la maison, et Scott serait délivré des plaintes de sa femme à ce sujet.

1. Région de Caroline du Nord à forte concentration de centres de recherches techniques.

Comme de coutume, les habituées du parc municipal Laguna commencèrent à arriver vers midi. Elles apportaient des pique-niques, des poussettes bourrées de couches de rechange et des petites serviettes humidifiées. Elles avaient des téléphones portables à cartes prépayées pour parler aux membres de leur famille qui, dans le quartier hispanique, surveillaient leurs enfants pendant qu'elles-mêmes gagnaient quelques dollars à s'occuper des garçons et des filles de leurs *patrones*. La routine d'un jour de semaine au parc était altérée ce matin par la présence d'une nouvelle femme, une *latinoamericana* qui occupait le banc de la structure de jeux et que les habituées reconnurent immédiatement comme une Mexicaine du Sud, mais pas à cause de son visage large et de sa peau caramel, ni de sa façon de s'affaler sur le banc et de regarder avec dédain l'aire de jeux et ses équipements. Non, ce fut l'uniforme qui leur rappela leurs pays d'origine, le côté excessivement formel d'un pantalon rose assorti à cette vaste blouse à poches connue chez eux sous le nom de *filipina*. Au Mexique, c'était l'uniforme des domestiques de la haute société, mais presque personne ne le portait en Californie où la plupart des employeurs préféraient voir leurs domestiques dans la tenue plus sportive et pratique des jeans et chaussures de tennis, agrémentée parfois d'un cadeau vestimentaire de la patronne : un bon sweat-shirt à capuche de chez Old Navy ou un solide chemisier en coton de chez Target. La nouvelle venue était assise, les bras croisés sur la poitrine d'un air rebelle, comme une prisonnière en train de prendre l'air dans la cour de récréation en surveillant deux garçons qui, pour leur part, étaient très familiers aux autres parce qu'ils étaient souvent venus ici avec Guadalupe, l'une des femmes préférées du groupe.

« *¡ Buenas tardes !* lança une femme guillerette, assez âgée, en pantalon de jogging et chemise ample, qui vint s'asseoir à côté d'Araceli. Mais ce sont les gosses de Guadalupe !

— *Así es* », répondit Araceli.

La femme se présenta sous le nom de María Isabel et fit remarquer qu'elle avait amené au parc une fille qui avait à peu près l'âge de Keenan. Araceli regarda la fille et Keenan : ils se tenaient chacun debout d'un côté de la structure de jeux très élaborée, et c'était comme si les passerelles en caoutchouc compressé qui les séparaient matérialisaient la séparation des sexes. Puis Keenan fit retentir une explosion avec sa bouche et se remit à jouer avec son frère aîné.

« J'ai entendu dire que Guadalupe allait peut-être s'en aller, déclara María Isabel. Alors, c'est vous qui avez pris sa place ? »

Avant qu'Araceli puisse répondre, la femme se leva pour aller pousser la petite fille qui avait couru jusqu'à la balançoire, puis elle revint vers Araceli en attente d'une réponse.

« Non. On travaillait ensemble.

— Cette Guadalupe, ce qu'elle était drôle. Elle racontait toujours des blagues. Est-ce qu'elle vous a raconté l'histoire du petit garçon qui s'était perdu dans la section des femmes, dans la galerie commerciale ?

— Oui. »

María Isabel poussa une nouvelle fois la petite fille, et la grande nappe de cheveux blonds de l'enfant se gonfla sous la pression de l'air humide du matin, tandis que le mouvement pendulaire et le grincement de la balançoire battaient une sorte de mesure précipitée. « Pousse-moi plus haut, María ! » hurla la fillette. María Isabel lui obéit et la souleva une fois de plus. C'était une femme au teint couleur d'écorce de chêne, aux cheveux courts teints récemment et laqués, qui portait des boucles d'oreilles en or et un mince bracelet également en or, accessoires élégants et assortis entre eux mais qui n'allaient pas avec le tee-shirt délavé qui pendait sur son corps de petite taille. *Cette femme arrive au travail habillée comme une secrétaire, et puis elle se déshabille pour se mettre des vêtements de concierge.* « Il suffit de raconter quelques bonnes histoires et le temps file à toute allure, poursuivit María Isabel. On est nombreuses à venir ici tous les jours. Plus tard, il y aura sans doute Juana. Et Modesta et Carmelita. Carmelita vient du Pérou, il n'y a pas plus gentille qu'elle. Il se peut qu'on voie Fanny, mais j'espère pas. Fanny est un désastre. »

Araceli ne dit rien, et pendant un moment elles regardèrent Brandon pourchasser Keenan sur un pont fait de lattes en plastique jusqu'à ce que Brandon perde l'équilibre et tombe par-dessus bord, la tête la première, pour atterrir sur le tapis noir au-dessous. Keenan se mit à rire aux éclats pendant que son frère, indemne, remontait en se frottant la tête.

« *Niños traviesos* [1], dit María Isabel avec une légère exaspération montrant qu'elle voulait sympathiser avec Araceli. Mais je préfère

1. Enfants espiègles.

m'occuper d'enfants. Si tu as une fille, tu n'as pas du tout de travail. Un garçon, c'est un peu plus de travail, mais je préfère quand même trois garçons à une vieille dame. C'était mon dernier boulot, m'occuper d'une *viejita* sur son lit de mort.

— Vraiment ? » demanda Araceli, incapable de masquer son manque total d'intérêt.

María Isabel se lança dans une histoire sur *la señora* Bloom et sur une « lutte contre la mort » pour « l'empêcher d'emporter ma vieille dame ». Araceli était sur le point de dire : « Je ne veux vraiment pas entendre cette histoire », quand María Isabel porta son regard sur un objet ou une personne derrière Araceli et se mit à agiter la main.

« Juana ! *¡ Aquí estoy !* Par ici. »

En l'espace de quelques minutes, Araceli se retrouva assise dans un cercle où l'on bavardait en espagnol, car trois femmes de plus étaient venues saluer Araceli avec des sourires, des *¡ hola !* et des baisers polis sur la joue.

« C'est toi qui t'occupes des gosses de Guadalupe, alors, dit Carmelita, une Péruvienne aux jambes courtes et épaisses. Ce sont de bons garçons. Elle les adorait.

— Ce parc est un des meilleurs, par ici, dit Juana qui avait une frange irrégulière de cheveux gras et le teint couleur de café de ses ancêtres des montagnes de Veracruz. Il est nettoyé tous les soirs. Et la police patrouille dans le coin, ce qui fait qu'on ne voit presque jamais de clochards. »

Tandis que les femmes se rassemblaient dans l'aire de jeux, Araceli eut un instant la nostalgie de la compagnie de ses collègues, du badinage de ceux qui avaient travaillé avec elle, de l'espace que Guadalupe et Pepe avaient rempli dans sa vie. Ces femmes lui parlaient de leurs familles et des maisons américaines où elles vivaient et travaillaient, mais, en même temps, elles gardaient un œil sur les enfants dont elles avaient la charge et qui s'agglutinaient sur la structure de jeux, remplissant l'air ambiant de ces cris que leurs parents appelaient « leurs voix d'extérieur ». Carmelita, assise sur le tapis de sol à un ou deux mètres d'Araceli, permit au petit garçon dont elle s'occupait de se mettre debout avec ses chaussures de cuir et sa salopette, de marcher vers elle et de tomber dans ses bras. Modesta, une Mexicaine qui avait des taches de rousseur et les yeux verts, agita un doigt en direction d'une petite fille qui montait sur le toit du cube en plastique de la structure de jeux, et aussitôt la fillette redescendit pour se mettre hors de danger. Elles étaient toutes mères par ailleurs (María Isabel était même grand-mère), et leur assurance maternelle débordait et calmait les enfants autour d'elles comme une pluie de lait tiède. Lorsqu'elles eurent fini d'accueillir Araceli, leur conversation en vint, comme souvent, aux problèmes pratiques de l'éducation des enfants.

« C'est un bon endroit pour les entraîner à marcher. S'ils tombent, ils ne peuvent pas se faire mal.

— Si tu ne leur permets pas de tomber, ils n'apprendront pas à marcher.

— Je me rappelle quand Kylie avait cet âge-là. *Es una edad de peligro* : ils tombent autant qu'ils parlent. Elle a encore cette cicatrice au front, juste sous les cheveux.

— J'ai enfin réussi à faire manger de la citrouille à Jackson, après que j'ai essayé cette recette avec le robot ménager. *Un milagro.* Mais ça n'a pas marché avec sa sœur.

— Ils sont tous différents. Dieu les a faits comme ça. »

Araceli regardait et écoutait, voyait les enfants sur la structure de jeux qui jetaient des coups d'œil à celles qui étaient payées pour s'occuper d'eux, et ces dernières qui les regardaient à leur tour comme pour dire : « Ne t'inquiète pas, je suis là. » Elles savaient que chaque enfant était de par lui-même un paysage en changement car leur expérience de mère et l'œstrogène qui irriguait leurs veines leur permettaient de voir ce genre de chose. Araceli sentait que leurs employeurs nord-américains, tout comme leur famille latino-américaine, les respectaient pour ce pouvoir. *Elles semblent toutes le posséder – et savoir que je ne le possède pas.*

Au bout d'un moment, leur attention se porta de nouveau sur Araceli, cette femme silencieuse et gauche qui se trouvait parmi elles, et vers le petit mystère, la petite modification dans la routine du parc, que signifiait sa présence. Cette fois, elles demandèrent sans détour ce qui était arrivé à Guadalupe.

« Je suppose qu'ils n'avaient plus assez d'argent pour lui donner le salaire qu'elle voulait, leur dit Araceli. Ou pour la garder.

— Ou c'est peut-être elle qui n'a pas voulu rester, dit María Isabel d'un air entendu.

— *No sé.*

— Oui, je me souviens qu'elle a parlé d'argent, reprit María Isabel. D'abord, ils lui ont demandé de travailler pour moins. Puis sa patronne lui a dit qu'ils n'auraient besoin que d'une personne pour faire la cuisine, nettoyer et s'occuper aussi des gosses. Pour tout, quoi. Guadalupe leur a dit qu'elle trouvait que c'était trop pour une seule personne. Et qu'elle ne le ferait pas, même si on le lui demandait… Alors, je suppose qu'ils t'ont engagée. »

Araceli ne répondit rien.

« Tu sais où elle est allée ? demanda Carmelita.

— Non. »

Soudain, la nouvelle venue parut perplexe et agitée. Araceli pouvait voir à présent que tout le décor du Paseo Linda Bonita avait changé, et cela même avant le départ de Guadalupe : on faisait des calculs, on se consultait. Araceli travaillait plus dur que Guadalupe, elle était infiniment plus fiable, mais elle ne bavardait pas avec ses patrons et n'essayait pas de s'en faire des amis, et c'était pour cela qu'ils avaient révélé leur situation à Guadalupe, la bavarde et la frivole. Ils n'avaient même pas pris la peine de demander à Araceli ce qu'elle pensait : ils lui avaient juste collé du travail en plus. Maintenant, Araceli voyait sa position dans le monde avec une clarté nouvelle et saisissante. Elle vivait avec des étrangers anglophones, seule au sommet d'une colline entre des immenses fenêtres et des odeurs de solvants, et il lui manquait la volonté de se libérer de ce qu'elle était devenue. Elle acceptait silencieusement l'argent des Torres-Thompson et la chambre qu'ils lui donnaient, et ils se sentaient libres de lui demander de faire tout ce qu'ils voulaient ; ils estimaient qu'elle devait s'adapter à leurs habitudes et à leurs particularités, comme le fait de porter le bébé dans ses bras et de surveiller les garçons au parc, et bien d'autres choses, sans doute, qu'elle ne pouvait pas encore imaginer.

« Il y a des fois, dit María Isabel, où il faut faire ses bagages et aller chercher un autre boulot. Ça s'est passé comme ça quand *la señora* Bloom est morte…

— Encore ta *viejita*, dit Carmelita, tandis que Juana et Modesta levaient les yeux au ciel.

— J'étais en train de raconter l'histoire à Araceli quand vous êtes arrivées. Et j'ai pas pu finir.

— Le jour des Morts, c'est pas avant novembre », dit Carmelita avec un sourire ironique. Juana et Modesta commençaient déjà à s'éloigner, à se rapprocher des enfants qu'elles surveillaient. « Tu devrais attendre la nuit pour te mettre à raconter tes histoires d'épouvante.

— Il n'y a rien d'épouvantable là-dedans. C'est l'histoire d'un être humain. De deux êtres humains : moi et *la señora* Bloom.

— Araceli n'a pas envie de l'entendre, dit Carmelita.

— Non, non, ça ne m'embête pas », déclara Araceli. Déjà, le radotage de cette femme avait fait surgir une vérité inattendue, et si elle lui permettait de continuer, peut-être une autre vérité sortirait-elle.

« Comme je disais, *la señora* Bloom vivait toute seule, il n'y avait que moi pour lui tenir compagnie. Aucun de ses enfants n'habite près d'ici. La seule fille qui téléphonait toutes les semaines pour savoir comment ça allait vit à New York. Alors, un jour, *la señora* Bloom a fini par laisser tomber et partir. J'étais en train de lui parler, comme je vous parle maintenant, de l'ingratitude de mes enfants au Nicaragua. Et puis j'ai regardé le lit et je l'ai vue, les yeux ouverts. J'ai attendu qu'ils se ferment, mais ils ne se fermaient jamais. Alors je me suis signée une vingtaine de fois et j'ai téléphoné à l'ambulance. Deux jeunes hommes très gentils sont arrivés, et ils ont dit : "Elle est morte." J'ai répondu : "Ça, je le sais." Alors ils ont dit : "On peut rien faire." Ils m'ont dit que je devais attendre le coroner. Et ils l'ont laissée avec moi. Donc, me voilà toute seule dans la maison avec un corps ! Je téléphone à la fille à New York, pas de réponse. Rien que le répondeur. J'arrête pas d'essayer toute la journée, et je me dis : Je peux quand même pas dire dans le répondeur *Votre mère est morte*. Donc, je finis par dire : "S'il vous plaît, téléphonez chez votre mère." Mais elle n'a jamais appelé. Je suis restée toute seule avec ce cadavre pendant quinze heures, jusqu'à ce que le fourgon marron arrive et qu'on enlève ma *viejita*. »

María Isabel s'interrompit, vit qu'Araceli regardait au loin en direction de l'océan, mais se remit à parler : « Pour moi, la maison sentait la mort : alors j'ai nettoyé toute la nuit, jusqu'à ce que je n'aie plus de désinfectant. Et puis le bureau du coroner a fini par téléphoner : ils voulaient savoir quoi faire du corps. "J'en sais rien", j'ai dit. Alors ils me lancent : "Si personne ne nous contacte d'ici quarante-huit heures, nous allons l'incinérer." *Así de frío.* Du coup, je me suis mise à leur gueuler dessus : "Vous avez pas de mère ? Est-ce que vous brûleriez votre propre mère ?"

— *Incréible,* dit Araceli impassible.

— Quand j'ai enfin eu des nouvelles de la fille, ma *viejita* n'était plus qu'une boîte de cendres. Après que j'ai récupéré la boîte, ils se sont *alors* tous ramenés à la maison. La fille, le gendre, l'autre fille et le frère disparu depuis longtemps que je n'avais jamais vu. *Todos*. Et ils se mettent à me questionner comme si c'était de ma faute. L'un d'eux voulait fouiller mes affaires quand je suis partie, mais comme je me mettais à pleurer, ils m'ont laissée sortir.

— Je ne me suis jamais occupée d'une vieille dame, dit Araceli d'un ton distrait. Et je ne m'étais jamais occupée d'enfants avant aujourd'hui. »

Araceli se leva, gratifia María Isabel d'un « *Con permiso* » uniquement formel et se dirigea vers la structure de jeux où Keenan était en train de traverser le pont en courant avec la petite fille que María Isabel avait emmenée. À l'autre bout, Brandon était assis sur une marche et lisait un livre. *Où a-t-il trouvé un livre ? Est-ce qu'il en porte toujours un comme d'autres garçons trimballent des petits camions ou des doudous ?*

« Qu'est-ce que tu lis ? » lui demanda Araceli. Depuis quatre ans qu'elle vivait chez les Torres-Thompson, c'était la première fois qu'elle lui posait cette question : elle avait l'impression que c'était la chose qu'il convenait de faire, que c'était maternel.

« *El revolución* », répondit Brandon en soulevant le livre pour lui montrer le titre : *La Révolution américaine*.

« La *revolución* », corrigea Araceli.

Elle s'assit à côté de lui – encore quelque chose qu'elle n'avait jamais encore fait – et regarda les pages tandis qu'il lisait. Le livre contenait des bouts de texte et des images de longs mousquets, des reproductions de vieux tableaux de batailles, des photos d'objets de musée tels que des boutons rouillés et des uniformes. Il y avait quelque chose de triste à voir un jeune garçon assis dans un parc en train de lire des choses sur des hommes en perruque blanche morts depuis longtemps. Elle aurait voulu lui dire qu'il ferait mieux de poser son livre et de jouer, mais ce n'était évidemment pas à elle de lui parler comme si elle était sa mère.

« Qu'est-ce qui est arrivé à Guadalupe ? demanda abruptement Brandon.

— Ouais, répéta Keenan depuis la structure de jeux, où est Lupita ? »

Araceli resta interloquée quelques secondes. Guadalupe s'était occupée de ces garçons pendant cinq ans. C'était comme une grande sœur, pour eux, et personne ne leur avait expliqué son absence.

« *¿ Tu mamá no te dijo nada ?*

— Non, rien du tout.

— Je ne sais pas pourquoi, mais elle est partie, dit Araceli en espérant prévenir de nouvelles questions.

— Elle est partie ? Tu veux dire qu'elle ne va pas revenir ?

— Est-ce qu'elle travaille ailleurs ? demanda Brandon d'une voix distraite suggérant qu'il se doutait déjà que Guadalupe avait démissionné. Est-ce qu'elle est en colère contre maman ? Est-ce qu'elle se marie ? » Brandon assaillait sans cesse les adultes de questions, y compris Araceli, et ces interrogations sur Guadalupe ressemblaient davantage aux questions curieuses et désinvoltes qu'il posait à Araceli de temps à autre : « Pourquoi est-ce qu'on peut pas avoir des hot-dogs à la dinde deux jours de suite ? ... Pourquoi est-ce qu'on dit *"buenos días"* en espagnol mais pas *"buenos tardes"* ?... » Chez les Torres-Thompson, faire de son mieux pour répondre aux questions de Brandon était une des règles de la maison. *La señora* Maureen était fière de la curiosité de son fils aîné, et elle aimait se vanter de la première question « brillante » qu'il avait posée à l'âge de quatre ans : « Pourquoi est-ce que les papillons de nuit volent toujours autour des lampes ? » Aucun des deux parents ne connaissait la réponse, et ils se précipitèrent sur des livres de référence et sur Internet avant de fournir à leur génie en herbe l'information qu'exigeait son jeune cerveau : les papillons de nuit se servent de la lune pour se diriger la nuit, et la lumière des ampoules les embrouille assez pour qu'ils se croient en train de « faire le tour de la lune ».

Mais, en donnant à leur garçon une réponse aussi satisfaisante que celle-là, ils ne faisaient qu'alimenter son désir de poser d'autres questions. « Une bombe atomique ? Pourquoi ? Comment ça marche ? Comment font les aigles pour voir des poissons dans l'eau alors qu'ils sont tout là-haut dans le ciel ? Qui est Malcolm X, et pourquoi il a "X" comme nom de famille ? » Ce gamin était destiné à devenir un scientifique brillant ou un avocat irritant.

« Est-ce que Lupita est retournée au Mexique ? demanda Brandon à sa surveillante temporaire. Elle est de quelle région du Mexique ?

Est-ce que c'est la même heure là-bas qu'ici ? Est-ce qu'on peut lui téléphoner ?

— *No sé*, répondit Araceli d'un air agacé pour montrer clairement que sa réponse s'appliquait à toutes les questions de Brandon. *No sé nada.* »

Elle sentit soudain de la chaleur sur son visage : levant les yeux, elle vit un disque de phosphore blanc, miroitant, qui rongeait les nuages. *Le soleil va sortir*, espéra Araceli. Elle le dit à haute voix, et Brandon leva les yeux et fit oui de la tête, puis il retourna à son livre, s'attardant sur une image de deux armées rassemblées chacune d'un côté d'un pont, dans une posture d'affrontement martial. Quand il lut le texte d'accompagnement en passant son doigt dessus, Araceli poussa un soupir bruyant.

La directrice de la pépinière fit une visite rapide au Paseo Linda Bonita et laissa trois feuilles de papier à Maureen. D'abord, un schéma sur une page de son bloc à dessins où de petits symboles représentaient les diverses plantes succulentes que l'experte proposait de planter dans le jardin des Torres-Thompson. En deuxième lieu, un formulaire qui donnait le prix de la création de ce jardin du désert, avec des entrées séparées pour la « main-d'œuvre », la « flore », les « matériaux de base » et un chiffre, d'un niveau alarmant, qui représentait la somme totale. La troisième et dernière feuille comportait un croquis montrant ce jardin de succulentes tel qu'il apparaîtrait depuis les portes en verre coulissantes de la maison. Les cylindres d'un tout petit cactus orgue montaient du côté droit, formant une ancre qui, dans la composition, attirait l'œil à gauche en direction du groupe de cactus oursins, du buisson de prosopis et des gros yuccas aux bras qui s'épanouissaient en fleurs de la taille d'un homme. Quand Maureen regarda les chiffres sur la plus petite des feuilles, elle fit la grimace et sentit le rêve du dessin lui filer entre les doigts, se transformer en une foule de minuscules grains de graphite pour crayon qui allaient se dissoudre dans le blanc du papier. Puis elle se rappela l'argument qu'elle comptait présenter à son mari, le raisonnement logique qui ferait de ce jardin une réalité, les paroles que la directrice de la pépinière avait prononcées d'un ton très neutre parce que leur vérité était une évidence absolue : « Je sais que ça paraît un peu élevé. Mais, en dernière analyse, vous allez économiser un bon paquet sur votre facture d'eau chaque année et encore plus sur la facture de jardinage. Parce que c'est tout simplement le genre de jardin qu'on installe et qu'on oublie. Il se peut que vous y alliez deux ou trois fois par an pour le désherber, mais, sinon, vous restez là à l'admirer. »

Le dessin du jardin ressemblait à un diorama de désert, et Maureen imagina un effet onirique comparable à celui que produisait un musée d'histoire naturelle d'autrefois, l'impression de se trouver dans une pièce sombre devant une fenêtre donnant sur un autre monde brillamment illuminé. Le jardin aux succulentes créerait l'illusion que leur maison était un portail s'ouvrant sur le paysage intact de la Californie d'autrefois. Seuls Scott et sa calculette s'interposaient entre Maureen et la naissance de ce diorama. Contre cet obstacle, il y avait pourtant la décomposition de plus en plus rapide du jardin actuel : sous peu, il ressemblerait à un tas de paillis desséché ou à l'un de ces coins du Brésil ravagés par les éleveurs de bovins. Elle pouvait présenter cet argument à son mari ou simplement prendre le contrôle des opérations – comme elle le faisait pour tous les autres problèmes de cette maison –, et le mettre devant un fait accompli assez onéreux. Il serait en colère, mais il paierait la facture, parce qu'il l'avait toujours fait jusqu'ici.

7

UN WEEK-END SUR DEUX, les Torres-Thompson sacrifiaient à un rituel d'austérité, se purgeaient momentanément du luxe de base qui adoucissait leur vie. C'était Maureen qui en avait eu l'idée bien des années auparavant, quand les domestiques à demeure étaient encore une nouveauté. Ils allaient renouer avec leur autonomie de jadis et passer quarante-huit heures à préparer leurs repas, faire leur vaisselle et leurs lits. Cet acte d'abnégation exigeait d'éloigner les employés de maison à temps plein qui vivaient chez eux. Maureen avait imaginé ces week-ends sans domestique après s'être rendu compte qu'Araceli ne s'attendait pas à bénéficier de jours libres, qu'elle était satisfaite de passer ses week-ends dans le logement d'amis et de revenir dans la grande maison le samedi et le dimanche pour faire la cuisine et la vaisselle avec à peine moins d'énergie que les jours de semaine. « Si vous le voulez, ce serait une bonne chose que vous preniez deux jours de congé toutes les deux semaines, lui déclara Maureen. En quittant la maison, vous comprenez. Mais seulement si vous le souhaitez. » Au Mexique, les patrons ne laissaient pas le choix à leurs employés, et des déclarations aussi ambiguës que celle de Maureen étaient communément utilisées pour éviter le déplaisir d'un ordre direct. Du coup, Araceli prit cette suggestion pour un commandement.

Ses excursions bimensuelles la conduisaient chez une amie de Santa Ana, à une heure de distance en bus et à pied. Au bout d'un certain temps, Araceli se mit à aimer cette routine qui lui permettait de sortir de l'univers des Torres-Thompson et de se rendre dans les quartiers à atmosphère mexicaine de Santa Ana, entre la voie ferrée et les magasins discount de Main Street. Ce samedi-là, alors qu'elle passait par la salle à manger pour dire au revoir à Maureen, elle trouva sa patronne à quatre pattes, plusieurs feuilles de journaux étalées sur le carrelage devant elle, essayant de susciter l'intérêt de ses deux garçons pour un projet artistique qui, ce samedi matin, les ferait travailler avec trois boules d'argile de sculpteur à peu près aussi grosses que le poing. Keenan était en train d'en pétrir une, et le bébé Samantha avait les doigts couleur ocre parce qu'elle les avait trempés dans un bol d'eau mêlée d'argile. Brandon, lui, était sur le canapé, lisant un livre. Maureen leva vers sa bonne un visage plein de fierté parentale – *Nous faisons quelque chose d'éducatif, mes enfants et moi* –, et si Araceli avait eu un peu plus de cynisme, elle aurait pu en conclure que la scène avait été préparée pour son édification. *Oui, madame la Mexicaine, vous nous laissez nous débrouiller seuls, mais comme vous pouvez le voir, nous, les Américains, nous y arrivons bien.*

« *Adiós*, je m'en vais, maintenant », dit Araceli en donnant une tape sur le petit sac de voyage accroché à son épaule.

Maureen leva les yeux et déclara : « Très bien. À lundi. » Avant de lui rappeler gentiment : « Matin. À lundi matin.

— *Sí, señora.* »

Sur ce, Araceli passa la porte et se retrouva délivrée de son travail, en mesure de goûter ces quelques premiers pas, si légers et libérateurs, jusqu'au trottoir. C'étaient de joyeuses retrouvailles avec la personne qu'elle avait jadis été, la femme qui vivait dans une vraie ville où il y avait des foules, de l'art, un métro et des mendiants. Le trajet de vingt minutes à pied jusqu'à l'arrêt de bus lui fit descendre la colline par les rues sinueuses des Laguna Rancho Estates, dépasser un pâté d'habitations où, pour une raison qu'Araceli ne comprenait pas, toutes les maisons étaient exactement pareilles – chacune étant la copie d'une maison à toit de tuiles d'un village andalou blanc, chacune dotée d'un supplément esthétiquement malavisé et culturellement inexact sous la forme d'un garage dont les portes de fin métal étaient percées de minuscules fenêtres cintrées. Les garages étaient d'un style aussi faussement espagnol que les noms de rue imaginaires qui figuraient sur les panneaux et qui, encore maintenant, faisaient sourire Araceli. Pour la plupart, ces noms étaient des variations sur les mots « *vía* » et « *paseo* », et ils affichaient un tas de jolies voyelles qui, mises bout à bout, n'avaient absolument aucun sens. Paseo Vista Anda. Via Lindo Vita. Les *jefes* d'Araceli vivaient dans le Paseo Linda Bonita, dénomination qui non seulement était grammaticalement incorrecte, comme le remarquait Araceli, mais, en plus, redondante.

Le Paseo Linda Bonita et tous les autres *paseos* et *vías* du domaine des Laguna Rancho Estates zigzaguaient et serpentaient de façon tout à fait arbitraire, comme si les concepteurs avaient voulu frustrer les automobilistes impatients, les livreurs en retard et les facteurs novices. Les premières fois qu'Araceli était venue travailler là, elle avait été désorientée par la géographie antilinéaire du lieu et s'était retrouvée à plusieurs reprises dans une impasse inconnue, obligée de repartir en sens inverse pour sortir du labyrinthe. À présent, elle arrivait à la grande porte d'entrée, un portail de pierre avec une guérite de gardien et deux imposants vantaux de fer noir au-dessus desquels trônaient les lettres L, R, et E en acier poli. Un homme à la peau chocolat, coiffé de tresses plates, était posté là, et il fit à Araceli un geste distrait de la main quand elle passa en direction de l'arrêt de bus signalé par un panneau en fibre de verre portant les mots ORANGE COUNTY TRANSPORTATION AUTHORITY. Comme seuls les domestiques et les ouvriers du bâtiment utilisaient cet arrêt de bus, il n'y avait pas de trottoir, rien que la poussière et les petits cailloux de l'accotement à côté d'un poteau enfoncé dans le pré inexploité qui descendait jusqu'à la plage. Tournant le dos à la route et au portail, Araceli se mit face à l'étendue d'herbe jaune ondoyante qui semblait danser le mambo sous la brise et représentait les vestiges du « *rancho* » qui avait donné son nom aux Laguna Rancho Estates. Le silence millénaire n'était interrompu de temps à autre que par un véhicule qui arrivait derrière Araceli en ronronnant doucement. Alors qu'elle regardait l'océan bleu au-delà des prés, elle aperçut, à plusieurs kilomètres au large, un grand vaisseau, boîte noire qui dérivait vers le nord le long de l'horizon et se découpait comme une image sans relief d'un jeu vidéo. C'était son habitude, de repérer les bateaux pendant qu'elle patientait à l'arrêt de bus, mais le fait d'en voir encore un fit surgir en elle un très bref sentiment de désespoir : leur mouvement lent, industriel, semblait dénué de tout but romantique ; leur présence domptait le Pacifique, lui ôtait son ouverture et son potentiel d'aventure.

Araceli attendit. Elle avait passé ses années de formation, au Mexique, à faire la queue devant des portes d'ascenseur et devant des caisses enregistreuses, à patienter dans des bus coincés par des feux de signalisation et des avenues congestionnées, mais il lui semblait illogique d'attendre dans cette vaste étendue vide d'un coin de Californie. Obliger une Mexicaine à passer une demi-heure debout sous ce panneau de bus était la soustraction finale qui enlevait à ces quartiers de bord de mer tout ce qu'ils pouvaient avoir de reposant, de tranquille et d'alangui. Quand le temps redevenait son temps à elle, quand elle se transformait en femme qui met des habits de fête dans son sac de voyage, Araceli devenait de nouveau la citadine qu'elle avait été à sa naissance ; quelque chose se faisait plus pressé en elle, plus agité. *Ya, vámonos, ándale,* allez, bougeons. *¡ Ya !* À Nezahualcóyotl, on n'était pas obligé de marcher pendant vingt minutes pour arriver à l'arrêt de bus : il suffisait de traverser la moitié d'un pâté de maisons, et deux ou trois autobus vous attendaient, stationnant en double file. Leurs chauffeurs se lançaient des coups de klaxon, et ils étaient entourés de taxis et de navettes. Personne ne s'en plaignait : telle était la vie à Mexico, tu attendais et les foules s'écoulaient autour de toi, les gens t'envoyaient des coups de coude dans la poitrine et des coups de sac à provision dans le ventre. Elle ne se serait jamais imaginée en train d'attendre aussi aux États-Unis, pitoyablement seule sur une route sinueuse.

Peu de temps après qu'Araceli fut sortie, Maureen remarqua que Samantha avait introduit des petits bouts d'argile dans la fermeture Éclair de sa grenouillère. À la suite de cette découverte, Maureen ressentit brusquement derrière ses paupières le poids des insomnies maternelles. Elle regarda l'horloge et constata que son impression matinale d'être parfaitement alerte et réveillée n'avait pas duré au-delà de neuf heures trente. Dès qu'un bébé arrive au monde, vous voilà condamnée à deux ans d'interruptions de sommeil, sauf si les probabilités génétiques vous ont fait la rare grâce de vous donner un « bébé facile », un de ceux qui sont destinés à devenir des adultes pourvus des douces dispositions de moines bouddhistes. Lors de ses trois tentatives, Maureen n'avait pas connu cette grâce : chaque enfant avait sapé un peu de sa jeunesse en lui infligeant des nuits semblables à celle qui venait de s'écouler, interrompue par les pleurs de Samantha à 0 h 04, à 2 h 35, et à 4 h 36. Les années de grande dépendance des nourrissons et des enfants qui commencent à peine à marcher mettent aussi à rude épreuve un corps de mère ; elles agissent comme un prolongement inattendu des neuf mois de grossesse, et une mère doit les subir non pas dans son ventre et ses hanches, mais dans les muscles autour de ses yeux, dans ses bras et sa colonne vertébrale. Ce samedi allait commencer par le nettoyage du bébé tout barbouillé d'argile, puis il y aurait la préparation agitée du déjeuner et du dîner, mais pendant ce temps il faudrait garder un œil sur les garçons pour qu'ils ne passent pas trop de temps sur leurs jeux électroniques et veiller sur Samantha pour s'assurer qu'elle ne se blesse pas. Tout cela finirait par la vaisselle le soir, lorsqu'elle aurait couché les enfants.

La plupart du temps, Maureen appréciait la responsabilité qui était la sienne ; elle sentait le but et la noblesse de la maternité couler dans son corps comme un sang chaud, et elle voyait vivre ces notions exaltées dans le teint sain et rayonnant de ses enfants ainsi que dans le foyer protecteur et nourricier qu'elle avait construit autour d'eux. Mais aujourd'hui, ce n'était pas le cas. Aujourd'hui, elle ne voyait que les bouts effilochés d'un projet familial qui se défaisait sans bruit, deux garçons dont les mauvaises attitudes grandissaient à l'unisson de leur masse musculaire, et le manque de temps pour l'organisation des choses, les rangements et la créativité qui, selon Maureen, étaient au cœur de la notion de famille, de ce à quoi une famille devait ressembler. Toute une année de travail scolaire et de travaux artistiques des garçons reposait au fond d'un placard et se couvrait de poussière parce que Maureen n'avait pas eu le temps d'en dresser le catalogue comme elle avait coutume de le faire, de même qu'elle n'avait pas classé les photos du premier anniversaire de Samantha. Si le bébé faisait sa sieste et si Scott s'occupait de la vaisselle, elle pourrait s'en charger aujourd'hui. Mais Scott se cachait sans doute dans son petit coin à lui bien moquetté, avec un jeu vidéo, et quand elle y songea elle éprouva cette sensation d'injustice mineure qui accable l'esclave apprenant que c'est elle qui porte la pierre la plus lourde.

Dans la zone latino-américaine où vivait Marisela, l'amie d'Araceli, il n'y avait plus rien de la discipline, de l'ordre et des pelouses vides du domaine des Laguna Rancho Estates. Dans ce quartier de Santa Ana régnaient le désordre et l'improvisation. Les maisons étaient en planches à clins et en stuc, avec du gris cendré et du fuchsia qui s'écaillaient. Il y avait des palmiers, des oliviers, des avocatiers et des jacarandas, dont quelques-uns, plus vieux que toutes ces maisons, avaient tellement grandi que leurs racines faisaient onduler les trottoirs. Quelques gazons étaient de parfaits carrés de verdure bien arrosée, d'autres étaient rongés par des plaques de terre poussiéreuse où trônaient des chaises de jardin et des canapés râpés. Des gens assis ensemble discutaient en faisant de grands gestes, tandis que des femmes et des enfants debout derrière eux dans les vérandas scrutaient le paysage environnant comme des marins sur la proue d'un navire.

Quand le bus s'arrêta dans Maple Street, Araceli descendit et parcourut à pied les quelques pâtés de maisons jusqu'au pavillon blanc à charpente de bois où Marisela vivait avec une famille venu de Zacatecas. Elle monta sur la véranda dont le sol était recouvert d'un tapis usé d'herbe synthétique, ouvrit la porte-écran et pénétra dans ce nid de contradictions culturelles typiquement mexicaines qu'était le foyer d'Octavio Covarrubias, ami de longue date de la famille de Marisela et propriétaire de la maison. Elle le trouva dans un fauteuil bleu qui l'avalait jusqu'au torse : faisant par là-même étalage de ses convictions d'homme de gauche, il lisait le numéro dominical du quotidien de Mexico *La Jornada*, qu'il recevait par la poste chaque semaine. Il dévorait les articles d'une panoplie de commentateurs politiques et littéraires mexicains, tous affublés d'un certain nombre d'étoiles. Covarrubias était un charpentier à moitié à la retraite, mais aussi l'un des milliers d'intellectuels autodidactes, prolétaires et hispanophones éparpillés dans la métropole de Californie du Sud, et il avait au-dessus de l'œil gauche deux gros grains de beauté qu'il appelait Io et Europe comme les lunes de Jupiter. Pendant ce temps, sa femme et sa progéniture adolescente étaient assises, presque droites, sur un canapé où elles absorbaient les bruits métalliques, les grésillements et les hourras télévisés d'un spectacle de variétés basé à Mexico et animé par un individu volubile dont le numéro vulgaire agaçait les personnes un peu réfléchies des deux côtés de la frontière. La décoration de la salle de séjour faisait écho à ce contraste entre les cultures de haut et de bas niveau : sur un mur, un tableau – peinture sur velours – montrant des chiens qui remuent la langue et qui regardent, de l'autre côté de la pièce, les têtes courbées et dignes d'une mère et de son enfant d'une gravure sur bois de Siqueiros. Même sur l'étagère à livres, la gravité d'Elena Poniatowska et de José Emilio Pacheco était aux prises avec des polars de bas étage tels que *Los secretos del cartel del Golfo* et *L'Histoire véritable de Los Zetas*, ce qui indiquait à Araceli qu'elle était arrivée dans le foyer d'un travailleur luttant pour être en possession d'idées, d'arguments et de faits qui lui permettraient de comprendre son univers.

Octavio baissa son journal et lança : « *Hola, Araceli, ¿ Qué tal ?* »

Celle-ci le salua à son tour et lui demanda si Marisela était là.

« Elle t'attend. »

Araceli zigzagua entre les enfants dans le séjour et se dirigea vers la chambre du fond où elle trouva son amie allongée sur le dos dans son lit, en train de jouer avec les touches de son téléphone portable.

« On ne me téléphone jamais », dit Marisela sans même la regarder. C'était une femme jeune, petite et plutôt ronde, qui portait toujours un jean trop petit d'une taille. Araceli aimait bien Marisela parce qu'elle ne mâchait pas ses mots sans souvent se rendre compte qu'elle offensait les gens, mais aussi parce que c'était une *chilanga* – une native de Mexico. Elles avaient fait connaissance dans une boutique d'articles d'occasion de Santa Ana – deux Latino-Américaines qui fouillaient dans la même rangée de gilets pour hommes – et, quelques semaines plus tard, ce fut Marisela qui présenta Araceli à l'amie qui connaissait une *gringa* dans les Laguna Rancho Estates, laquelle connaissait une autre *gringa* du nom de Maureen Thompson qui cherchait une nouvelle bonne.

« Le seul coup de téléphone que j'ai reçu aujourd'hui venait du vieux, dit Marisela en se tournant sur le côté pour regarder son amie. Il ne m'a même pas demandé comment j'allais avant de me dire qu'il avait besoin d'argent.

— Ton frère est encore malade ?

— Non, il va mieux. Maintenant, il leur faut cent dollars parce qu'il y a un trou dans le toit. »

Autrefois, il était interdit de se plaindre de sa famille et des demandes de celle-ci. Les Mexicaines en exil étaient censées mettre leurs ambitions personnelles de côté et effectuer de vastes transferts d'argent au nom de frères et sœurs plus jeunes, ou même de neveux. Leur argent filait ainsi sans faute chaque mois vers le sud, même lorsque les mois et les années s'étaient accumulés et que les voix à l'autre bout du fil se faisaient plus vieilles et plus distantes. Leurs salaires américains fertilisaient un arbre de récits familiaux où avaient poussé de nombreuses branches nouvelles et noueuses avec lesquelles elles n'avaient plus rien à voir directement. À présent, Araceli et Marisela se plaignaient ouvertement et sans se sentir coupables, parce qu'il était devenu douloureusement clair que leurs familles ne comprenaient pas les complications de la vie dans ces États-Unis d'Amérique supposément riches, et parce que ces mêmes familles se servaient du téléphone comme d'une sonde pour mesurer la profondeur du puits de dollars, comme si elles devinaient avec raison que les filles en exil faisaient des économies pour leur propre et égoïste usage.

« Je vais leur envoyer cinquante et pas cent, dit Marisela.

— Il faut qu'ils apprennent à résoudre eux-mêmes leurs problèmes », approuva Araceli. Cette phrase était devenue un refrain de leurs conversations.

« Exactement. Je vais garder ces cinquante dollars de plus pour m'acheter un autre chapeau comme celui que je vais mettre ce soir. Je l'ai trouvé dans ce nouveau magasin de Main Street. Je vais te montrer. »

Marisela entra dans le dressing et en ressortit avec un chapeau de cow-boy en paille de jute noire dont le rebord se relevait avec coquetterie des deux côtés, comme les ailes d'un oiseau qui s'apprêterait à les rabattre. « *Qué bonito* », dit Araceli en serrant à moitié les dents parce que, par un accord tacite, elles avaient décidé de ne rien dire de mal sur les vêtements de l'une ou de l'autre. Marisela, en effet, avait adopté les goûts ruraux des Zacatèques qui dominaient ce quartier : c'étaient des adeptes de la toile de jean, tandis qu'Araceli restait obstinément fidèle à l'orientation pop des modes de la ville de Mexico.

« Et il ne m'a pratiquement rien coûté. »

Plusieurs heures plus tard, après avoir regardé un peu la télévision dans la salle de séjour puis s'être habillées et pomponnées dans la chambre de Marisela et dans la salle de bains, elles sortirent et se mirent à marcher le long de Maple Street vers la fête – une *quinceañera*[1]. Marisela portait son chapeau neuf et un jean où des arabesques en diamants fantaisie ondulaient sur les poches arrière. Araceli avait laissé tomber ses cheveux et les avait longuement brossés, de sorte qu'ils lui descendaient jusqu'au-dessous des omoplates. Cette crinière libérée avait un effet saisissant sur tous ceux qui connaissaient par ailleurs Araceli comme bonne à tout faire : toute la tension de son visage de travailleuse disparaissait, et

1. Fête donnée pour une jeune fille qui vient d'avoir quinze ans.

maintenant que ses tempes étaient délivrées de la tension des chignons dans lesquels elle emprisonnait ses cheveux, son visage prenait l'expression détendue d'une jeune femme qui n'a ni à s'occuper d'enfants ni à préparer de repas. Elle portait son « uniforme de *chilanga* du samedi soir » : leggings noirs à bordure rose qui descendaient jusqu'à mi-mollet, minijupe noire ornée de quelques sequins, tee-shirt avec le mot LOVE sur la poitrine et le symbole de la paix qui remplissait le « O ». Un collier à trois rangs de pierres en plastique couleur framboise et quelques bracelets assortis constituaient ses principaux accessoires. C'était une affirmation osée de ses origines. Des versions analogues de son uniforme de *chilanga* lui avaient déjà valu un ou deux commentaires railleurs de la part de Marisela : « Tu sais, les gens d'ici trouvent que tu as l'air ridicule. On n'est pas dans le district de Condesa.

— Ma chère, c'est précisément ce que je veux montrer. »

Mais, aujourd'hui, Marisela respectait elle aussi leur pacte et s'abstint de tout commentaire pendant le trajet à pied qui les menait à la fête ; ses dents luisaient dans leur écrin de rouge à lèvres couleur rubis, et c'était la partie la plus expressive de son visage, étant donné ses grandes lunettes de soleil bombées - encore un exemple de chic du Nord, ces lunettes aux « diamants » incrustés de chaque côté, ces lunettes qui semblaient posséder quelque qualité aéronautique comme si Marisela se préparait à être la première astronaute zacatèque propulsée dans l'espace.

« Je ne connais pas vraiment très bien les gens qui seront à cette fête, disait Marisela. La fille dont on fête les quinze ans s'appelle Nicolasa. Elle est très grande et très jolie. Je connais sa tante qui s'appelle Lourdes, parce que je travaillais avec elle à l'usine de vêtements.

— Je me souviens que tu m'as parlé de Lourdes.

— En fait, ce que je sais sur ces gens, c'est plutôt du *chisme*[1]. » Il y avait plus de drame que de commérage dans cette histoire aux contours sinistres et écœurants à laquelle ne manquaient ni les passeurs de frontière psychopathes ni un père qui avait disparu une fois la famille installée à l'abri en Californie. Abandonnée avec deux enfants, la mère de Nicolasa avait courageusement fait face jusqu'à ce que la maladie la frappe. « Elle est tombée trop malade pour

1. Commérage.

travailler et même pour s'occuper de ses gosses. Donc, des fonctionnaires sont venus et ont emmené les enfants. Ils les ont mis dans un machin du nom de *"foster care"* [1]. »

Le mot « *foster* » était l'un de ceux qui ne trouvaient jamais vraiment leur place dans la manière dont Araceli concevait la langue anglaise. Elle l'avait déjà entendu mais le confondait parfois avec « *faster* [2] » – à peu près de la même façon que certains locuteurs anglophones confondent « gorille » et « guérilla » –, et elle se demandait si le remède américain pour les familles brisées, ce qu'on appelait « *foster care* », n'impliquait pas de trouver la solution la plus rapide possible : des tuteurs instantanés pour ceux qui étaient orphelins, des repas rapides pour ceux qui n'avaient pas à manger.

« Au *"foster care"*, on sépare les frères des sœurs, poursuivit Marisela. Et donc, la fille et son frère ont vécu dans des endroits différents pendant trois ou quatre ans.

— Et la mère ?

— Elle est morte.

— *Dios mío*.

— J'aimerais bien me souvenir de ce qu'elle avait.

— Le sida ?

— Non, c'était plutôt quelque chose comme le cancer. En tout cas, mon amie Lourdes a essayé longtemps de les sortir de leur placement familial. Ils essayaient aussi de localiser le père. À la fin, la sœur et le beau-frère de Lourdes ont voulu les adopter, mais évidemment ça prenait un temps interminable parce qu'ils étaient coincés dans ce *"foster care"*, et une fois qu'ils y sont c'est drôlement dur de les en tirer. »

Cette histoire ne quitta pas Araceli pendant leur trajet devant de vieux bungalows dont les fenêtres et les portes restaient ouvertes pour capter un peu de brise durant les dernières heures d'un après-midi d'été en train de mourir. Araceli aperçut des murs de cuisine qui miroitaient dans une lumière fortement incandescente, elle entendit une radio qui captait la retransmission en espagnol d'un match de base-ball, puis un murmure de voix suivi d'un rire en chœur, et elle s'interrogea sur les voix qu'elle ne pouvait pas entendre, sur les récits de trahison et de perte qu'elles racontaient

1. Un placement familial.
2. « *Faster* » signifie « plus rapide ».

peut-être. Araceli savait qu'en frappant à n'importe laquelle de ces portes et en posant une question ou deux, elle se retrouverait dans un mélodrame où il serait question d'une famille obligée de subir la séparation et de parcourir de grandes distances, de lutter contre les autorités et contre ses propres faiblesses autodestructrices.

Elles arrivèrent à un petit pavillon décoré par une girandole qui gagnait en force lumineuse à mesure que le soir tombait. Le jardin de derrière, qu'elles ne voyaient pas, vibrait au son des accordéons, des trompettes et des clarinettes. Marisela et Araceli avaient raté la cérémonie *quinceañera* parce que, en violation des codes sociaux mexicains que toutes deux observaient encore, celle-ci avait commencé à l'heure dite ; mais elles étaient arrivées bien à temps pour la fête qui suivait. Après avoir poussé un portail au bois plein d'échardes, les deux femmes se retrouvèrent dans un patio cimenté bourré de gens qui, par leurs lunettes de soleil, figuraient comme autant de nouvelles recrues du programme spatial zacatèque. Ils se trémoussaient en santiags et ondulaient en jeans, tandis qu'au-dessus de leurs têtes des banderoles pendillaient et frôlaient le haut de leurs grands chapeaux de cow-boy.

À la suite de Marisela, Araceli coupa à travers les danseurs et se fraya un chemin jusqu'au coin d'une clôture en bois où ceux qui ne dansaient pas, un gobelet en plastique à la main, étudiaient les mouvements des pieds sur la piste avec des regards sérieux, comme s'ils tentaient de déchiffrer le sens de ces cercles qui s'entrecoupaient. Trois couples de femmes dansaient ensemble, ce qui n'était pas inhabituel dans ces fêtes, car les hommes du nord du Mexique sont des gens timides. Quand la musique s'arrêta et qu'une autre chanson commença, Marisela se tourna vers Araceli et lui demanda : *¿ Bailamos ?* L'instant suivant, elles dansaient dans le patio et Araceli riait très fort en menant son amie dans une valse tournoyante, chacune tenant l'autre par la taille et leurs jambes se chevauchant. « Tu vas voir ! cria Marisela à l'oreille d'Araceli. On va danser une fois comme ça, et tous les types vont rappliquer. » En un rien de temps, en effet, plusieurs de leurs compatriotes qui buvaient de la bière s'efforcèrent de ne pas paraître impressionnés par le spectacle de cette grande femme qui faisait émerger d'une minijupe ses fortes jambes couvertes de polyester, qui tournoyait adroitement dans des chaussures plates à damier et qui dansait joue contre joue avec son amie de petite taille au chemisier kaki.

Quand elles arrêtèrent de danser, un jeune homme portant une casquette de base-ball sortit de la foule, se fendit d'un large sourire et plissa les yeux devant les lunettes de soleil de Marisela comme s'il s'y étudiait. Il prononça quelques mots que Marisela n'entendit pas. Quand la musique reprit, il tira Marisela vers le centre du patio, et ils furent vite engloutis par la masse de corps en mouvement, tels des cailloux tombant dans un lac.

Araceli alla jusqu'à la clôture au bord du patio et se prépara à ce qu'éventuellement aucun des astronautes à ceinturon de bronze ne l'emmène faire quelques tours sur la piste en ciment. *Quand María aura terminé avec ce petit bonhomme qu'elle n'a pas l'air de tellement apprécier, elle et moi pourrons peut-être danser encore.* À cet instant, Araceli sentit qu'on lui tapotait l'épaule et, se retournant, vit une imposante masse de chair et de toile de jean debout devant elle. C'était un homme à peu près de son âge mais nettement plus grand, et de sa tête jaillissait toute une fontaine de boucles humides, noires et sexy. « *¿ Quieres bailar ?* » demanda-t-il. « D'où tu sors ? » aurait-elle voulu répondre, mais elle découvrit aussitôt qu'une de ses mains se levait pour que l'homme sans nom la guide sur le patio. Son partenaire était grand et fort, mais il bougeait bien, il lui serrait les doigts avec assurance, et ses mains, légèrement calleuses et couleur bronze foncé, étaient celles d'un homme qui gagne sa vie en plein air. Alors qu'ils tournaient répétitivement au son de la trompette et des clarinettes, Araceli savourait les mouvements de son pantalon et de sa chemise. Des petits miracles comme celui-ci arrivaient tout le temps à des gens tels que Marisela, mais très rarement à Araceli : rencontrer un inconnu et, en un rien de temps, se retrouver en train de bouger avec lui de manière synchrone.

Au milieu de cette première chanson, il se pencha en dansant, pressa sa joue contre celle d'Araceli et lança assez fort pour être entendu malgré le vacarme de la musique : « Hé, tu danses bien !

— Je sais ! » cria-t-elle.

La musique cessa. Les gens autour d'eux essuyaient la sueur sur leur front et se dirigeaient vers le bord du patio. Avant qu'Araceli ait pu se préparer à l'inévitable *Merci et au revoir*, la musique avait repris et l'homme aux cheveux bouclés demandait : « *¿ Otra ?*

— *¡ Sí !* »

Pendant la deuxième chanson, il lui dit qu'il s'appelait Felipe et, après la troisième, il lui demanda son prénom. Quand la musique s'arrêta à la fin de la quatrième, elle lui demanda d'où il venait, rien que pour qu'il ne s'en aille pas. « De Sonora, dit-il. Une petite ville qui s'appelle Imuris. C'est près de Cananea. *¿ Y tú ?*

— Du District fédéral. »

Quand il devint clair qu'il n'avait pas l'intention de s'enfuir, elle demanda à Felipe s'il connaissait d'autres personnes ici. Quelques-unes, répondit-il.

« Moi, je ne connais personne.

— Regarde, là-bas, c'est la fille qui fête sa *quinceañera.* »

Araceli se retourna et vit une grande jeune fille à la peau acajou, vêtue d'une robe blanche moulante, constellée de perles. Nicolasa avait l'air assuré d'une jeune femme qui goûte son moment de célébrité locale. Elle écoutait un homme assez âgé et l'étudiait avec des yeux intelligents et sombres qui parfois se tournaient brièvement vers la scène du jardin : la foule, les guirlandes de lumière, et le grand panneau blanc fixé à la clôture sur lequel était écrit FELIZ 15 NICA. Elle avait une raie au milieu de ses cheveux noirs et de longues tresses qui tombaient sur ses épaules : une coiffure de fille avec un corps et un visage de femme. À côté d'elle se tenait un garçon qui avait le même teint mais mesurait trente centimètres de moins : son frère, apparemment. Il paraissait petit et vulnérable, et il était pourvu de l'aura tragique qui manquait totalement à sa sœur. Sans son costume noir, il aurait pu passer pour un de ces gamins qu'on voit se faufiler à Mexico entre les voitures et tendre la main pour attraper les pièces et les gouttes d'eau qui tombent du ciel. Un grand costaud en train de leur parler leva alors un biceps pour leur montrer un tatouage : le portrait d'un soldat qui fumait une cigarette et portait un casque en acier au-dessous duquel étaient écrits, dans un phylactère, les mots SGT. RAY, R.I.P[1].

« Ils en ont vu de dures, dit Felipe.

— Alors, tu connais l'histoire ?

— Tu veux dire celle de leur mère qui est morte et puis leur adoption et tout ? Tout le monde la connaît. En tout cas, tout le monde dans le quartier.

— Je ne suis pas du quartier.

— Ouais, je sais. Je me serais souvenu de toi, dit-il naturellement et simplement, sans rien sous-entendre d'autre. Tu vois le type

1. R.I.P. : « Qu'il repose en paix. »

à côté d'eux ? Il est rentré de la guerre il y a quelques mois. Il s'appelle José. C'est un cousin de la propriétaire de la maison.

— Et toi ? Quelle est ton histoire ?

— Je peins des maisons. Et je fais un peu de construction. Mais en général je peins des maisons.

— Ça paye bien, non ?

— Ça va. Mais j'aime aussi peindre d'autres choses que des murs. Tu comprends ? L'autre jour, je faisais la peinture dans une maison, et j'entends *la señora* demander à mon patron s'il connaissait quelqu'un qui pourrait peindre un motif sur une table pour elle. Je me suis avancé et j'ai dit que je pouvais parce que j'aime dessiner. Elle voulait un dragon pour la chambre de son fils, alors j'en ai fait un. Un grand dragon rouge. Elle l'a trouvé bien, et le garçon aussi. C'était sympa.

— Tu es un artiste !

— Non, je dirais pas ça. Mais j'aime dessiner. Le dragon était bien, en fin de compte.

— J'ai fait des études d'art », dit Araceli en faisant un effort conscient pour ne pas parler avec trop de précipitation. Un artiste en train de danser venait de lui tomber du ciel, et elle voulait tout lui dire, tout à la fois. « J'ai été à l'Instituto Nacional de Bellas Artes du District fédéral, mais seulement pendant un an. Après, j'ai dû abandonner. » Araceli sentit qu'elle devrait expliquer pourquoi, mais elle se retint : entre Mexicains de leur niveau, dans ce lieu appelé Californie, les explications n'étaient pas nécessaires quand on parlait de rêves qui mouraient.

« Je savais, rien qu'à te voir, que tu étais super-intelligente. Tu ressembles à une des filles de la série *Rebelde*. À une étudiante. C'est pour ça que je t'ai invitée à danser. »

À la fin de la soirée, après qu'ils eurent dansé ensemble pendant deux heures, Felipe dit qu'il lui fallait s'en aller parce qu'il devait se lever tôt le lendemain. *On est dimanche, demain, pourquoi faut-il que tu te lèves de bonne heure ?* aurait voulu savoir Araceli, mais elle résista à la tentation. Il lui demanda son numéro de téléphone, et elle l'inscrivit sur un bout de papier qu'il glissa dans la poche poitrine de sa chemise.

« Je travaille dans une maison », lui dit-elle. *Trabajo en una casa.* Ce qui signifiait : *Oui, tu peux me téléphoner, mais ce sera un gringo qui répondra, et, s'il te plaît, sois poli, et ne m'appelle pas en pleine nuit parce que mes* jefes *n'apprécieraient pas.* Il sembla comprendre et sourit en se retournant pour partir. Araceli regarda bien le dos de son pantalon quand il s'éloigna : il était corpulent quand on le voyait de face, mais il était bien mieux proportionné de dos, car sa carrure ressortait, ce qui suggérait qu'il était musclé. C'était un *Mexicano* sensible, coincé comme elle dans un corps trop grand.

Le dimanche après-midi, environ trente-six heures après le départ de son unique domestique, Maureen se retrouva assise sur le sol de son dressing en train d'écouter les grésillements continus du Baby-Phone ainsi que les bruits lointains de têtes qu'on écrasait, de chairs qu'on transperçait et de murs de pierre qui s'écroulaient. Permettre aux garçons de voir les plaisirs de la guerre au cinéma était son seul moyen d'avoir un peu de temps à elle pour trier sa boîte de photos de famille et classer, dans l'album qu'elle avait acheté plusieurs mois auparavant, les photos du premier anniversaire de Samantha. Maureen voulait le faire pour se calmer et pour mettre en évidence l'épanouissement croissant de sa famille. Prenant une photo sur laquelle Scott tenait Samantha lors de la fête, elle la plaça près d'une autre qui montrait le bébé assis devant son gâteau avec, de chaque côté, Brandon et Keenan qui l'aidaient à souffler une mèche dont la flamme s'élevait au-dessus du chiffre 1 en cire. On voyait nettement le mélange des traits sur le visage de leurs enfants : il y avait de l'Irlande dans les taches émeraude des yeux de Keenan, du Maine dans la mâchoire proéminente de leur fille, et du Mexique dans le long nez de Brandon. Ses enfants mêlaient diverses caractéristiques de nombreuses branches de l'arbre humain. Sur leur visage, elle voyait la main d'un créateur excentrique, un artiste qui surprend son public.

À l'autre bout de la maison du Paseo Linda Bonita, Scott agrippait des deux mains la manette de jeu d'une console sur laquelle il jouait un match de football américain qui s'avérait d'une extrême complexité visuelle. Il en avait acheté la dernière version l'avant-veille en pensant qu'il pourrait la glisser dans ses frais professionnels déductibles d'impôts parce qu'il avait conçu un jeu ou deux à son époque et qu'il était encore susceptible d'en concevoir. Mais la vérité sans fard était qu'un jeu qui se vendait aussi bien que celui-ci excédait ses talents, lesquels ne s'étaient exercés qu'à l'époque de la « vraie programmation ». Pour livrer un jeu tel que celui-ci sur le marché, il fallait savoir diriger et inspirer toutes sortes de gens : des artistes, des équipes de techniciens en mesure de réaliser des études de mouvement, des groupes de spécialistes de football américain capables de définir le plan de stratégie. Ce jeu était une grosse production hollywoodienne : la liste des auteurs et des collaborateurs était enfouie dans les profondeurs du disque pour que seuls de vrais fanas d'informatique tels que Scott aillent la chercher, et elle s'étendait sur plusieurs pages comme pour un film épique de David Lean.

Un homme a besoin de jouer, de sentir l'ivresse du sport et de s'évader, même si pour cela il reste assis. Aussi Scott s'était-il remis à la mission qui l'appelait : celle de conduire son équipe – des personnages animés figurant des joueurs de San Francisco – à la victoire contre une équipe de Pittsburgh. Le réalisme brillant de l'animation faisait plus que compenser le manque d'effort physique, et lorsqu'il parvint à s'extraire de la situation désespérée qui le coinçait contre sa ligne d'en-but, Scott fut d'avis qu'un triomphe virtuel était certes une source d'adrénaline très éphémère, mais qu'il était manifestement plus facile de faire la vaisselle après avoir connu ce triomphe. Selon Maureen, Scott devait laisser une cuisine impeccable, attaquer les piles de bols et les casseroles graisseuses dans l'évier, essuyer les plans de travail et balayer le sol. Elle avait édicté une règle absurde, à savoir que la maison devait être « présentable » quand Araceli rentrait le lundi matin. Malheureusement, le désordre grandissait vite en l'absence de la bonne, les assiettes remplissaient l'évier, le linge sale envahissait les couloirs et les chambres, les chaussures d'enfant arrivaient à petits pas sur le sol de la salle de séjour, et, sur la table de la salle à manger, des guerriers en plastique se massaient pour la bataille, entourés par des miettes de pain grillé comme par des congères.

Ayant décidé de refuser énergiquement de s'occuper de ce désordre croissant, Maureen resta dans le dressing, plongée de plus en plus dans la nostalgie familiale. Elle se remémorait l'homme gentil, drôle et beau (même s'il se négligeait) qu'avait été son mari. À cette époque, son nom de famille, Torres, lui était apparu comme un panneau lui annonçant qu'elle arrivait dans un village lointain et exotique.

Après toutes ces années, ce qu'elle avait d'abord pris pour une force silencieuse s'était révélé comme un stoïcisme profondément ancré en lui, quelque chose qui le coupait des gens. C'était peu après leur mariage que la promesse d'un voyage dans l'univers latino-américain lui avait semblé près de se réaliser, lorsque sa belle-mère lui avait gracieusement offert un album de photos de la famille Torres où figuraient quelques clichés austères de son beau-père en petit garçon et d'autres où on le voyait en jeune homme effronté. Elle avait encadré deux de ces vieilles et fortes images et les avait mises dans le séjour pour que les invités puissent les voir, mais c'étaient des objets artificiels situés dans un vide historique, car, au cours de ses quelques conversations avec le vieil homme, il n'avait pas souhaité dire grand-chose sur sa vie dans ce passé hispanophone en noir et blanc. « On ne nous a pas fait de cadeaux quand on était gosses, mais on s'en est jamais plaint. Et je vais quand même pas m'en plaindre maintenant. » Le vieil homme avait consacré sa vie à effacer la langue et les rituels qu'il associait à des houes au manche court et à des champs de laitue, à des trajets dans de vieux pick-up Ford, à des arrivées de nuit dans des camps de travail, à des ghettos urbains chargés de menaces. Le vieux confondait l'amnésie et la réinvention, et, par conséquent, la seule trace d'héritage mexicain que Maureen trouvait chez son mari était ce teint d'un brun légèrement rougeâtre qui apparaissait quand il se permettait de rester au soleil pendant une heure – et peut-être son nez à la Jules César qui pouvait être ou ne pas être indien. Tout le reste, chez Scott, était aussi pâle et sévère que les hivers du Maine dont parlait souvent la mère de Scott aujourd'hui décédée, mais Maureen ne se serait jamais permis de dire à voix haute une telle chose à quiconque, car, en tant qu'Américaine « blanche », ce n'était pas à elle de se prononcer là-dessus.

Comme son voyage dans les albums de photos n'avait pas réussi à la transporter loin de ce bazar compliqué qu'était le présent, Maureen rangea ses souvenirs de famille dans leurs boîtes à chaussures et décida de se mettre à nettoyer la maison. En ramassant les pyjamas et les serviettes sales, elle s'étonna une fois de plus de la quantité de travail qu'effectuait Araceli. Cette maison, même quand on la considérait dans le sens très abstrait d'un lieu censé fournir sécurité, ordre et bonheur, dépendait de la Mexicaine autant que de Maureen. Permettre à Araceli de partir deux jours n'était, se rendit-elle compte, qu'un moyen de récupérer la maison.

Elle se trouvait dans la cuisine, tenant Samantha dans ses bras et faisant chauffer un biberon de lait, quand son fils aîné entra pour lui demander quelque chose à manger.

« Qu'est-ce que tu dirais d'un sandwich ? Dinde et fromage ?

— D'accord.

— Est-ce que le film est fini ? Vous avez arrêté la télé ?

— Oui, dit Brandon. Et oui. »

Elle regarda les assiettes dans l'évier, se rappela qu'elle devait aller voir dans le jardin s'il n'y restait pas de jouets, et réfléchit à ce qu'elle allait préparer pour dîner et à ce qu'elle pouvait proposer aux garçons cet après-midi : peut-être une partie de Scrabble Junior. *Il faut de la concentration pour faire toutes ces choses en même temps.* Déjà, aujourd'hui, elle avait fait une partie de Risk avec eux et les avait mis au travail avec des tabliers, des pinceaux et du papier kraft pour affiches. Plus tard, elle fouillerait dans ses boîtes de papier brouillon et dans ses bandes de tissu colorées et suggérerait un autre projet artistique. Il fallait être assez performant pour être une bonne mère, mais personne ne vous octroyait jamais de prime comme à un grand dirigeant pour avoir réussi à finir votre journée, pour avoir nourri trois gosses, les avoir distraits et stimulés sans avoir eu recours à la facilité consistant à les laisser devant la télé. Il fallait de l'endurance et une certaine attitude optimiste et exigeante.

Maureen avait calé le bébé sur sa hanche et se dirigeait vers la chambre pour récupérer les enfants et leur demander de venir dîner de bonne heure lorsqu'elle aperçut brièvement son mari dans le fauteuil en forme de boomerang. Il était assis devant le mirage d'un écran de télé haute définition, et une série d'images en couleurs scintillaient en réponse aux mouvements de ses doigts. *Encore ? Qu'est-ce qui le fascine, là-dedans ? Je porte le bébé et lui, il s'amuse.* Elle considéra l'agitation frénétique des doigts de Scott, l'air de concentration intense et excitée qu'elle distinguait de profil, et elle décida que ce moment était une occasion à ne pas rater.

« Chéri, je voulais te demander quelque chose.

— Ouais-ouais, fit-il en effectuant un quart de tour vers elle sans lâcher l'écran des yeux. Désolé, je suis dans mon offensive de deux minutes, là.

— D'acco-o-rd. Bon, j'ai trouvé un bon plan pour le jardin. Un truc qui va nous économiser de l'argent à terme. Mais ça va demander une grosse dépense de départ.

— Ouais-ouais.

— Je vais faire mettre quelques plantes du désert.

— Super.

— D'accord. Je le fais, alors ?

— Quoi ?

— Le jardin du désert.

— Mais ça va coûter combien ? demanda-t-il en faisant maintenant un demi-tour vers elle tandis que l'écran derrière lui repassait la dernière séquence de jeu.

— Pas grand-chose. Vraiment.

— Vraiment ? » Puis l'attrait du jeu le refit pivoter face au téléviseur.

« Vraiment, je te promets, dit-elle à la nuque de Scott.

— Super, répondit-il, et Maureen se dit qu'à n'importe quel autre moment elle se serait mise en colère parce qu'il ne lui prêtait pas totalement attention.

— Alors, je vais le mettre sur notre compte. »

Sans répondre, il se pencha en avant sur son fauteuil. À l'écran, l'image animée d'un joueur de football américain, un quart-arrière, venait de faire une très longue passe et, par un fascinant miracle technologique, l'œil du jeu vidéo suivait le ballon à travers les airs jusque dans les mains d'un autre joueur animé qui le réceptionnait. Maureen s'était déjà éloignée et se trouvait dans le couloir quand ce coin très masculin de la maison se remplit d'une foule simulée par des semi-conducteurs, puis d'un grésillement de voix et de hourras qui acclamaient un essai marqué.

8

PAR LA FENÊTRE DE LA CUISINE, on ne pouvait voir qu'une partie du trottoir au bas de la pelouse en pente, et quand l'équipe de travailleurs monta jusqu'à l'impasse du Paseo Linda Bonita, Araceli n'aperçut que la moitié supérieure du camion. Debout à l'arrière, trois hommes originaires d'Amérique centrale regardaient par-dessus un panneau latéral en contreplaqué grossièrement taillé avec les yeux anxieux d'Aztèques sur le point d'entrer dans une ville pleine de conquistadors. Ils promenèrent un moment leurs regards sur ce riche décor inconnu et se mirent à parler à quelqu'un qui restait invisible pour Araceli. Elle put lire sur leurs lèvres des « *¿ aquí ?* » et des « *¿ bajamos ?* ». Comme la réponse aux deux questions était apparemment oui, ils sautèrent dans la rue depuis leur perchoir. Deux autres hommes jusqu'alors assis sur le plateau du camion se levèrent ; l'un d'eux tenait une longue machette avec laquelle il envoya aussitôt un coup contre le panneau en contreplaqué comme s'il essayait la lame. D'une part les exclamations de ces hommes exprimant comme des paysans leur envie de travailler et, de l'autre, le camion lui-même (pour ce qu'Araceli pouvait en voir), tout cela paraissait tellement anachronique qu'elle s'attendait presque à ce que ces hommes avouent s'être perdus, fassent demi-tour et s'en aillent. La présence de ces travailleurs en vêtements usagés suscitait chez Araceli des pensées familières et sarcastiques : *Je suis désolée, mais il n'y a pas de ferme, ici. Il n'y a pas de choux à récolter, vous le voyez bien ! Rangez vos machettes : on n'a pas de bananes à cueillir !* Quelle ne fut donc pas sa surprise de voir un autre homme, du genre Mexicain-Américain en chemise écossaise bien repassée, remonter l'allée.

Araceli se dirigeait vers la porte en préparant les paroles polies par lesquelles elle annoncerait à ce visiteur que ces journaliers mal nourris et lui étaient manifestement venus à une mauvaise adresse, lorsqu'elle vit sa *jefa* arriver à la porte avant elle et l'ouvrir.

« Vous êtes en retard, lança Maureen d'un ton sec.

— Je suis vraiment, vraiment désolé, madame, mais les gars que j'emploie d'habitude n'étaient pas là. J'ai donc dû en chercher de nouveaux. » Ces « gars » à l'air minable, cinq en tout, étaient à présent au bas de l'allée derrière leur chef d'équipe, les mains dans les poches, silencieux.

« Des journaliers ? demanda Maureen d'un ton qui trahissait son inquiétude.

— Ouais, mais ce sont des bons. Je les ai tous déjà fait travailler.

— Du moment que vous finissez à l'heure. Il faut que vous ayez terminé à onze heures. On est bien d'accord ?

— On sera partis à dix heures et demie, je vous donne ma parole. De toute façon, j'ai un autre chantier à onze heures à Newport. J'ai emmené deux gars de plus que d'habitude pour finir à l'heure. Faites-moi confiance. »

Que se passe-t-il ? se demanda Araceli en voyant Maureen montrer au chef le portail par où son équipe pouvait pénétrer dans l'arrière-cour sans traverser le séjour qu'Araceli venait de nettoyer. *Ces gens sont venus faire des travaux importants,* en déduisit Araceli, *quelque chose qui concerne les plantes et la terre. Et, bien évidemment, je suis la dernière à le savoir parce que ma* patrona *n'éprouve pas le moindre besoin de m'en informer.* Araceli se sentit légèrement insultée. C'était un sentiment qui lui était devenu familier depuis le jour où elle avait découvert qu'elle était désormais littéralement bonne à tout faire et que sa charge de travail avait doublé sans que lui soit accordée d'augmentation correspondante.

Elle traversa le séjour pour aller jusqu'aux portes de verre qui s'ouvraient sur l'arrière-cour, et elle regarda le chef d'équipe et Maureen réunis devant le jardin tropical en train de dépérir. La moitié des arums étaient marrons, morts sans rémission ; le bananier ne donnerait plus jamais les minuscules fruits qu'il avait produits chaque printemps, et les fougères étaient aussi sèches que du parchemin égyptien. Les pierres de torrent placées dans le petit ruisseau avaient perdu leur superbe grain noir et viré à un gris pâle fragile du fait que la petite pompe alimentant le ruisseau avait cessé de fonctionner depuis déjà plusieurs jours. C'était là, comme Araceli pouvait à présent le constater rétrospectivement, le signe final et indubitable de ce qui devait arriver.

Leur discussion terminée, les ouvriers et leur patron se dirigèrent vers le portail latéral et leur camion tandis que Maureen contemplait pour la dernière fois *la petite* forêt pluviale. Quelques instants plus tard, le chef était de retour avec ses ouvriers qui, tous munis d'une machette, attendirent en le regardant pendant que celui-ci parlait avec Maureen. Il leur donna un ensemble de consignes en faisant de grands gestes et en pointant du doigt. Aucun de ces travailleurs, devina Araceli, n'était dans ce pays depuis plus d'un an. Celui qui avait une moustache pendante et un sweat-shirt où l'on lisait LOUDON COUNTY HIGH WRESTLING TEAM était sans doute grand-père. Près de lui, un jeune homme musclé vêtu d'un tee-shirt de la banque mexicaine Banamex – en soi un signe révélateur – semblait être le dernier arrivé en Californie. Le grand-père regardait son patron avec une intensité qui suggérait qu'il avait envie de faire ses preuves, et ils paraissaient tous avoir besoin de s'acquitter d'une bonne journée de travail, maintenant qu'ils venaient de gagner le gros lot et de remporter le match de lutte sur le lieu d'embauche.

Le chef s'adressa à ses hommes et, à travers la vitre, Araceli put déchiffrer ce qu'il criait en mauvais espagnol : « *¡ Comienzan con estos ! ¡ Con puro machete !* » Au son des premiers coups de machette, elle éprouva un très bref élancement de nostalgie. Adiós *au jardin de Pepe, aux feuilles vertes et aux fleurs qui portaient le souvenir de ses mains.* Les grands coups résonnaient si fort qu'Araceli les entendait même quand elle se retranchait dans la cuisine et faisait couler l'eau dans l'évier. Elle les entendit encore dans la buanderie, ces bruits écœurants et flasques de lames taillant dans des tiges charnues. Des *vlak, vlak, vlak* emplissaient la maison, et ils étaient ponctués par les longs sifflements, de plus en plus aigus, des hommes qui s'interpellaient : « *¿ Qué hago con esto ?* » « *¿ Todo ?* » « *¡ Está bien duro el bambú !* » Chaque fois qu'elle passait devant les portes-fenêtres coulissantes du séjour, elle tournait la tête pour apercevoir quelques-uns de ces journaliers lever leur machette et couper des tiges et des branches qui tombaient par terre brusquement et lourdement comme si on les avait assassinées. Ces travailleurs étaient experts dans le maniement de la machette, et chacun de leurs coups lançait une chose vivante dans les airs : ils travaillaient en formant une ligne qui avançait dans *la petite* forêt pluviale comme s'ils avaient eu pour mission de nettoyer un champ de cannes à sucre.

« Ils taillent le jardin en pièces ! s'écria Brandon qui, attiré par le bruit, était entré en courant dans le séjour. Keenan, regarde ! Ils coupent tout ! Le bambou ! Regarde ! »

En les voyant travailler, Brandon se souvint des enfants britanniques de *Sa Majesté des mouches*, qui, armés de piques et d'un couteau sur une île tropicale, s'étaient comportés comme des sauvages – et il se dit qu'il aimerait bien prendre un outil tranchant et se joindre à eux.

« Ils nous enlèvent notre jungle », dit Keenan. Auparavant, les garçons couraient dans des creux obscurs formés par des branches saines, ils sautaient par-dessus le minuscule ruisseau, ils disposaient des soldats miniatures entre les tiges des bambous. Il y avait belle lurette qu'ils ne jouaient plus là, en fait depuis le départ de Pepe, comme si eux aussi étaient écœurés par la lente agonie du jardin dans un air desséché où il n'était plus.

Au bout de quarante minutes passées à tailler et à couper, plus rien ne restait debout dans le jardin ; les plantes formaient un tas organique sur lequel les hommes marchaient comme des soldats sur un champ de bataille, vérifiant qu'aucun des vaincus n'était encore vivant. Pour la première fois, Araceli pouvait voir en entier le mur en ciment couleur d'adobe qui marquait la limite de la propriété des Torres-Thompson. Comme une toile vide, il agressait l'œil par sa nudité : elle pouvait comprendre pourquoi Maureen et Scott avaient pris la peine de planter un grand jardin tropical qui le recouvrirait.

Maureen réapparut pour examiner le chantier, et, du bout de sa sandale, elle donna quelques petits coups sur des tiges tombées à terre. Les hommes commencèrent à ramasser des brassées de plantes coupées qu'ils emportèrent dans le camion, puis deux d'entre eux réapparurent munis de pioches rouillées et de pelles, et ils entreprirent de couper les racines. Ils étaient couverts de poussière, de terre, de bouts de feuilles de bambou et de fougère, de pétales de fleurs. Araceli entendit un moteur démarrer dans la rue, puis une série de cris aigus, une sorte de hurlement de mort. Pour suivre ce son, elle s'éloigna des portes-fenêtres en verre et alla devant la fenêtre panoramique du séjour, mais elle n'arrivait toujours pas à voir d'où provenait ce hurlement de mort. Alors elle sortit par la porte de devant. Les journaliers jetaient les restes de *la petite* forêt pluviale dans une machine attachée à leur camion, et cette machine crachait un nuage vert dans la partie arrière du véhicule. Le jardin de Pepe était transformé en poussière verte. Araceli regarda la scène avec fascination, car la machine recouvrait les bras et le visage des ouvriers d'une seconde peau tachetée et colorée à la chlorophylle qui collait à la sueur et à la terre déjà déposés sur leurs membres et leur visage. En un rien de temps, ils ressemblèrent à des créatures de science-fiction, ou peut-être juste aux plus indigents des castes pauvres de Mexico, à ces malheureux qui fouillent toute la journée dans les poubelles jusqu'à ce qu'ils transportent sur leur visage et sur leurs bras le contenu noirâtre et gluant des cartons et des boîtes jetés au rebut.

À dix heures trente, les ouvriers et leur chef égalisaient le sol noir et vide avec de lourds râteaux de fer. Ils ramassèrent leurs outils et s'en allèrent. Depuis son poste de guet dans la cuisine, Araceli regarda le camion partir. *J'aurais dû leur offrir quelque chose à boire. Mais ils étaient tellement pressés…*

Quarante-cinq minutes plus tard, Araceli passait le balai-éponge dans l'une des salles de bains quand elle fut de nouveau surprise par un grondement de camion et un couinement de freins suivis quelques instants plus tard par un deuxième grondement et un couinement, ainsi que par un bruit de portières qui s'ouvraient et se fermaient. Une fois de plus, elle s'approcha de la fenêtre panoramique du séjour. Une Américaine à la peau claire, portant des lunettes de soleil ovales, émergea du premier camion, suivie de deux hommes au teint de métis vêtus d'uniformes d'un vert forêt identique. Quatre autres hommes pareillement habillés sortirent du deuxième camion, et ils se retrouvèrent tous à remonter l'allée en direction de la maison.

La sonnette retentit, et cette fois Araceli arriva à la porte avant Maureen.

« Hello, bonjour ! lança l'Américaine. C'est l'entreprise paysagiste.

— *¿ Como ?* » Maureen étant déjà à la porte derrière elle, Araceli fut obligée de s'effacer avant d'avoir pu poser les nombreuses questions qu'elle avait en tête : *Qu'est-ce que vous êtes venus faire à mon jardin ? Pourquoi personne ne m'a-t-il prévenue de votre arrivée ? Combien de temps allez-vous rester ? Est-ce que vous avez apporté votre déjeuner ?* Araceli ne put que regarder par la vitre cette nouvelle équipe déambuler sur le côté de la maison derrière Maureen qui les conduisait vers l'arrière-cour et la parcelle vide où avait jadis poussé le jardin tropical. Araceli ouvrit la porte coulissante pour entendre ce que disait cette femme à sa patronne, et elle vit l'étrangère étaler un rouleau de papier pour montrer un grand schéma à Maureen dont le visage, illuminé par la créativité dudit schéma, s'épanouit en un sourire radieux. Puis l'étrangère s'adressa en anglais à un membre de son équipe :

« Fernando, est-ce que nous avons apporté assez de sable ?

— *Es un espacio grande,* répondit-il en mesurant du regard l'espace devant eux. *Pero sí. Creo que nos alcanza.*

— Je suppose qu'on va commencer par le saule, c'est ça ?

— *Es lo que nos va a tómar mas tiempo,* rétorqua Fernando. *Y también el ocotillo. Eso va a ser todo* un projet.

— Je l'avais oublié, celui-là. On n'a qu'à commencer par lui, alors, le cactus grimpant. »

Fernando portait sur son uniforme une pièce de tissu ovale où était inscrit FERNANDO, et tous les autres travailleurs avaient la même pièce de tissu avec leur nom. Ces hommes en uniforme ne sifflèrent pas et ne crièrent pas en se déplaçant dans le jardin. Au contraire, ils examinèrent la terre retournée avec des regards réfléchis, en donnant parfois un coup de pied à une motte ou en ramassant une feuille ou une tige de fleur oubliée. Ils travaillaient avec des gestes efficaces et bien rodés, se consultaient les uns les autres et communiquaient avec leur chef par des échanges brefs et bilingues comme celui qu'elle venait d'entendre. Dans cet étrange pays où Araceli se disait maintenant chez elle, le marché des espaces verts était stratifié, et l'entreprise Desert Landscaping disait en plaisantant de ces hommes-là que c'était des « Mexicains haut de gamme ». Ils étaient pour la plupart originaires du Guanajuato et du Jalisco et se connaissaient depuis la moitié de leur vie d'adultes. Au cours de nombreuses années de travail loyal pour Desert Landscaping, ils s'étaient familiarisés de manière artisanale avec le système racinaire du cactus grimpant, du saguaro et des autres cactées de Sonora et d'Afrique qui composaient le catalogue de leur entreprise. Ils étaient payés trois fois plus que leurs collègues sans formation venus ce matin qui, eux, travaillaient pour des sous-traitants. Et, bien qu'Araceli ne le sache pas encore, ils avaient apporté leur déjeuner – sandwichs et *burritos* préparés par leur femme ou leur petite amie – dans la boîte de métal noir que chacun d'entre eux trimballait depuis des années sur des centaines de chantiers.

Tandis que les hommes transportaient des sacs de sable du camion jusqu'au jardin, Maureen s'était assise sur l'herbe et tenait Samantha dans ses bras en admirant le schéma et en se disant que la somme demandée ne serait pas dépensée inutilement. Sa nervosité des jours précédents disparaissait ; finie, cette anxiété à se ronger les sangs encore accrue par l'équipe de ce matin et sa façon anarchique de couper, de hacher, de trancher. *Qu'est-ce que je fais, pourquoi est-ce que je laisse ces barbares couverts de sueur entrer chez moi ?* Mais non, elle reprenait le contrôle de son petit empire domestique, et maintenant il y avait une équipe de Mexicains qui au moins étaient beaux, même s'ils étaient un peu plus âgés, et puis aussi cette femme, cette directrice de pépinière et paysagiste, le genre de bohémienne du désert qu'on rencontre dans le Sud-Ouest américain. Quand Scott verrait le produit fini, il dirait qu'ils auraient dû faire ça depuis des années. Elle regarda les travailleurs en uniforme apporter quelques plantes dans des caisses de bois et des pots en plastique, y compris un spécimen qui ressemblait à un arbre en miniature ; ses branches épaisses étaient revêtues d'un épais tégument couleur taupe qui ressemblait à de l'écorce, et ses pétales charnus semblaient faits d'argile émeraude. La plante en entier avait le poids et la simplicité d'une sculpture.

« Je parie que vous n'avez jamais vu d'arbre de jade aussi grand, dit la directrice qui avait remarqué la perplexité avec laquelle Maureen examinait le spécimen qui s'étalait sur un bon mètre vingt et mesurait quatre-vingt-dix centimètres de haut. À la fin de l'automne ou au début de l'hiver, quand viendront les premières bonnes pluies, il donnera des centaines de toutes petites fleurs blanches. La plupart de ces plantes fleurissent à un moment ou un autre. Certaines au printemps, d'autres en automne.

— Au plan écologique, c'est quand même bien plus sensé d'avoir ce genre de plantes, dit Maureen. Sur la plage, en ce moment, il y a de la brume et des nuages. Mais ici, en hauteur, le soleil tape fort. Il finit par tuer tout ce qui a besoin d'eau.

— Vous avez votre propre petit microclimat, ici, poursuivit la directrice. À mesure que je montais pour venir ici, j'ai senti le temps changer. Ces montagnes, là, vous envoient un courant chaud qui vient contrer la brise de l'océan. Ça fait de ce coin une sorte de savane africaine. Bien sûr, on peut tromper les plantes du jardin, leur faire croire qu'elles sont vraiment ailleurs, mais ça demande un gros travail.

— J'adore celle-là, aussi », dit Maureen. Elle désignait une sorte d'agave, un arrangement de rosettes concentriques empilées les unes dans les autres, comme peintes en vert pâle et en rouge cramoisi avec toutes les couleurs intermédiaires. « C'est comme une fleur qui n'en serait pas une.

— C'est une eulalie. J'en ai plein d'autres comme ça pour vous. Nous allons faire une petite section d'eulalies entourées de succulentes sans danger comme celle-ci, *Cheiridopsis africanus*, qui vient évidemment d'Afrique du Sud. En règle générale, je mettrai les plantes qui ont des épines ou des barbes loin des bords et du sentier pour que ce ne soit pas dangereux pour vos enfants.

— Parfait.

— *¡ Con cuidado*[1] *!* » s'écria soudain, et de façon inattendue, la pépiniériste.

Un groupe d'hommes entrait dans le jardin avec une plante de trois mètres de long enveloppée de toile blanche. Ils la transportaient sur deux chariots, mais les roues s'étaient coincées entre le ciment de l'allée et le gazon du jardin. Ils introduisirent le paquet de biais dans le jardin en le portant – non sans peiner sous le poids –, puis ils le redressèrent sur une extrémité et commencèrent à défaire lentement la toile. Les branches se déployèrent et s'étendirent comme un homme qui s'éveille après un long sommeil. « Ça, pour moi, c'est le plat de résistance, déclara la pépiniériste. Vous avez là le cœur de la composition du jardin tout entier.

— Oh, mon Dieu, qu'elle est grande ! Est-ce que c'est le... comment ça s'appelle ?

— C'est un cactus grimpant. Je l'appelle le « buisson ardent » parce qu'il semble sortir des Dix Commandements. Il a au moins vingt ans. Celui-là ne vient évidemment pas de la pépinière ; on l'a transplanté. On l'a sauvé du côté de Palm Springs, à Rancho Mirage pour être exact. Il se trouvait sur un terrain qui allait être défriché pour être transformé en lotissement, un bout de désert hallucinant. J'en ai arraché cinq comme celui-ci des mains de ces gangsters qui s'intitulent promoteurs, et aussi une demi-douzaine de saules ahurissants, dont un se trouve dans le camion. Bien sûr, ils ne me les ont pas donnés gratis. Ils me les ont vendus. Sympa de leur part. Ils détruisent tout un habitat qui abritait plein d'animaux du désert, ils chassent les coucous terrestres dans les collines, littéralement, mais ils se font un peu de fric supplémentaire en vendant la flore. Cela dit, je les ai eus pour un tout petit pourcentage de leur valeur réelle. Je les ai eus pour

1. Attention !

trois fois rien. » La directrice de la pépinière eut alors le rire rapide et rusé d'une femme qui ramasse ses gains à une table de poker. « À propos d'argent..., ajouta-t-elle avec un sourire sympathique qui avait juste quelque chose d'insistant.

— Oui, j'ai quelque chose pour vous, dit Maureen en mettant la main à la poche. Vous avez dit que vous étiez d'accord pour que je paye par carte de crédit.

— Pas de problème. Je vais juste téléphoner pour vérifier. »

Pendant que la pépiniériste s'éloignait de quelques pas vers le bord de la cour pour se servir de son téléphone portable, Maureen s'inquiéta de la quantité de billets que son petit rectangle de plastique allait devoir produire, et elle avala sa salive. Elle se demanda, pour la première fois depuis des années, si le montant demandé allait passer. Puis la directrice referma son téléphone ; la transaction semblait avoir réussi, et Maureen se sentit comme une voleuse à l'étalage. *Ce cactus grimpant m'appartient, maintenant.* Les bras exotiques du « buisson ardent » émergeaient d'une caisse grossièrement assemblée et montaient au-dessus de Maureen. Chacun de ces bras était décoré de barbes noires qui formaient un dessin semblable à la spirale d'un bâton de sucre d'orge ; c'était une superbe création d'un pays à l'esthétique rude mais pratique. *J'aimerais me trouver jolie et pourvue de barbes comme cette plante, avoir survécu à des températures de plus de quarante degrés et avoir été sauvée de la cupidité humaine par des Mexicains musclés portant des uniformes amidonnés de frais.*

Les travailleurs apportèrent d'autres plantes grasses. L'une d'elles avait des cônes de pétales jaune safran – c'était l'équivalent, côté désert, des anciens héliconias de Maureen –, et il y avait un minuscule arbuste aux branches turquoise aussi délicates que du corail. Un jardin de succulentes jouait bien mieux avec la lumière solaire que n'aurait pu le faire son jardin subtropical : *la petite* forêt pluviale, en comparaison, était sombre et dépourvue de couleurs.

Les travailleurs apportèrent encore du sable : ils marchaient les uns derrière les autres depuis le camion jusqu'au jardin en portant un sac sur l'épaule, et ressemblaient à des Égyptiens accomplissant le dur labeur d'un projet pharaonique. Ils prirent des couteaux de poche attachés à leur ceinture – chacun d'entre eux avait une ceinture porte-outils – et ils éventrèrent les sacs et répandirent du sable orange et des cailloux dans le jardin, si bien que pendant un moment la parcelle parut aussi désolée et nue que la planète Mars.

Dans les bureaux d'Elysian Systems, Scott Torres traçait inconsciemment des cercles avec la souris de son ordinateur, ce qui fit trembler la flèche blanche sur son écran jusqu'à ce qu'il finisse par cliquer et envoyer quatre mots qui bondirent de son bureau à la vitesse de la lumière jusqu'à l'unité centrale de la société qui se trouvait au sous-sol puis, de là, remontèrent dans les petites cabines des programmeurs qu'il voyait à travers les parois de verre et les stores à moitié ouverts de son bureau. Comme il s'y attendait, Charlotte Harris-Hayasaki eut un grand sourire quand elle vit le rectangle apparaître dans le coin inférieur droit de son écran pour lui demander : *Tu veux déjeuner ??? – Robustus*. « Robustus » et ses variations (Robustus65, Scotus Robustus) étaient les pseudos que Scott utilisait dans divers systèmes de messagerie ; ils représentaient aussi un clin d'œil latin à ses racines dans la programmation « robuste ». Charlotte leva les yeux de son écran, le regarda directement à travers la paroi de verre, lui lança un sourire de groupie et leva les deux pouces. Il leva à son tour discrètement un pouce puis envoya un second message instantané disant : *Je te retrouve dehors à 1 h*. Ce serait son troisième déjeuner avec Charlotte Harris-Hayasaki en un mois, et chaque fois ils s'étaient retrouvés furtivement sur le parking parce que, même si les programmeurs sont des employés par nature fort peu susceptibles de consacrer du temps à imaginer la vie secrète de leurs collègues, ils n'avaient pas pu faire autrement que remarquer l' « amitié particulière » qui se développait entre le patron et sa subordonnée. Scott n'éprouvait pas à l'égard de Charlotte, rondelette et plutôt imperméable à la mode, d'attirance coupable ; ce qui l'attirait en elle, c'était son enthousiasme de programmeur novice et son appétit juvénile pour les vieilles histoires de sociétés informatiques qu'il lui racontait. Lors de son entretien d'embauche, elle lui avait laissé entendre qu'elle était au courant de sa petite contribution à l'histoire des débuts de l'essor informatique : on le mentionnait dans le bref article que Wikipedia consacrait à Sasha « Big Man » Avakian et dans un ou deux autres. Pendant ces dernières semaines, Scott s'était mis à entrer son nom dans plusieurs moteurs de recherche – avec la sensation, ce faisant, d'être narcissique –, et il avait été un peu atterré de voir que Scott Torres, le concessionnaire Ford de Salinas en Californie, obtenait vingt fois plus de résultats de recherche que Scott Torres le programmeur.

Son éducation avait poussé Scott à ne pas se soucier de laisser une marque sur le monde. Sa mère et son père limitaient leurs ambitions à leur univers privé, à des biftecks dont la graisse grésille et crépite sur des briquettes de charbon de bois, à un beagle qui halète sur le sol d'un patio en ciment et aux récompenses morales inattaquables que constituent la sécurité de la famille et sa santé. Ne pas être obligé de travailler dans les champs de fraises et de choux de Californie, ou quitter les hameaux sans horizon du Maine pour connaître la richesse modérée de South Whittier représentaient des réussites suffisantes. Scott avait suivi cette voie et s'estimait donc satisfait de consacrer sa vie à résoudre les défis mathématiques et logiques qui permettent aux ordinateurs d'accomplir des choses magiques, et il connaissait ses plus grands plaisirs quand il voyait les yeux étonnés et écarquillés qui saluaient l'apparition de ses créations. À la belle époque, Big Man réagissait à ses exploits programmatiques par des éclats verbaux aussi maniaques qu'excessifs qui commençaient généralement par : « Ça va tout changer ! » Le succès professionnel de Scott changea surtout l'image qu'il avait de lui-même, mais elle fut aussi modifiée par une mystérieuse évolution culturelle générale qui fit perdre à Scott son côté "mordu de technologie", même s'il donnait l'impression d'être en train de le regagner.

Deux heures et demie après l'avoir clandestinement retrouvée sur le parking, Scott était assis en face de Charlotte, à Irvine, au restaurant Islands. Il sirotait sa deuxième margarita à la mangue et terminait sa longue histoire sur le logiciel d' « université virtuelle » que MindWare avait mis au point. Il décrivait avec une jouissance particulière la maladresse du premier groupe de hackers qui avaient tenté de mettre en échec les barrières de sécurité inventées par Scott et de tricher lors d'un examen d'histoire médiévale. Il regarda sa montre et remarqua l'heure. « Bordel, il est presque quatre heures ! » Ils regagnèrent les bureaux à toute vitesse, et Scott ne remarqua que brièvement la manière dont Charlotte lui serra la main pendant deux secondes au moment où ils se disaient au revoir sur le parking. Puis elle prit l'ascenseur tandis que Scott montait par l'escalier. Incroyablement stupide de ma part, pensa-t-il en entrant dans le bureau. Comme s'ils n'allaient pas remarquer qu'on est partis pendant trois heures.

Il resta au travail après l'heure pour sauver les apparences, et le soleil tombait presque au moment où il sortit lentement du bâtiment. Lorsqu'il arriva chez lui, le long crépuscule d'été était presque fini, les dernières braises du jour étaient passées sous le bleu argenté du Pacifique et, dans la pénombre, Scott ne remarqua pas les mottes de terre dans l'allée ni les éraflures dans le ciment qu'avaient laissées la deuxième équipe de jardiniers en transportant sur un chariot le saule et un buisson de lavande du désert. Et lorsque son champ de vision dépassa les portes en verre coulissantes, il ne se focalisa pas sur les étranges silhouettes que dessinait la nouvelle flore. La signification des mots de sa femme « Chéri, ils ont installé le nouveau jardin aujourd'hui » lui échappa tandis qu'il s'escrimait à coincer ses deux garçons dans la salle de bains pour leur douche du soir, suivie d'une demi-heure de lecture dans leur chambre. Quel soulagement d'avoir ces tâches familiales dans lesquelles se jeter après l'atroce lenteur et l'absurdité de sa journée au bureau. Ici, dans ces pièces propres et bien rangées, avec ses fils et sa fille, il était le roi, celui qui subvenait aux besoins de sa famille, et il était directeur exécutif – les trois à la fois. De nouveau, Scott estima que la satisfaction intime de faire la lecture à ses fils dans cette chambre, avec un système solaire Art déco qui flottait au-dessus de sa tête, valait bien l'adulation qu'il avait connue autrefois. Quand il aperçut sa fille qui marchait dans le couloir en pyjama et qui lui souriait en tendant les bras pour lui demander sans dire un mot de la soulever, puis quand elle lui enlaça le cou de ses petits bras et blottit sa tête contre sa joue, son sentiment que Scott le Mordu de Technologie avait miraculeusement trouvé sa place dans le monde ne fit que croître. « Je ne pourrai jamais t'en vouloir, Samantha, même si tu te réveilles dix fois pendant la nuit. » La paternité était une médaille et une gifle toutes les dix minutes : un moment donné, on pouvait être un Pygmée persécuté qui se retenait de pousser un cri de capitulation et, le moment suivant, un héros immortel et un prince. Ne pensant plus à ses directeurs sournois et à l'argent qui s'évaporait de son compte en banque, Scott borda ses enfants dans leurs lits et les embrassa en leur souhaitant bonne nuit.

9

VA-T'EN, VA-T'EN. Dans son sommeil, Scott battait des bras contre l'oreiller déplacé qui lui chatouillait le nez, mais dans son rêve il repoussait Charlotte Harris-Hayasaki. Elle avait des mains froides, moites de sueur, qui lui agrippaient les joues et les paupières, et il avait peur que Maureen voie Charlotte en train de le tenir, qu'elle se fasse de fausses idées et qu'une dispute terrible s'ensuive. Il était au travail, assis à son bureau dans une pièce encombrée aux cloisons doublées par des piles de boîtes. Charlotte se tenait debout derrière lui pendant qu'il essayait de taper quelque chose sur son clavier, et Maureen qui se trouvait dans la pièce à côté risquait d'entrer à tout moment. Il éprouvait une peur apocalyptique du pouvoir qu'avait sa femme de le bannir de sa famille et de sa maison, et il pouvait entendre Maureen respirer dans la pièce adjacente tandis que la main de Charlotte descendait sur sa poitrine et lui déboutonnait sa chemise. Il voulait briser l'emprise qu'elle avait sur lui, mais elle refusait de le laisser partir, si bien qu'à la fin il se retourna, attrapa son employée par les épaules et la poussa un bon coup, mais à peine l'eut-il fait qu'un hurlement arrêta brutalement le film flou qui passait dans sa tête et le ramena à sa chambre et au bruit de la voix de sa fille en train de pleurer dans le Baby-Phone.

« Ouin ! Ouin ! Ouin ! »

Maureen, qui avait mis une couette et un oreiller sur sa tête, émit un murmure qui ressemblait au mot « oui » mais ne parut nullement se réveiller. Scott se leva et se rendit dans la chambre d'enfants. Sa femme avait accumulé un tel manque de sommeil qu'elle était immunisée contre les hurlements de Samantha, et Scott éprouvait un étrange mélange de compassion pour elle et d'irritation vis-à-vis de la situation en général au moment où il longea le couloir dans le noir. Quand ils allaient se coucher, ils entretenaient toujours l'espoir que cette nuit serait différente de toutes celles qu'ils avaient connues ces quinze derniers mois, que ce pourrait être la nuit où la plus jeune de leurs enfants n'interférerait pas avec leur horloge biologique, ce qui produirait un matin où la lumière de Californie retrouverait ses habituelles teintes apaisantes et perdrait la violente blancheur qui agressait leurs yeux depuis la naissance de Samantha. Mais non, Scott remettait ça, réveillé à 2 h 06 s'il en croyait sa montre – *je me suis endormi sans enlever ma montre, bon sang*. Il remarqua qu'il portait encore la chemise à col boutonné qu'il avait au bureau, mais il avait quand même réussi à enfiler son pantalon de pyjama. Arrivant dans la chambre, il trouva sa fille debout comme d'habitude dans son petit lit, tenant sa couverture jaune préférée, l'air désorienté et embrouillé, ses boucles rousses en sueur et en désordre. *Viens avec moi, ma petite fille, pendant que je vais te chercher ton lait. Un jour, dans pas longtemps, tu seras grande et cette torture s'arrêtera.*

Tandis que Scott s'occupait de Samantha et attendait dans la cuisine que le micro-ondes ait réchauffé le lait, Maureen faisait des rêves intermittents, et elle finit par se plonger dans le plus long d'entre eux, celui dont les images allaient traîner dans son esprit après son réveil. Des journaliers mexicains circulaient partout dans sa maison, mangeaient sa nourriture, s'asseyaient sur les tables et jouaient avec Samantha. Un homme dont les cheveux plats, secs et brillants faisaient penser à du foin noir, essayait de démonter la table basse avec la pointe de sa machette qu'il utilisait comme un tournevis. *Qu'est-ce que vous faites ici ? S'il vous plaît, partez. S'il vous plaît.* Ils avaient de la terre incrustée sur le visage et sous les ongles, ils se cognaient les uns aux autres et heurtaient aussi les meubles en marchant dans la maison. Ils laissaient des petits tas de sable rouge sur le sol du séjour, et elle les implora à nouveau de s'en aller, mais ils lui répondirent en espagnol, ou plutôt dans un salmigondis qui ressemblait à de l'espagnol : *la cosa mosa ; la llaga es una plaga ; waga, waga, waga.* Quand elle serait réveillée, Maureen se dirait : *Je n'ai encore jamais rêvé en espagnol.* Les hommes s'empiffraient de salade et avalaient de grandes gorgées de lait pris dans des bidons en plastique, et elle se mit à la recherche de Scott parce qu'il serait en mesure de les faire partir, mais elle ne le trouvait pas. Elle entra dans la cuisine où quelqu'un avait mis un tuyau d'arrosage qui lançait de l'eau en l'air, ce qui obligea Maureen à fuir dans une autre pièce où des portes de placard occupaient tout le long du mur, et elle les ouvrit en cherchant son mari entre les balais et les boîtes jusqu'à ce que les cris de Samantha résonnent dans son rêve et qu'elle ouvre les yeux.

Le moniteur du bébé clignotait en rouge tout en diffusant les vagissements de Samantha. Le réveil sur sa table de nuit indiquait 4 h 29, et Scott ronflait presque aussi fort que Samantha criait. *Merci, Scott. Ce serait sympa que mon mari veuille bien se lever pour une de ces séances de biberon en pleine nuit et s'occupe un peu du bébé ; ça me permettrait d'avoir une nuit entière de sommeil.* Quand elle arriva dans la chambre d'enfants et vit le biberon vide par terre, elle comprit qu'il avait dû se lever plus tôt. *J'ai dormi une fois de plus sans que les pleurs de ma fille me réveillent.* Le fait de se rendre compte qu'elle pouvait continuer à dormir alors que son bébé hurlait comme une sirène d'ambulance avait toujours quelque chose de troublant.

Pendant que Maureen tenait Samantha dans ses bras et tentait de la rendormir en lui chantant une berceuse, l'« homme au turban » et la « femme aux jumelles » hantaient le dernier rêve de Scott. Il essayait d'obliger ces deux créatures de son logiciel à s'asseoir à l'arrière de sa voiture, mais elles étaient occupées à franchir des clôtures en courant et à grimper sur la structure de jeux de son jardin, et voilà que maintenant Samantha courait après l'homme au turban. Dans son rêve, Scott commença à rire de leurs singeries, et le rire le secoua si fort qu'il sortit de son rêve et vit la lumière du jour. « Waouh, ça décoiffait », dit-il à voix haute, mais il n'y avait personne pour l'entendre : Maureen était sous la douche et les premières lueurs du matin filtraient à travers le store. Quand il se leva pour s'habiller, quelque chose attira son regard, une série de formes bizarres qui se pressaient dans le faible espace entre les lamelles des stores : un ensemble de tubes verts et de triangles et une sorte de nuage marron. Qu'est-ce que ça pouvait bien être ?

Il ouvrit les stores sur une apparition étrange qui, pendant quelques instants, lui sembla être la suite d'un de ses rêves. Le jardin de succulentes, éclairé de derrière par les premiers rayons du matin, vibrait de tons turquoise. Le cactus grimpant se dressait fièrement à quelques mètres seulement de sa fenêtre, et les barbes exotiques de ses branches donnèrent à Scott une sensation lancinante de déracinement, comme s'il était dans un lieu qui n'était pas sa chambre et qu'il regardait par la fenêtre un jardin appartenant à quelqu'un d'autre. Il chercha dans la pièce les indices familiers qui lui montreraient que c'était bien dans cette chambre qu'il s'était couché – le lit et son cadre en bois, l'horloge à faux remontoir qui fonctionnait en fait avec des piles –, puis il se tourna de nouveau vers le jardin de succulentes. Il resta encore quelques secondes bouche bée devant ces plantes jusqu'à ce que la phrase prononcée par sa femme la veille au soir surgisse soudain dans sa tête et remette tout en place. Oui, elle avait dit quelque chose à propos du jardin, n'est-ce pas ?

« Hé, dit-il à Maureen environ une minute plus tard, quand elle rentra dans la chambre, habillée et portant une serviette enroulée autour de la tête. On a un nouveau jardin.

— Assez génial, pas vrai ? répondit Maureen avec une gaieté retenue qui masquait son anxiété.

— Euh, ouais. Mais il est immense.

— Je crois qu'il y a une vingtaine d'espèces différentes.

— Vraiment ?

— Ouais-ouais.

— Et comment tu as fait pour mettre tout ça là ?

— Ce sont les paysagistes qui l'ont fait.

— Les paysagistes ?

— De la pépinière.

— Est-ce que ça n'a pas coûté un max ?

— Oui, ça coûte un peu, mais on en a déjà parlé, dit Maureen en accrochant la serviette au bouton de porte, la laissant ainsi à Araceli qui la ramasserait plus tard.

— On en a parlé ?

— Oui. »

Maureen se dirigea nonchalamment vers la porte. « Mais on n'aura plus à y travailler, maintenant, ajouta-t-elle. Au bout du compte, ça nous fera économiser de l'argent… Il faut que j'aille voir le bébé. »

Elle laissa Scott tout seul dans la chambre avec cette information et, au bout d'un moment, il décida de la ranger dans le dossier des choses imprévues et inexplicables qui arrivent à un gars quand il se marie. Comme de rentrer à la maison et de découvrir que votre femme a jeté tous vos vieux vêtements ; ou de devoir subir sa jalousie quand, après dix ans de mariage, le nom d'une de vos anciennes petites amies surgit dans la conversation ; ou lorsqu'elle insiste soudain un jour pour que vous ne mangiez plus de viande rouge et puis, une semaine plus tard, quand vous rentrez, vous découvrez qu'elle vous a préparé des *fajitas*[1] au bœuf pour dîner. *Alors, maintenant, on a un désert à l'arrière de notre maison. D'abord elle voulait une jungle, maintenant elle veut un désert. « Au bout du compte, ça nous économisera de l'argent », dit-elle. Peut-être devrions-nous défoncer le jardin de devant et en faire aussi un petit désert du Mojave. Pour l'installer, il a sans doute fallu un sacré travail. Combien est-ce que ça peut coûter ?* Il devrait probablement le demander à Maureen, mais il était sûr que la question allait déclencher une dispute de plus. Et puis, ç'avait une certaine beauté noueuse et rude, une fois qu'on s'y habituait.

Les garçons étaient dans la piscine et Maureen, assise dans un fauteuil, jouait les surveillants de baignade tout en s'assurant que Samantha n'allait pas s'aventurer dans le jardin du désert. Alors qu'elle passait de la crème solaire sur la nuque du bébé, elle considérait le cactus oursin et s'ordonnait de ne pas trop s'inquiéter à son sujet même si la barrière qui l'entourait ne montait pas plus haut que la cheville et n'était donc pas capable de tenir Samantha à distance. Les garçons avaient déjà jeté une balle dans le jardin, mais les épines menaçantes des plantes étaient suffisantes pour les dissuader d'y pénétrer. Globalement, elle était contente d'elle-même pour avoir enlevé de chez elle cette pourriture tropicale agonisante et avoir remis cette propriété en harmonie avec le désert.

« Araceli, nous avons un nouveau jardin, dit en souriant Maureen à son employée. « *¿ Te gusta ?* »

Araceli posa un grand pichet d'*agua de limón* sur le plateau pliant qui se trouvait près de Maureen, et elle se servit de l'agitateur en verre pour remuer le nuage de pulpe de citron dans le pichet. Enfin, elle leva les yeux vers le jardin.

Certes, il y avait quelque chose d'exotique dans cette parcelle de désert que sa *jefa* avait achetée. Et quand on en était tout près, comme l'était maintenant Araceli, on avait la sensation d'être transporté dans un lieu mystérieux et intemporel, même si les garçons hurlaient dans la piscine à quelques mètres, et même si Maureen était sur sa chaise longue avec de la crème solaire qui brillait sur ses jambes nues et un chapeau en toile à bord flottant pour la protéger

1. Tortillas pliées et remplies de viande.

du soleil. Et pourtant, non, Araceli ne pouvait pas dire qu'elle l'aimait. Ce nouveau jardin témoignait d'un certain minimalisme dans ses roches volcaniques rouges et ses à-plats de sable écarlate et moutarde qui remplissaient les espaces entre les plantes. Or l'esthétique d'Araceli avait toujours penché vers l'ornement et la complexité. Elle se rappelait sa première impression, tout à fait saisissante, du jardin tropical le jour de son entretien d'embauche chez les Torres-Thompson : elle avait émergé de la maison par une journée aussi chaude que celle-ci pour se trouver face à une jungle à l'humidité provocatrice qui combattait la lumière. Plus tard, elle avait examiné le jardin pendant des centaines d'heures tout en travaillant dans la cuisine, la buanderie et la chambre des parents, et puis encore depuis la fenêtre de sa maisonnette au fond de la cour. Elle aimait la façon dont les feuilles de l'alocasia bougeaient dès la moindre brise, la manière dont les feuilles des arums changeaient de forme entre le début de la matinée et midi, et elle aimait le mouvement du faux ruisseau. Ce nouveau jardin du désert était une construction statique, alors que le jardin tropical avait été une performance artistique dont Pepe avait été la star quand il entrait sur sa scène verdoyante pour lancer des flots d'eau qui retombaient en cascade du haut des plantes, reflétaient les rayons du soleil et faisaient des arcs-en-ciel.

« Eh bien, qu'en dites-vous ? insista Maureen. Vous ne l'aimez pas. Je devine que vous ne l'aimez pas. »

Que pouvait répondre Araceli ? Elle ne possédait vraiment pas les mots anglais qui lui auraient permis de transmettre ce que le jardin tropical et ce nouveau jardin du désert provoquaient en elle. Comment dit-on en anglais que quelque chose est trop immobile, qu'on préférait des plantes qu'on sentait respirer autour de soi ?

« *Me gustaba más como era antes* », dit-elle. Puis elle ajouta en anglais : « J'aime bien avant... Mais c'est aussi très joli, *señora*. Très joli, *muy bonito*. Très différent. » Des mots creux, estima Maureen. Mais c'était, apparemment, ceux que Maureen voulait entendre.

« Oui, c'est très *bonito*, n'est-ce pas ? dit sa patronne avec satisfaction. Et *muy diferente* aussi. »

Ce matin-là, au siège d'Elysian Systems, Scott invita son équipe à déjeuner pour célébrer l'envoi au gouvernement de la version finale du logiciel de « fiabilité » du CATSS. Les directeurs du troisième étage lui avaient suggéré ce geste, car même une bande de programmeurs solitaires s'attend à une petite gratification de temps à autre. « Vous les emmenez dans un bon restaurant, vous faites sauter une demi-journée de travail et vous payez la note », lui avait recommandé un des directeurs tandis que Scott s'efforçait de ne pas froncer les sourcils à la vue du presse-papiers qui se trouvait sur son bureau en teck et qui lui avait été offert pour ses « extraordinaires qualités de dirigeant » par un groupe de commerce de bois du Pacifique Nord-Ouest. « Puis vous le faites passer dans les frais. Vous rentrez au bureau et tout le monde travaille juste un peu plus dur les jours suivants. »

Ils se retrouvèrent au restaurant le plus proche en mesure de servir des margaritas et des mojitos décents – il faisait quand même partie d'une chaîne –, et ils se tapèrent deux heures à parler sport, jeux vidéo, célébrités et à débiter d'autres banalités. Les programmeurs de Scott comptaient cinq hommes et deux femmes, et le plus âgé avait à peu près cinq ans de moins que lui. Ils étaient passés par diverses sociétés de logiciels en cherchant celle qui offrait la meilleure paye tout en exigeant le moins de travail, et ils considéraient tous que les corvées associées à l'élaboration de logiciels chez Elysian Systems étaient un compromis nécessaire avec leur éthique d'esprits libres, de bidouilleurs informatiques de la nouvelle génération. *C'est pour ça que je les ai engagés : parce que je voyais en chacun d'eux un petit peu de moi. Je voulais m'entourer de moi.* On pouvait les faire parler d'abondance si on les amenait sur le sujet des logiciels libres et des barrières que les grosses sociétés érigeaient autour de leur code source. « Il y a toutes sortes de langages, autour de nous, mais on n'y a pas accès », déclara Jeremy Zaragoza, un jeune homme mince âgé de vingt-huit ans et d'origine ethnique indéterminée. « Du coup, le gamin moyen de banlieue ne peut tout simplement pas ouvrir sa machine et se mettre à jouer avec le code. » Scott était maintenant fatigué de ces considérations – ça faisait vingt ans qu'il les écoutait sous une forme ou une autre – et il ne disait rien. À la fin, leur conversation s'épuisa d'elle-même, et puis le silence qui s'était abattu sur leur groupe fut rempli par le bruit d'un match de crosse sur le poste de télévision par câble du bar, tandis que les programmeurs continuèrent à picorer des frites du bout des doigts et à remuer le thé glacé dans leur verre alors que le commentateur du match n'arrêtait pas de hurler : « Il tourne ! Il tire ! Il marque ! »

« Eh, mon gamin de neuf ans a dit quelque chose de vraiment drôle, l'autre jour », lança soudain Mary Dickerson, éveillant l'attention générale. C'était une femme mal fagotée à la voix râpeuse, et aussi la subordonnée la plus proche de l'âge de son patron.

« C'est quoi ? demanda Scott qui était la seule autre personne à cette table qui eût des enfants.

— Eh bien, je suppose qu'il nous avait écoutés beaucoup, son père et moi, parce qu'il m'a demandé : "Maman, qu'est-ce qui est pire, un bouffon ou un imbécile ?"

— Bonne question.

— Je me la suis souvent posée moi-même.

— Alors, tu lui as répondu quoi ?

— Eh bien, Patrick, j'ai dit, un bouffon est quelqu'un qui a conscience d'être stupide, en quelque sorte, et qui s'en fiche. Tu vois, comme le fou du roi. Du moins, c'est comme ça que je comprends le mot "bouffon". Et un imbécile, c'est quelqu'un qui a, comment dirais-je, une maladie. Il ne peut pas s'empêcher d'être bête. Ce qui, je suppose, est pire pour celui qui voit ça de l'extérieur.

— Bonne réponse !

— Chez moi, dit Scott en levant les yeux au ciel, il est interdit d'employer le mot "stupide".

— Bon, et alors, qu'a dit ton petit garçon ?

— Il a dit que c'était pire d'être un imbécile. Et puis il s'est remis à jouer avec sa Game Boy. »

Quelques instants plus tard, l'addition arriva, ce qui provoqua une série d'étirements, de bâillements et de soupirs parmi les programmeurs. Lorsque la serveuse revint avec la carte bancaire de Scott dans un étui en cuir, Mary Dickerson était déjà debout, prête à partir.

« Je suis désolée, mais le système rejette cette carte », dit la serveuse d'un ton direct et carré qui marquait un contraste net avec la gaieté qu'elle avait montrée plus de deux heures auparavant en prenant leurs commandes. C'était une grande Noire âgée d'une quarantaine d'années, dont l'uniforme style safari était couvert de taches de sauce et de café alors qu'elle n'en était qu'à la moitié de son service. La soudaine sévérité de son attitude provoqua l'arrêt de la procession des programmeurs en direction de la porte.

« Qu'est-ce qui se passe, Scott ? lança Mary Dickerson, davantage comme un reproche que comme une question.

— Vous en êtes sûre ? demanda Scott à la serveuse.

— Oui, cher monsieur, j'en suis sûre. Pouvons-nous en essayer une autre ? »

Scott ouvrit son portefeuille et jeta un rapide coup d'œil aux diverses représentations en plastique de sa qualité de créditeur ainsi qu'aux photos de famille qui se trouvaient là, et il en conclut que, plutôt que de prendre un risque avec une deuxième carte, il valait mieux courir jusqu'au distributeur automatique le plus proche. Il considéra ses employés, à présent debout, qui l'observaient tous comme on regarde un professeur remplaçant au rabais dans un collège, et il se rappela qu'un distributeur se trouvait à trois ou quatre cents mètres, à l'autre bout du lac d'asphalte sur lequel flottaient ce restaurant, une armada de voitures et une dizaine d'autres établissements commerciaux. Scott sauterait dans sa voiture, foncerait jusqu'au distributeur et l'aller-retour ne prendrait pas plus de deux minutes. « Je reviens tout de suite, dit-il à la serveuse.

— Quoi ?

— Je vais juste chercher un peu de liquide. » Il sentit que le malaise de ses employés, à se voir ainsi regroupés de force, les incitait à prendre la porte. « Asseyez-vous. Ne partez pas. Je vous en prie. » Bouche bée, Mary Dickerson lui jeta un regard furieux quand il se précipita à l'extérieur.

Lorsqu'il revint six minutes et quarante-cinq secondes plus tard – comme l'en assurait la fonction chronométrique de sa montre –, un aide-serveur mexicain était en train de nettoyer la table vide en sifflotant la mélodie d'une chanson *reggaetón*, et tous les employés de Scott étaient partis, à l'exception de Charlotte Harris-Hayasaki qui l'accueillit près de la caisse avec un sourire compatissant.

« On vient tous de payer, on a partagé en huit, dit-elle. Tout le monde voulait s'en aller tout de suite. J'ai donc réglé ta part. »

Et qu'est-ce que je suis, maintenant ? se demanda Scott. Un bouffon, ou un imbécile ?

De retour au bureau, il ne fallut à Scott que soixante secondes sur son ordinateur pour découvrir la dernière trahison carto-bancaire de sa femme. Au tout début de son relevé en ligne se trouvait un prélèvement effectué par une société du nom de Desert Landscaping qui s'élevait à une somme astronomique à quatre chiffres – autant que ce qu'il aurait versé à Pepe pour deux ans de travail, voire davantage.

Ce jardin de cactus, il le voyait bien maintenant, n'était qu'une autre manifestation de vanité intempestive que sa femme lui collait sur le dos, et elle coûtait l'équivalent de trois mois de leur hypothèque qui, étant à taux variable, avait encore augmenté et représentait, avec l'école privée de ses deux fils pour laquelle il devait débourser plusieurs milliers de dollars par mois, le principal obstacle au redressement de ses finances. De fait, à cause de son panier percé de femme, ils allaient être obligés de faire des pieds et des mains pour réunir l'argent liquide qui paierait les frais de la rubrique « équipements et activités » de leurs garçons le semestre suivant. Son visage se contracta en une demi-grimace quand il déroula la page pour trouver le taux d'intérêt qu'il devrait payer pour le débit sur cette fameuse carte de crédit. Vingt-six pour cent d'intérêt composé ! Dans les cours de finance, on apprenait des formules qui montraient à quelle vitesse la « force de l'intérêt » pouvait détruire une famille en mettant en route le moteur lent mais surpuissant du calcul exponentiel. Il fouilla sur son bureau pour prendre un bloc sur lequel il gribouilla le scénario le plus défavorable.

$$x = \$9250(1 + 0.264/12)^{12 \times 3}$$

Le résultat était une catastrophe à cinq chiffres : il allait être esclave de cet emprunt pendant tout l'avenir prévisible. C'était d'une énormité tellement absurde qu'il avait le sentiment de s'être fait brutaliser et violer, comme si sa femme l'avait attrapé par le col de la chemise et l'avait jeté dans une pièce verrouillée dont les murs auraient été tapissés de reçus, d'actes de vente, de contrats de service et de garanties qui, tous, constitueraient un rappel moqueur de l'infatigable et joyeuse façon qu'avait Maureen de s'attaquer à leur revenu disponible. Ses trois enfants étaient coincés dans cette pièce avec lui, prisonniers de la dette autant que lui. Scott se leva, serra les poings autour de ses tempes comme s'il agrippait l'air, puis se mit à tourner en rond dans son espace de travail assez exigu pour provoquer la claustrophobie, réfréna son envie d'envoyer un coup de pied au fauteuil ou de prendre tout ce qui était sur son bureau et de le jeter contre la paroi de verre. Pour finir, il lança un crayon contre l'écran de son ordinateur avec tout l'élan violent d'un émeutier qui jette un caillou contre une boutique de spiritueux ; le crayon se cassa en deux sans causer le moindre dommage à l'écran.

« Merde ! » Il regarda par la paroi de verre et remarqua que Jeremy Zaragoza, Mary Dickerson, Charlotte et tous les autres employés le fixaient avec des regards qui combinaient divers degrés de joie, d'inquiétude et de perplexité. *Oui, je suis là dans ma cage, le patron qui vit à la merci des faiblesses et des désirs de sa femme.* Bientôt, devenu la risée de l'entreprise, il devrait prendre un jour de congé pour passer une journée à chercher des quartiers où les maisons sont à des prix abordables et où les écoles publiques sont à peu près correctes.

Quand Araceli s'occupait de la cuisine et du ménage, elle faisait des rêves éveillés, et le courant de ses pensées aboutissait souvent à l'Instituto Nacional de Bellas Artes, juste au-delà de l'autoroute périphérique du côté ouest de Mexico. Ce matin, elle avait ouvert les yeux en se rappelant Felipe et le fait qu'il peignait des dragons, et elle avait songé qu'à l'Institut, peindre des dragons l'aurait exposé au mépris et au ridicule. Seule une étroite zone de parc pourvue de jacarandas et de trottoirs où des chiens reniflaient et tiraient sur leur laisse séparait ce lieu – qui, pour Araceli, était le temple de la connaissance artistique – de la ville grossière qui l'entourait, des bus et des minibus qui se rassemblaient tout près et se pressaient les uns contre les autres comme du bétail dans l'enclos d'un abattoir. À l'Institut, tous les élèves de première année étaient d'une humeur trop sombre pour peindre ou dessiner autre chose que des représentations abstraites de leurs démons intérieurs ou des études abondamment détaillées d'une ville surpeuplée et épuisée. *C'était mon problème : j'étais trop sérieuse.* Si elle s'était contentée de peindre des dragons et des fées pour ses nièces et neveux, en conclut Araceli, elle ne serait pas la malheureuse émigrée qu'elle était devenue. Lors de ses premiers jours à l'Institut – quelques jours légers –, elle entrait dans le grand hall, elle étudiait le panneau qui annonçait expositions et vernissages, et elle regardait les autres étudiants, en proie à leurs tourments créateurs, aller et venir dans les patios munis de pinceaux et de cartons à dessins. Elle avait alors l'impression de se trouver au centre de l'univers des arts – ou, du moins, d'en être beaucoup plus près que lorsqu'elle était à la maison à Nezahualcóyotl.

À cette époque, Araceli se sentait particulièrement en résonance avec le monde visuel et, quand elle traversait cette métropole noire de suie, son œil cherchait sans cesse des compositions. Dans le métro, elle étudiait les fouillis de câbles entre les rails, le visage contorsionné des passagers qui réussissaient à se faufiler entre les portes, les flots de pieds qui détalaient, montaient et descendaient dans les grands escaliers reliant une ligne à une autre, la géométrie improvisée des passages souterrains se croisant à des angles bizarres. Un de ses professeurs avait regardé ces croquis de première année et déclaré : « Vous ferez une caricaturiste de premier ordre », et même Araceli savait que c'était un commentaire désobligeant. Puis Rafaela Bolaño, sa copine de classe, lui dit qu'elle avait également été appelée « caricaturiste », et ça devint entre elles un inépuisable sujet de plaisanterie. « On va lancer un mouvement, Rafaela. Toi et moi. On sera les Caricaturistes viscérales ! »

Au bout du compte, ce n'était pas le snobisme des professeurs qui avait vaincu Araceli, mais le long trajet à travers la ville pour se rendre à l'Institut et en revenir – d'est en ouest puis d'ouest en est –, et puis les listes du matériel exigé qui tombaient au début de chaque trimestre. Au magasin de fournitures d'art, l'employé avait un sourire sardonique en déposant devant elle, sur le comptoir, les tubes de peinture à l'huile qui, tous, étaient importés d'Angleterre : rouge de quinacridone, ombre naturelle, terre rouge, blanc de titane, 150 *pesos* le tube. Ensuite les pinceaux dont les poils souples faisaient penser à la fourrure des grands mammifères qui émigraient à travers les steppes de Mongolie ; l'ensemble de pastels couleur chair venant d'Allemagne – le spectre humain entier dans une boîte en pin ; et, pour finir, les manuels scolaires aux prix aussi voyants et exorbitants que leurs illustrations sur papier brillant. « Ils viennent d'Espagne, ils sont donc tous en euros, ce qui est vraiment dur pour nous autres Indiens, ici au Mexique », déclarait l'employé. En plus du coût de cet attirail, il y avait la simple question d'avoir assez d'argent pour acheter une *torta* pour déjeuner, et celle de l'épuisement qui la terrassait après le trajet pour rentrer chez elle : plus d'une heure de métro, puis le bus qui avançait centimètre par centimètre pendant les cinq derniers kilomètres dans la rue principale de Nezahualcóyotl aux trottoirs jonchés de détritus, les foules d'ouvriers d'usine qui luttaient pour traverser le bouchon du boulevard Zaragoza en poussant les domestiques et les revendeurs de CD piratés. Elle se levait avant l'aube pour terminer des devoirs que la fatigue l'avait empêchée de finir la veille au soir. « Araceli, pourquoi est-ce que tu te tues comme ça ? » lui demanda un matin sa mère avec des paroles chargées d'une impression de futilité et d'absurdité.

« *¿ Para qué ?* » Pour sa mère, la décision de fréquenter une école d'art était un acte superflu de trahison filiale, car les filles, contrairement à ces paresseux de garçons, étaient censées faire passer la famille d'abord. Une fille rebelle comptait autant, sur l'échelle de honte du quartier, que six garçons rebelles. Quand Araceli abandonna ses études d'art au bout d'un an pour se mettre à travailler et donna la moitié de ce qu'elle gagnait afin de payer les futures études de son tout jeune frère, ses parents cessèrent de l'agresser par leurs silences prolongés.

Probablement, Felipe avait une âme d'artiste et avait été obligé, lui aussi, de renoncer à ses ambitions. « Tu as l'air intelligente, c'est pour ça que je t'ai invitée à danser », avait-il dit. Elle avait le sentiment que Felipe avait fait depuis longtemps l'ajustement avec lequel Araceli avait encore du mal à vivre ; il pouvait réaliser quelque chose d'artistique sans éprouver l'injustice qui la rongeait chaque fois qu'elle songeait à sa mère et à l'Institut national des Beaux-Arts.

On était en fin d'après-midi, Araceli finissait de préparer le dîner et s'apprêtait à mettre le couvert quand elle remarqua que, par inadvertance, alors que plus tôt dans la journée elle avait poli les couverts en argent de Maureen, elle avait disposé les fourchettes, les couteaux et les cuillères sur le plan de travail de la cuisine de manière à former un astérisque, une série de triangles qui se chevauchaient et une flèche. Un instant, elle imagina une sculpture qui serait un commentaire ironique sur les fioritures décorant les manches de ces couverts : elle s'imagina prendre un chalumeau et souder les fourchettes, les couteaux et les cuillères en un enchevêtrement sculptural de machettes et de socs de charrue. *Ce serait sympa, mais cher.* Elle était en train de frotter, sur la dernière cuillère, une tache qui avait réussi à échapper à son nettoyage lorsqu'elle entendit la porte d'entrée claquer si fort que les assiettes cliquetèrent dans le placard. *Qu'est-ce que c'est ? Encore un des garçons ?*

Au bout d'une minute, à peu près, Araceli perçut le bruit de voix qui montaient, *el señor* et *la señora* qui criaient l'un après l'autre. Les aboiements et les plaidoyers habituels d'un côté, puis de l'autre les voix qui traversaient les portes fermées sous forme de vibration irritante au genre indécis. Elle envisagea de recourir de nouveau au basilic, puis elle se ravisa : leurs bagarres faisaient partie d'un rythme naturel, d'une sorte de défoulement ; ils se disputaient, et un ou deux jours plus tard Araceli découvrait Scott en train de masser le dos de sa femme ou Maureen lui étreindre la main pendant qu'ils regardaient leurs enfants jouer dans le jardin. Après avoir observé les Torres-Thompson pendant plusieurs années, elle commençait à percevoir leurs disputes comme une sorte d'engrais de mariage : elles étaient vilaines et leur mauvaise odeur vous faisait reculer, mais elles étaient apparemment nécessaires. Araceli prêta l'oreille tandis que les cris prenaient du volume, de sorte qu'elle commença à déchiffrer clairement des phrases : « Parce qu'il faut que tu sois plus responsable ! » « N'essaye pas de m'humilier ! » et enfin, dans un rire cinglant, le cri : « Pepe ? Pepe ? » La curiosité d'Araceli était piquée, à présent, il lui fallait savoir ce qui se passait. Elle ouvrit donc la porte du séjour, mais elle la poussa trop fort, de sorte qu'elle produisit un moment de théâtralité involontaire pendant lequel les cris cessèrent. Scott et Maureen tournèrent vers elle des fronts et des joues qui brûlaient d'une colère identique. Non, Araceli n'avait pas eu l'intention de faire cela ; elle voulait entendre plus clairement ce qu'ils disaient mais pas arrêter totalement le combat. Un seul coup d'œil à son *jefe* et à sa *jefa* lui apprit que cette dispute était nettement plus sérieuse que toutes celles qui avaient eu lieu auparavant, que les mots échangés flirtaient avec le danger de recourir physiquement aux muscles et aux membres. Scott était debout au centre du séjour, les bras contractés de chaque côté du corps, et quand il se retourna pour regarder Araceli, elle vit un homme dont elle reconnaissait à peine l'expression : un homme qui sentait son pouvoir lui échapper, qui avait du mal à ouvrir suffisamment les yeux pour saisir du regard la pièce et la femme qui se tenait devant lui, comme s'il ne l'avait encore jamais réellement vue jusqu'ici. À deux ou trois mètres, Maureen était assise sur le canapé, devant la table basse et son plateau de verre soufflé, les jambes et les bras croisés, dans cet état d'esprit où l'amusement et la peur sont à peine séparés. Araceli eut l'impression qu'elle essayait très fort de se persuader que les hurlements de son mari n'étaient pas plus dangereux que le ronchonnement d'un gamin de huit ans.

Araceli fronça les sourcils et se préparait à faire demi-tour quand il se produisit une chose qui n'avait encore jamais eu lieu : ils recommencèrent à se disputer sans se soucier de savoir si elle était encore dans la pièce. Scott leva le doigt et déclara : « Ne t'avise pas, ne t'avise pas de dire une connerie de plus. » *Je ne le croyais pas capable de ça. Il crie alors que je regarde.* Maureeen se leva et se mit à marcher vers Scott, ce qui poussa Araceli à partir aussitôt et à fermer la porte avec la même célérité et la même répulsion qu'on montre pour changer de chaîne à la télévision quand on tombe sur une scène sanglante et de mauvais goût dans un film d'horreur.

Dans la cuisine, la Mexicaine ôta son tablier : elle comptait laisser le dîner prêt, dans des bols couverts, sur le plan de travail en marbre, puis sortir de la cuisine et, pour l'instant, aller se mettre à l'abri dans sa chambre. Quand les hommes donnent de la voix à la façon des bêtes carnivores, les femmes intelligentes prennent la porte ; c'était ainsi dans sa maison, dans d'autres maisons aussi, trop nombreuses pour qu'on puisse les compter dans cet amas de cubes constituant le quartier de Nezahualcóyotl, où les femmes intriguaient durant la journée pour défaire les embrouilles que les hommes créaient le soir avec leurs paroles. *Parfois, il te faut simplement t'enfuir. Il te faut fermer la fenêtre, fermer la porte et te boucher les oreilles pour ne pas entendre le bruit que font les gens quand le chien qu'ils ont en eux-mêmes décide de sortir et de gronder.* Araceli fit l'effort de ne pas écouter les paroles échangées derrière la porte en bois de pin, de ne pas entendre les mots proférés pendant qu'elle finissait de tendre du film plastique transparent sur les bols remplis de pâtes et de bâtonnets de poisson.

Elle allongeait le bras pour ouvrir la porte du fond quand elle entendit un « Tais-toi ! » à moitié grommelé suivi d'un cri qui ne pouvait être que celui d'une femme, puis d'un bruit aigu semblable au fracas de cinquante assiettes en porcelaine qui tombent par terre et se brisent en même temps. Instinctivement, elle retraversa la cuisine en courant, poussa la porte battante et trouva Maureen sur le plancher, à moitié assise et à moitié couchée sur les ruines de la table basse, levant les bras pour essayer de se redresser sans se couper sur la jonchée de morceaux de verre qui l'entourait. Aux yeux d'Araceli, elle avait l'air d'une femme larguée d'un avion ou tombée d'un nuage ayant atterri sur un coin de terre qu'elle ne reconnaissait pas et qui semblait surprise de constater qu'elle avait survécu. Scott se tenait au-dessus d'elle, et il leva les mains jusqu'à ses tempes en baissant les yeux vers sa femme.

« Oh, bon Dieu, je voulais pas faire ça, je voulais pas faire ça », dit-il. Et il tendit la main pour l'aider.

« M'approche pas ! cria Maureen, et, instantanément, il fit un pas de recul. Araceli, aidez-moi. S'il vous plaît. »

La Mexicaine resta pétrifiée. *Qu'est-ce qu'ils se sont fait, ces deux-là ?* Araceli éprouvait le besoin de restaurer l'ordre et comprenait que la violence dans cette pièce risquait de partir dans une spirale sans nom si elle n'était pas présente. *Aujourd'hui, c'est moi la civilisée et ce sont eux les sauvages. Ils ont investi cette salle de séjour dans laquelle j'ai travaillé si dur pour lui donner l'éclat d'un musée, et ils l'ont transformée en ring de catch.* Lucha libre. *Si je n'étais pas arrivée, ils s'empareraient des chaises de la salle à manger et se les jetteraient à la figure.* En contournant avec précaution les ruines de la table qu'elle avait nettoyée avec un pulvérisateur à l'ammoniaque bleue ce matin même et trop d'autres matins pour qu'elle puisse en faire le compte, Araceli tendit le bras, prit la main de sa *jefa* et l'aida à se relever.

Livre deux

Quatre juillet

« Tu sais, Bigger, ça fait longtemps que je veux entrer dans ces maisons… et juste voir comment vivent les gens de ton milieu. »

Richard Wright, *Un enfant du pays*

10

OUAAAAAAAAA !

L'alarme réveilla Araceli en sursaut à l'heure paresseuse de 7 h 30 du matin. Un soleil d'été crevait déjà les rideaux. D'habitude, elle aurait déjà été debout depuis longtemps, mais le souvenir de la puissante matriarche du palais momentanément à terre et incapable de bouger l'avait empêchée de bien dormir. Pendant l'été, tout démarrait un peu plus tard, chez les Torres-Thompson, et elle pouvait souvent passer un peu de temps, le matin, avec les invités de l'émission Univision et, tout en s'habillant, écouter d'une oreille leurs entretiens avec des experts en nutrition, les commérages people, les rapports sur les derniers meurtres du narcotrafic à Guerrero et Nuevo Laredo accompagnés de vidéos de cadavres qu'on extrayait d'autobus et autres choses du même acabit. Maintenant, elle avait été témoin dans cette maison d'un événement un peu analogue à des nouvelles, mais trop proche et trop brutal pour qu'il soit distrayant. Le fracas et les hurlements avaient envahi ses rêves, ce qui l'avait fait dormir jusqu'à la limite indiquée sur son horloge numérique. À cette heure-ci, *el señor* Scott se serait sans doute fait griller des toasts et serait parti – ce matin, peut-être plus qu'un autre, il aurait souhaité éviter tout contact avec sa domestique. Araceli prit son temps pour s'habiller et mit sa *filipina* blanche. Elle redoutait l'humeur massacrante qui l'attendrait dès qu'elle pénétrerait dans le logement principal ; une journée de silences de la part de Maureen, suivie par le partage tendu de l'espace familial le soir quand Scott rentrerait du travail. Lorsqu'un homme jette sa femme par terre, le pardon ne peut pas être facile.

Non sans quelque appréhension, Araceli ouvrit la porte de la cuisine, puis celle qui donnait dans le séjour. Personne, rien – tout était calme, aussi rangé qu'elle l'avait laissé la veille quand elle avait balayé les débris de verre et d'acier de la table basse et les avait déposés dans deux boîtes qu'elle avait mises dehors à côté des conteneurs à ordures en plastique. Seul un espace visiblement vide dans le séjour laissait soupçonner ce qui s'était passé. Peut-être devrait-elle examiner le sol, tenter d'y déceler des bouts de verre pour que le bébé Samantha n'en ramasse pas un qu'elle porterait à sa bouche. En se penchant, Araceli examina la surface ocre du carrelage Saltillo et découvrit deux éclats, tous deux plus petits qu'un ongle d'enfant. Elle les garda sur la paume de sa main pour les examiner en méditant moins sur ces débris que sur la violence inattendue qui les avait produits. *Cette maison ne va pas redevenir normale très vite.* Brusquement, Araceli l'artiste, Araceli l'indifférente, avait très envie de retour à l'ordinaire. Elle avait beau être la femme étrange, la *Mexicana* qu'ils ne comprenaient pas, c'était à elle qu'il incombait de ramener la maisonnée Torres-Thomson à son calme central en restaurant les routines malmenées : le confort de petits-déjeuners, déjeuners et dîners servis à table, l'effet tonique, à la fin de la journée, d'une cuisine étincelante et de lits élégamment faits. Elle jeta les bouts de verre dans la poubelle et commença le petit-déjeuner en suivant l'ordre que *la señora* avait établi sur le calendrier affiché sur le frigo. VENDREDI : BOUILLIE À LA SEMOULE DE BLÉ.

Brandon fut le premier à entrer dans la cuisine, à 8 h 36, suivi par son frère quelques minutes plus tard. Ils s'installèrent à table et mangèrent en silence. Leur cuillère heurtait le fond du bol avec un cliquetis réconfortant et, tout en mangeant, Brandon lisait un gros livre avec un dragon sur la couverture. Araceli se demanda ce qu'ils savaient de l'altercation qui avait eu lieu entre leurs parents le soir précédent. Il était probable qu'ils avaient tout entendu, se dit-elle. C'était d'ailleurs presque vrai : ils s'étaient retirés dans la pièce où se trouvait la télévision pour chercher le réconfort du genre de guerre que montrent les dessins animés juste au moment où les hurlements avaient atteint leur pic. Mais c'était avant que leur père ait poussé leur mère en arrière contre la table basse. Brandon avait emmené son jeune frère qui pleurait doucement en lui disant « Hé, Keenan, allons regarder un film », et le fracas accompagné du bref cri perçant de leur mère s'était perdu derrière une porte fermée dont le pin mexicain pouvait absorber beaucoup de bruit. Il s'était aussi perdu dans les envolées de la musique orchestrale accompagnant les aventures martiales du dessin animé, celles d'un garçon qui traversait un monde où s'affrontaient deux tribus de guerriers. Lorsque Maureen était apparue un peu plus tard pour leur dire de se préparer afin d'aller au lit, ils avaient supposé que tout était redevenu normal parce qu'ils étaient trop jeunes pour percevoir l'épuisement muet de sa voix, et trop ignorants des cruautés que les adultes peuvent s'infliger pour reconnaître la signification des yeux bouffis et fatigués de leur mère.

Maureen se réveilla sur un matelas de couettes posées à même le sol de la chambre d'enfants, près du petit lit de sa fille. Avec ses murs lavande, l'ébauche de collection de poupées de Samantha et le poney en peluche dans un coin, cette pièce était un lieu sûr dont la féminité constituait un bouclier contre la rudesse masculine extérieure. Scott ne l'avait pas suivie là ; il ne l'avait pas frappée et ne lui avait pas crié dessus alors que le bébé était près d'elle. Ayant échoué à blesser Maureen par ses paroles, Scott avait infecté la maison en y répandant la peur et l'imprévisibilité, en imposant le silence par le pouvoir de ses muscles. Il avait laissé sortir un monstre pour ravager le corps de Maureen et violer un code tacite, pour infliger les blessures que ses paroles n'arrivaient pas à provoquer. Dans un premier temps, la dispute sur la somme que Maureen avait dépensée pour le jardin du désert s'était déroulée comme l'image inversée de la dispute sur la négligence dont Scott avait fait preuve à l'égard de *la petite* forêt pluviale. Cette fois, le mécontentement était du côté de Scott qui avait été humilié devant ses subalternes, mais sa femme avait réussi à prendre l'avantage en déplaçant la discussion sur les manquements de Scott en tant que mari et père, et en situant les racines de ces manquements dans sa distance émotionnelle. Elle avait ramené cet argument jusqu'à South Whittier, à cette triste petite maison de deux chambres aux murs en Placoplâtre tout mince, ses pelouses envahies de digitaires et ses pièces comme des boîtes où les cloisons étaient tapissées de miroirs pour créer une illusion d'espace. Elle avait eu la malchance de s'y rendre au moment où leur relation atteignait son point culminant, et elle y avait vu la famille Torres chez elle, dans toute la splendeur fanée de sa position au bas de la classe moyenne. Or, la veille au soir, elle s'était permis de lâcher certaines vérités que Scott refusait de voir, de révéler différentes observations qu'elle avait longtemps gardées pour elle et qui portaient sur cette femme dure et hostile dont les mises en garde avaient alimenté l'ambition de son mari mais aussi en grande partie son manque d'assurance. Maintenant, ce matin, Maureen se rendait compte qu'introduire sa défunte belle-mère dans leur discussion avait été une mauvaise idée : la rage qu'elle avait ainsi provoquée était tout à fait prévisible, mais ce qui s'en était suivi ne l'était pas. Il avait alors fait deux pas en avant vers elle, deux pas à la fois déterminés et irrationnels, et il l'avait attaquée avec toute la force de ses avant-bras et de ses mains. Il l'avait envoyée valdinguer à reculons dans la pièce, et elle s'était étalée contre la table basse. Un instant, elle était restée ahurie, sans rien pouvoir faire, quand la table s'était effondrée et brisée sous son poids, et puis, quelques secondes plus tard, quelque chose s'était éclairé, elle avait soudain compris une peur refoulée en elle depuis longtemps.

Je m'attendais depuis toujours à ce qu'il fasse ça.

Peut-être dès leur premier rendez-vous avait-elle déjà soupçonné que l'apparence de Scott – sa nervosité et sa façon informelle de s'habiller – cachait un centre bouillonnant. Et c'était bien ce qu'elle avait trouvé attirant chez lui, n'est-ce pas ? Avant d'avoir vu la maison de South Whittier, avant d'avoir vécu avec lui, elle avait perçu les efforts angoissés d'un artiste en quête de perfection, même s'il ne possédait qu'une partie des talents de langage et de sociabilité dont débordent les peintres, les acteurs et les écrivains. Il souffrait pour mettre au monde ses créations, et quand elles ne venaient pas il pouvait se montrer aussi maussade et rageur qu'un adolescent, ce qui était inquiétant. Ses rêves éveillés et ses projets étaient ses meilleurs amis, ses compagnons, et ils donnaient souvent à son visage un éclat malicieux. Il y avait quelque chose de charmant, avait-elle décidé, chez un homme dont le génie consistait à résoudre des problèmes qu'on ne pouvait guère expliquer par des mots. *Je ferai de toi* mon *projet, Scott Torres.* Telle une magicienne, elle avait pris cet homme timide et lui avait donné un minimum de charme et une abondance de richesses familiales. Et voilà qu'il la récompensait par le genre de violence ordinaire qui envoie des femmes dans des refuges. Après plusieurs heures, elle sentait toujours l'agression de Scott juste au-dessous de sa clavicule, et elle voyait les deux hématomes qui semblaient flotter comme des méduses à la surface de sa peau.

La paternité faisait ce genre de choses aux hommes. Ils n'y étaient pas préparés. Après la naissance des garçons, il y avait eu des jours où Scott contemplait tout ce fatras d'objets pour bébé entassés chez eux ou les taches d'aliments régurgités sur les tapis et sur leurs vêtements avec le regard plein de ressentiment qu'aurait pu avoir un détenu. *Quoi ? Tu t'attendais à ce que ce soit facile ? Ces bouffissures que tu sens sous les yeux, ce mal aux bras, c'est ce qu'on appelle être parent et ce n'est plus réservé aux femmes.* Puis vinrent les moments, rares, où il se fit agressif quand ses bambins avaient commis quelque péché véniel, lorsque Brandon, par exemple, découvrait à l'âge de deux ans le pouvoir qu'ont les stylos-feutres de dégrader des murs tout juste repeints ou que Keenan jetait un verre de vin par terre et que Scott beuglait un « Non ! » bien trop fort. Pendant qu'elle était enceinte de Samantha, en plein milieu de sa grossesse, il avait un jour tapé du poing si fort dans le mur qu'il y avait fait un trou qui était resté une semaine sans être bouché. Scott n'avait d'ailleurs jamais pris la peine d'expliquer ce qui l'y avait poussé. *Ce que disait ma mère est vrai. On peut croire qu'on connaît quelqu'un aussi intimement qu'il est possible de le connaître, on peut se trouver heureuse de communier avec ses odeurs et ses particularités pendant des années, et puis il va montrer quelque chose de déplaisant, quelque chose d'effrayant juste au moment où tu es trop engagée pour partir.* Le père de Maureen était un de ces Irlandais installés dans le Missouri depuis longtemps, et le souvenir pénible de ses explosions de colère avait conduit Maureen à prendre le nom de jeune fille de sa mère quand elle avait eu dix-huit ans. Maintenant que les voisins avaient sans doute entendu Scott aussi, ils savaient que sa femme et ses enfants se terraient dans la maison. Tout le monde savait.

Maureen sentit les rideaux d'une honte ancienne et impossible à effacer se fermer sur les fenêtres de cette maison lumineuse. *Il faut que je m'enfuie. De nouveau.* À l'âge de onze ans, Maureen avait quitté la maison, mais personne n'avait entendu la porte-écran claquer parce que sa sœur aînée et sa mère se disputaient à grands cris avec son père. Ce jour-là, elle sortit en robe de printemps et en sandales, elle dévala les marches et courut jusqu'au coin de la rue, puis elle se mit à marcher quand, après avoir regardé par-dessus son épaule, elle vit que personne ne la suivait. Elle passa devant d'autres petites maisons qui ressemblaient à la sienne dans cette ville du bord du Missouri, elle passa sous les fleurs au rose impossible des cornouillers, dépassa l'église baptiste solitaire et la vénérable station-service abandonnée, aux aires couvertes de gravier. Elle dépassa les champs à l'orée de la ville et, avec des petits cailloux dans ses sandales, elle marcha lentement vers l'horizon sans limites qui surgissait au-dessus des pousses de maïs précoce. Réconfortée par ce que promettaient d'autres champs en jachère ou labourés depuis peu, elle continua en direction des collines où les tracteurs creusaient des sillons qui ondulaient avec les contours du paysage, et finit par se retrouver seule à l'entrée d'une ferme isolée. Deux silos y montaient la garde : chacun des deux ressemblait à un homme qui aurait des tuyaux de fer à la place des bras et un chapeau de tôle, et elle pensa qu'il serait infiniment mieux d'avoir un père aussi grand qu'eux, aussi majestueux et aussi silencieux. Elle réfléchit à ces choses jusqu'à ce qu'elle entende des pneus rouler sur le chemin de terre derrière elle, et quand elle se retourna elle vit la voiture de police qui allait la ramener chez elle.

Maintenant, Maureen allait partir et ne pas revenir avant quelques jours ; par son absence, elle donnerait une leçon à Scott. Elle allait partir et déciderait plus tard si elle reviendrait et sous quelles conditions. Mais comment allait-elle se débrouiller sur la route avec trois enfants, quand elle roulerait sur l'autoroute fédérale ? Combien de temps pourrait-elle même garder le contrôle de ses garçons dans une de ces chambres d'hôtel qui vous rendent claustrophobe ? Elle s'imagina avec ses trois enfants dans une suite d'un hôtel pas trop éloigné : les garçons se poussaient, chacun voulant renverser l'autre en arrière sur le canapé-lit ou sur le minibar, imitant ainsi inconsciemment leur père. Voulait-elle vraiment rester au contact de cette énergie masculine, du côté physique et imprévisible de ses fils ? Une femme seule avec deux garçons et un bébé, ça ne marcherait pas. Sa mère était à Saint Louis, et si Scott avait raison au sujet des cartes de crédit, Maureen ne pourrait pas acheter de billets d'avion pour s'y rendre. Pendant une nuit où elle ne dormit pratiquement pas, elle réfléchit aux solutions qui s'offraient à elle, et une heure avant l'aube elle sut exactement ce qu'elle ferait : elle s'emparerait de l'argent liquide de secours que Scott, toujours prudent, gardait dans un tiroir de la buanderie près du nécessaire d'urgence en cas de tremblement de terre. Puis elle s'en irait quelques jours avec Samantha, ce qui donnerait à Scott l'occasion de méditer sur son absence et de s'occuper des garçons. Araceli serait là pour empêcher la maison de s'écrouler et les enfants d'avoir faim. D'ailleurs, c'était quelque chose qu'elle avait toujours souhaité, partir quelques jours avec Samantha pour des « vacances entre filles ».

Alors qu'elle traversait la maison et se dirigeait vers la voiture en portant le bébé à moitié endormi, elle songea : *On va encore avoir une journée chaude.* Pour l'instant, cependant, on sentait la fraîcheur du petit jour, et elle jeta une couverture sur sa fille. Elle voulait être sortie avant que Scott ne se réveille pour éviter toute désagréable confrontation supplémentaire et le mettre devant le fait accompli. Mais quand elle pénétra dans le garage à 7 h 45, elle découvrit que la voiture de Scott n'était déjà plus là ; il était allé au travail une heure plus tôt que d'habitude. Elle n'en fut pas étonnée, mais elle marqua cependant un temps d'arrêt dans l'exécution de son plan de fuite : si elle partait tout de suite, ses deux garçons resteraient seuls dans la maison puisque Araceli était dans le logement d'amis et pas encore au travail, éloignée de Brandon et de Keenan par deux murs et par les quelque cinq pas qu'il lui fallait pour atteindre la porte du fond de la cuisine. *Zut alors !* Partir maintenant reviendrait à violer un tabou de la maternité moderne : elle allait devoir transporter de nouveau Samantha à l'intérieur de la maison et recommencer son évasion. *Si je rentre, il se peut que je ne parte pas du tout, je risque de perdre courage.* Elle ouvrit la porte du garage pour vérifier que la voiture de Scott n'était pas dans l'allée, puis elle fit un pas dehors, dans l'air du matin. C'est alors que la lumière s'alluma dans la cuisine et, depuis l'allée du garage, Maureen put apercevoir par la fenêtre les traits rebelles mais somnolents du visage de son employée mexicaine qui lançait la routine du petit déjeuner. Araceli se trouvait dans la maison, et il suffit à Maureen de la voir pour se remettre dans son voyage, pour s'abandonner à son élan et à la volonté d'émancipation qui l'avait déjà conduite jusqu'à l'allée du garage. Elle ouvrit la portière de la voiture et poussa un léger soupir en se libérant du poids de sa fille endormie qu'elle attacha au siège-auto. Elle avait une vague idée de l'endroit où elle irait : au-dessus de Joshua Tree dans les hautes montagnes du désert, il y avait un hôtel qui faisait aussi spa et sur lequel elle avait lu quelque chose dans la section « arts » du journal, un hôtel dont on disait qu'il restait relativement frais même en pleine chaleur estivale, et où des baby-sitters s'occupaient de votre enfant pendant qu'on vous bichonnait avec de la vapeur et de la lavande.

Maureen avait dépassé le portail du domaine des Estates et prenait la route qui contournait les prés quand elle se rendit compte qu'elle avait oublié son téléphone portable. Trop tard pour retourner : si elle le faisait, elle risquait d'annuler définitivement son expédition. Elle se dirigea donc vers la première station-service et là, au moyen d'un téléphone public, elle appela les renseignements puis aboutit à un réceptionniste d'hôtel à moitié endormi auprès duquel elle fit une réservation. Quelques instants plus tard, la mère et la fille se trouvaient sur l'autoroute dégagée du petit matin, sortant de la ville, fonçant vers l'est pour devancer le moment où la circulation se ferait pare-chocs contre pare-chocs, se dirigeant vers les contreforts arides à la lisière de la métropole.

Dans la pièce réservée aux jeux, sous l'écran plat et la console, Scott Torres se réveilla sur le plancher à 5 h 35 après une nuit de sommeil étonnamment ininterrompue – six heures durant lesquelles le souvenir de ce qui s'était passé dans la salle de séjour avait disparu dans le noir d'encre de ce cube sans lumière et durant lesquelles il avait vécu dans un bienheureux néant. Trois secondes à peine après qu'il eut ouvert les yeux, la série des événements du soir précédent repassa dans sa mémoire avec la puissante simplicité d'une de ces présentations PowerPoint que les dirigeants concoctaient au troisième étage d'Elysian Systems. Il se souvint du dialogue et du vif échange d'insultes, chacune légèrement plus grossière que la précédente, et puis sa tentative pour s'en aller tandis que Maureen le suivait autour de la pièce en hurlant dans son dos. *C'est ce qui se produit quand tu lances à une femme ce mot que tu ne devrais jamais employer : soit elle se retire et fait la tête, soit elle t'agresse avec un regain de férocité.* Elle avait contre-attaqué par une remarque venimeuse affirmant que Scott était incapable de distinguer le moindre horizon au-delà du « cercueil imbécile en stuc » dans lequel sa mère, séparée de son père, avait vécu seule ses derniers jours. C'était une remarque d'une froideur si stupéfiante qu'elle avait mis fin à la dispute le temps que Scott se rende compte qu'il avait épousé une femme capable d'insulter les morts. Il s'était mis à penser aux nombreuses façons dont ses mains lui permettraient d'imposer sa volonté lorsque, juste à ce moment-là, Maureen avait fait un pas vers lui pour relancer la dispute : il l'avait poussée de toute la force furieuse dont était capable un homme comme lui, au début de la quarantaine. C'était un geste à moitié défensif, mais qui avait envoyé Maureen s'étaler sur le dos contre la table basse.

Pendant un instant, avant qu'elle perde l'équilibre, il ressentit un plaisir étrange et enfantin : *Enfin !* Lorsqu'elle heurta la table – quelle fragile structure, cette pièce d'artisanat mexicain – et qu'Araceli entra, tout le plaisir s'évanouit. Scott sentit l'espace entre ses yeux s'engourdir et se creuser. Maureen avait violé un pacte de confiance en dépensant cette somme ; elle avait porté tort à leur famille, mais il avait évidemment perdu toute supériorité morale en la poussant. Lui pardonnerait-elle jamais cette chute, verrait-elle les événements dans leur globalité et s'excuserait-elle pour ce qu'elle avait dit et fait ? *Il n'y a pas cinquante pour cent de chances que ça se produise.* Ou bien croirait-elle que sa chute et la table brisée la déchargeaient de toute obligation de reconnaître à quel point elle avait été destructrice ? *C'est beaucoup plus probable.* Si elle avait réussi à bien dormir toute la nuit, elle pourrait peut-être éprouver un autre sentiment que celui de victime outragée qui avait été le sien la veille lorsqu'il avait craint, un instant, qu'elle appelle la police. Selon le raisonnement féministe qui découlait de ces faits, Scott était coupable de sévices : c'était un homme qui avait infligé des blessures à sa femme et qui, par conséquent, serait banni à jamais du jardin de l'amour familial et jeté dans le purgatoire des alcooliques, des brutes à gages et des maris adultères à répétition. Mais peut-être, après ce que quelques heures de sommeil auraient effacé, Maureen verrait-elle le choc et la chute comme ce qu'ils étaient en réalité : un accident, un acte d'imbécillité et de maladresse mutuelles, un gadin digne d'un sketch comique. « Voilà ce qui arrive, lui dirait-il, quand deux personnes d'âge mûr soumettent leur corps privé de sommeil à trop d'efforts pour élever de jeunes enfants. C'est une entreprise que nous devrions laisser à des athlètes d'une vingtaine d'années, à des ballerines et autres individus alertes et pleins d'entrain. »

Scott lui dirait tout cela le moment venu, mais, maintenant qu'il venait de se réveiller, il décida que ce qui s'imposait dans l'immédiat, c'était une retraite complète. Il lui fallait fuir l'indignation morale qu'allait brandir sa femme, sa fascination nouvelle pour la flore rare des déserts qui venait, apparemment, de remplacer ses fascinations antérieures pour les meubles rustiques italiens et pour l'art abstrait californien. Qu'elle s'en débrouille toute seule : ou, plutôt, avec Araceli qui se chargeait du gros du travail, qui faisait en sorte que la maison soit vivable, que les enfants soient nourris et qui donnait à Maureen le temps de concocter des projets qui vidaient leur compte en banque. (À présent, comme souvent dans le passé, il songeait à la Mexicaine un peu comme à sa femme avec quelque chose en moins.) Dans le Maine, « là-bas à l'Est » d'où venait la mère de Scott, comme dans ces régions du Mexique qu'il ne connaissait pas mais où son père avait vécu, on savait ce qu'étaient le respect et la responsabilité. Scott restait le fils de gens qui pouvaient se battre et qui avaient une volonté de survie.

Il faut que je me tire d'ici. C'était ce qu'il se disait lors des derniers jours passés à MindWare, quand il s'était mis à avoir envie de travailler de nouveau avec des adultes. Le fait de vivre avec Maureen lui avait paru comme le dernier acte de son passage dans les montagnes russes de cette start-up. Big Man s'était alors livré à des dépenses extravagantes dans des hôtels à cinq étoiles et pour des dîners dans des restaurants du Strip ; il avait versé mille dollars pour des leçons de golf dans la tentative chimérique de séduire des pourvoyeurs de capital-risque, de trouver des liquidités et de clore le bec au conseil d'administration. Mais il arrivait un moment où il fallait dire : *Stop, c'est terminé !* Tout à coup, les vieux dictons de son Mexicain de père ne semblaient plus aussi bêtes et aussi décalés qu'avant : *Vis chichement, mais sens bon. N'accroche jamais ton chapeau si haut que tu ne puisses plus le décrocher.* Après avoir pris à la hâte quelques vêtements, il sortit, monta dans sa voiture et se retrouva à descendre doucement vers l'océan avec uniquement, pour le regarder, l'œil rouge de la constellation du Scorpion.

La discipline familiale était telle, dans la maison du Paseo Linda Bonita, que plusieurs heures passèrent avant qu'Araceli ou les deux garçons ne remarquent que Maureen et Scott étaient partis. Comme ils avaient été conditionnés pendant la moitié d'un été par les réquisitoires de leur mère contre la télévision et l'ordinateur, Brandon et Keenan commencèrent leur journée par des activités solitaires dûment enrichissantes pour l'esprit. Ce fut une matinée tranquille, sans leur sœur, et à travers le fin grillage des fenêtres restées ouvertes en ce temps d'été la maison se remplissait des *tchi-tip tchi-tip* aigus des hirondelles bicolores qui se familiarisaient avec le cactus grimpant du jardin. Le gazouillis et les cris habituels de Samantha ne résonnaient pas aux oreilles de ses frères, et pourtant les garçons ne s'étaient pas encore rendu compte de son absence. Ils ne se doutaient pas qu'au moment où ils finissaient leur bouillie à la semoule de blé avec Araceli, leur sœur avait déjà accompli, en compagnie de leur mère, la moitié du trajet qui les menait dans le désert de Sonora. Keenan se rendit d'un pas nonchalant dans la Chambre aux mille merveilles et entreprit de construire un vaisseau cosmique à trois niveaux avec des mini-cubes en plastique fabriqués au Danemark, tandis que Brandon montait sur le canapé du séjour et se perdait dans le quatrième volume d'un thriller fantastique pour lecteurs de huit à douze ans où l'on voyait des groupes d'elfes capables de jouer magiquement avec le temps. La façon dont le garçon-détective arrivait à échapper encore une fois à une bande de criminels armés de mitraillettes était tellement captivante que Brandon ne remarqua même pas que la table basse n'était plus là.

Après le nettoyage facile de la cuisine qui suivait habituellement le petit déjeuner, Araceli fit le tour de la maison pour ramasser le linge sale en commençant par les pyjamas dans la chambre des garçons, et en continuant par celle de Samantha. Elle était préoccupée encore une fois à cause de Felipe, car après avoir rangé la casserole qui lui avait servi à préparer la bouillie de semoule de blé, elle avait eu le pressentiment qu'il lui téléphonerait aujourd'hui. C'était peut-être un déplacement psychique qui lui venait d'avoir assisté à la bagarre entre Scott et Maureen la veille. Face à un violent désaccord, il était possible que s'enracine un germe de bonheur. *Hoy el gordito me va a llamar.* Araceli rêvassait à son « petit gros » quand elle entra dans la chambre d'enfants et remarqua la couette sur le sol ; elle supposa aussitôt que Maureen avait dormi là. Quelques instants plus tard, son hypothèse se vérifia lorsque, dans la chambre des parents, elle trouva le lit exactement comme elle l'avait laissé l'après-midi précédent. Clairement, *el señor* Scott n'avait pas non plus dormi là ; il s'était sans doute couché à côté du grand poste de télévision et, de fait, lors de son dernier arrêt dans sa chasse au linge sale, Araceli trouva un sac de couchage et un oreiller sur le plancher. Bon, évidemment, ils ne s'étaient pas réconciliés avant d'aller se coucher, il n'y avait là rien de surprenant. Araceli entra dans la buanderie, mit dans le lave-linge la première brassée de vêtements de Maureen après avoir cherché dessus des taches de sang et constaté qu'il n'y en avait pas. *Apparemment, ils ne se sont pas entretués.* Elle fit un autre tour qui la ramena à la cuisine, et elle ne s'étonna pas de ne pas croiser *la señora* Maureen. La maison était grande, et il arrivait très souvent que sa *jefa* entre et sorte sans le dire.

À 12 h 15, les garçons revinrent à la table de la cuisine pour déjeuner, et c'est seulement après qu'ils eurent dévoré les derniers beignets de poulet préparés par Araceli que Keenan, toujours un petit peu plus réceptif que son frère aîné au moindre changement autour de lui, demanda enfin avec nonchalance : « Où est maman ? »

De l'évier où elle faisait tremper une casserole dans de l'eau contenant un peu de liquide vaisselle, Araceli se retourna et, regardant Keenan en face :

« *¿ No está en la casa ?*

— Non, elle est pas là.

— C'est bizarre », dit Araceli. Pendant une seconde, elle eut le sentiment de devoir ajouter quelque chose pour dissimuler et orienter la conversation dans une fausse direction, chose à laquelle les Mexicains excellent. Lancer une information fictive comme : « Oh, je me rappelle maintenant qu'elle a dit qu'elle allait au marché », ce qui effacerait la légère inquiétude qui se peignait soudain dans les yeux noisette de Keenan. Mais elle ne dit rien. Elle songea cependant que n'importe quel autre jour, le fait que Maureen sorte de la maison pendant une heure ou deux, ou même trois, sans les garçons et sans prévenir ne l'aurait pas du tout inquiétée ; mais après les événements de la nuit passée... Étant donné les nuages tourbillonnants, lourds de désordre et d'effondrement émotionnel, qui se massaient autour de cette maison, tout était possible. Un jour, c'était une équipe d'hommes qui taillaient le jardin en pièces à coups de machette, le lendemain, ses patrons luttaient corps à corps dans la salle de séjour. Et maintenant ? *Il se peut que ma folle de* jefa *m'ait aussi laissé le bébé sans me le dire.* Pendant le temps qu'il fallut à Araceli pour récurer la casserole, cette idée passa de l'absurde au crédible. *Le bébé se balade quelque part dans la maison ! Il faut que je le trouve !* Araceli bondit hors de la cuisine, les mains dégoulinant d'eau de vaisselle, laissant sans réponse dans son sillage la question de Keenan « Qu'est-ce qui se passe ? », pour se lancer à grandes enjambées vers le séjour et, de là, jusqu'à la chambre d'enfants puis dans la penderie en criant « Samantha ! Samantha ! », nom qu'elle prononçait en durcissant le « th » à peu près comme le ferait dans six mois le bébé lorsque, pour la première fois, il tenterait de prononcer son prénom. À la fin, Araceli fonça hors de la maison, courut dans l'arrière-cour et traversa la pelouse en direction du plan d'eau bleu, calme et frais de la piscine. *Non, s'il vous plaît, non, pas ici,* aquí no, *au nom de* Nuestra Señora Purísima, *non.* Le bébé n'était pas dans la piscine, ni dans le jardin du désert, ni où que ce soit dans les limites du 107 Paseo Linda Bonita, tout simplement parce que Maureen l'avait emmené avec elle. Araceli se rendait compte que le bébé se trouvait avec *la señora* Maureen. Inutile de paniquer.

De retour dans le séjour, elle s'efforça de reprendre son souffle et son sang-froid. Debout à l'endroit carrelé et vide où se trouvait auparavant la table basse, elle tenta de démêler ce qui se passait exactement dans cette maison.

Une fois que toute la vaisselle du déjeuner eut été rangée, au moment où Araceli sortait la dinde hachée du congélateur pour la faire décongeler en vue du dîner, elle se demanda si elle n'allait pas appeler Maureen sur son téléphone portable. Il y avait là, pourtant, un léger problème d'étiquette. Malgré son cran et son indépendance d'esprit, Araceli était encore l'esclave de certains us et coutumes, et son statut social indéniablement inférieur l'empêchait de prendre le téléphone sans attendre et de demander à sa chef : *Où êtes-vous et quand est-ce que vous rentrez ?* Ce n'était pas là sa place. Il lui fallait trouver un prétexte pour téléphoner, quelque chose qui aurait à voir avec ses obligations professionnelles. Presque une heure passa pendant laquelle Araceli essuya distraitement des plans de travail et des plateaux de table, puis balaya des sols immaculés qui ne pourraient jamais briller plus qu'ils ne brillaient déjà, avant de trouver un prétexte plausible : elle demanderait simplement à Maureen si les enfants devaient manger du riz à la mexicaine pour dîner. Ce serait une raison d'appeler extrêmement ténue et sans doute assez transparente, mais *la señora* avait mentionné quelque chose avant le début de l'été sur le fait d'obliger les garçons à élargir leurs goûts, et elle avait émis l'idée d'introduire quelques légumes dans leur régime de viandes transformées et de fromages tranchés.

Araceli allait donc suggérer ce plat de base latino-américain et demander si elle devait y ajouter des petits pois et des carottes. Elle alla regarder sur le frigo la liste des « numéros d'urgence » que Maureen avait préparée sur l'ordinateur de Scott et imprimée plus d'un an auparavant, lors d'un de ses derniers gestes pour la maisonnée avant qu'elle accouche de Samantha. La liste avait été établie pour Araceli et pour Guadalupe, mais aucune des deux n'avait eu besoin de la consulter et elle n'avait pas été mise à jour.

Maureen, portable se trouvait tout en haut, et Araceli composa rapidement le numéro sur le téléphone de la cuisine. Elle s'attendait à la voix de sa patronne à l'autre bout et à l'effet calmant qu'elle produirait non seulement sur Araceli, mais aussi sur les enfants une fois qu'Araceli pourrait les informer de l'endroit où se trouvait leur mère et de l'heure prévue pour son retour. Il était 2 h 29 de l'après-midi, selon l'horloge du four, et les garçons étaient pour l'instant bien installés devant la télé, conscients d'y être sans permission pour la bonne raison que leur mère n'était pas là pour la leur donner. Araceli colla son oreille sur le combiné ; elle commença à s'inquiéter après la quatrième sonnerie, puis s'étonna et s'irrita quelque peu à la sixième et à la septième. La sonnerie cessa et le répondeur se mit en route : « Bonjour, ici Maureen Thompson... »

Araceli se trouva à répondre : *Señora,* mais se rendit compte que la voix était un enregistrement. Elle recommença et obtint le même résultat. Il se passe quelque chose d'étrange, estima-t-elle en regardant de nouveau l'horloge. 2 h 34. Pour la première fois, elle se demanda si Maureen serait là au moment où *el señor* Scott rentrerait du travail à 5 h 45, et elle conclut que non. *Elle me laisse toute la journée avec ses deux garçons sans m'en avertir. ¡ Qué barbaridad !* Jusqu'ici, sa patronne avait été un modèle de responsabilité et de ce que les Mexicains appellent *empeño* – qualité qui veut qu'on s'efforce de réfléchir avant d'agir. Maureen était précisément le genre de personne pour laquelle des centaines de milliers de Mexicaines espéraient travailler et venaient, pour cela, aux États-Unis. C'était un employeur intelligent et civilisé auquel on n'avait jamais besoin de rappeler la date du jour de paye et qui, par son comportement quotidien, vous enseignait quelques-uns des petits secrets de la réussite nord-américaine – par exemple, le calendrier des événements du mois collé sur le réfrigérateur et dans la chambre des garçons. 2 juin : *l'école est finie.* 22 juin : *anniv. de Keenan !* 17 août :

Obst-gyn. 24 août : *anniv. de Brandon !* 5 septembre : *L'école reprend ! ?* ☺ Planifier, organiser, compartimenter. Ne pas perdre de vue le cours de l'horloge et le respecter, insérer de manière efficace et rituelle les événements et les tâches dans chaque journée et chaque heure. Telles étaient les caractéristiques remarquables de la vie quotidienne avec Maureen Thompson.

Ces pensées occupaient Araceli tandis que, devant la fenêtre panoramique du séjour, elle regardait distraitement la pelouse qui recommençait à pousser irrégulièrement et à être mal entretenue, quand elle entendit une faible sonnerie électronique. Après avoir bien tourné dans toute la maison, elle comprit que le son venait du jardin de derrière et du cactus grimpant : au sommet de la plus haute tige, un oiseau moqueur imitait le son du téléphone portable de Maureen, soit quatre notes de marimba. Quelques secondes plus tard, Araceli entendit de nouveau le même son venant cette fois clairement de la chambre des parents, et elle se précipita à l'intérieur de la maison. Dans la pénombre de fin d'après-midi, une lumière brillait près d'une des lampes sur la table de chevet. Araceli prit l'appareil – chose qu'elle n'aurait jamais imaginé faire ce matin-là parce qu'il y avait quelques objets personnels, dans cette maison, qu'elle ne touchait jamais, tels que les portefeuilles, les bijoux et des billets non rangés qui traînaient ici ou là. Ce jour-là, pourtant, l'absence inexpliquée de sa patronne commençait à faire perdre à ces objets leur radioactivité, et Araceli souleva le téléphone du bout des doigts, comme le font les inspecteurs de police dans les séries télévisées américaines, et elle lut le message à l'écran : 7 appels manqués.

Araceli avait quitté le Mexique juste au moment où la mode du portable commençait à faire fureur, et elle n'en avait jamais possédé un. Elle ne savait pas qu'en pressant deux ou trois boutons elle pourrait voir apparaître l'identité de ceux qui avaient appelé, en l'occurrence elle-même et Scott, qui avait téléphoné cinq fois depuis son bureau au cours de l'heure précédente pour parler directement à sa femme.

D'habitude, Scott rentrait ponctuellement à 5 h 45. C'était un moment qu'Araceli avait bien enregistré parce qu'il marquait le début de la phase descendante de sa journée de travail : *el señor* Scott passait par la porte donnant dans le garage, et ses fils le tannaient pour qu'il vienne jouer avec eux dans le jardin ou qu'il débute une partie d'échecs. Il arrivait que Samantha coure vers lui en chancelant, les bras levés. À ce signal, Araceli laissait le dîner dans quelques plats en Pyrex recouverts et prêts à être servis, puis elle demandait à Maureen si celle-ci avait besoin d'autre chose et se retirait dans sa chambre avec son dîner avant de revenir plus tard pour le nettoyage final. Telle était la routine gravée dans la journée d'Araceli depuis quatre ans de service. Il était rare que ce rythme soit brisé : la lumière et le ciel changeaient dans le monde extérieur, et le dîner était donc servi l'hiver à l'heure où il fait sombre tandis qu'en été tout, dehors, était blanc de soleil. Une fois, on avait même vu une pluie de cendres par la fenêtre. Attendre cette heure-là était devenu maintenant l'obsession muette d'Araceli. Elle regarda l'horloge du four dépasser cinq heures, puis elle entra dans le séjour pour vérifier que la pendule scandinave sur le dressoir marquait bien la même heure. Les garçons se débrouillaient tous seuls. Après un déjeuner sans leur mère, ils avaient senti l'autorité de cette même mère diminuer encore d'un cran et ils avaient allumé leurs jeux vidéo.

L'heure censée marquer l'émancipation d'Araceli arriva et fut dépassée sans que Scott franchisse la porte. Les pâtes et les *albóndigas* [1] étaient prêtes. Elle avait fini son travail pour aujourd'hui. Où était donc ce monsieur ? À 6 h 45, sur un coup de tête, Araceli sortit par la porte de devant et descendit dans le sentier qui traversait la pelouse jusqu'au trottoir bordant l'impasse silencieuse et vide du Paseo Linda Bonita. Elle se posta là, les bras croisés, et regarda la rue en espérant voir la voiture du *señor* Scott surgir à l'angle, mais la vue restait toujours la même, une grande étendue de chaussée large et vide. *Lui non plus ne rentre pas.* No lo puedo creer. *Ils m'ont abandonnée.* Alors que le soleil commençait sa rapide descente vers son amerrissage quotidien, Brandon et Keenan se trouvaient chez eux sans père ni mère à l'horizon. Elle entendit la climatisation s'arrêter soudain dans la maison voisine, puis dans une autre, laissant place à un silence déconcertant qui lui apparut vite imbécile et moqueur, comme si elle ne se trouvait pas dans un quartier réel mais sur un plateau censé représenter le vide de la banlieue américaine. *Comment se fait-il qu'on ne voie presque jamais personne, par ici ? Que se passe-t-il dans ces boîtes luxueuses pour que les gens restent toujours dedans ?* Dans le Paseo Linda Bonita, il n'y avait aucun être humain

1. Boulettes de bœuf à la mexicaine.

susceptible de voir Araceli dans son moment de détresse, aucun voisin un peu trop curieux en mesure de remarquer cette anomalie : une domestique en *filipina* qui attendait impatiemment le retour de ses patrons en serrant les dents face à une rue de plus en plus sombre. Araceli se mit à imaginer divers scénarios capables d'expliquer cet événement inédit et très étrange. Peut-être la violente confrontation qui avait eu lieu dans la salle de séjour avait-elle été suivie d'autres scènes semblables et Maureen avait fini par décider de quitter définitivement son mari. Ou alors elle était à l'hôpital et Scott avait pris la fuite pour ne pas être arrêté. Ou encore il l'avait tuée et enterrée dans le jardin de derrière. À la télévision, on voyait des nouvelles de ce genre, des couples américains qui avaient poussé le fil de leur relation jusqu'à une fin démente à coups de couteau de cuisine et de pelle. Araceli avait amélioré ses connaissances en géographie américaine grâce aux cartes qui accompagnaient les histoires racontées sur Univision. Elles montraient les endroits où des Nord-Américains assassinaient leur femme enceinte ou leur fiancée – des endroits avec des noms comme Nebraska, Utah et New Hampshire.

La Mexicaine aurait bien aimé partir, elle aussi, mais elle ne pouvait pas : une chaîne la reliait à la maison et aux deux garçons, l'ancrait à cette propriété californienne. Elle ne pouvait s'enfuir, ni même trop s'éloigner, à cause des enfants dans la maison, et les laisser seuls reviendrait à fuir ses responsabilités, même si on les avait laissés à la garde d'Araceli contre son gré. *¿ Qué diría mi querida madre ?* Sans tout à fait le remarquer, Araceli se mit à arpenter le trottoir : elle allait jusqu'à la limite de la propriété suivante puis revenait sur ses pas parce que n'importe quoi pouvait arriver à ces garçons s'ils restaient sans surveillance. Ils étaient même capables de provoquer un incendie. Il lui était impossible de continuer à marcher vers le bas de la colline, et quand elle s'en rendit compte elle tapa du pied sur le ciment comme un enfant obligé de rentrer pour dîner.

Araceli était encore dehors, à huit mètres environ de la porte d'entrée fermée, quand le téléphone sonna chez les Torres-Thompson. Elle n'entendit rien. Supposant que c'était sa mère qui appelait, Keenan interrompit son jeu vidéo dès la deuxième sonnerie et courut vers la cuisine. Il se hissa sur la pointe des pieds et, à la quatrième sonnerie, attrapa le cordon du combiné qui pendait du support fixé au mur à un mètre cinquante de hauteur.

« Allô ? Maman ?

— Bonsoir, mon chéri.

— Maman, tu es où ?

— Je fais juste une petite coupure.

— Une coupure ?

— Oui, mon chou. Des petites vacances.

— Pourquoi ?

— Parce que je suis en colère contre ton père.

— Oh. »

Le silence qui suivit fut assez long pour que même le petit Keenan éprouve le besoin de le combler, mais il n'arriva pas à trouver quelque chose à dire.

« Maman t'aime », finit par dire Maureen. Elle était dans une chambre d'hôtel avec des tapis navajos qui sentaient le moisi, de la sauge qui brûlait dans un porte-encens, et elle regardait son bébé dévorer une banane. Les tons aigus de la voix de son plus jeune fils éveillèrent en elle des images de routine familiale : *Araceli doit avoir la situation en mains. Elle aide Scott.* Et Maureen sentit ses inquiétudes à propos des garçons et de la maison qu'elle avait quittées se dissiper rapidement. « Maman est juste un peu en colère contre ton père.

— Tu rentres quand ?

— Dans pas longtemps, mon chou. Dans pas longtemps. »

Ces paroles rassurèrent suffisamment Keenan pour qu'il songe à reprendre son jeu. Il y avait une éternité qu'il n'y avait pas joué aussi longtemps.

« Qu'est-ce que vous avez fait, aujourd'hui ?

— On a joué avec nos Game Boy, dit-il. J'ai réussi à monter jusqu'au sommet de Cookie Mountain. Brandon m'a montré comment faire. C'était trop cool. »

Maureen fit la grimace. *Scott rentre à la maison, et la première chose qu'il fait, c'est de les laisser jouer à ces jeux d'abrutis.*

« Vous avez mangé ? »

Keenan regarda de l'autre côté de la cuisine et remarqua les plats qu'Araceli avait laissés sur le plan de travail. « On a des spaghettis et des boulettes », dit-il. Maureen entendit le « on » et supposa que Scott était inclus. Rassurée de voir qu'Araceli prenait soin de ses garçons et que Scott rôdait dans les parages, elle dit au revoir à son fils et raccrocha d'autant plus vite qu'elle voulait éviter de parler à son mari.

Les années de mariage et celles qu'ils avaient passées à élever leurs enfants avaient synchronisé les horloges parentales de Scott et de Maureen. Aussi, à peine une minute après que Keenan eut remis le combiné sur son support, le téléphone sonna de nouveau. Keenan était déjà revenu dans la salle de séjour et il avait rallumé sa Game Boy, mais il fit demi-tour vers la cuisine et souleva le combiné à la huitième sonnerie.

« Allô ?

— Salut ! Keenan ?

— Papa ?

— Ouais, c'est moi.

— Tu es *où ?* » demanda Keenan. Scott était tellement accaparé par son environnement immédiat et par les circonstances dans lesquelles il téléphonait - il était planté au bord de la rue, sur le carré d'herbe devant l'immeuble où se trouvait l'appartement de Charlotte Harris-Hayasaki - qu'il ne remarqua pas le subtil indice, dans le ton de Keenan, signifiant que peut-être tout ne se passait pas parfaitement à la maison.

« Je fais une petite coupure par rapport à la maison.

— Des vacances ?

— Ouais, comme des vacances. »

Cette conversation intéressait moins Keenan que celle qu'il venait d'avoir avec sa mère. Le fait d'avoir entendu leurs deux voix à quelques instants d'intervalle lui avait redonné la sensation que la situation était normale, et il voulait retourner à son jeu. Il voulait aussi commencer à manger les spaghettis et les boulettes.

« Comment va maman ?

— Elle dit qu'elle est très en colère contre toi. »

Sa femme avait donc passé sa journée à seriner à ses fils quel horrible bonhomme il était : c'était la suite totalement prévisible des chutes sur le derrière et autres grands fracas de la soirée précédente.

« Je sais qu'elle est en colère contre moi », dit Scott sur un ton de tristesse résignée. Et puis aussitôt son humeur changea. *Comment ose-t-elle dresser les enfants contre moi ?* « Moi aussi, je suis en colère contre elle », déclara-t-il. Il imagina sa femme en train de rôder dans les parages, risquant même de prendre le téléphone des mains de Keenan et de le harceler en lui demandant où il était. Il dit donc très vite au revoir après avoir recommandé à son fils d'écouter sa mère, de faire ce qu'elle lui disait.

« D'accord, papa », fit Keenan, bien que sa mère ne soit pas là ; car, comme son père, il était pressé de raccrocher.

11

« J'AI PEUR. ARACELI, est-ce que tu peux dormir avec nous ? »

Keenan posa la question alors qu'il avait remonté la couette jusqu'à son menton, après trois quarts d'heure de pleurs et de désarroi que la Mexicaine n'allait pas oublier de sitôt. Elle avait fait de son mieux pour imiter leur mère : elle avait obtenu des garçons qu'ils se brossent les dents, regagnent leur chambre et se mettent au lit, ce qui lui donnait le sentiment d'avoir accompli un travail herculéen. Lui demander maintenant de s'allonger sur le plancher à côté d'eux était une exigence de trop. Elle avait besoin de se retrouver seule un moment, de prendre un peu de recul et de réfléchir à quoi faire ensuite. Les garçons avaient commencé à paniquer environ une heure après le coucher du soleil, quand les fenêtres s'étaient transformées en surfaces noires renvoyant des images de pièces où manquaient les parents. « Où est maman ? » « Où est papa ? » Ils l'avaient mitraillée de ces questions, et ils avaient insisté de plus en plus pour avoir d'autres réponses que des « Je sais pas », « Bientôt », ou, en espagnol, « *Ya mero* ». Araceli leur avait dit d'aller se coucher, ce qui avait déclenché une crise de larmes silencieuses chez Brandon et une sorte de grognement-grondement aigu chez Keenan. Ils allaient au lit alors que ni leur mère ni leur père ne se trouvaient dans la maison, qu'il n'y avait que cette bonne mexicaine revêche, et brusquement ils se sentirent aussi perdus que deux garçons séparés de leurs parents dans une rue pleine de monde. Au moment où ils s'étaient lavé les dents et avaient mis leur pyjama, ils s'étaient suffisamment calmés pour essuyer leurs larmes. Les rituels du coucher que leur mère leur avait inculqués pouvaient brièvement devenir un substitut de sa présence et les apaiser.

« Tu veux bien dormir avec nous, dis ? » répéta Keenan.

Araceli souhaitait désespérément retrouver sa chambre, mais évidemment c'était impossible : si elle se retirait dans sa *casita*, elle laisserait les enfants seuls dans la maison.

Tu ne devrais pas céder aux enfants. Tu ne devrais pas leur accorder tout ce qu'ils demandent.

Dans la maison d'Araceli, à Nezahualcóyotl, les enfants étaient obéissants, ne faisaient pas de bruit et n'avaient aucune exigence : les filles en particulier étaient censées occuper des places silencieuses et bien nettes que les adultes avaient toute liberté de ne pas remarquer. Ce qu'elle avait connu dans son enfance comme équivalent du rituel de coucher de la Chambre aux mille merveilles se déroulait dans la chambre austère qu'elle partageait avec sa sœur – une pièce au sol carrelé que les deux sœurs, à partir de l'âge de dix ans, devaient nettoyer elles-mêmes au balai-éponge. Quand elles se couchaient, pour leur souhaiter une bonne nuit, leur mère venait jeter un coup d'œil, vérifiait qu'elles avaient bien obéi, et c'était tout. Elles craignaient sa désapprobation et la pensée qu'elles risquaient de retarder le moment où elle aurait sa récompense finale après une journée de travail : une récompense consistant à monter jusqu'au toit où des fanions en toile de jean et en polyester s'étiraient sous la brise, et, raidis par la fraîcheur du soir, proclamaient : *En esta casa, yo mando* : Dans cette maison, je suis amour, je suis un fleuve d'ordre et de subsistance qui coule régulièrement en toute saison.

« Non, je ne vais pas dormir ici à côté de vous, dit Araceli. Mais je vais dormir pas loin. Là, dans le couloir. Ça va ?

— Dans le couloir ?

— Oui. *Aquí.* »

Elle ouvrit la porte de leur chambre et prit quelques secondes pour aller chercher, dans l'un des placards de Maureen, deux couettes qu'elle jeta par terre avec un oreiller.

« *Aquí voy a dormir. Aquí voy a estar.*

— D'accord. »

Pour la première fois de sa vie, Araceli se coucha avec sa *filipina*.

Elle se réveilla avant l'aube. Les enfants dormaient, le chœur des oiseaux n'avait pas encore commencé de l'autre côté des fenêtres, et elle traversa la maison vide comme si elle était en transe. Elle avait l'impression qu'il y avait une petite chance que Scott ou Maureen soit rentré pendant la nuit, mais chaque interrupteur qu'elle manœuvra ne révéla qu'un morne tableau de meubles sans poussière : la couette était toujours bien tendue sur le lit de la chambre des parents, il n'y avait pas de couvertures par terre indiquant que quiconque ait dormi dans la pièce où Scott regardait la télévision et s'amusait à ses jeux vidéo, et la cuisine ne présentait aucun signe de présence de qui que ce soit depuis le moment où Araceli avait essuyé les plans de travail pendant que les garçons se préparaient à aller se coucher. Elle retourna dans la chambre des parents, le lieu qu'elle associait le plus étroitement avec la présence de Maureen, et examina les objets comme si l'un d'entre eux pouvait lui dire quand *la señora* rentrerait. *¿ Dónde estás, mi jefa ?* Une brosse à cheveux plate qui reposait dans un panier en osier sur le plateau en marbre du lavabo attira son attention. Ce morceau inélégant de plastique noir accomplissait quotidiennement le dur travail de coiffer Maureen matin et soir, et un entrelacs épais de cheveux brun roux s'était formé entre les poils en nylon. Un instant, Araceli imagina que les mèches se redressaient sur la brosse, se soulevaient, que sa patronne en personne émergeait magiquement de dessous et calmait ses enfants par ses paroles de mère.

Je ne peux rien faire d'autre qu'attendre. Brièvement, elle songea que sa vie avec ces gens l'avait gâtée, qu'elle avait été conditionnée pour ne supporter qu'une existence sans crises, et cela surtout par l'attention sans relâche que Maureen apportait aux rituels quotidiens et au confort que procurent des emplois du temps assidûment respectés. Durant les quatre dernières années, ces deux femmes avaient passé de nombreux accords tacites, pour que, entre autres, les serviettes et le linge sale circulent dans la maison avec la même efficacité que les voitures dans les rues vides des Laguna Rancho Estates, qu'ils aillent des corps mouillés aux machines à laver puis aux étagères en touchant les mains des deux femmes sur leur trajet. Des couches jetables passaient de leurs paquets sous plastique sur les étagères des magasins aux fesses du bébé et, de là, à des poubelles spéciales pourvues de désodorisants pour finir dans les grands conteneurs à ordures à l'arrière de la maison en n'ayant que très brièvement contaminé les bonnes odeurs champêtres qui émanaient des meuble de pin et de chêne, ainsi que d'une poignée de bols de lavande et de pots-pourris placés à des endroits stratégiques.

Maureen était le centre de gravité de cette maison, et avec chaque heure qui passait son absence inexpliquée devenait plus dure à comprendre. *Pourquoi serait-elle partie ? Où est-elle ?* S'il y avait une explication, il serait plus facile de faire face à la situation. Araceli décida donc de téléphoner à Scott et d'en exiger une : *Qu'avez-vous fait à* la señora ? *Est-ce que vous l'avez brutalisée ?*

Il était 8 h 30, et les garçons dormaient encore quand Araceli se dirigea d'un pas décidé vers le frigo et téléphona au deuxième numéro sur la liste : *Scott, portable.* En quatre ans de travail pour la famille Torres-Thompson, elle ne l'avait jamais appelé une seule fois. Ce matin, elle allait le faire et exiger de savoir pourquoi on l'avait laissée toute seule avec deux garçons alors que, dès le début, il avait été clairement établi qu'elle ne ferait pas de baby-sitting. Après une nuit où elle avait été obligée de prendre la place de la mère et du père de ces deux garçons, après avoir dormi tout habillée sur le plancher, Araceli avait dépassé le stade de la politesse ou de la déférence. « *¿ Dónde estás ?* » demanderait-elle, le tutoyant au lieu de le vouvoyer – ce qui constituerait une violation de conventions sociales mexicaines bien enracinées –, comme si c'était elle la patronne et lui l'employé, bien qu'en réalité Scott le monolingue ne puisse pas avoir la moindre idée de son impertinence.

Le téléphone sonna une fois et l'appel fut dirigé vers la boîte vocale. Araceli recommença : même résultat.

Le téléphone de Scott se trouvait dans l'appartement de Charlotte Harris-Hayasaki, au premier étage, dans un de ces endroits de non-réception de signal qui sont la plaie des ingénieurs des télécommunications. Scott sommeillait sur le canapé où il s'était endormi après être resté éveillé jusque tard dans la nuit à discuter avec Charlotte de sa bagarre avec Maureen. Quand il se réveillerait, juste avant midi, son téléphone serait mort parce que, dans sa fuite précipitée de chez lui, il avait omis de prendre le chargeur.

Araceli téléphona une demi-douzaine de fois à la suite, et sa dernière tentative eut lieu au moment où Keenan entrait dans la cuisine en protestant : « J'ai faim ! Je veux quelque chose à manger ! »

La vue de ses minces sourcils contractés par l'irritation et de ses lèvres dont les commissures s'abaissaient comme s'il se plaignait mit Araceli hors d'elle. Une mère absente, un père absent, et les enfants qui s'attendent à ce qu'on les fasse manger : trop, c'est trop.

Les casseroles, les salades, les sauces – c'est ça, mon travail ! Je suis la femme qui nettoie. Je ne suis pas la mère.

« Je ne suis pas ta mère ! » s'écria Araceli. Mais elle se rendit aussitôt compte de son erreur, car Keenan fit demi-tour et partit en courant et en hurlant : « Maman ! Maman ! Maman ! » Ses cris emplirent la salle de séjour puis perdirent de la force à mesure qu'il s'éloignait dans la maison. Araceli se lança à ses trousses, se maudissant et maudissant la situation, criant « Keenan, Keenan » jusqu'à ce qu'elle le trouve assis par terre, les bras autour des genoux, sur le sol de la salle de bains qu'il partageait avec Brandon – une pièce aux murs et au sol carrelé, annexe de la Chambre aux mille merveilles –, où les rideaux de douche montraient un récif de corail regorgeant de poissons tropicaux et où une méduse décorative, en caoutchouc, était fixée au miroir. Des larmes et de la morve avaient coulé sur les joues et les lèvres de Keenan, jusque dans sa bouche. Araceli sentit monter dans sa poitrine une faible impulsion maternelle lui demandant de se baisser, de sécher les pleurs de Keenan et de lui nettoyer le nez, mais elle résista. À la place, elle ramassa une savonnette couleur d'ambre et dit : « Keenan, *mira.* »

Tenant délicatement la savonnette entre son pouce et son index, elle dessina des lignes sur le miroir avec des gestes rapides et amples qui capturèrent et retinrent l'attention de Keenan, comme les clowns du parc Chapultepec qui pressaient et étiraient des ballons pour leur donner la forme de chiens et d'épées. En moins d'une minute, elle avait reproduit sur le verre une créature fantomatique et ambrée qui flottait dans l'espace multidimensionnel séparant Keenan de son reflet. Il s'arrêta de pleurer dès qu'il reconnut ce que c'était.

« Un dragon, dit-il.

— Oui, un dragon, approuva Araceli dont la bouche s'ouvrit et montra, pour une fois, deux rangées de dents heureuses. Pour toi, Keenan. »

Le garçon essuya ses larmes et contempla l'animal fabuleux, dessiné à moitié en vol comme s'il était prêt à bondir.

« C'est vraiment cool.

— Je vais te faire des crêpes, dit Araceli. Avec des bananes. Tu aimes bien ça, pas vrai ? C'est bien ? »

Il fit oui de la tête. Lorsqu'elle eut réussi à faire revenir le garçon dans la cuisine, qu'elle lui eut servi du lait chocolaté, préparé les crêpes à la banane et les lui eut présentées avec de généreuses portions d'authentique sirop d'érable canadien de première qualité, puis lorsque les garçons furent partis de la cuisine pour se divertir en regardant les émissions du samedi matin à la télévision, Araceli fut de nouveau seule avec la feuille des numéros de téléphone sur le réfrigérateur.

Au-dessous du numéro de portable de Scott, sur la liste des numéros d'urgence, se trouvait *Scott, bureau*, qu'elle appela, bien qu'on soit samedi. « Nos bureaux sont actuellement fermés. Les heures d'ouverture sont... » Venait ensuite *Mère*, ce qui signifiait la mère de Maureen, une femme aux cheveux cendrés qui descendaient en cascade et qui était venue trois fois depuis qu'Araceli avait commencé à travailler ici. Sa visite la plus récente remontait aux jours qui avaient suivi la naissance de Samantha. C'était une femme réservée qui communiquait principalement par son regard soutenu et réfléchi et qui n'avait guère adressé à Araceli plus que quelques mots brusques à la fois. Il y avait pourtant eu un moment de spontanéité, lors de la première visite de cette femme âgée. Trouvant Araceli dans la cuisine, elle avait dit : « Vous avez de la chance d'avoir ce travail. Vous le savez, n'est-ce pas ? » La maison du Paseo Linda Bonita était alors un chef-d'œuvre tout juste achevé, le mobilier vierge n'avait pas été rayé par les enfants, les murs étaient peints de frais, et *la petite* forêt pluviale ressemblait encore à un petit coin de Brésil qu'on aurait transplanté. « Travailler avec ma fille et ma petite-fille dans cette maison extraordinaire. J'espère que vous appréciez. » Ces paroles avaient une bizarre coloration de regret et d'envie. En dépit de l'absurdité de la chose, la mère de Maureen en voulait à Araceli de travailler dans cette maison, d'être tous les jours proche de sa fille, et elle était jalouse de l'intimité qu'elle percevait dans leur relation. *Moi aussi, je pourrais faire la cuisine et le ménage*, disait la vieille femme sans le dire, *aussi bien sinon mieux que vous, la Mexicaine. Je pourrais vivre dans la petite maison de derrière et voir mes petits-enfants tous les jours, mais, évidemment, ma fille ne veut pas de moi.*

Pour Araceli, téléphoner à cette *gringa acomplejada* [1] et lui demander de venir à son secours donnait bien la mesure de son désespoir du moment.

1. Complexée.

Araceli appuya sur les touches. « L'indicatif de zone de votre correspondant a changé », déclara une voix enregistrée. *¿ Como ?* Elle refit le numéro et obtint le même message. Elle essaya avec le nouvel indicatif, mais cette fois elle entendit trois signaux très sonores et de plus en plus aigus, suivis du message : « Le numéro que vous avez composé a été déconnecté ou n'est plus en service... »

¡ Caramba !

Venait ensuite sur sa liste la famille *Goldman-Arbegast*, les meilleurs amis des Torres-Thompson qui, pourtant, avaient raté pour une raison ou une autre la dernière fête d'anniversaire. Oui, ces Goldman-Arbegast étaient des gens responsables : la mère était une variante de Maureen, juste d'humeur plus égale et un peu plus grande en taille, une autre femme dominante, une autre fanatique d'emplois du temps et d'enfants bien habillés.

« Bonjour, vous êtes bien chez les Goldman-Arbegast, dit une voix de femme. Nous ne sommes pas là pour l'instant parce que nous sommes en Italie. »

« Non, nous sommes en Grèce ! » déclara une voix de garçon.

« Non, nous sommes à Paris ! » interrompit une voix d'homme.

« Non, nous sommes à Londres ! » affirma la voix d'un deuxième garçon.

Ensuite, en chœur, les quatre voix lancèrent : « Nous sommes en Europe ! Pour des vacances de rêve ! »

Araceli reposa le combiné sur son support mural et regarda les deux numéros qui restaient sur la liste : ceux des médecins qui s'étaient occupés de Maureen pendant sa grossesse et son accouchement ; ils ne servaient à rien dans la crise qu'affrontait actuellement Maureen.

Qui pouvait-elle appeler maintenant ? Personne ne lui vint tout de suite à l'esprit. Elle ne connaissait pas les voisins, même pas de nom, et ne savait pas jusqu'à quel point on pouvait leur faire confiance, et il serait dangereux, estima-t-elle de partager avec des inconnus le secret de son isolement. Elle n'avait aucun numéro de téléphone pour les oncles ou tantes qui pouvaient exister dans l'univers des Torres-Thompson : Scott était un enfant unique et Maureen avait une sœur qu'Araceli n'avait jamais vue. À mesure que les heures passaient et que ni Scott ni Maureen ne revenaient, l'étrangeté de sa difficile situation ne faisait que croître. Pour la première fois, elle eut l'impression d'un malaise plus global, de subir les conséquences d'un ou de plusieurs traumatismes familiaux cachés mais actifs, comme dans l'histoire alambiquée d'une *telenovela*. La femme dont les cheveux tapissaient la brosse, dont la voix faisait briller les yeux des garçons, leur insufflait leur enthousiasme et leur inspirait leur bonne conduite, ne pouvait pas et ne devait pas les avoir abandonnés. Araceli s'attendait à entendre le claquement des sandales de Maureen et ses longues enjambées résonner à tout moment sur le carrelage Saltillo. Mais jusqu'à ce que cet événement se produise, il n'y avait aucun endroit où elle puisse se rendre à pied et où Brandon et Keenan seraient accueillis en amis ou en parents. Et le téléphone ne sonnait pas non plus : pas d'appels du monde extérieur, de copains et de connaissances désireux de bavarder. D'ailleurs, le téléphone ne sonnait pas souvent du tout. Il semblait inconcevable à Araceli qu'une famille et une maison puissent se transformer en île entourée de vastes étendues d'eau salée et que ses jeunes habitants et leur innocente bonne à tout faire puissent devenir des naufragés. Les péninsules qui reliaient cette île à un continent de parents déplaisants et de voisins trop curieux avaient été rapidement et définitivement emportées par les eaux. Araceli comprenait à présent que la solitude quotidienne qu'elle ressentait dans cette maison, l'oppression due au ronron des appareils électroménagers et de vues toujours dépourvues de gens qu'elle avait par la fenêtre panoramique n'étaient pas seulement son lot à elle. Cette famille américaine dont elle habitait la maison était venue sur cette colline au-dessus de l'océan pour vivre à l'écart du monde. *Ce sont des fugitifs comme moi.* C'était une vérité évidente, mais une vérité à laquelle Araceli n'avait encore jamais bien réfléchi. Chez les Mexicains, l'étrange froideur des *Norteamericanos* était légendaire parce qu'elle contaminait nombre de leurs compatriotes vivant ici. On entendait dire que l'individualisme et le culte du travail engloutissaient les heures de la journée des Américains, leurs couchers de soleil et leurs printemps, et qu'ainsi disparaissaient leurs réunions familiales, leurs amis et leurs vieux. Mais c'était encore bien autre chose de se retrouver jetée directement dans le drame solitaire d'une famille américaine, de découvrir son soi mexicain enrôlé dans le jeu de secrets et de silences de cette famille, d'y être mêlée pour la simple raison que les membres de cette famille étaient séparés les uns des autres par de grandes distances d'autoroute, par des fuseaux horaires, des plates-formes aéroportuaires et par le coût des appels longue distance. Et que dire de l'absence des vieux chefs de famille ? Araceli n'avait pas entendu Maureen parler une seule fois de son père, et il n'y avait de photos de lui nulle part. Était-il mort, lui aussi, comme la mère de Scott ? Ou était-il simplement banni de la maison comme le grand-père mexicain des garçons ? Araceli estimait que *el viejo* Torres aurait dû avoir son numéro sur le frigo. Pourquoi n'y était-il pas ?

La chambre de Maureen à l'hôtel High Desert Radiance Spa était une suite de deux pièces qui s'ouvraient toutes deux sur un bouquet d'arbres de Josué aux branches tordues, répartis sur un flanc de colline en pente douce et poussant dans des poses qui faisaient penser à une troupe de danse moderne. Juste après le lever du soleil, Maureen sortit et s'assit dans un fauteuil en plastique sur le petit patio cimenté pendant que Samantha continuait à dormir dans la chambre, recroquevillée sous sa couverture préférée dans un lit d'enfant pliant que le personnel de l'hôtel rangeait tous les après-midis. La fraîcheur de la nuit s'évaporerait bientôt dans la fournaise, mais pour l'instant des filets d'air glacé chuchotaient dans les branches des arbres de Josué et faisaient rouler les boules d'amarante. Le matin précédent, Maureen et Samantha avaient pris le sentier de randonnée de l'hôtel-spa (« niveau : facile ») et l'avaient suivi jusqu'à l'endroit où il débouchait dans un canyon broussailleux. Là, le bébé avait grimpé sur un petit rocher en grès qui avait la forme d'un ventre de femme très enceinte. *Oh, que n'ai-je apporté un appareil pour photographier ma petite montagnarde !* Les heures, ici, passaient sans qu'elle n'ait guère à penser à des hommes qui hurlent ou à des tables brisées. Une mère et une fille entre elles, voilà une douce symétrie. Depuis leur arrivée dans cette oasis, Samantha n'avait pas fait le moindre caprice ; manifestement, cette fillette avait besoin de passer plus de temps seule avec sa mère et profitait de ne pas être obligée de rivaliser avec deux garçons plus âgés pour avoir l'attention des adultes. Maureen elle-même se sentait rechargée. Il y avait en elle quelque chose d'essentiel qu'elle avait négligé, une partie de son âme qui était attachée à ce lieu sec, austère et dur. C'était un équivalent californien des prairies du Missouri, de ces lieux, terres vierges du pays, où ses ancêtres s'étaient installés. *Je suis une femme des grands espaces.* La seule présence masculine, dans son refuge, était celle d'un certain Philip qui la pétrissait de ses mains en appliquant des huiles parfumées à la sauge et à la camomille sur toute sa peau, ne laissant intacts que les quelques centres interdits de son corps. *Je connais à présent toutes ces choses que je ne me suis pas autorisée à sentir pendant des années.*

Elle avait prévu de rentrer lundi matin pour se confronter à Scott et peut-être lui pardonner. Peut-être. Et puis ces braves gens de la réception avaient mentionné leur rabais du lundi. Il lui resterait juste assez de l'argent liquide de secours qu'elle avait emporté pour passer encore une nuit ici et s'octroyer une séance supplémentaire sur la table de Philip.

Le samedi soir, Araceli coucha les garçons sans le drame ni les cris du soir précédent. Ils avaient passé l'après-midi à diverses occupations défendues, dont la principale avait consisté à se battre pendant une heure avec des pistolets en plastique qui tiraient des balles en caoutchouc mousse. Les garçons avaient beaucoup ri de voir les balles rebondir sur les meubles et sur leur corps sans provoquer de dégâts. Araceli les avait obligés à nettoyer la maison, et ils avaient simplement acquiescé quand elle avait déclaré : « *Ya es tarde*, c'est l'heure d'aller se coucher. » Quand ils furent au lit, elle remonta les couvertures sur eux – elle imitait là les mères qu'elle avait vues au cinéma, car elle ne se souvenait pas que sa mère avait fait ce genre de chose. Les garçons parurent apprécier le geste et en avoir besoin. Elle toucha même le front de Brandon quand elle aperçut les larmes qui lui montaient aux yeux.

« Araceli, est-ce que tu crois que maman et papa vont rentrer un jour ?

— *No te preocupes.* Ta maman sera bientôt de retour. Et pour l'instant, Araceli s'occupe de vous. » Elle avait dit ces mots sur un ton réconfortant qu'elle n'avait encore jamais employé avec ces garçons, ni, d'ailleurs, avec d'autres enfants, et elle sentit dans ses veines une montée inattendue du désir de se dévouer, comme une drogue qui vous redresse le dos et vous donne la sensation d'être plus grand. *Que peut-on dire d'autre à deux garçons perdus, sinon qu'on va s'occuper d'eux ?*

« Araceli va s'occuper de vous, répéta-t-elle. Je dormirai de nouveau ici, sur le plancher. *¿ Está bien ?* Un peu plus tard. Quand j'aurai fait la vaisselle. »

Le lendemain matin, elle se réveilla sur le plancher du couloir devant la porte de la Chambre aux mille merveilles. Les garçons dormaient encore et transpiraient dans leurs pyjamas aux couleurs vives où, sur la chemise comme sur le pantalon, étaient imprimées des images de super-héros – des hommes aux muscles saillants, dans diverses positions de vol, qui, par leur courage, offraient une protection contre des menaces aussi terribles que celle d'être temporairement abandonné par ses parents. Ils avaient les cheveux mouillés, emmêlés et collés au front par des gouttes de sueur. Recroquevillé en position fœtale, Keenan serrait dans ses bras un oreiller et un lion en peluche. *Si je m'occupe encore d'eux ce soir, je leur dirai de se mettre en short pour aller dormir.*

Elle fit de nouveau le tour de la maison, jeta un coup d'œil rapide dans le garage pour voir si la voiture de Maureen ou celle de Scott s'y trouvait, puis dans le séjour et à la galerie de visages dans les cadres en teck et en merisier sur les étagères à livres. C'est alors qu'Araceli comprit que ces photos lui fourniraient les seuls indices qui permettraient de démêler cet imbroglio familial. Les portraits du grand-père, *el viejo* Torres, lui parlaient le plus à cause de leur sourire narquois qui remontait aux dernières décennies de la photographie en noir et blanc. On y voyait un adolescent debout devant un pavillon de Los Angeles ; sa peau basanée était rendue par des nuances de gris plus ou moins foncé et, les mains sur les hanches, il avait des yeux qui pétillaient irrésistiblement. Cette relique était là depuis qu'Araceli avait commencé à travailler pour les Torres-Thompson, à l'époque où le vieux venait encore régulièrement à la maison, avant qu'il n'ait prononcé les mots qui devaient le bannir. *Qu'est-ce que tu as donc dit,* viejo *? Et où est-ce que je pourrais te trouver ?* Araceli n'avait pas oublié l'expression d'exaspération sur les visages de Maureen et de Scott, le samedi après-midi où ils avaient débattu du cas du *viejo* Torres, ni quelques bribes de cette discussion : « Quel abruti. » « Quel dinosaure. »

Si Maureen n'avait pas encore supprimé le *dinosaurio* de la galerie familiale, c'était sans doute parce qu'il se trouvait sur l'étagère du bas, donc à un endroit inférieur par rapport aux récentes photos d'école des garçons affichant un sourire enthousiaste et des cheveux imprégnés de gel, par rapport aussi à celles de Maureen assise sur le lit de la clinique avec une expression d'épuisement ravi et, dans les bras, le bébé Samantha tout juste né et encore tout glissant. Celle de Maureen dans la salle de travail se trouvait sur l'étagère à côté d'une photo récente de Samantha avec un nœud rouge dans ses cheveux clairsemés et d'une autre montrant une femme au teint de bronze et aux cheveux relevés par des épingles, qui portait une robe ressemblant à un rideau géant et regardait fixement le spectateur depuis l'époque victorienne. Les plis au coin de ses yeux suggéraient que cette femme était la grand-mère ou l'arrière-grand-mère de Maureen. Venait ensuite un cliché récent de la mère de Maureen pris dans une forêt de pins : une femme aux cheveux gris en short kaki et chaussures de randonnée, au léger sourire peu caractéristique d'elle. *C'est l'étagère de la femme : il y a là quatre générations de femmes venant de la famille de Maureen.* Araceli contempla aussi, sur la deuxième étagère en partant du haut, les photos de mariage de Scott et de Maureen, y compris l'une qui montrait le couple plié en deux, exprimant le genre d'hilarité irrépressible qu'on n'avait plus connue chez les Torres-Thompson depuis un bon bout de temps.

Parmi tous ces gens, conclut Araceli, le vieux Torres était le seul adulte en vie susceptible d'habiter dans un endroit assez proche du Paseo Linda Bonita. Ils n'avaient pas encore chassé ce vieillard de la famille, du moins pas tout à fait – apparemment, c'était un *Mexicano* qui avait de la ressource. *Si leurs parents ne rentrent pas, je vais les conduire dans la maison de ce vieux.* Dans ce cas, Araceli devrait se préparer aux pires imprévus. On l'avait habituée à penser ainsi, et son point de vue naturellement pessimiste l'avait bien aidée lors du trajet en car qu'elle avait effectué seule jusqu'à la frontière, puis lors du sprint, de la randonnée et des passages traversés en rampant pour arriver en Californie, et ensuite pendant les premières semaines solitaires et extrêmement pénibles qu'elle avait vécues aux États-Unis. Elle avait connu là des jours dont les leçons avaient été importantes, même si les quatre années suivantes dans cette maison du Paseo Linda Bonita lui avaient fait croire à tort qu'il existait encore en ce monde des sanctuaires où règnent la prospérité et la prévisibilité. En ce moment, debout devant les photos de membres absents ou décédés des clans Torres et Thompson, elle prenait conscience du fait qu'elle pourrait être obligée sous peu de se mettre à penser comme une immigrante, une femme sur la route, désespérée, qui ne sait pas où l'asphalte et les traînées invisibles de monoxyde de carbone peuvent la mener.

Scott se réveilla sur le canapé de Charlotte Harris-Hayasaki après quarante-huit heures d'orgie de pop-corn, de nachos, de pizza, de sodas light et de boissons énergétiques ingurgités devant la télé à écran plat de Charlotte et devant une console de jeux où il s'était battu contre des armées perses et, dans des matchs de football américain, avait réussi à faire de longues passes à d'athlétiques ailiers très éloignés. Charlotte l'avait écouté se plaindre de sa femme, lui avait donné à grignoter des choses qu'il absorbait de manière compulsive et sans joie, et elle s'était blottie près de lui sur son canapé en skaï, sa jambe et parfois son épaule touchant celles de Scott. Elle avait essayé de lui masser le cou : « Il faut que tu fasses attention au syndrome du canal carpien, avec ces manettes de jeu. » Mais elle n'était pas parvenue à exciter ces passions qui commencent chez l'homme au-dessous de la ceinture et remontent, par les nerfs, les muscles et l'irrationalité, pour humecter les lèvres et la langue. Ce qu'elle fit à la place, ce fut de libérer le petit garçon en lui.

Voler ici et là quelques minutes de jeu est une chose, pensait Scott ; mais donner entièrement libre cours à son jeu intérieur en est une autre. Ces jeux étaient conçus pour qu'on s'y adonne pendant des heures, et c'était ainsi qu'on appréciait le mieux leurs labyrinthes narratifs et l'art très sophistiqué qui entrait dans leurs différentes séquences virtuelles. Pour l'instant – c'était sa deuxième matinée ici –, Scott poursuivait son incursion dans la collection impressionnante et diversifiée des jeux de Charlotte. Il envoyait sa balle de golf sur le green au son du ressac de l'océan dans le jeu Pebble Beach, il négociait avec Don Corleone dans son bureau, il forgeait des lames d'acier dans une fonderie médiévale et se servait de ses armes neuves pour se battre contre des hordes de Vikings barbus sur une plage scandinave.

« Ils les mettront probablement dans un *Foster Care*, en placement familial. Jusqu'à ce qu'ils retrouvent les parents. Que veux-tu qu'ils fassent d'autre ? » Après avoir mûrement réfléchi, Marisela émit cette opinion au téléphone, et cela correspondait aux suppositions d'Araceli sur ce qui se passerait si elle appelait la police. « Et, bien sûr, ils vont se mettre à te poser des questions. Les policiers sont obligés de te poser des questions.

— C'est pas une bonne chose.

— Non, pas pour toi.

— Et les garçons ? demanda Araceli.

— Ils les embarqueront sans doute dans la voiture de police, les emmèneront au commissariat, puis au *Foster Care*.

— Que pourraient-ils faire d'autre ? »

Des enfants qui passaient leurs nuits sous des couvertures décorées de lunes et d'étoiles dans la Chambre aux mille merveilles ne devraient pas être obligés de passer ne serait-ce qu'une seule nuit en centre d'accueil. Araceli s'imaginait cette institution avec des dortoirs, des psychopathes de douze ans qui se conduisaient comme des brutes, des macaronis froids au fromage et sans sel. Des enfants élevés dans l'air climatisé et les températures constantes du Paseo Linda Bonita ne dureraient pas longtemps dans les entrepôts pleins de courants d'air d'un centre de placement familial. Elle les imagina blottis sous des couvertures non lavées et soumis aux cruelles remontrances de surveillants qui ne savaient pas à quel point ces enfants étaient spéciaux et intelligents, qu'ils lisaient des livres d'histoire, qu'ils avaient appris à distinguer la constellation d'Orion et celle des Gémeaux, la quartzite et la silice, et cela grâce à leur bibliothèque de la Chambre aux mille merveilles. Des enfants doués de l'intelligence sensible qui était la leur – qualité que leur mère n'appréciait pas à sa juste valeur parce qu'elle ne voyait que leur masculinité turbulente et désordonnée – ne devaient pas et ne pouvaient pas être exposés aux caprices du *Foster Care*.

Araceli ne voulait pas être responsable d'une telle perte d'innocence. La quantité d'innocence dans le monde était limitée et devait être préservée : comme les régions sauvages de l'Arctique et les défenses d'éléphant, c'était une précieuse création de la nature. Et que lui diraient les policiers ? Que feraient-ils ? Ils la dénonceraient sans doute aux agents du service d'immigration en anorak bleu, les agents de l'ICE[1]. On imaginait mal qu'une Mexicaine dépourvue de carte verte puisse téléphoner à la police, lui présenter deux enfants américains non accompagnés et sans tuteurs, et ne pas être elle-même prise dans un filet qui conduirait au bout du compte à son expulsion du pays.

Peut-être allait-elle trop vite en besogne. Si, lundi matin, ni Scott ni Maureen n'étaient de retour, elle téléphonerait au bureau de Scott et exigerait que son patron rentre immédiatement.

Araceli était profondément endormie sur le plancher de la Chambre aux mille merveilles, et elle rêvait qu'elle marchait dans les couloirs de son école des beaux-arts de Mexico – laquelle ne ressemblait pas du tout à son école des beaux-arts mais bien à une

1. ICE (*Immigration and Customs Enforcement Authority*) : agence fédérale chargée de faire respecter les lois sur l'immigration et la réglementation douanière.

usine dans une zone désolée d'une ville américaine – lorsqu'elle fut réveillée par une série de hurlements.

« Maman ! Maman ! Maman ! »

Elle se redressa en sursaut, et, dans la lueur jaune de la veilleuse, elle vit Keenan lancer des cris en direction du mur à côté de son lit.

« Keenan, qu'est-ce qui t'arrive ?

— Maman !

— Keenan ¡ *Despiértate*[1] ! Tu fais un cachemort !

— Maman !

— C'est juste un cachemort ! » insista Araceli, et alors Keenan s'arrêta, se retourna et chercha sa surveillante mexicaine. À ses yeux de petit garçon, sa chambre s'était transformée en sous-marin enfoui dans un profond océan de ténèbres, une bulle de lumière et de sécurité dans un monde effrayant où il se trouvait sans mère ni père. Le capitaine de ce sous-marin était la Mexicaine au large visage qui, à présent, le regardait depuis la porte du couloir avec des yeux étonnés et irrités.

« Quoi ? demanda Keenan d'une voix aiguë et perplexe soudain débarrassée de sa peur.

— Tu as dit qu'il faisait quoi ? demanda Brandon du haut de sa couchette, au-dessus de Keenan.

— Un cachemort.

— Un quoi ?

— Un cachemort, répéta Araceli. Tu sais, quand tu vois des choses affreuses pendant que tu dors. »

Au bout d'un moment durant lequel il digérait la façon dont elle avait déformé le mot, Brandon annonça d'une voix de savant : « Non, ici, on dit cauchemar.

— *Pues, una pesadilla entonces*[2] », répondit Araceli avec colère. Le terme anglais pour « cauchemar », comme tant d'autres qui remontaient au vieil anglais, était un mot auquel sa langue ne s'habituerait jamais, et cela d'autant plus qu'il ne présentait aucune ressemblance avec son équivalent espagnol.

« Oui, dit Brandon avec diplomatie, vous appelez ça une *pesadilla* en espagnol. » Là-dessus, son frère et lui reposèrent leur tête sur leur oreiller et songèrent tous les deux que « cachemort » était à bien des

1. Réveille-toi.
2. Eh bien, un cauchemar, alors.

égards une définition plus parlante que « cauchemar ». Keenan regarda le mur et le vit comme un reflet de sa chambre sans sa mère et une fenêtre sur un monde parallèle, puis, en l'espace de quelques minutes, il se rendormit comme son frère.

Araceli écouta leur souffle de jeunes garçons prendre un rythme régulier – c'était le chant tranquille d'enfants qui se reposent. *C'est la troisième nuit que je passe seule avec eux. C'est moi qui devrais être en train de hurler dans mon sommeil. De hurler en appelant ma mère.* ¡ Mamá, ayúdame !

Incapable de se rendormir, elle décida de se lever et de se préparer une infusion. Elle porta sa tasse fumante de camomille dans le séjour silencieux, alluma une des bougies parfumées à la lavande et s'assit sur le canapé. Maureen n'allumait jamais ces bougies – pourquoi acheter quelque chose et ne jamais l'utiliser ? Araceli but à petites gorgées sa tisane en regardant la flamme qui vacillait et jetait de longues ombres dans toute la pièce, puis la lumière douce et dansante qui tombait sur les photos de la galerie Torres-Thompson et teintait les visages de nostalgie et de sentiment de perte. *Voilà des gens reliés par le sang et loin les uns des autres. Pobrecitos.* La photo de l'aïeul Torres en jeune homme était celle qui se rattachait de plus près à ce qu'Araceli avait vécu : elle trouvait le décor urbain familier, de même que le sourire de métis. Avait-il couru dans le désert pour atteindre les États-Unis comme l'avait fait Araceli ? Elle possédait une photo semblable de sa propre mère à Mexico, un cliché pris par un de ces hommes du Zócalo munis de gros Polaroïd à l'époque où sa mère était une jeune provinciale récemment arrivée de l'État de Hidalgo. *À ce moment-là, ma mère se sentait encore comme une touriste, à Mexico, et c'est aussi ce que ressent le jeune homme de cette photo – c'est un jeune homme au tout début de son aventure à Los Angeles.* Car cette image aussi donnait la sensation de quelqu'un qui vient d'arriver et qui écarquille les sourcils avec une expression à mi-chemin entre la stupéfaction et la confiance en soi. Quelque chose derrière le jeune homme attira soudain son attention. On pouvait voir flotter au-dessus de ses cheveux lissés en arrière un numéro fixé à un mur : 232. Un numéro de maison. Araceli se rappela que sa mère notait soigneusement des dates et d'autres renseignements au dos des photos de famille. Ce qui lui donna l'idée de prendre le cadre, de le retourner et de soulever les attaches qui retenaient la photo pour l'extraire. Elle trouva des mots et des chiffres inscrits au dos dans cette élégante écriture masculine d'un autre temps, avec la calligraphie très chargée que se devait de posséder un adolescent élevé selon les règles standardisées de l'instruction publique mexicaine – des lettres pleines de boucles que les instituteurs du ministère de l'*Educación pública* avaient essayé d'imposer aussi à Araceli jusqu'à ce qu'elle se révolte.

West 39th Street, Los Angeles, Julio 1954.

Le lundi matin, Araceli entreprit la préparation des flocons d'avoine avec le sentiment que les choses touchaient à leur fin. Une fois le petit déjeuner servi, elle serait libre car il était certain qu'*el señor* Scott serait à son bureau, cet autel sur lequel il ne ratait jamais la prière d'un jour de semaine. Lorsqu'ils eurent fini de manger, les garçons se rendirent directement à la salle de jeux et, en une minute à peu près, les bruits d'acier frappant de l'acier arrivaient jusqu'à la cuisine où Araceli, devant le frigo, soulevait le téléphone avec des mains qui tremblaient d'appréhension puis se mettait à taper le numéro.

« Ici Scott Torres, vice-président de la programmation chez Elysian Systems. Je suis déjà en ligne ou hors de mon bureau. S'il vous plaît, laissez un message ou appuyez sur la touche zéro de votre téléphone pour obtenir le standard. »

Surprise d'entendre de nouveau une voix enregistrée, Araceli fit le zéro. Après une seule sonnerie, une voix humaine bien réelle répondit, celle d'une femme :

« Elysian Systems.

— *Con* Scott Torres, s'il vous plaît. M. Scott Torres.

— Je regrette, mais il a téléphoné pour dire qu'il était malade aujourd'hui.

— *¿ Qué ?*

— Pardon ?

— Il est malade ?

— Oui, dit la standardiste en parlant plus lentement parce que manifestement la personne au bout du fil avait des problèmes d'anglais. Il a téléphoné pour dire qu'il était malade.

— *¿ Cómo que* malade ? »

La standardiste était maintenant amusée par l'extravagance de cette femme au fort accent étranger, peu douée pour les conversations téléphoniques, qui appelait une société de logiciel certes d'assez petite taille mais à la pointe de son domaine, et qui demandait un cadre de niveau assez élevé sur le même ton que prennent ces gens-là pour commander leurs plats épicés.

« Oui, malade. Souffrant. Indisposé. Voulez-vous que je vous transfère sur sa boîte vocale pour que vous puissiez lui laisser un message ?

— Un message ? Oui. S'il vous plaît. »

Son pouls s'accélérant de nouveau, Araceli réfléchit rapidement à ce qu'elle devrait dire pendant que l'annonce de Scott passait de nouveau au téléphone.

« *Señor Scott. Estoy sola con los niños.* Je suis seule avec les garcons. » Elle s'interrompit et quelques secondes s'écoulèrent pendant lesquelles elle chercha comment avancer à partir de ce fait central. « *¡ Sola ! Por tres días ya. Se nos está acabando la comida.* Il ne reste presque plus rien à manger. *No sé qué hacer. La señora Maureen se fue.* Je ne sais pas où elle est... »

Un signal bruyant se déclencha sur le répondeur et la ligne fut coupée.

Scott Torres n'était pas à son bureau parce que, ce lundi matin, il récupérait tout seul dans une chambre d'hôtel, après avoir fui l'appartement de Charlotte Harris-Hayasaki au bout de deux nuits sans avoir trop terni sa fidélité conjugale. Grâce au minibar de l'hôtel, il avait une gueule de bois et s'était réveillé à 8 h 45 dans une chambre claire aux rideaux ouverts et inondée de soleil, et, à peu près dix minutes plus tard, il était allé en trébuchant jusqu'au téléphone pour signaler à la standardiste de sa société qu'il était malade. Il était tellement perturbé qu'il avait oublié qu'il avait accordé un jour de congé à tout le département de programmation, y compris à lui-même donc, pour ce week-end de quatre jours. Il prit une douche, s'habilla et paya l'hôtel en argent liquide. L'heure était venue de rentrer chez lui et de se confronter à Maureen.

Après avoir raccroché, Araceli resta près du téléphone plusieurs minutes parce qu'il lui paraissait dans l'ordre du possible que Scott reçoive le message immédiatement et la rappelle. Elle avait déjà décidé qu'elle ne passerait pas une nuit de plus à dormir sur le plancher de la Chambre aux mille merveilles. Avant la fin de la journée, soit le message de sa situation serait parvenu à l'un de ses patrons, soit elle se rendrait à l'adresse du patriarche de la famille Torres à Los Angeles. Elle rechercherait cette construction en planches à clins que montrait la photo sur papier glacé. Pendant ses premières semaines en Californie, Araceli avait vécu à une adresse analogue, au 107 de la 23e Rue Est, et elle pensait que si le numéro de rue correspondait au système logique qu'on s'attend à trouver dans une ville américaine, le 232 de la 39e Rue Ouest ne devait pas en être très éloigné. Le fait que des familles déménagent soudainement, qu'elles puissent abandonner leur vieille maison au bout d'à peine quelques années de la même façon qu'on peut jeter une robe portée une ou deux fois de trop, était quelque chose dont Araceli n'avait pas idée, comme d'ailleurs la plupart des personnes nées et devenues adultes au Mexique. La propriété, au Mexique, représentait une constante. Une fois qu'une famille était en possession d'un titre de propriété – et même parfois, d'ailleurs, sans ce titre – elle s'implantait sur un bout de terrain et s'autorisait à y développer des racines à l'instar de vieux et nobles chênes, et à y étendre des branches d'enfants et de petits-enfants dont la voûte s'épanouissait au-dessus de ce sol. Et donc, soit le vieux Torres en personne, soit quelqu'un qui lui était apparenté se trouverait assurément vivre à cette adresse de la 39e Rue, de la même façon qu'on pouvait trouver entre vingt et trente personnes reliées à Araceli par le sang, par mariage ou par manque de jugeote au Monte Líbano 210 de Nezahualcóyotl et dans les maisons adjacentes.

Ce plan d'évasion libéra l'esprit d'Araceli du tic-tac moqueur de l'horloge et de sa dépendance à l'égard de ses patrons absents. Elle avait pris le contrôle de la situation.

À 10 h 45, elle entra dans la salle de jeux, les deux garçons étaient assis sur le canapé dans le bruit ambiant des acclamations d'une foule. Un match de football américain se déroulait sur l'écran plat devant eux, mais les joueurs étaient figés dans leur position, plusieurs d'entre eux arrêtés en plein élan, et cette image paraissait artificielle justement parce que les joueurs semblaient naturels. Les équipes virtuelles attendaient que l'un ou l'autre des deux garçons les anime à l'aide de manettes qu'ils avaient jetées sur le tapis et oubliées. Ayant fini par trouver ennuyeux les plaisirs virtuels engendrés par l'ordinateur, les garçons étaient tous les deux en train de lire. Brandon était plongé dans un volume aussi gros qu'une bible tandis que Keenan lisait une bande dessinée brillamment colorée qui racontait les aventures d'une souris journaliste et dont le texte était imprimé en un fatras de polices changeantes.

« Quand est-ce que maman et papa vont rentrer ? demanda Brandon.

— Préparez-vous, déclara Araceli sans répondre à la question. Après le déjeuner nous allons chez votre grand-père.

— Chez papy John ? demanda Brandon.

— Oui.

— Super ! » dit Keenan. Ils n'avaient pas vu leur grand-père paternel depuis deux ans, à une époque qui se situait donc à la limite de ce dont le jeune Keenan pouvait encore se souvenir, même si le vieux avait fait une impression durable sur les deux enfants du fait que c'était un esprit plutôt libre, qu'il distribuait de généreuses portions de bonbons, se fichait de savoir qu'un film était déconseillé aux enfants de moins de treize ans et qu'il donnait souvent des sommes d'argent liquide assez élevées pour faire froncer les sourcils des parents. Les garçons l'associaient surtout à un petit café de son quartier où l'on servait un certain plat qui débordait de chocolat. Ils se souvenaient de leur grand-père, assis en face d'eux dans un box, qui se tordait les mains de plaisir pendant qu'ils dévoraient leur dessert et qui refusait leurs propositions quand ils lui disaient : « Tu veux goûter, papy ? » Brandon et Keenan remplirent donc leurs valises à roulettes et leurs sacs à dos à toute allure, car ils s'imaginaient retourner dans ce temple des sucreries et dans cette copropriété pourvue de multiples équipements de loisirs où le vieux Torres vivait seul avec l'espoir depuis longtemps brisé que ses petits-enfants lui rendraient visite et se serviraient de la piscine en forme de haricot. Ils avaient mis dans leurs bagages des maillots de bain et leur Game Boy, quand Araceli leur dit de laisser là tous les jouets et, à la place, de prendre davantage de sous-vêtements.

12

BRANDON ET KEENAN OUVRAIENT LA MARCHE en faisant rouler de petites valises qui cliquetaient sur l'allée cimentée. Leur sac à dos rempli de livres et de quelques jouets peu encombrants pendait à leurs épaules. Araceli ferma la porte à clé derrière eux et se signa bien qu'elle fût en faveur de la laïcité : elle allait voyager avec deux enfants, et l'on ne sait jamais ce qu'on peut rencontrer en chemin. À l'angle – c'était aussi le premier tournant par lequel on sortait de l'impasse du Paseo Linda Bonita –, Brandon s'arrêta pour regarder Araceli derrière lui, et ses yeux d'enfant de onze ans se rassurèrent en voyant l'image grassouillette de maternité improvisée qu'elle renvoyait. Elle avait mis un jean et un chemisier en coton qui se gonflait sous la brise, et, supendu à une épaule, elle avait un des vieux sacs à dos de Maureen (utilisé, à l'époque, pour transporter les couches et les biberons de Keenan). Elle avait aussi un chapeau de safari kaki à bord flottant que sa *jefa* aimait porter lors d'excursions estivales d'une journée dans des parcs à thème. Quelques instants auparavant, Araceli avait rempli le sac d'un minimum de choses pour elle-même : deux tenues de rechange et l'argent liquide qu'elle avait sous la main parce qu'elle ne l'avait ni dépensé ni déposé à la banque, mais elle avait rangé dans un tiroir son carnet de caisse d'épargne. Dans la poche de devant du sac à dos, elle avait glissé la photo de l'endroit où ils allaient, un paquet des lingettes humidifiées dont Maureen se servait pour nettoyer le derrière du bébé, et aussi l'unique pièce d'identité qu'elle possédait : une carte électorale mexicaine. Elle avait ensuite expliqué aux garçons l'itinéraire qu'ils allaient suivre sur un ton plein d'assurance et d'autorité, mais avec des énoncés tronqués où les substantifs anglais étaient accolés à des verbes espagnols. « *Primero bajamos al* portail d'entrée, *y luego* à la station de bus, *y después* à la gare pour le train *que nos lleva* au centre-ville de Los Angeles, *y finalmente tomamos* le bus jusqu'à la maison de votre grand-père. » Les garçons avaient très envie de partir ; ils s'imaginaient déjà, au bout de leur voyage, les chuchotements de conspirateur de leur grand-père, l'arôme de son after-shave et sa piscine. Mais avant de faire le pas suivant, Brandon attendit que le regard d'Araceli ait une fois de plus rencontré le sien parce que, moins d'une minute après avoir commencé à marcher sous le soleil de juillet, il était frappé par l'étrangeté de ce qu'il était en train d'entreprendre : une expédition dans des rues qu'il ne connaissait qu'à travers les vitres des voitures de ses parents. Du bord du trottoir, il leva les yeux vers Araceli puis de nouveau en direction de la rue : les vagues de chaleur qui miroitaient en montant de l'asphalte ressemblaient à des lacs, comme si eux, les marcheurs, se trouvaient au bord d'un quai dans un esquif sur le point de se lancer sur des eaux agitées.

« *Vámonos* », dit-elle, et Brandon se remit à avancer. Derrière lui, en file indienne, Keenan et Araceli. Brandon écouta les chiens invisibles dont les aboiements jalonnaient leur progression vers le bas de la colline, ces animaux qui, en déduisit-il, communiquaient par ce qui devait être un langage : *Des gens ! Alerte ! Des gens inconnus ! Alerte !* Jusqu'à ce qu'ils atteignent le portail d'entrée, les seules personnes qu'ils rencontrèrent furent deux jardiniers parlant espagnol occupés à tailler les bords d'une pelouse de fétuque tout juste tondue, mais qui étaient trop absorbés par leur travail pour remarquer une de leurs compatriotes en train de conduire à pied dans la rue deux garçons nord-américains. Quand Araceli et les enfants dont elle assumait la charge furent arrivés au portail du domaine des Estates, ils échappèrent à l'attention de la jeune femme enceinte qui était de garde ce matin-là : elle parlait au téléphone et inspectait en même temps les autorisations d'un fourgon de déménagement cabossé et de son conducteur mexicain. Ils descendirent jusqu'à la rue suivante le long de la route désormais publique mais sans trottoir. Araceli était passée devant, à présent, et elle tentait de faire marcher les garçons sur l'herbe de l'accotement, ce qui les obligeait à tenir leur valise par la poignée et à la porter. Ce fut alors, pour la première fois de leur courte vie, que Brandon et Keenan attendirent un autobus municipal. « De quelle couleur est le bus ? demanda Brandon. Est-ce qu'il aura des ceintures de sécurité ? »

⁂

Des ceintures de sécurité, voilà une bonne idée, songea Araceli au moment où le bus, après avoir terminé sa montée en grinçant, continua comme en roue libre vers la plate-forme de transports urbains appelée Metro Center. Les garçons étaient assis côte à côte devant Araceli et, s'agrippant à la barre de sécurité en caoutchouc fixée au siège devant eux, ils se penchaient en avant avec les yeux écarquillés d'enfants qui font un tour de manège dans un parc d'attractions. Pendant un bref moment, la Mexicaine fut frappée de les voir si petits et fragiles, et elle s'inquiéta des contusions, voire des fractures, que pourrait provoquer un accident. Ces garçons ne voyageaient jamais sans être protégés non seulement par des ceintures de sécurité mais aussi par des véhicules de famille américains qui avaient passé avec succès les tests de résistance aux chocs. Un accident de bus pouvait envoyer des corps valdinguer contre du métal et du verre. Araceli avait appris ces choses-là au Mexique, et elle en connaissait les dangers de première main. Certes, ce chauffeur ne slalomait pas entre les voitures comme ses collègues de Mexico qui traçaient leur itinéraire avec une agressivité meurtrière au volant de véhicules rouillés et brinquebalants. Elle était tombée un jour, par hasard, sur la scène d'un accident de bus, lors de sa dernière visite à la foire d'art de Coyoacán, quelques instants après avoir acheté un petit tableau à l'huile peint sur bois qui montrait un lutteur de *lucha libre*, en costume et masqué, se tenant avec raideur à côté de la femme qu'il venait d'épouser. La scène de bêtise et de souffrance dont elle fut témoin ce jour-là finit par la convaincre qu'il était temps de quitter le Mexique. Les passagers de l'autobus n'avaient pas de blessures apparentes, bien que quelques-uns d'entre eux soient assis sur le trottoir en train de se frotter théâtralement la nuque pendant qu'un chauffeur de taxi les prenait à partie. À quelques pas, un adolescent très maigre, à la peau couleur chocolat et aux cheveux gras, suffoquait, allongé sur le dos dans le caniveau. Ses yeux flamboyants étaient grand ouverts sous le ciel bleu sale, et deux douzaines de ses concitoyens s'étaient rassemblés autour de lui et l'étudiaient avec le regard distant et dépourvu d'émotion pour lequel les *chilangos*[1] sont célèbres. « Regardez. Un

1. Natifs de Mexico ou de ses banlieues.

jeune homme est en train de mourir juste devant nous. Voilà quelque chose que nous ne voyons pas d'habitude. C'est quand même bien plus réel que ce qu'on voit à la télé, pas vrai ? Ce n'est pas un acteur. C'est un pauvre homme comme nous, qui essayait juste de gagner quelques pesos de plus comme ceux qu'il tient encore dans la main. On peut pas l'aider ; on peut seulement le regarder et remercier la Sainte Vierge qu'il n'y ait pas un de nous à sa place. »

« Est-ce qu'il est en train de mourir, maman ? » avait demandé une voix d'enfant.

« *¿ Y la pinche ambulancia ?* » avait crié une voix irritée à l'arrière de l'attroupement.

Le jeune homme était un marchand ambulant : quelques pas plus loin se trouvait son vélo tordu. Un passant rassembla sa cargaison d'éponges végétales éparpillées puis en fit une petite pyramide près du vélo. *Oui, ce garçon est en train de mourir, mais il se peut qu'on ait besoin de ses éponges au ciel.* Araceli se tenait au bord de la place bâtie au XVIIe siècle, face au kiosque et à l'église surmontée d'un dôme, à côté d'une rangée d'arbres dont on avait peint le tronc en blanc pour que les conducteurs ne soient pas tentés de foncer dessus. Elle sentait de la bile remonter dans sa gorge alors que les autres spectateurs la poussaient du coude. Un filet de sang s'écoulait des narines de la jeune victime, et quand il s'arrêta de ciller, la foule commença à se disperser dans un silence que ne brisait toujours pas la sirène d'une ambulance. C'est à ce moment-là qu'Araceli comprit pleinement et définitivement la cruauté de sa ville natale, la précarité de la vie face à tant de circulation mal régulée et de besoins insatisfaits, une ville où des gens nés paysans et pêcheurs se devaient, devant les voitures, de courir plus vite que n'importe quel cheval ou bateau à voile. Cet accident la guérit d'un mal dont elle souffrait depuis longtemps, celui de remettre à plus tard, et elle lança aussitôt son projet, souvent reporté, de partir pour les États-Unis. Ce soir-là, elle passa un coup de fil fatidique à une amie de Los Angeles et crut entendre, dans la voix enthousiaste de cette amie, la description d'un endroit où les voitures, les bicyclettes et les piétons occupaient chacun sa voie et circulaient dans la ville de manière raisonnable et sans danger.

L'itinéraire de Scott depuis l'hôtel Irvine Hampton Inn jusqu'à sa maison sur la colline lui fit emprunter l'Interstate 5 vers le nord, une autoroute maintenant à cinq voies mais qui avait été beaucoup plus petite et moins fréquentée durant sa jeunesse, à l'époque où elle portait le nom d'autoroute du Golden State. C'était devenu un immense canal de métal et d'air torride, et qu'on y roule à soixante-dix ou à cent vingt kilomètres/heure, sa grande largeur et le fait que c'était une immense ligne droite exerçaient un effet hypnotique sur les conducteurs. Alors qu'il traversait les abords faiblement peuplés du comté d'Orange à une heure avancée d'un lundi matin et donc à un moment où une circulation modérée avait succédé au flot des gens se rendant au travail, Scott découvrit que les points et les traits des lignes blanches qui délimitaient les voies se mêlaient à ses pensées sur la rencontre imminente qui allait se produire avec Maureen. Les lignes se transformaient en sirène qui lui parlait par les murmures de l'air entrant dans la voiture et lui disait : *Suis-moi, suis-moi, suis-moi,* jusqu'à des cols de montagne, des prés et des échangeurs qu'il ne connaissait pas encore, jusqu'à des lieux où nul ne saurait qu'il avait poussé sa femme contre une table. Quand cessa cette transe de bienheureux oubli, Scott se trouva à cent mètres à peine de la sortie qu'il devait prendre, mais il roulait encore du côté gauche, et il était trop tard pour traverser les trois voies encombrées et s'engager sur la bretelle puis sur cette autre autoroute qui le mènerait à la côte et au domaine des Laguna Rancho Estates. Ah, bordel ! Il serra les dents et lança un deuxième juron quand il vit se rapetisser dans le rétroviseur sa sortie habituelle et le pont autoroutier correspondant. Il fonçait maintenant vers le centre urbain du comté d'Orange. Pour rectifier son itinéraire et rentrer chez lui, il fallait qu'il change de voie et prenne la sortie suivante, mais ses mains résistaient à tout changement : elles permettaient au contraire à la voiture de poursuivre sur sa lancée et de l'entraîner loin de Maureen. *Il se peut que je ne sois pas encore prêt à rentrer à la maison.* Le flux de voitures ressemblait à un flux de données, et Scott avait peut-être besoin de voir où l'information le conduisait, pour ainsi dire. Il dépassa Disneyland, quitta le comté d'Orange et entra dans le comté de Los Angeles au niveau de La Habra, puis, quelques instants plus tard, arriva près de la sortie Telegraph Road qui menait à son ancien quartier de South Whittier. Ce fut enfin là qu'il quitta l'autoroute et se dirigea vers la zone de banlieue inélégante et pleine de mauvaises herbes où, dans son adolescence, Scott avait été initié aux joies du Fortran et de la masturbation.

Il pénétra dans les parcs industriels d'un vieux champ de pétrole du nom de Santa Fe Springs, continua dans des rues fréquentées à cette heure par des convois de semi-remorques et passa ensuite devant un terrain de base-ball, un lycée, les cages de but d'un terrain de football et un Latino-Américain d'âge mûr qui sprintait balle au pied. Scott suivit les poteaux fendillés qui transportaient les voix dans des fils téléphoniques – signaux analogiques vieillots véhiculés par du cuivre – en direction de l'horizon et des collines de Whittier encore plus loin. Il arriva dans les premiers quartiers résidentiels, là où les maisons arboraient fièrement de minuscules toits à pignon, où l'on voyait de gros monospaces et des pick-up dans les allées de mini-ranchs et de petits cottages de style espagnol dont la taille modeste faisait penser à un camouflage. *La ville de South Whittier ne veut pas qu'on se souvienne d'elle ; elle veut passer inaperçue.*

Lorsqu'il parvint à l'intersection des rues Carmelita et Painter, le panorama changea brutalement et, avec lui, l'humeur de Scott, car tout, dans ce croisement familier, était chargé de souvenirs douloureux remontant à l'époque précédant le numérique et Internet. Les maisons, ici, étaient plus hautes et pourtant moins solides que celles qu'il venait de dépasser, et elles étaient plus uniformes, ayant toutes été construites par le même promoteur à partir du même kit appelé « Ponderosa ranchette ». Il n'était pas revenu dans son ancien quartier depuis la mort de sa mère, et, pendant un moment, les teintes pastel de conte de fées décolorées par les intempéries, sur ces maisons à deux niveaux, miroitèrent de manière aussi étrange que le jour du mois d'août où avait eu lieu l'enterrement. En prenant le dernier virage, il ralentit, ramena la voiture à la vitesse d'un bon marcheur et aperçut la vieille maison familiale des Torres, avec son stuc délavé couleur moutarde et son léger décor vert avocat, qui se cachait derrière un olivier démesurément grand. Il s'était attendu à éprouver une satisfaction extraordinaire en retournant en ce lieu, et cela parce que, dans les décennies qui avaient suivi son départ, il avait grandi et qu'il était plus au fait du monde, parce qu'il avait maîtrisé les connexions et les réseaux qui unifient le monde. Or, au contraire, il se sentait plus petit. *On était encore foutrement pauvres et je m'en apercevais même pas.* Il chercha un endroit où garer sa voiture dans cette impasse, mais tous les emplacements étaient pris par des berlines démodées, des pick-up déformés par leurs lourds chargements et par un break. Un break : est-ce que ça se faisait encore ? Il n'y avait jamais eu autant de voitures à l'époque où il jouait au baseball ici.

Scott se gara donc un demi-pâté de maisons plus loin, descendit de voiture, et, tout en marchant vers la maison qui avait été la sienne, mesura le calme de cette journée de travail. Il s'arrêta quand quelque chose, dans l'arrière-cour de la maison voisine, attira son attention. Autrefois, c'étaient les Newberry qui vivaient là, avec leurs joues roses de natifs des Ozarks et leurs pantalons de velours. En regardant au bout de l'allée du garage, il remarqua quelque chose dont il n'avait pas le souvenir : une caisse de grande taille, en verre et en métal, au toit incliné surmonté d'un crucifix. Des serpentins de fête, en plastique, reliaient ce toit au garage adjacent. En se rapprochant, Scott vit à l'intérieur de la caisse la statue d'une Vierge Marie bronzée dont les mains jointes et le manteau bleu pastel étaient en plâtre peint. À son cou pendait une guirlande de roses blanches fraîches et à ses pieds brûlaient des bougies votives. *Que c'est étrange, que c'est mexicain.* Son ancien quartier, jadis relié au reste de l'Amérique moderne par la radio à modulation d'amplitude et par la télévision VHF émettant à partir de tours hertziennes en zinc, ces gens l'avaient fait reculer dans l'histoire, l'avaient ramené à une époque rurale, une ère d'anges et de miracles.

« *Buenas tardes*, lança une voix de femme qui le fit sursauter. *¿ Le puedo ayudar en algo ?* »

Scott regarda à sa droite et vit une femme d'une cinquantaine d'années en pantalon de jogging : elle tenait un balai et, à en juger par son sourire éthéré, elle croyait qu'il avait besoin d'être guidé spirituellement.

« Non, rien, *nada*, bredouilla-t-il. J'ai habité dans la maison d'à côté et je suis venu voir. Désolé…

— Elle est belle, pas vrai ? » dit la femme avec un fort accent. Comme il sentait venir un discours religieux, Scott commença à s'esquiver. « *No tengas miedo* », poursuivit la femme comme si elle était en transe, tandis que Scott filait à toutes jambes. Car il avait peur, lui : de sa statue, de son espagnol, de sa religiosité et du pouvoir par lequel toutes ces choses avaient chassé ses anciens voisins. Qu'avaient-ils fait aux Newberry ? Les Newberry n'étaient pas riches. Ils venaient de Little Rock. « Elle veut vous aider », poursuivit la femme en parlant anglais, mais Scott se demandait depuis combien d'années les Newberry étaient partis, s'ils savaient que, dans ce qui avait été leur jardin, une Mexicaine adressait ses prières à une statue.

La gare de Laguna Niguel était l'exemple même de l'architecture publique de la fin du XXe siècle américain dans toute sa fonctionnalité sans âme et, de ce fait, elle déçut profondément Brandon qui s'attendait à ce que la « gare » soit un véritable bâtiment où des horaires de train seraient affichés sur les murs et où il y aurait de longs bancs de bois dans une salle d'attente très haute de plafond. Quand Araceli leur avait dit qu'ils prendraient le train, des images de locomotives crachant de la vapeur avaient surgi dans la tête de Brandon, accompagnées d'autres images de voyageurs et de porteurs de bagages qui grouilleraient sur des quais couverts de voûtes en verre. Au lieu de cela, la gare consistait en deux quais en béton nu, d'un petit auvent en métal sous lequel six ou sept personnes pouvaient, en se serrant, s'abriter de la pluie, et de quatre distributeurs de tickets qui avaient la taille de réfrigérateurs. Brandon s'imaginait les gares comme des scènes de théâtre où les gens connaissaient d'énormes basculements dans leur vie, et cette idée lui était venue d'une trilogie romanesque qu'il avait lue en dernière année de primaire, une série dans laquelle la scène finale de chaque livre se déroulait à l'intérieur de la gare du Nord, à Paris. La seule fois où il avait pris le train remontait à quelques années, lors d'une excursion au parc Griffith où il était monté à bord du train pour enfants de la Cité du voyage, et cette gare-là, modèle réduit d'un bâtiment réel, avait tout ce qu'il fallait, y compris un stand de vente de billets et un panneau pivotant où était écrit LOS ANGELES. Le petit rectangle d'acier sur lequel apparaissaient les mots LAGUNA NIGUEL dans la police linéale et austère du réseau ferré Metrolink n'était pas à la hauteur, et Brandon fronça les sourcils en notant que la vie réelle n'avait pas toujours le niveau dramatique ni l'envergure de la littérature ou du cinéma. Il n'y avait pas non plus les grandes foules que, dans les films, on associe aux trains. En fait, Brandon, son frère et Araceli étaient les seules personnes présentes des deux côtés du quai.

Tandis que les garçons jetaient des regards pleins d'espoir aux nervures rouillées des rails qui s'éloignaient de la gare, Araceli scrutait leur environnement immédiat. Jusqu'à ce qu'elle les remette à leur grand-père, ils restaient ses garçons à elle. C'était une chose d'être responsable d'enfants dans une maison protégée par des portes verrouillées, ou même dans un parc clôturé ; c'en était une tout autre de les mener en groupe dans une ville. Elle aurait voulu les couvrir de plaques d'acier protectrices. L'idée qu'un accident provoqué par un homme ou une machine puisse les blesser avait filtré dans son esprit et suscitait chez elle de brefs accès de peur irrationnelle. Aussi avait-elle jeté autour d'eux des regards quasiment maniaques chaque fois qu'ils s'étaient arrêtés, scrutant tout, depuis le portail des Estates jusqu'à ce quai vide, depuis cet escalier qui menait à la rue jusqu'à l'arrêt de bus et les parkings un peu plus loin.

« Eh, le voilà ! »

Un train de banlieue blanc à deux étages, orné de bandes bleu pervenche, arrivait vers eux en ondulant comme un serpent, tiré par une locomotive qui faisait des embardées soudaines sur une voie inégale.

« *Atrás*, leur ordonna Araceli. Reculez-vous jusqu'à ce que le train s'arrête. »

Les garçons restèrent bouche bée en voyant rouler lentement devant eux des wagons si lourds que le sol bougeait et se soulevait sous leur poids.

« Super !

— Mortel !

— *¡ Cuidado !* »

Le train s'arrêta et deux portes coulissantes s'ouvrirent devant eux. Les garçons entrèrent avant Araceli en faisant rouler leurs valises directement dans la voiture dont le plancher, de façon pratique, était au niveau même du quai. En tournant vite la tête, ils aperçurent l'escalier qui montait à l'étage supérieur et se mirent à grimper, tandis qu'Araceli, se dépêchant pour les rattraper, grommelait « *¡ Esperen !* » sur leurs talons. Ils trouvèrent deux paires de sièges vides devant une table.

« Eh, on bouge. »

Le train commença à s'éloigner de la gare, et Brandon et Keenan furent brièvement fascinés par l'illusion d'envol qu'ils éprouvèrent quand, regardant par la vaste fenêtre de la voiture, ils virent l'espace clos dans lequel ils se trouvaient se détacher de la ligne de toits assez basse de ce qui ressemblait à un centre-ville – mais n'en était pas un, car ce centre de transit n'était qu'un conglomérat de parkings qui se donnaient l'apparence d'immeubles de bureaux. Quand le train se fut éloigné de la gare, qu'il eut dépassé des passages à niveau où clignotaient des lumières rouges et où attendaient des voitures dont les conducteurs rêvassaient, Araceli se laissa tomber en arrière sur son fauteuil et poussa un soupir. *On est à mi-chemin, plus ou moins.* Le train était confortable et propre, avec ses parois blanches, ses barres en inox, ses sièges en vinyle de forme aérodynamique et la plaque près de la porte qui proclamait son origine : BOMBARDIER, MONTREAL. Une fois qu'elle aurait déposé les garçons et qu'elle aurait passé le minimum de temps chez le vieux monsieur, elle repartirait vers le sud pour aller chez Marisela, où elle attendrait de recevoir des nouvelles de Scott et de Maureen. Elle imaginait différentes issues à leur débâcle familiale, y compris un divorce qui se terminait par une maison vide où Araceli passait l'aspirateur après le passage des déménageurs, ou encore une réunion familiale baignée de larmes dans laquelle les parents remerciaient avec effusion Araceli pour avoir pris soin de leurs garçons pendant la crise.

Par la vitre, les garçons voyaient défiler un paysage de jardins de plus en plus petits : la répétition de cordes à linge et de vieux meubles ne retint pas longtemps l'attention de Brandon qui finit par regarder Araceli et lui demander : « Est-ce que tu pourrais me faire un dessin ? Ici, dans mon cahier ? Comme le dragon que tu as dessiné pour Keenan. C'était cool.

— Ouais, c'était super, approuva Keenan.

— Je savais pas que tu savais dessiner, dit Brandon.

— *¿ Qué quieres ?* Que veux-tu que je te dessine ?

— Un soldat, ça irait ?

— *¿ Un soldado ? Fácil.* »

Elle prit un crayon et le cahier de Brandon aux feuilles lignées, puis elle chercha une page blanche en jetant un coup d'œil rapide aux scènes guerrières peu élaborées qu'il avait dessinées, des petites scènes à la Breughel mais pleines de bonshommes-allumettes où une armée de ces bonshommes assiégeait et canonnait des forts rectangulaires, écrasait des ennemis qui levaient des mains en forme de bâtons et fuyait les explosions représentées par des gribouillis. *Ce garçon est très intelligent, mais il ne connaît rien à l'art.* Brandon la couva du regard pendant qu'elle traçait quelques lignes et qu'un homme en uniforme portant une arme qui lui barrait la poitrine prenait forme sur le papier. Il s'agissait d'un mousquet comme ceux qui figuraient dans le livre de Brandon intitulé *La Révolution américaine*, et Araceli le dessina de mémoire, mais elle attribua à ce soldat un uniforme moderne avec une rangée de médailles et un casque en acier. Puis elle travailla sur le visage, choisissant des traits qui lui étaient très familiers, et elle fit en sorte que ce visage regarde le spectateur droit dans les yeux.

« Waouh ! s'exclama Brandon quand elle eut fini. La tête de ce gars – il a l'air vraiment dur.

— Vraiment méchant », renchérit Keenan.

C'était le visage de la mère d'Araceli.

Sa séance artistique fut soudain interrompue par la secousse du train qui entrait à Fullerton, la dernière gare avant Los Angeles. Les quatre voyageurs qui attendaient sur le quai montèrent rapidement à bord et le train repartit avec des à-coups. Il entra peu après dans les zones industrielles du sud-est de Los Angeles, et les entrepôts sans fenêtres se succédèrent tandis que le train accélérait et commençait à vibrer un peu. Ensuite, les bâtiments se firent plus vieux, et les plâtres aux tons primaires et neutres de la fin du XXe siècle furent remplacés par la brique et le ciment des époques antérieures avec leurs couleurs terre. Brusquement, les entrepôts eurent des fenêtres, et beaucoup d'entre elles étaient obscures, givrées par de la poussière et des toiles d'araignée comme des milliers d'yeux atteints de cataracte. Le train accéléra encore et vibra si fort que Keenan serra la main d'Araceli. Brandon se raccrocha à l'accoudoir et sentit sa tête heurter la vitre. Il se demanda si le train n'allait pas se désintégrer, si les forces d'accélération n'allaient pas transformer ce coffre d'acier roulant en machine à remonter le temps, les transportant depuis l'époque archaïque de la brique, devenue maintenant visible par la fenêtre, jusqu'à des âges encore plus rudimentaires, ceux du bois, de la fumée et de la pierre.

Soudain le train ralentit en entrant dans une gare de triage où l'on voyait au moins vingt voies ferrées parallèles. Ils dépassèrent lentement des wagons-trémies rouillés qui, chargés de blé et de maïs, avaient fait des centaines de trajets depuis le Kansas. Ce furent ensuite des wagons-citernes d'où suintait du goudron noir, puis des porte-conteneurs aux flancs revêtus de noms chinois ou allemands et de code-barres incongrus. Le train prit un long et ample virage sous un pont autoroutier, et Araceli regarda les câbles et les fils en désordre qui suivaient les voies et bougeaient comme une pluie noire et horizontale. Elle remarqua aussi les ordures dispersées sur le bas-côté, des sacs plastiques et des emballages de nourriture épars sur le gravier des voies, les ponts en fer rouillé, les postes d'aiguillage couverts de graffitis et une tour de contrôle aux portes en bois fermées par des chaînes. De tout ce délabrement se dégageait une beauté sobre ; c'était le paysage vide et dur d'un rêve dérangeant, d'espaces qu'on n'était pas censé voir, comme les tuyauteries de climatisation et les vide-ordures d'un palais étincelant dans lesquels les toiles d'araignée, la poussière et les excréments de rats s'amoncelaient librement sans que personne ne s'en soucie. Le sens esthétique d'Araceli s'animait dans des endroits dépouillés comme ceux-ci, et, du coup, ils lui manquaient. *Ici, le vent, la pluie et le soleil ont la liberté de redessiner et de cuire l'acier et le ciment pour en faire des sculptures qui célèbrent l'oubli.* Elle sortit un carnet de son sac à dos et tenta de capturer rapidement l'essence tordue, maniaque, des fils électriques, les bonds dans les airs que le vent imprimait aux détritus, la forme fluide des dessins de rouille, jusqu'à ce que Keenan déclare « Tout ça, ici, c'est vraiment sale » et que la rêverie et la concentration d'Araceli en soient brisées.

Le train avançait maintenant au pas et, tout d'un coup, ce fut une vallée de murs de béton lisse qui s'ouvrit parallèlement à la voie. Elle s'étendait sur plus d'un kilomètre et demi et plusieurs ponts la traversaient. « Qu'est-ce que c'est ? demanda Keenan.

— C'est la rivière, dit Araceli.

— Une rivière, ça ? fit Brandon, perplexe jusqu'à ce qu'il remarque que le fond de ce gouffre était un lit étroit où coulait de l'eau et dont les parois étaient parfaitement droites. « Comment elle s'appelle ? Pourquoi est-ce qu'elle est faite en ciment ? Il n'a pas plu, alors d'où elle vient, l'eau ?

— Trop de questions, dit Araceli.

— Trop ? » Personne ne lui avait jamais dit une telle chose.

« Oui. »

Brandon regarda la rivière et vit qu'un géant muni d'une bombe de peinture avait couvert le haut de la vallée d'une mosaïque d'immenses lettres miroitantes, qu'il avait épelé des mots avec des verts bâtards et des jaunes sales qui vibraient dans une grande flaque de tourbillons gris-bleu. Ou, en tout cas, il avait l'impression que c'était un géant qui avait peint ces lettres. Il se demanda s'il devait interroger Araceli, puis décida que non. Il devait s'agir d'un géant.

« Hé, regarde, il y a des gens, en bas ! » s'écria Keenan, si fort qu'il attira l'attention des quatre ou cinq adultes qui se trouvaient dans la voiture, lesquels levèrent le nez de leur journal ou de leur ordinateur portable juste assez longtemps pour jeter un coup d'œil sur la caste crasseuse qui vivait au bord de ce bout de voie et pour vite en oublier le spectacle familier.

« *Los* SDF », dit Araceli.

Brandon pressa son nez contre la vitre et regarda vers le bas, décelant une suite d'abris entre la voie ferrée et la rivière, des baraques vacillantes faites de contreplaqué maculé de cambouis, de bâches bleues décolorées par le soleil, de cordes en nylon usées et de papier aluminium. On aurait dit des cabanes construites dans des arbres mais ramenées au ras du sol, des assemblages improvisés par des gamins et investis par des adultes tuberculeux. Quelques êtres humains étaient assis sur des chaises entre leurs créations, dans ce village qui suivait la courbe de la voie et dont les toits, patchwork de bâches et de bois, formaient un long croissant parsemé ici et là d'une colonne de fumée. Cherchant l'origine de ces feux, Brandon repéra un homme dégingandé, portant des lunettes de soleil sport, qui s'occupait d'une bouilloire posée sur un gril. Le train roula lentement en direction de cet homme et, pendant quelques secondes, Brandon fut juste au-dessus de lui. Il avait sur la joue une longue cicatrice d'où suintaient des liquides rouges et noirs. Une blessure de bataille ? se demanda-t-il. Une coupure infligée par un couteau ou une épée ? Un mois plus tôt, Brandon avait terminé le dernier tome d'une série romanesque en quatre volumes, *La Saga des avaleurs de feu*, et maintenant, alors qu'il était assis dans le train, le nez pressé contre la fenêtre, le dénouement violent et troublant de l'épique saga lui paraissait être l'unique explication plausible à l'existence de ce village de pauvres hères qui défilait au-dessous de lui. *Ces gens sont des réfugiés ; ce sont les soldats vaincus et les citoyens déplacés de la Cité de Vardur*. La série en question racontait une histoire fantastique pour jeunes qu'elle situait dans un monde de villages en pierre de l'ère préindustrielle. Le père de Brandon avait acheté la série complète et l'avait lue quelques années auparavant, puis il l'avait oubliée sur une étagère, laissant son fils aîné la découvrir par lui-même. La fascination de Brandon grandissait avec chaque chapitre qu'il passait en compagnie des méchants de l'histoire, un clan d'hommes et de garçons, tous très rudes, qui avaient pour rituel de manger des flammes avant et après la bataille. Quelque chose, dans ce camp de sans-abri, semblait appartenir aux temps anciens décrits dans ces livres, à une vie que ne troublait ni l'électricité ni la modernité en général. En réalité, on n'aurait jamais dû permettre à Brandon de lire la série des Avaleurs de feu, car on y trouvait des descriptions très crues de la tactique de la terre brûlée racontant le meurtre de populations villageoises entières, enfants compris, à l'aide de lames forgées de divers métaux, réels ou inventés, et on y rencontrait des antagonistes dont les discours étaient truffés de rationalisations fascistes sur les « faibles », les « forts » et les « purs ». Tout cela était censé passer pour une allégorie de la cruauté et de la démagogie des temps modernes. L'imagerie de ces récits puisait beaucoup dans les horreurs du XXe siècle – à tel point, même, et de manière si réaliste que Brandon, qui était vif d'esprit, en avait conclu depuis longtemps que ce récit n'était pas entièrement le produit de l'imagination de l'auteur. Bien avant son voyage en train, il avait commencé à se dire que la saga des avaleurs de feu était en fait un rapport détaillé et à peine déguisé sur un endroit primitif mais tout à fait réel du monde existant. Des villes entières vidées de leurs braves habitants, des civils torturés, leurs maisons et leurs livres brûlés. Comment de telles injustices pouvaient-elles exister ? Comment l'humanité pouvait-elle les supporter ? Bien sûr, il aurait dû parler à sa mère de ce qu'il lisait, mais elle n'avait aucune idée des tabous que les livres que Brandon trimbalait d'une pièce à l'autre transgressaient. « Quel bon petit lecteur tu fais », voilà tout ce qu'elle lui disait. Il était confondant de se trouver face à une telle naïveté d'adulte, même s'il était indéniablement cool de savoir des choses interdites à d'autres gamins de onze ans moins précoces que lui dans leurs lectures. Les histoires de cette saga lui avaient quand même fait perdre le sommeil certaines nuits, jusqu'à ce qu'il ait fini par se convaincre que ce qu'il lisait était bien du domaine du fantastique. Et maintenant, voilà qu'un blessé, une vraie victime de la fureur des Avaleurs de feu, avait dû chercher refuge au bord de la rivière de béton avec ses compagnons venus de Vardur.

« Ces bâtards d'Avaleurs de feu ! cria Brandon en imitant le héros de la saga, le noble prince Goo-han.

— *¿ Qué dices ?* fit Araceli. *¿ Bastardos ?* » Tout à coup, ce garçon de onze ans proférait des gros mots. *Il n'a quitté la maison pour sortir dans le monde que depuis quelques heures, et le voilà déjà corrompu.*

« C'est les Avaleurs de feu », dit Brandon sur le ton de l'explication patiente, car il venait de songer qu'Araceli n'avait jamais lu ces livres ; après tout, ils étaient écrits en anglais. « Les Avaleurs de feu ont fait de ces gens des réfugiés. Ils ont détruit leurs villes et leurs maisons. Alors ils ont fui et sont venus vivre ici au bord de la rivière. Je l'ai découvert dans *La Vengeance des hommes du fleuve*. Les Avaleurs de feu ont brûlé leur village, Vardur, parce qu'ils refusaient de jurer allégeance à leur roi malfaisant. Alors ils ont dû se réfugier sur les berges de la rivière, mais je n'aurais jamais cru…

— *Estás loco*, dit Araceli. Tu lis trop. »

Personne n'avait jamais dit cela à Brandon : chez les Torres-Thompson, la lecture était sacrée ; c'était la seule activité à laquelle les enfants pouvaient s'adonner sans limite de temps ni supervision parentale. Les livres étaient bienfaisants : ils avaient de la force et exprimaient des vérités. Brandon décida donc de ne pas tenir compte des remarques de sa surveillante temporaire et de scruter le camp des Varduriens pour voir quels secrets celui-ci pourrait bien révéler. Les souvenirs de Brandon ne remontaient qu'à quelques années avant son arrivée dans le domaine des Laguna Rancho Estates, et son image d'une maison était en grande partie façonnée par la similitude répétitive qui prévalait dans son quartier où les couleurs devaient être approuvées par une association et où les allées devaient avoir une taille standard. Or, maintenant, au-dessous de lui, il y avait un lieu où chaque abri différait du suivant, et nombre d'entre eux comportaient de minuscules jardins fermés par des câbles électriques enroulés tout autour et par des sacs en plastique attachés les uns aux autres pour former une sorte de clôture. Avant que le train ne prenne un dernier virage et ne se dirige vers la gare, il aperçut une dernière Vardurienne : une femme avec des vagues de cheveux argentés qui nettoyait son abri à l'aide d'un balai.

Maureen, debout au-dessus du berceau dans sa chambre d'hôtel, étudiait sa fille en train de faire une sieste cet après-midi. Samantha dormait sur le dos et serrait dans ses mains la couverture jaune qui l'accompagnait jour et nuit ; ses yeux étaient clos, en hémisphères paisibles dont les délicats cils roux formaient l'équateur. Quand elle fermait ainsi les yeux, Samantha montrait un visage ovale presque identique à celui qu'avait son frère aîné au même âge : et le visage endormi de ce frère était dûment reproduit sur une photo au cadre en acajou dans la galerie de leur salle de séjour. Le fait d'être séparée de Brandon depuis plus de soixante-douze heures ne fit qu'accroître chez Maureen la sensation qu'elle regardait son fils, pas sa fille. Et l'absence de ses fils, en se prolongeant, commençait à lui peser. *Quand on voit ses enfants dormir, on saisit pleinement la gloire et la beauté d'être mère ; on se tient là, debout, fière et en éveil, face à leurs besoins muets, face à leur pureté et leur vulnérabilité.* Elle leva les yeux et regarda où elle était : dans une chambre d'hôtel dont le style Sud-Ouest américain était légèrement trop chargé, avec un tapis navajo cloué au mur devant le lit et un authentique crâne de bélier, cuit par le soleil du désert, suspendu à la porte. Elle entendit alors la voix de sa conscience subitement réveillée qui hurlait : *Qu'est-ce que j'ai fait ? Mon fils ! Mes fils !* Elle prit le téléphone et téléphona chez elle.

À cet instant, les garçons de Maureen, marchant consciencieusement derrière leur nounou mexicaine, faisaient leurs premiers pas hors du train à la gare Union Station. Ils suivirent l'un des quais parallèles entre de monstrueuses locomotives dont l'une faisait retentir une sonnerie tout en s'éloignant à peu près à la vitesse d'un homme au pas sur une voie découverte menant à la ville. Brandon et Keenan virent des porteurs coiffés de casquettes rigides, des personnes âgées perdues devant l'entassement de leurs bagages sur des chariots en métal, et ils entendirent un haut-parleur lancer : « Départ du Sunset Limited… Tous les passagers en voiture ! » Ils se dirent alors qu'ils étaient enfin arrivés dans une vraie gare. Les garçons voulaient s'attarder un peu sur le quai à ciel ouvert où la présence de tout ce matériel roulant et de ces voyageurs leur parlait beaucoup, mais comme Araceli leur ordonnait de la suivre par un impérieux « *órale, por aquí* », ils descendirent le long d'une rampe menant au sous-sol.

Ils pénétrèrent dans un hall large et long mais bas de plafond qui rappela à Keenan certains aéroports. Araceli était déjà passée à cet endroit pendant ses premiers jours à Los Angeles, et la vue d'une foule de gens portant d'énormes sacs marins et des boîtes coincées sous leurs bras lui rappela cette autre Araceli, alors plus innocente. *Sola*. Munie d'une valise à coque dure (manifestement si peu pratique que l'homme qui lui avait fait traverser la frontière illégalement s'en était moqué), éblouie par la sensation que lui procurait cette ville par ce qu'elle avait de chic et d'étranger, souffrant d'une sorte d'agoraphobie bizarre du fait qu'elle se trouvait dans une vaste plaine remplie de choses inconnues. Cette nouvelle rencontre avec son passé récent ne fit que mettre Araceli un peu plus mal à l'aise et renforcer sa hâte d'arriver à destination. Après avoir regardé à droite et à gauche, elle décida d'aller tout droit et partit d'un pas très rapide en naviguant astucieusement entre les courants contraires de voyageurs, redevenant une *chilanga* et distançant presque Brandon et Keenan tellement elle était pressée.

« Hé, Araceli, attends-nous ! » cria Brandon. La Mexicaine se retourna et lui lança un regard légèrement exaspéré, tout à fait semblable à celui dont elle le gratifiait chez lui deux ou trois fois par jour, dans le salon, la chambre ou la cuisine.

Marchant désormais côte à côte, ils dépassèrent un panneau électronique affichant des destinations et des heures de départ : LAS VEGAS BUS, TEXAS EAGLE, SURFLINER NORTH, puis ils entrèrent dans une salle où, contrairement au plafond bas précédent, tout un espace s'ouvrait au-dessus d'eux. Brandon et Keenan tendirent alors le cou vers le haut et admirèrent la voûte recouverte de carreaux de style méditerranéen ou vaguement arabe qui donnaient à la fois une sensation de chaleur et d'espace. Des lustres semblables à des vaisseaux cosmiques baroques pendaient aux poutrelles, et les deux garçons ouvrirent la bouche et formèrent silencieusement le mot *Waouh !* en passant dessous. Il y avait des rangées de bancs rembourrés, avec de hauts dossiers, sur lesquels étaient assis des garçons en uniforme de base-ball et des voyageurs hollandais et italiens, fatigués et hâlés, avec des sacs à dos en nylon entassés à leurs pieds. Une équipe de tournage de vidéos musicales – elle en était à son deuxième jour de travail – rassemblait ses affaires dans l'aile fermée et inutilisée de la gare où jadis l'on avait vendu des billets et où, maintenant, les guichets revêtus de chêne étaient devenus un décor de cinéma permanent et souvent utilisé.

« J'ai déjà vu cet endroit dans des films, dit Keenan. Je croyais que c'était du faux. »

Ils passèrent sous une arche plus haute que le plus grand des trolls ou des géants, puis sortirent par la porte principale de la gare où ils furent assaillis par la lumière de l'été, par des voitures et par des gens qui, tous, fonçaient avec énergie vers le nord ou le sud dans les rues et les passages pour piétons. Derrière ce tableau mouvant se dressait l'imposante toile de fond de la silhouette du centre-ville de Los Angeles, les gratte-ciel en verre du district de la finance et la tour massive de l'Hôtel de ville, en pierre, surmontée d'une ziggourat qui lui donnait l'air d'une fusée mésopotamienne prête à décoller.

« *No, por aquí no es* », dit Araceli en faisant demi-tour vers la salle d'attente. Les enfants se précipitèrent derrière elle.

Elle alla au stand d'accueil et s'adressa à l'homme grand, maigre et rigide qui se tenait là. Sur son blouson, son badge disait : GUS DIMITRI, BÉNÉVOLE.

« Nous cherchons les bus », dit Araceli.

Gus Dimitri, alerte octogénaire natif de South Los Angeles, était assez vieux pour se rappeler l'époque où ce ghetto brun et noir d'aujourd'hui était un refuge de Blancs réservé aux Grecs, aux juifs, aux Italiens et aux Polonais. Il avait vu davantage d'histoire de Los Angeles que n'importe quel autre employé ou bénévole de ce centre de transit, et quand il aperçut Araceli avec les gosses dont elle avait la charge, il sut aussitôt qu'il s'agissait d'une domestique mexicaine engagée pour s'occuper des deux enfants qui l'accompagnaient.

« Eh bien, madame, où voulez-vous aller, exactement ? »

Tandis que la femme fouillait dans son sac à dos pour trouver une adresse, Gus Dimitri prenait le temps de songer que la Californie avait vraiment poussé jusqu'à la limite cette mode d'avoir des immigrants pour domestiques. « *Croyez-vous qu'il soit bien indiqué,* aurait-il voulu demander aux parents, *de faire guider vos précieux enfants par une Mexicaine dans une métropole comme celle-ci ? De les confier à une femme qui est déjà perdue à la gare d'Union Station ?* » À peu près à l'époque où Gus Dimitri avait pris sa retraite, la mode des domestiques immigrés était devenue une vraie folie en Californie – qu'il s'agisse de tondre les pelouses ou de tenir les fast-foods, ces gens-là faisaient tout, à présent. C'étaient certes de bons travailleurs, à l'ancienne, le nez dans le guidon – mais, bon sang, est-ce que les Américains ne voulaient donc plus rien faire par eux-mêmes ? Quand il avait l'âge de l'aîné de ces deux garçons, là, il vendait des journaux dans la rue et il avait récolté un sacré paquet de fric lorsque, le long du boulevard Crenshaw, il avait crié les suppléments pour les combats de boxe entre Joe Louis et Max Schmeling. Mais y avait-il encore des tournées de distribution de journaux pour les gamins d'Amérique ? Son journal lui était livré par un gars en pick-up, un Mexicain (lui semblait-il) qui s'appelait Roberto Lizardi, d'après ce que disait la carte de Noël qui lui parvenait une fois par an avec le journal.

« À la 39e Rue, dit Araceli. Dans Los Angeles.

— Il faut faire demi-tour. Dans l'autre direction. Patsaouras Plaza.

— Merci. »

Rapidement, Araceli repartit dans le long passage bas de plafond.

« Où est-ce qu'on va ? demanda Keenan. Pourquoi est-ce qu'on redescend au sous-sol ?

— On va prendre le bus, expliqua Araceli. *Tenemos que ir a la otra estación*. À une autre gare, pas celle-ci. » Ils arrivèrent à un grand escalier en ciment et grimpèrent dans un atrium inondé de soleil et pourvu de plusieurs sorties. C'était le centre de transit d'où partaient les autobus, mais Araceli ne pouvait pas se rappeler quelle porte menait aux lignes qui desservaient le quartier de Los Angeles où vivait le vieux Torres. Elle se rendit à un autre guichet d'information tandis que l'attention des garçons se portait de nouveau vers le haut, cette fois vers une peinture murale derrière le bureau : une vieille locomotive à vapeur fonçait sur un village blotti dans des champs verdoyants ; elle traversait une suite de vergers et laissait dans son sillage un panache de fumée noire. À sa gauche, une deuxième peinture sur laquelle la locomotive longeait le ruban bleu d'une rivière qui serpentait à travers une ville remplie de constructions basses ; sur un troisième panneau à droite, la même ville brillait de tous ses gratte-ciel et la rivière s'était changée en un canal de béton.

« C'était ce qu'il y avait ici autrefois ? demanda Brandon, avant qu'Araceli ait pu poser sa question.

— Oui, répondit l'homme derrière le comptoir, un employé de la MTA. Et je vais te dire un truc – ça va vraiment t'étonner. L'endroit où nous sommes, maintenant, c'était le quartier chinois. Il y a plein de machins archéologiques qu'on a trouvés enterrés ici. Des machins chinois.

— Et les Chinois, qu'est-ce qu'ils sont devenus ?

— Ah, on a démoli tout ça depuis des lustres. Tout rasé.

— Eh bien, c'est troublant », dit Brandon en répétant comme un perroquet une expression habituelle de sa mère.

Brandon réfléchit à ce qui venait de lui être révélé sur le quartier chinois pendant que l'employé expliquait à Araceli où elle pouvait prendre le bus qu'il leur fallait. Le sol sur lequel son frère et lui se trouvaient était plus ancien que la personne la plus vieille qu'il connaissait, et sans doute plus ancien que le plus vieux des Varduriens – une découverte qui ouvrait des horizons à un gamin de onze ans. Il était probable que si l'on creusait assez profondément ce ne serait pas seulement le quartier chinois qu'on trouverait, mais aussi les vestiges de plein d'autres villes et villages du passé, comme dans ce livre sur son étagère où l'on voit l'âge de pierre, l'époque romaine, le Moyen Âge et l'époque moderne occuper le même bout de terre au bord d'un fleuve, puis des batailles, des bâtiments incendiés, des gens enterrés, des villes reconstruites, anéanties et encore rebâties à mesure qu'on passe d'une page à la suivante.

« *Ya, vámonos,* lança Araceli. *Es por aquí.* »

Les garçons la suivirent sur l'un des trottoirs parallèles et, au bout de quelques secondes seulement, arriva un bus vide dans lequel tous trois montèrent. Ce véhicule, comme le nota aussitôt Brandon, était la copie cabossée du premier bus qu'ils avaient pris plus tôt devant les Laguna Rancho Estates. Par le nombre d'éraflures sur ses vitres en plastique, il donnait l'impression d'avoir traversé un certain nombre de tempêtes de grêle, et quand il sortit du centre de transit ombragé pour retrouver le soleil des rues de Los Angeles et que la lumière illumina l'intérieur, Brandon remarqua l'usure des sièges et les divers graffitis qui en maculaient l'intérieur. « Ça pue, ici », déclara Keenan. Un relent de sueur, voire de matière fécale, suintait des sièges, et l'acidité sucrée de boissons renversées s'attachait aux molécules humides de l'air du couloir. Et toutes ces odeurs se promenaient en bus toute la journée, d'un côté et de l'autre à travers toute la ville, sans rien payer.

Ils s'éloignèrent lentement du centre de transit en suivant des rues qui les rapprochèrent du district financier. Brandon et Keenan avaient souvent vu cette partie de la ville en compagnie de leurs parents, depuis les hauteurs d'une voiture qui roulait à toute vitesse sur une autoroute surélevée. Tel était le Los Angeles qu'ils avaient toujours connu, le centre-ville qui était celui des Dodgers et des

Lakers [1]. Lors de ces trajets, ils glissaient au-dessus du cœur de Los Angeles et circulaient près de la cime de ses palmiers pour se rendre à des musées et des parcs, quelque part au-delà d'une vaste zone en damier dont les bâtiments recouverts de stuc et les voies asphaltées s'étendaient aussi loin que l'on pouvait voir dans cette atmosphère légèrement brumeuse. Maintenant qu'il étudiait ce paysage pour la première fois au niveau du sol, Brandon remarquait que tous les objets semblaient faits de métal nu, de briques ou de béton, puisqu'ils étaient disposés selon des formes géométriques simples : les angles droits formés par les feux de signalisation soudés à des poteaux, les bouches ouvertes rectangulaires des collecteurs d'eaux pluviales, l'étrange tour sur le toit d'un immeuble entièrement composée de triangles. Tout cela était plus linéaire, doté de bords plus durs, plus intéressant pour son jeune regard que les contours courbes du Paseo Linda Bonita.

Assis à côté de son frère sur un siège donnant sur le couloir central, Keenan était plus proche des passagers debout qui avaient commencé à remplir le couloir après quelques stations et se tenaient à la barre au-dessus d'eux. Une femme âgée le dominait de toute sa taille ; elle portait un sac plastique rempli de documents et d'enveloppes dont le lourd contenu se baladait quand le bus faisait une embardée. Assis dans la même rangée que Keenan de l'autre côté du couloir, un homme d'âge mûr aux yeux verts tenait lui aussi un sac plastique. Ses mains usées étaient couvertes de petites coupures, et à travers la paroi translucide du sac Keenan pouvait apercevoir des vêtements pliés, deux livres épais et des tenailles. L'homme gardait le sac près de son corps, à l'intérieur du réceptacle formé par ses jambes et le dossier en métal devant lui, et Keenan devinait que ce qui se trouvait dans ce sac était très important pour lui. *Ces gens-là portent ce qu'ils possèdent dans les mêmes sacs en plastique dont ma mère et Araceli se servent pour rapporter les choses du supermarché.* Keenan avait huit ans, mais le côté poignant de pauvres qui serrent contre leur corps fatigué les affaires auxquelles ils tiennent et qu'ils ont mises dans des sacs en plastique ne lui échappait pas, et pour la première fois de sa courte vie il éprouva une compassion abstraite pour les inconnus parmi lesquels il était. « Il y a beaucoup de gens dans le monde qui sont dans le besoin et qui ont faim », disait sa

1. Les Dodgers sont une équipe de base-ball, les Lakers une équipe de basket.

mère, généralement lorsqu'il ne terminait pas son dîner, mais c'était comme quand on lui parlait du Père Noël qu'on ne voyait, lui aussi, que fugitivement. Il croyait que les « pauvres » et les « affamés » étaient des sortes de gnomes qui vivaient aux abords de mini-galeries marchandes et d'autres lieux publics où ils fouillaient les poubelles. À présent, il comprenait ce que voulait dire sa mère, et il se disait que la prochaine fois qu'on lui donnerait une assiette de bâtonnets de poisson pané, il les mangerait jusqu'au dernier. Deux passagers devant lui parlaient espagnol, et il s'y intéressa parce qu'il crut qu'il pourrait déchiffrer leur conversation, puisqu'il comprenait à peu près tout ce que lui disait Araceli dans cette langue. Mais leur discours était un fouillis indéfinissable de nouveaux noms, de verbes conjugués bizarrement, d'expressions figurées, et il ne saisissait qu'un mot ou une expression ici ou là : « *es muy grande* », « *domingo* », « *fútbol* », et « *el cuatro de julio* ».

« *Nos bajamos en la próxima,* dit Araceli en se levant. La prochaine station. On descend. »

Ils quittèrent leur bus et la porte se referma derrière eux avec un bruit métallique et un soupir hydraulique. Araceli reçut comme un choc la chaleur gris-jaune et l'éclat criard d'un soleil bas qui perçait à travers l'écran sale de l'atmosphère du centre-ville. *Au revoir, ciels bleus et brises marines du Laguna Rancho,* pensa-t-elle. Ceci ressemblait davantage au bol d'air cuit, passé en machine, qu'elle avait connu dans sa ville natale ; elle avait oublié ce qu'on ressent à être plongé dans l'oxygène immobile et moche d'une vraie ville. « Allons à pied. Par là », dit Araceli en pointant son doigt vers le sud, vers une longue avenue perpendiculaire à la rue où le bus les avait déposés et dont les quatre voies allaient tout droit vers une ligne de palmiers qui rapetissaient avec la distance jusqu'à ne plus être que des cure-dents avalés par la brume.

« Ça n'a pas l'air d'être l'endroit où habite mon grand-père, dit Brandon.

— C'est près d'ici ? demanda Keenan.

— *Sí.* Quelques rues, c'est tout. »

Ils étaient seuls, la surveillante et ses jeunes protégés, sur un trottoir entièrement désert, à part l'abribus et son banc. C'est tout de même étrange, songeait Araceli, un pâté de maisons sans personne, comme au Paseo Linda Bonita, sauf que cette fois c'était au milieu d'une ville vieillissante dont les bâtiments dataient du siècle dernier.

Toutes les boutiques avaient baissé leurs rideaux, et des cadenas aussi gros que des oranges pendaient aux portes en fer. Sur les panneaux publicitaires installés sur les toits, des hommes à la peau sombre prenaient la pose pour les automobilistes qui roulaient en dessous : de façon enviable, ils passaient un bras autour de femmes à la peau claire et tenaient entre leurs doigts des bouteilles de bière ou d'alcool. Pendant un moment, Araceli se dit que Brandon risquait d'avoir raison, qu'*el viejo* Torres ne pouvait pas habiter près d'ici. Mais, d'un autre côté, on ne savait jamais à Los Angeles sur quoi l'on pouvait tomber à l'angle de la rue suivante. Même si l'on était dans la désolation ensoleillée, muette et minérale d'un endroit comme celui-ci, on pouvait se retrouver l'instant suivant dans un pâté de maisons ombragé, bordé d'arbres, avec des appartements étincelants. Mexico était pareil.

De nouveau, les roues des valises des garçons cliquetèrent contre le trottoir tandis qu'ils avançaient vers le sud d'un pas décidé. « Ça n'a pas l'air d'être l'endroit où il habite », répéta Brandon. Araceli le trouva agaçant. « Je suis même à peu près sûr que c'est pas là, ajouta-t-il.

— C'est à quelques rues », insista-t-elle. Dans quelques minutes, elle serait libérée de la charge de ces deux garçons et ne sentirait plus cette pression sur ses tempes. Leur grand-père émergerait de sa porte d'entrée, elle lui raconterait la table basse et la maison vide, il leur préparait un dîner avant l'heure habituelle, et elle serait débarrassée d'eux. Ils avançaient vers le sud, et seuls les automobilistes les voyaient. Mais les automobilistes profitaient de ce bout de voie relativement dégagée pour accélérer et roulaient trop vite pour accorder beaucoup d'attention à ces piétons marchant vers le sud en file indienne, avec, en tête, un garçon aux longs cheveux de rock star qui fronçait des sourcils sceptiques, puis un enfant plus petit et enfin une Mexicaine fortement charpentée qui fermait la marche et scrutait les plaques des rues. C'étaient les dernières minutes avant que ne sonnent cinq heures, et les gens qui étaient en voiture avaient à cœur de faire autant de chemin que possible avant que les immeubles du nord ne commencent à se vider de leurs employés de bureau, de leurs analystes, de leurs vice-présidents, des préposés à la cafétéria, des spécialistes en relations publiques, des as de la vente et autres esclaves salariés en tout genre. En ce jour de plein été, la plupart des automobilistes roulaient vitres fermées, profitant des brises alpines artificielles qui soufflaient dans l'habitacle, mais la climatisation ne fonctionnait pas dans la Toyota Cressida du juge Robert Adalian, juriste officiant dans le bunker en béton tout proche connu sous le nom de Tribunal municipal des infractions routières du district central de Los Angeles. Le juge Adalian roulait donc les vitres ouvertes lorsque Araceli, Brandon et Keenan traversèrent devant lui sur le passage pour piétons de la 37e Rue et de South Broadway – et cela à cause de l'un des rares feux rouges sur le trajet qui l'amenait à prendre Broadway en direction du nord pour éviter l'autoroute Harbor. Les piétons avaient appuyé sur un bouton pour traverser, et le juge songea qu'ils brisaient ainsi le rythme de la séquence des feux. Il y pensa tout en considérant le spectacle curieux d'une femme, manifestement mexicaine, accompagnée de deux enfants qui, tout aussi manifestement, ne l'étaient pas. *Ce n'est pas leur teint qui trahit les deux garçons, c'est leurs cheveux et la façon qu'ils ont de marcher et de tout examiner autour d'eux comme des touristes. Ces garçons ne sont pas du coin.* Par sa vitre ouverte, il surprit une bribe de leur conversation.

« Je crois qu'on est perdus, disait le garçon le plus grand.

— *No seas ridículo, no estamos* perdus », répondit la Mexicaine d'un ton irrité, et le juge gloussa parce qu'il avait grandi à Hollywood avec quelques Guatémaltèques et Salvadoriens, et les rares mots d'anglo-espagnol qu'avait utilisés la femme le ramenaient à ce lieu et à cette époque, vingt ans auparavant, où l'on pouvait encore entendre parler espagnol dans son ancien quartier. C'était avant que l'exode final de l'Union soviétique ne vienne remplir le coin de si nombreux réfugiés arméniens (parmi lesquels se trouvait sa future femme) que la ville avait mis des panneaux annonçant PETITE ARMÉNIE. Le feu passa au vert et le juge rangea rapidement la Mexicaine et les petits Américains dans le fond de sa mémoire à côté d'autres événements inhabituels de cet après-midi : la condamnation d'un ancien comédien de feuilletons télévisés dont la carrière avait été si brève et datait de si longtemps que seul le juge s'en souvenait. Le juge s'était senti déprimé en pensant qu'à quarante-quatre ans il était plus vieux que son huissier, son greffier et son sténographe, plus vieux aussi que l'avocat de la défense et que le substitut du procureur. Seul l'accusé était plus âgé que lui, et quand le juge Adalian avait enfin compris que personne dans ce tribunal n'avait la moindre idée de ce que le défendeur avait apporté à l'histoire de la télévision, ce même défendeur de cinquante-deux ans accusé de conduite en état d'ivresse avait regardé le juge et levé les sourcils en un geste exprimant une lassitude générationnelle partagée. « Le temps passe », avait dit le prévenu, et cela aussi avait touché une corde sensible dans la mémoire du juge, parce qu'il n'était pas fréquent qu'un alcoolique jugé dans son tribunal se fende d'une remarque empreinte de sagesse. Le feu devint vert et le juge repartit doucement vers le nord sans se douter que quelques semaines plus tard, son souvenir d'avoir croisé, le même jour ordinaire, un acteur démodé et cette Mexicaine accompagnée de deux garçons « blancs » lui vaudrait de passer à la télévision câblée.

Arrivée au trottoir de l'autre côté de Broadway, Araceli tourna à droite. C'était maintenant Brandon qui fermait la marche parce qu'il sentait le besoin de protéger son jeune frère en restant derrière lui au cas où quelque monstre, voire un Avaleur de feu, surgirait d'une des boutiques aux rideaux tirés.

« Ne regarde personne en face, Keenan, lui dit Brandon.

— Quoi ?

— C'est dangereux, ici.

— T'as pas à me dire quoi faire.

— Il se peut qu'il y ait des gens dangereux dans ces bâtiments, insista Brandon. Regarde les inscriptions. C'est un mauvais chiffre. Treize.

— C'est vrai ? » demanda Keenan qui, un instant, vit le monde comme son frère et se dit que XIII devait être un code de guerrier.

La logique disait à Araceli qu'elle n'était qu'à deux pâtés de maisons de l'adresse figurant au dos de la photo, mais elle commençait, elle aussi, à douter sérieusement, étant donné la sinistre répétition du chiffre 13 peint à la bombe sur les murs et le trottoir. Pour la première fois, elle se demanda si sa naïveté concernant la ville ne risquait pas de les conduire à l'endroit où les auteurs de graffitis et autres membres de gangs avaient leur nid : sous le toit opaque de ce ciel pollué de smog, ce serait une sorte de pépinière, de serre pour mâles psychiquement délabrés. Ils passèrent devant un vaste terrain vague, rectangle parsemé de détritus et couvert de laiterons qui poussaient à hauteur de genou, espace sur lequel, à la glorieuse époque d'*el abuelo* Torres, s'était dressé le cinéma Lido Broadway. C'était là que, lorsqu'il était jeune, *el abuelo* Torres avait assisté à la projection du film *High School Confidential*, là qu'il avait désiré la starlette Cleo Moore aux formes rebondies et qu'il s'était fait rouer de coups par deux Afro-Américains qui n'avaient pas apprécié ses commentaires lors d'une matinée de milieu de semaine où l'on passait *Graine de violence*. À cette époque, Juan Torres et ses parents étaient encore dans le circuit qui les amenait pendant quelques jours d'affilée à aller travailler dans les champs, et ils étaient obligés, comme bien d'autres familles américano-mexicaines, de vivre parmi des Noirs. Juan s'était aussi battu contre des Noirs pour des histoires de filles. Le fait de vivre là et de sentir le sang dans sa bouche avait formé son sens de la hiérarchie raciale et lui avait inculqué une idée de l'endroit qui lui revenait dans cette pyramide de privilèges selon la couleur de peau qu'étaient, à son sens, les États-Unis. *On a beau avoir le teint basané, on n'est pas tout à fait en bas.* Quand il avait bu un verre de sangria ou un whisky de trop, le Johnny Torres de la 39e Rue et du Lido Broadway ressuscitait, et c'était un fier bagarreur, plein de préjugés. Ainsi, lors du sixième anniversaire de Keenan, il avait noté d'une voix puissante combien son plus jeune petit-fils avait le teint clair et comme il était « beau » : « Un vrai petit Blanc, celui-là. » Cette remarque avait conduit sa belle-fille qui avait des idées progressistes à le bannir de sa maison.

Si Araceli n'avait pas eu deux enfants en remorque, si elle n'avait pas tant désiré arriver à l'endroit qui la débarrasserait de ce rôle qu'elle assumait malgré elle et qui l'obligeait à s'occuper de deux garçons, elle aurait pu s'arrêter et prendre le temps d'examiner les décombres du Lido Broadway, cette demi-douzaine de tuyaux qui s'élevaient d'un sol en béton fissuré comme des mains d'élèves dans une salle de classe. Le temps agissait de manière plus agressive dans une ville américaine qu'il ne le faisait dans une ville mexicaine, où les structures coloniales traversaient les siècles sans trop de difficulté. Ici, le ciment, l'acier et la brique commençaient à rendre l'âme au bout d'à peine une ou deux décennies d'abandon. *Les gens qui vivaient et travaillaient ici ont fui. Mais qu'ont-ils fui ?* Il valait mieux continuer à avancer vite. Elle aperçut un peu plus loin, à deux cents mètres, une femme avec une poussette, accompagnée d'un enfant, près d'un magasin de spiritueux dont un des côtés était orné d'une peinture murale représentant la Vierge de Guadalupe.

Araceli se dirigea vers le magasin et la Vierge, et en un rien de temps les garçons et elle entrèrent dans un quartier où les maisons et les immeubles étaient tous habités. C'étaient pour la plupart des constructions revêtues de bardeaux, dont certaines présentaient des clôtures en fer autour de rosiers. Ils virent une femme qui battait un tapis contre les marches d'une véranda menant à un bâtiment comportant deux étages et quatre portes. Brandon remarqua les numéros étranges au-dessus de chaque entrée : 3754 1/4, 3754 1/2, 3754 3/4, ce qui lui rappela les numéros fantaisistes d'un quai de gare dans un livre d'enfants célèbre ; il se demanda si ces portes aussi permettaient d'accéder à un monde secret. Ils passèrent devant un pavillon de deux étages revêtu de planches à clins, avec des barreaux rouillés comme ceux d'une prison, et les deux garçons se demandèrent si l'on ne retenait pas quelque sale type à l'intérieur. Quelques portes plus loin, ils virent une construction identique sans barreaux, avec des murs couleur corail peints de frais et un cactus orgue de trois mètres de haut dans le jardin à côté d'une petite fontaine en terre cuite où coulait de l'eau. La fontaine était surmontée d'un chérubin. « C'est une jolie maison, dit Keenan avant d'ajouter : *Muy bonito.* » Et Araceli pensa que, oui, ils devaient être sur le bon chemin parce que les logements, brusquement, étaient devenus plus jolis. Mais un demi-pâté de maisons plus loin, ils tombèrent sur un immeuble proposant des chambres à louer dont les portes et les fenêtres étaient fermées par des planches. Les rectangles de contreplaqué formaient les yeux et la bouche d'une créature aveuglée et bâillonnée. « Je crois vraiment pas que mon grand-père habite par ici », répéta Brandon, et cette fois Araceli ne prit pas la peine de lui répondre.

Deux rues plus loin, ils arrivèrent devant un panneau qui annonçait la 39e Rue et signait définitivement la confirmation de la folie d'Araceli : ce pâté de maisons où l'avaient conduite la photographie et le nom de rue au dos était occupé par un ensemble de bungalows formant des duplex bleu pastel, puis par des appartements sur deux niveaux, en planches à clins et à la peinture blanche toute écaillée, suivis de deux cubes industriels sans fenêtres, revêtus de stuc. L'adresse correspondait à l'un des bungalows ; celui-ci donnait directement sur la rue, mais il avait des portes sur le côté qui s'ouvraient sur une cour étroite. Araceli plongea la main dans le sac à dos de Maureen, en retira la vieille photo et compara le bungalow derrière le jeune *abuelo* Torres au bâtiment qu'elle avait devant elle : les fenêtres étaient maintenant garnies de barreaux de fer et la vieille porte-écran avait été remplacée par une sorte de bouclier de forteresse en acier perforé, mais, pour le reste, c'était bien la même maison. Les deux images ensemble, celle du passé et celle du présent, témoignaient de la cruauté du temps et de son passage, ainsi que de l'analphabétisme chronologique d'Araceli, de son ignorance des forces de l'histoire locale. Après une journée à pied, en bus et en train, elle avait atteint sa destination et il était évident que l'*abuelo* Torres ne vivait pas là, ne pouvait pas y vivre parce que tout, dans cet endroit, attestait la misère et l'Amérique latine, depuis le fauteuil de bureau à roulettes que quelqu'un avait laissé dans la cour au milieu d'un tapis de mégots, jusqu'aux accords de reggaeton qui vibraient dans l'un des bungalows.

« *La fregué* », marmonna Araceli. En l'entendant, les deux garçons la regardèrent d'un air perplexe.

« C'est là ? s'étonna Brandon. C'est l'adresse ?

— *Sí. Y aquí no vive tu abuelo.*

— Sûr, il vit pas là ! dit Brandon. Sa maison est dans un grand ensemble d'appartements avec une grande pelouse devant. Elle est jaune. Et il n'y a pas plein de bâtiments affreux comme ceux-là.

— Et maintenant, on fait quoi ? » demanda Keenan.

Derrière la porte de sécurité du bungalow située devant eux, Araceli entendit une deuxième porte, intérieure, s'ouvrir. « *¿ Se le ofrece algo ?* » demanda une voix de femme à travers le bouclier d'acier perforé.

Araceli s'avança jusqu'à la porte et brandit la photo. « *Estoy buscando a este hombre,* dit-elle. *Vivía aquí.* »

Ne craignant pas une *Mexicana* accompagnée de deux jeunes garçons, la femme ouvrit la porte et tendit la main pour prendre la photo, se révélant ainsi à Araceli comme une femme d'environ trente ans qui avait l'air d'être lasse du monde et dont la peau lisse et les longs yeux qui s'étiraient vers l'arrière semblaient avoir été sculptés dans de la stéatite. Elle avait des ongles peints en orange citrouille, et ses cheveux paraissaient étonnamment raides et vivaces, étant donné les cernes sous ses yeux. Mais ces mêmes yeux s'animèrent vite dès qu'elle eut pris connaissance de la photo.

« *¡ Pero esta foto tiene años y años !* » déclara la femme. Elle gloussa quand elle reconnut la véranda en noir et blanc et quand elle se rendit compte que la petite maison aux pièces en enfilade, aux planchers affaissés et au faux linoléum dans laquelle elle vivait existait depuis si longtemps. Et puis, aussi, quand elle comprit qu'autrefois il avait été possible d'habiter là sans barrières métalliques pour empêcher les prédateurs d'entrer : à l'heure actuelle, elle n'y resterait pas sans barreaux aux fenêtres. Elle rendit la photo et lança à Araceli et aux garçons le même regard négatif qu'elle avait eu pour les jeunes hommes d'un sérieux ahurissant, en cravate mince, qui, un peu plus tôt ce jour-là, étaient à la recherche d'une famille de mormons salvadoriens qui, elle aussi, avait jadis occupé ce bungalow. « Aucune idée », dit la femme.

Dans sa frustration, Araceli tapa du pied sur la véranda en bois. Une journée à marcher, à prendre des trains et des bus, à aller de gare en gare, de quartier en quartier : tout ça pour ça ? Pendant le temps qu'il leur avait fallu pour venir de l'arrêt de bus, le soleil s'était caché derrière les immeubles, le ciel à l'ouest avait commencé à se transformer et à prendre les couleurs d'un foyer chargé de braises. Elle baissa les yeux vers les garçons et se demanda s'ils auraient la force de refaire tout le chemin jusqu'au Paseo Linda Bonita – et puis quels ennuis ils allaient lui faire quand elle leur annoncerait qu'il fallait se remettre à marcher.

La femme dans l'embrasure de la porte eut l'air de deviner l'embarras dans lequel se trouvait Araceli, essentiellement à cause de la présence, derrière elle, de ces deux garçons qui semblaient être des anglophones. « Je crois connaître quelqu'un qui pourra vous aider, dit-elle en changeant de langue pour être entendue par les garçons. *El negro*. Il habite juste derrière moi. L'appartement B. Je crois que c'est l'habitant le plus vieux, ici. On raconte qu'il est là depuis toujours. »

Environ une minute plus tard, Araceli frappait sur la porte en fer à côté de laquelle était inscrite la lettre B.

« Qui c'est, bordel ? Vous pouvez pas taper moins fort ? » Derrière la paroi d'acier percé, une porte intérieure en bois s'ouvrit, et Araceli vit surgir la silhouette d'un homme de grande taille aux bras épais et au corps légèrement voûté. « Ah, merde, je savais pas que vous aviez des gamins avec vous, dit la voix. C'est quoi ? Il vous faut quoi ?

— Je cherche cette personne, dit Araceli.

— Hein ?

— Je cherche l'homme qui est sur cette photo. Il s'appelle Torres. »

L'homme ouvrit la porte lentement et tendit une main usée par le temps pour prendre la photo, puis il l'examina derrière l'écran que formait la porte. « Waouh ! Ça me ramène en arrière, ça ! » s'écria-t-il. Il ouvrit alors en grand et regarda, au bas des trois marches de l'entrée, la femme qui lui avait remis cet objet. C'était un Noir chauve qui, de manière inexplicable, portait un pull en cette fin d'après-midi de juillet, et quand il eut entièrement ouvert sa porte, on entendit un commentateur de base-ball à la télévision, ce qui incita Brandon à se dresser sur la pointe des pieds pour essayer de regarder à l'intérieur. La peau sous ses yeux était couverte de petits polypes et ses joues étaient envahies de repousse de barbe blanche.

« Vous êtes qui ? Quelqu'un de sa famille ? Sa fille ?

— Non. Ce sont ses, comment vous dites...

— C'est notre grand-père, proposa Keenan.

— Vous savez, beaucoup de gens sont venus et sont partis d'ici depuis que j'ai emménagé. » James « Sweet Hands » Washington était arrivé ici au milieu du siècle précédent. Il était alors célibataire et il avait choisi ces bungalows parce qu'ils lui rappelaient les vieilles maisons étroites, aux pièces en enfilade, de sa Louisiane natale. L'endroit au bout de ce pâté de maisons qu'occupait à présent la fabrique de vêtements abritait alors un atelier de réparation de voitures, et Sweet Hands y avait travaillé un certain nombre d'années, démontant des carburateurs de ses mains qu'on avait qualifiées de « douces [1] » d'abord à cause de ses exploits sur les terrains de football américains et ensuite pour ses hauts faits avec les dames. Sweet Hands examina la photo, la manière dont le sujet – un Mexicain – portait son pantalon kaki avec une superbe tout à fait dans le ton du milieu des années 1950, puis il étudia le bungalow à l'arrière-plan et il fut brièvement transporté dans cette époque où le ciel de la Californie du Sud était plus sale qu'il ne l'est aujourd'hui, et où Sweet Hands lui-même était un jeune homme délivré depuis peu des contraintes qui pesaient sur les États du Sud. Le jeune homme sur la photo semblait lui aussi avoir été libéré : ou alors il se sentait peut-être simplement comme on se sentait à Los Angeles en ces temps de gel coiffant et de vêtements amidonnés, quand la ville avait une rigidité bien à elle mais aussi un certain brillant comparable à l'éclat de ces voitures à moteur V8, bien lustrées, qui sillonnaient Central Avenue en paradant à vingt-cinq kilomètres/heure. Sweet Hands garda la photo un long

1. « Sweet hands » signifie « mains douces ».

moment et finit par émettre un bref grognement – résumé corporel de toutes les émotions que ces retrouvailles inattendues avec le lointain passé avaient suscitées en lui. « Johnny. C'est son prénom. Johnny quelque chose.

— Torres.

— Ah, ouais. Johnny. Johnny Torres. Je me souviens des Torres. »

C'était une des premières familles de Mexicains à emménager dans ces bungalows, il y a longtemps, lorsque le Mexique était encore une nouveauté que Sweet Hands associait à des sombreros, des ânes et des beautés aux yeux sombres dotées de tresses et de longues jupes qui tombaient sur des chaussettes blanches et des chaussures en cuir verni. Une fois la famille Torres partie – ils étaient quatre, selon son souvenir, y compris ce Johnny au pantalon de toile beige –, il n'y avait pas eu beaucoup d'autres Mexicains jusque bien après les incidents de Watts. En fait, ils s'étaient mis à venir en nombre dans les années qui avaient précédé la vilaine affaire Rodney King. C'était vraiment quelque chose, de pouvoir mesurer le passage du temps par les bouleversements dont on avait été le témoin, par des foules se livrant au pillage et par des incendiaires. De durs moments avaient chassé les « siens » dans tous les sens du terme : sa famille, ses amis exilés comme lui de Louisiane et la plupart des autres fils d'Afrique qui avaient un jour vécu là. Les « siens » étaient partis vivre dans le désert et ils avaient laissé la place aux Mexicains. Sweet Hands comprenait à leur façon de se tenir et au chantonnement qu'il détectait dans leur élocution (sans savoir précisément ce qu'ils disaient) qu'ils venaient d'un endroit aussi verdoyant que Marion, son village à lui où tout n'était que verdure et branches emmêlées, où la pluie chantait sur les toits de tôle. Les Mexicains étaient porteurs de cette sensation lente, tempétueuse et tropicale qu'il associait à la Louisiane rurale, et il aimait bien les avoir autour de lui, surtout depuis que sa famille était partie à Lancaster. Les rares fois où sa fille et ses petits-enfants étaient revenus dans leurs vêtements propres et bien repassés, ils lui avaient dit : « Ça pue, ici. » Il en avait eu assez et leur avait demandé de ne plus venir, de même qu'il avait refusé leurs invitations à déménager dans le désert. Ici, dans la 39e Rue, Sweet Hands pouvait encore prendre deux ou trois bus et rejoindre le dernier endroit de South Los Angeles qui servait du poisson-buffle de Louisiane, un restaurant où il retrouvait parfois deux ou trois vieux de la vieille pour parler de base-ball, de Duke Snider, de Roy Campanella et du match de 1961 où ils avaient vu jouer les Yankees contre les Los Angeles Angels dans le vieux stade Wrigley Field qui se trouvait à une toute petite distance à pied, dans la 42e Place. Il n'y avait pas de poisson-buffle à Lancaster, c'était sec à crever, là-bas, c'était pas un endroit où on pouvait vivre quand on venait de Louisiane. Tandis que certains matins humides d'été, les mouettes arrivaient dans la 39e Rue et décrivaient des cercles au-dessus des poubelles derrière la fabrique de vêtements, là où les camions de vente ambulante de tacos jetaient les tortillas invendues. Lorsque Sweet Hands fermait les yeux et écoutait le croassement des mouettes, il pouvait voir l'océan.

« Ouais, je m'en souviens, de ce gars, finit-il par dire. Il vivait là, exactement. Là où Isabel et ses gosses sont maintenant. Il est parti ça fait des années et des années. Je crois qu'il est allé dans le désert. Ou alors à Huntington Park. À cette époque, c'était la grande mode, Huntington Park. Plein de gens d'ici y sont allés, surtout quand on y a ouvert une usine Ford… » Là-dessus, il rendit la photo à Araceli qui paraissait déconfite. « Désolé. » Il referma doucement la porte devant Brandon et Keenan, qui était toujours sur la pointe des pieds pour tenter d'apercevoir quelque chose à la télévision, et il retourna à son match des Dodgers.

« Et maintenant, Araceli, on fait quoi ? » demanda Keenan tandis qu'ils revenaient dans la rue. La question résonna en espagnol dans la tête d'Araceli : *¿ Y ahora, qué hacemos ?* Araceli jeta un regard le long de la 39e Rue et du chemin qu'ils avaient suivi pour venir ici. Il ferait sombre quand ils arriveraient à l'arrêt du bus, et elle eut l'impression que marcher dans ces quartiers au crépuscule risquait d'être pire que de remettre les garçons au service de placement familial. Le mieux pourrait donc être de simplement décrocher le téléphone public le plus proche et de composer le numéro d'urgence, le 911. « On devrait peut-être aller là-bas, à Huntington Park, suggéra Brandon. Ça m'a l'air du genre d'endroit où mon grand-père pourrait habiter… à côté d'un parc. » Cette suggestion absurde ne fit qu'enfoncer Araceli dans son désespoir et son sentiment d'être piégée. *Je suis la femme qui fait le ménage !* D'un geste de colère, elle tira vers le bas son chemisier qui n'avait pas arrêté de remonter depuis qu'elle avait quitté la maison, puis elle s'assit lourdement sur le bord du trottoir. Les garçons firent de même, leurs tennis à bandes velcro à plat dans le caniveau à côté des chaussures de bonne d'enfants, blanches et éraflées, d'Araceli.

Cette proximité non voulue provoqua chez elle un raidissement des muscles des jambes et du dos. *Pourquoi êtes-vous aussi gâtés et aussi incapables de vous prendre en charge ? Pourquoi est-ce que vous n'avez pas de tante curieuse ou un oncle ou une cousine qui vive près de vous comme tous les autres enfants sur terre ?* Elle allait devoir prendre une décision à leur sujet. Ces deux cent cinquante dollars qu'on lui fourrait dans une enveloppe chaque semaine – était-ce suffisant pour justifier une telle marche à travers la ville ? Elle regarda de l'autre côté de la rue, sur sa droite, et aperçut une cabine téléphonique. Si elle décrochait et téléphonait, peut-être pourrait-elle parler au service de placement familial sans alerter la police. *Et alors, je serais libre.* Un peu plus bas sur sa gauche, elle vit des hommes et des femmes courts sur pattes et massifs, au visage rond, rassemblés autour d'un camion qui vendait des tacos. Ils bavardaient avant le changement d'équipe, sans doute à la fabrique de vêtements, se dit Araceli. Derrière eux, elle pouvait voir une plate-forme de chargement et une grande baie s'ouvrant sur un espace intérieur vaste mais bas de plafond, éclairé par une lueur bleue, d'où provenaient des plaintes et des halètements métalliques de moteurs. Les enfants de la Chambre aux mille merveilles ne savaient pas qu'autour d'eux existait un monde de machines dangereuses et une ville aux ruelles sombres. Maintenant que les circonstances l'avaient liée à ces deux garçons, l'avaient mise dans une situation d'intimité inévitable où elle était la seule personne à s'occuper d'eux, Araceli sentait le fossé qui séparait sa vie de la leur. *Je suis membre de la tribu des nettoyants chimiques, des balais, des machettes et des pelles, et eux sont le peuple des stylos et des claviers. Nous sommes le peuple dont la peau cuit au soleil tandis qu'ils œuvrent et vivent à l'ombre d'appareils fluorescents et qu'ils couvrent leur peau de crème protectrice dès qu'ils s'aventurent dehors.* Plus loin, plus avant dans le Sud, au-delà de cette vilaine ville, il y avait des paysages rocailleux où les hommes creusaient des tunnels sous des clôtures de fer, des déserts où des enfants suppliaient pour avoir de l'eau, demandaient à leur père si la crête de colline suivante serait la dernière et pleuraient quand on leur répondait que non. Brandon et Keenan n'avaient pas conscience de ces horreurs, mais Araceli les avaient connues. Elle y avait survécu, et elle se demanda combien de cicatrices les garçons pourraient avoir sur eux après une nuit ou deux, voire une semaine ou un mois, dans ce placement familial qu'elle s'imaginait comme l'antichambre d'un monde obscur et dangereux. Peut-être ne pouvait-elle pas les protéger, peut-être ne le devrait-elle même pas, peut-être valait-il mieux pour eux qu'ils voient et qu'ils sachent. *Il se peut que l'innocence soit une peau qu'on doit perdre et remplacer par des revêtements plus résistants aux vérités caustiques du monde.* Elle se demanda si elle se trouvait au début d'une nouvelle ère où les pâles et les protégés allaient commencer à vivre parmi les foncés de peau et les affligés, au milieu des foules courroucées du Sud.

Une porte s'ouvrit derrière eux et, se retournant, Araceli et les garçons virent la femme du premier bungalow descendre les marches et se diriger vers eux, suivie par trois enfants pris de fou rire.

13

ÉCARTANT UN PEU LE RIDEAU DE LA FENÊTRE, Isabel Aguilar se mit à espionner ces inconnus qui s'étaient perdus. Elle les observa depuis sa petite salle de séjour qui servait aussi de chambre pour son fils et pour l'Autre garçon vivant chez elle. Les trois inconnus étaient assis sur le trottoir – deux garçons blancs et une *Mexicana* de très mauvaise humeur. Il n'était pas rare de rencontrer des voyageurs égarés dans cette 39e Rue où le bungalow que louait Isabel se trouvait au bord d'une zone de barbelés et de clôtures en grillage à mailles losangées, zone où des panneaux proposaient du travail en coréen, en espagnol et en cantonais, où l'on transformait du tissu en tee-shirts pour boutiques de mode, où l'on découpait de l'acier et où l'on mélangeait des solvants. Lorsque les piétons égarés arrivaient à la hauteur de l'entrée d'Isabel et contemplaient l'horizon industriel qui commençait dans sa rue, ils comprenaient qu'ils étaient au mauvais endroit et frappaient à sa porte. Leur visage se tordait en point d'interrogation : « Main Street, c'est où ? » « Vous savez où habite mon copain Ruben ? » « Est-ce que vous avez une idée, chère madame, d'où je pourrais trouver un bureau de poste ? » Isabel répondait à tous depuis sa porte et, parfois, ouvrait la barrière métallique extérieure pour mieux entendre leurs questions, même si elle n'était qu'une mère célibataire vivant avec ses deux enfants et l'Autre garçon qui n'était pas son fils. Elle était née dans un village du district de Sonsonate, au Salvador, un endroit où les voies ferrées rouillaient, où la voûte verte en forme de champignon d'un seul kapokier s'étendait au-dessus de la place centrale, et où des voisins frappaient à votre porte en comptant bien que vous les inviteriez à entrer.

L'imposante Mexicaine assise sur le bord du trottoir se distinguait, dans la parade des égarés de la 39ᵉ Rue, d'abord à cause de la photo saisissante qu'elle avait présentée en guise de carte de visite – une vue du bungalow d'Isabel avant que les planchers ne soient affaissés et que les portes et les fenêtres n'aient été doublées de fer –, et, en deuxième lieu, parce que les garçons qui l'accompagnaient n'étaient visiblement pas les siens. Isabel décelait dans leur peau une faible teinte d'Oaxaca ou de Guatemala – peut-être était-elle leur tante ou leur cousine. Mais il y avait quelque chose qui n'était distinctement pas latino-américain dans la curiosité d'enfants gâtés avec laquelle ils avaient jaugé Isabel et le bungalow. Ils lui rappelaient les enfants dont elle s'était occupée à Pasadena l'été où elle avait travaillé là-bas, des gamins habitués à la générosité de vastes maisons où l'on ne fermait pas les portes à clé, où rien n'encombrait les grands parquets de bois dur que des femmes comme elle balayaient et ciraient. Pourquoi cette Mexicaine les amenait-elle dans ce coin où les seuls Blancs qu'Isabel voyait régulièrement étaient les flics et le vieux qui venait chercher son loyer ?

« Qu'est-ce que tu regardes ? demanda derrière elle l'Autre garçon. Pourquoi t'es sur mon lit ? » Il s'appelait Tomás, il avait onze ans et il vivait depuis deux ans avec Isabel, son fils et sa fille. L'Autre garçon était orphelin, et il avait pour ordre strict de se taire, de se montrer reconnaissant et d'embêter Isabel le moins possible, même s'il oubliait constamment cette dernière recommandation. Isabel se retourna, lui jeta un regard mauvais qu'elle accentua en découvrant légèrement ses dents bordées de tartre.

« *¡ Callate !* » lança-t-elle d'un ton cassant.

Tomás haussa les sourcils, sourit et se détourna, nullement troublé, pour se remettre devant le film qu'il regardait avec Héctor, fils d'Isabel et meilleur ami de Tomás sur terre, ainsi qu'avec María Antonieta, fille d'Isabel.

Isabel découvrit une fois de plus que sa générosité provinciale la poussait vers la porte d'entrée et lui faisait descendre les marches. Ses instincts de villageoise lui avaient déjà attiré des ennuis – la présence de l'Autre garçon le lui rappelait au premier chef. Mais elle sentait que dehors, sur le trottoir, il y avait une femme dont la situation était tout à fait comparable à la sienne : seule avec deux enfants et l'Autre garçon, à part l'unique visite bimensuelle du père de ses gosses, l'Homme aux yeux baladeurs, qui donnait un peu d'argent liquide pour rendre la situation supportable. Son ex lui avait rendu visite le week-end précédent, ce qui expliquait qu'Isabel ait les ongles faits et soit bien coiffée, mais ça n'avait pas servi à grand-chose : il avait juste posé ses fameux yeux sur elle pendant un battement de cœur ou deux de plus que d'habitude.

Lorsque Isabel ouvrit la porte, Héctor, María Antonieta et l'Autre garçon interrompirent le film qu'ils regardaient sur leur lecteur de DVD et la suivirent tous les trois dehors jusqu'au bas des marches.

Isabel se pencha et demanda doucement à Araceli : « *¿ Tienen hambre ?* On a des hot-dogs.

— Des hot-dogs ? » cria Keenan. Avant qu'Araceli ait pu répondre, ses protégés se levèrent et suivirent les trois autres enfants dans le bungalow. Araceli murmura un « *Gracias* » et se dépêcha de les rattraper et de gravir les trois marches jusqu'à une embrasure de porte dont les moulures en bois avaient été si souvent peintes et repeintes en huit décennies qu'elles semblaient faites d'argile. Ils entrèrent dans une pièce dont le plancher disparaissait presque sous un impossible fouillis de meubles : un canapé d'occasion recouvert de tissu grossier, une commode, deux lits, une télé, diverses étagères coincées entre des murs à l'enduit fort malmené qui gardaient le souvenir des dizaines de familles ayant vécu là. Parmi elles, il y avait eu tout un clan d'ouvriers agricoles éreintés du nom de Torres.

Quand Keenan et Brandon pénétrèrent dans cet espace, leur regard fut attiré par le visage d'albâtre d'une femme immobile sur l'écran de télévision. Sur un chariot tiré par une panthère, elle tenait un grand sceptre blanc et portait une couronne en cristal de roche. « Eh, ce film est cool ! » s'exclama Brandon tandis que son frère et lui se laissaient tomber sur le tapis pour regarder s'animer l'image au-dessus de la commode. Les trois enfants dont s'occupait Isabel se placèrent autour de leurs invités, et tous les cinq tendirent le cou pour voir une bataille minutieusement mise en scène se dérouler entre les piles de vêtements et de serviettes pliés qui encadraient le poste de télévision. Les yeux de Brandon s'arrêtèrent un instant sur le cierge votif qui brûlait sur un des bords de la commode : la flamme vacillante illuminait saint Jacques vainqueur des Maures – à cheval et brandissant une épée, il piétinait des gens, et cette image laissait penser que le souvenir de la guerre et de la conquête était toujours vivace chez les habitants de la maison.

Araceli suivit Isabel dans la cuisine qui occupait l'espace de transition entre la salle où les enfants regardaient la télévision et une troisième pièce dans le fond où se trouvaient deux lits de plus, une coiffeuse couverte de crèmes de beauté, de rouge à joues, d'eye-liner, de flacons de parfum et de boîtes de maquillage qui répandaient dans l'air un bouquet d'alcool et d'huile de coco. De là, Araceli pouvait garder un œil sur les enfants et regarder aussi Isabel qui remplissait au robinet une casserole pour faire bouillir les hot-dogs. *La señora* Maureen aurait été scandalisée : elle exigeait que toute la cuisine chez elle soit faite avec de l'eau minérale.

« Et les gosses ? demanda Isabel en espagnol dans un demi-chuchotement de conspiratrice. Qu'est-ce qui se passe avec eux ?

— Ce sont les enfants de la famille pour laquelle je travaille, répondit Araceli d'un ton neutre. Leurs parents m'ont laissée avec eux et ont disparu. Je suis venue à la recherche de leur grand-père. Je croyais qu'il habitait ici.

— Il a peut-être habité ici il y a longtemps. Mais ça fait deux ans que je suis ici, et je n'ai pas vu d'autre vieux que M. Washington. » Isabel ouvrit un placard et prit un petit paquet plat d'un endroit où les boîtes, les miches de pain, les conserves et les sacs en plastique étaient entassés, aussi serrés les uns contre les autres que des passagers dans un métro de Mexico, puis elle jeta le paquet dans le micro-ondes, et la pièce fut bientôt envahie par le bruit des grains de maïs qui éclataient. Quand elle regarda de l'autre côté, Araceli vit que Brandon discutait avec les enfants qui vivaient là : ils étaient penchés en avant, le fils d'Isabel hochait la tête affirmativement et ses yeux rétrécis exprimaient un moment de sérieuse réflexion. Elle se demanda dans quelle langue ils s'entretenaient.

Lorsque le film fut terminé, Brandon et l'Autre garçon se remirent à discuter de l'intrigue et des personnages dans une mixture d'anglais et d'espagnol qui penchait fortement vers l'anglais. « Je crois que la *bruja blanca* doit revenir dans le film suivant, disait Tomás, l'Autre garçon. Il y a plein de films où les gens reviennent de chez les morts.

— Avec qui ils vont se battre s'il n'y a pas la sorcière ? » suggéra Héctor. Ils se tournèrent alors vers Brandon, parce que, lors des vingt minutes qu'ils avaient passées à regarder le film ensemble,

Brandon, grâce à quelques commentaires et observations, s'était déjà imposé comme une autorité en la matière.

Celui-ci remua la tête pour signifier *Oui et non*. Le film était tiré d'une autre série de livres que Brandon avait entièrement lus pendant sa deuxième année de cours moyen. Il les avait dévorés non seulement lors des vacances de Thanksgiving et de Noël, mais aussi de nombreux soirs après l'école entre ces deux fêtes. Plus d'un an s'était écoulé depuis qu'il avait terminé le septième volume de la série, mais il se souvenait avec précision de tous les livres. « La sorcière est réellement morte et ne revient pas. Mais elle apparaît dans un autre livre avant celui-ci.

— C'est vrai ?

— Ouais. »

Brandon entreprit de réciter patiemment par le menu la longue suite des aventures des personnages présentés dans le film. Il s'agissait d'une épopée où figuraient un trognon de pomme, l'arbre qui avait grandi à partir du trognon, un meuble construit avec le bois de l'arbre, divers magiciens, professeurs et animaux visionnaires, et le tout se passait à Londres et dans d'autres lieux du monde réel ainsi que dans un royaume magique parallèle. Brandon avait également lu quelque chose sur la guerre réelle qui constituait l'arrière-plan historique de cette saga fantastique en sept volumes, et il l'avait lu dans un grand livre illustré intitulé *Témoin oculaire : La Seconde Guerre mondiale*. Il introduisit donc quelques événements de ce conflit dans le récit qu'il livra à Tomás et à Héctor, lesquels furent choqués d'apprendre que des avions allemands avaient bombardé des villes britanniques et transformé des quartiers entiers en décombres brûlants. « Comment ont-ils pu faire ça aux gosses qui étaient là ? » demanda Tomás, et Brandon répondit : « J'sais pas. La guerre, c'est comme ça, je suppose.

— C'est arrivé à mon grand-père dans la guerre, à Chalatenango », le coupa Héctor. Du coup, les autres s'interrompirent, le regardèrent et attendirent des détails, mais il n'en avait aucun à donner. Héctor était timide et n'était pas un conteur-né. Quant au Salvador, c'était un endroit qui aurait aussi bien pu se trouver dans un roman fantastique, parce qu'il n'y était jamais allé et ne connaissait ce pays que par les histoires que son père lui racontait lors de ses visites bimensuelles.

Retournant à la saga fantastique du film, Brandon leur dit que, à la lecture des sept volumes, il était apparu clairement que les créatures magiques et les créatures réelles habitaient le même espace physique – « pas comme dans le film où elles sont obligées d'entrer dans un placard pour passer dans l'autre monde ». Une révélation dont il fut particulièrement heureux d'informer Tomás et Héctor parce qu'elle correspondait au sentiment croissant d'étrangeté que lui inspiraient les zones urbaines qu'il traversait avec son frère. Le train les avait transportés en ce lieu appelé Los Angeles où le réel et le magique, le monde historique et celui des livres fantastiques, semblaient coexister sur la même grande scène des rues, des rivières et des voies ferrées. « Vous saviez qu'il y a des Varduriens qui habitent près d'ici ? dit-il à ses amis. Les Avaleurs de feu les ont chassés vers la voie ferrée et la rivière. Vous le saviez ? » Tomás et Héctor parurent perplexes. Eux non plus n'ont pas lu ces livres, comprit Brandon.

« Il y a plein de choses qui se passent dans cette ville, mais j'ai pas entendu parler des Avaleurs de feu », dit Tomás en se frottant le menton d'un geste philosophique. Tomás en savait plus sur le véritable Los Angeles et ses vicissitudes que les autres garçons de son âge, et il n'avait jamais imaginé cette ville autrement que comme un royaume brutal gouverné par le réalisme des adultes et leurs caprices. C'était un demi-orphelin (Isabel l'appelait ainsi, parfois, « *un semi-huérfano* »), un survivant rusé dont les parents étaient les esclaves d'un mélange de drogues colombiennes, et chacun des deux l'avait traîné dans quelques-uns des hôtels borgnes les plus sordides de la ville. Son dossier au Service social de l'enfance et des familles du comté de Los Angeles faisait bien dix centimètres d'épaisseur : c'était un ensemble de chemises parsemées d'onglets rouges dans le bureau d'une assistante sociale qui avait perdu la trace de Tomás depuis le moment, à peu près, où il avait abouti chez Isabel. L'enfant avait circulé sur le toit de trains dans le sud du Mexique, il s'était glissé à l'arrière d'autobus à Calexico et il avait un jour appelé les pompiers au numéro d'urgence – le 911 – parce que les yeux de son père se révulsaient et qu'il s'était arrêté de respirer, allongé sur un banc à un arrêt de bus de Main Street. Cet acte d'héroïsme lui avait valu d'être fouetté à coups de ceinture par son père quand celui-ci s'était rétabli : « Ne me laisse plus jamais m'endormir comme ça ! Compris ? » Tomás connaissait l'alphabet et allait en classe maintenant qu'il vivait chez Isabel. Il avait eu la chance de trouver une enseignante qui avait compris à quel point il était intelligent alors même qu'il ne pouvait pas lire plus de quelques mots à la fois. Tomás avait appris à se trouver sur le chemin de personnes généreuses et instruites, extérieures au milieu cruel et calculateur qui avait dominé sa vie jusque là : une assistante d'enseignement très patiente, un marchand de fruits et légumes vigilant qui acceptait de donner une banane ou une orange ou deux à un pauvre gamin. Le garçon qui était à présent devant lui, qui avait lu tant de choses et parlait anglais, lui apparut comme une de ces personnes-là, et il concentra son attention sur chaque mot que prononçait ce garçon en se disant qu'il apprendrait un jour à lire des livres pour pouvoir étudier lui-même ces histoires. Tomás ne savait pas que les livres pouvaient contenir des récits dramatiques, violents, reposant sur la vie réelle. Quand Brandon eut enfin révélé le sort final des personnages du film, les garçons en étaient encore à plonger les mains dans le saladier qu'Isabel avait placé devant eux et à mâcher les quelques grains salés qui n'avaient pas éclaté et restaient au fond.

« Un accident de train ? Jamais de la vie ! » s'écria Tomás qui ne voulait pas le croire.

Brandon hocha solennellement la tête. « Moi aussi, j'ai été étonné.

— Tomás ! cria Isabel depuis la cuisine. *¡ Venite para acá !* » En s'exclamant, il avait attiré l'attention d'Isabel au moment où Araceli et elle discutaient pour savoir ce qu'ils pourraient encore donner à manger aux enfants. Comme il lui manquait du lait et d'autres aliments, Isabel appelait Tomás pour qu'il coure jusqu'au magasin. Elle estimait que l'Autre garçon n'était bon que pour ça, les courses, et quand elle le voyait rentrer avec des provisions, ou bien courbé sur l'évier à laver les assiettes, ou à couper des carottes sur la table, elle se sentait moins bête de s'être laissé avoir et de l'avoir pris sous son aile. « *Andate a la tienda y comprame leche y un poco de ese queso que le gusta a mi hijo*, ordonna-t-elle. *Y pan también. ¡ Apurate !* »

Isabel lui mit dans la main deux des billets qui lui avaient été donnés par son visiteur mexicain. Tomás était un garçon agile avec une peau lumineuse cuivrée et hâlée par le soleil d'été. Il mesurait trois ou quatre centimètres de moins que Brandon, mais quand il se déplaçait dans la maison et dans la rue, c'était avec l'assurance et la grâce d'un athlète adulte. Il lança à Brandon un clin d'œil marron et malin en prenant la porte.

Brandon et Keenan sautèrent sur le lit et, par la fenêtre, regardèrent Tomás s'éloigner. *Il s'en va dans la rue tout seul ! Sans un adulte ! Et maintenant il traverse l'autoroute n'importe comment !* Aux yeux de Brandon, la rue South Broadway, à cet endroit, ressemblait à une autoroute et quand il vit Tomás sprinter à travers les quatre voies d'asphalte, il eut l'impression de regarder un plongeur sauter d'une falaise dans un tout petit trou d'eau. Tomás se glissa dans une prison au stuc gris à l'enseigne LIQUOR MARKET, et il en ressortit au bout de quelques instants en tenant un sac en plastique blanc dans sa main droite et deux autres dans sa main gauche. Il piqua ensuite un nouveau sprint pour traverser South Broadway, mais avec de plus petits pas à cause du poids des sacs. Moins d'une minute plus tard, il grimpait les marches menant au bungalow.

« *Esta vez no aplastaste el pan* », dit Isabel du haut des marches dans un espagnol articulé trop rapidement pour que Brandon le comprenne, même si, au ton de la voix d'Isabel, il pensa qu'elle avait grondé Tomás – à moins qu'elle ne lui ait ordonné de faire autre chose. Ce qui était d'ailleurs le cas puisque, un instant plus tard, Tomás était dans la cuisine et rangeait les bouteilles de lait dans le frigo. Isabelle lui parla encore en espagnol d'un ton brusque, et le garçon grimpa sur le plan de travail de la cuisine pour prendre une boîte dans un placard proche du plafond. De ces échanges, Brandon parvint à déduire que Tomás n'était pas le fils d'Isabel et que, de fait, c'était un esclave.

L'esclavage était une de ces institutions perverses qu'on décrivait sans cesse dans les divers livres fantastiques et historiques que dévorait Brandon. Dans le prologue de *Témoin oculaire : La guerre de Sécession*, il y avait des photos des chaînes qui entouraient le cou et les chevilles des esclaves, et des gravures montrant des esclaves qu'on fouettait. Ces images ajoutaient à la crédibilité des récits d'esclavage qu'il avait lus dans La *Vengeance des hommes du fleuve* et d'autres œuvres de fiction. De toute évidence, Tomás n'était pas ce genre d'esclave-là puisqu'on ne voyait pas de chaînes dans la maison, mais ce n'était pas non plus un garçon libre de jouer, de crier et de lire. Plutôt, Tomás était à la merci de la femme jolie mais fâchée qui dirigeait cette maison. À présent, elle l'obligeait à faire une chose dont il n'aurait jamais imaginé qu'on la demande à un garçon de leur âge : il servait le dîner à tout le monde.

Ce qui restait de colère chez Scott s'évanouit en début d'après-midi durant le trajet qui le ramena de South Whittier jusqu'à la côte ; et quand enfin il tourna dans le Paseo Linda Bonita, il se rendit compte que Maureen avait de très bonnes raisons de le détester. Il s'était mal conduit la nuit de leur dispute, et il avait aggravé son cas jusqu'à atteindre des sommets de honte en abandonnant sa maison et sa place de patriarche pendant soixante-douze heures. Ne plus entendre les voix de sa famille, ne plus avoir leur visage devant les yeux l'avait éclairé sur ses propres défaillances, même si cela ne lui avait pas forcément donné le courage de faire face aux conséquences de ses actes. Il gara la voiture dans l'allée pour ne pas ouvrir le garage, ce qui déclencherait le grincement du moteur de la porte et se terminerait par un claquement qui annoncerait son arrivée à l'intérieur de la maison. Il préféra se glisser sans bruit à l'intérieur du séjour par la porte d'entrée, car il avait l'impression que l'élément de surprise jouerait en sa faveur quand il retomberait sur sa femme. Il tendit l'oreille pour surprendre les bruits qui trahiraient l'endroit où étaient ses enfants et Maureen, mais il n'entendit rien.

Il jeta un coup d'œil dans la cuisine et trouva les bacs et les plans de travail en marbre plongés dans un repos silencieux : l'évier en inox était absolument sec et l'expert scientifique en lui se manifesta pour en déduire qu'on ne l'avait pas utilisé depuis au moins plusieurs heures. Il remarqua alors l'atmosphère étouffante : la climatisation était arrêtée. Du coup, il se mit à explorer la maison avec plus de volonté et d'agressivité. Quand il ouvrit la porte du garage, il ne fut pas étonné de constater l'absence de la voiture de Maureen – confirmation finale qu'aucun membre de la famille n'était là, parce que ses enfants devaient être avec leur mère. À moins que…

« Araceli ! cria-t-il depuis la cuisine. Araceli ! » cria-t-il encore depuis le séjour. À la fin, ouvrant la porte coulissante il passa dans la cour de derrière. Il alla jusqu'au bord de leur nouveau jardin du désert et, derrière la forme très étrangère du cactus grimpant, plongea son regard dans les profondeurs du jardin, peuplées de succulentes plus petites et parcourues de pistes sablonneuses. Se détournant des cactus, il revint à la cuisine. Là il prit le téléphone pour appeler sa femme, mais son appel aboutit directement à la boîte vocale. Il passa alors au logement d'amis et frappa trois fois contre la porte d'Araceli avec son poing. « Araceli ! » cria-t-il de nouveau, puis il écouta pour savoir si l'on bougeait dans la chambre, mais il n'entendit que le très lointain bourdonnement d'un appareil à souffler les feuilles mortes et des coups de marteau provenant d'un autre coin de cette zone d'habitation qui ondulait à flanc de colline. « Araceli ! » L'absence de son employée mexicaine au milieu de la semaine le troublait plus que toutes les autres absences ; c'était la rupture dramatique d'une routine et, dans l'esprit de Scott, elle signifiait qu'une sorte de crise, une évasion délibérée s'était déroulée ici. C'était comme s'il venait d'être informé de l'arrivée imminente d'un tsunami, d'un glissement de terrain, d'un incendie. Dans une sorte de lente hébétude, il revisita l'intérieur de la maison en se demandant s'il ne pourrait pas découvrir un indice sur l'endroit où se trouvait sa famille. Dans la salle de bains, il découvrit un dragon bondissant dessiné au savon sur le miroir. *C'est bizarre.* Ça suggérait l'ennui, comme les dessins qu'un naufragé pourrait griffonner dans sa caverne en attendant qu'on vienne le sauver. Dans la chambre des garçons, les lits étaient faits, il n'y avait pas de jouets sur le sol, et cet ordre non plus ne paraissait pas naturel. Il ouvrit les portes de la penderie et remarqua un espace visiblement vide sur l'étagère du haut. Après un petit moment, il se souvint que c'était généralement là qu'étaient rangées les valises de ses fils.

Ils sont partis.

Ils se sont enfuis.

Dans ce vide idiot, il ressentit l'œuvre de la colère de sa femme. Au bout de douze ans, était-ce la rupture finale redoutée depuis si longtemps, la fin de leur projet familial ? *C'est ce qui arrive quand tu frappes ta femme et que tu la blesses. Elle s'en va, évidemment. À quoi est-ce que je m'attendais d'autre ?* Un avenir terne, plat et solitaire le menaçait : le silence et le vide de ce moment sans ses enfants et sans sa femme trouvaient leur extension dans un avenir d'appartements de célibataire moquettés et peu meublés. Qu'est-ce qu'un père sans sa famille ? Un objet de mépris ou de pitié plongé dans la solitude. Il allait être renvoyé aux jours sans but et sans passion de son adolescence et de ses premières années d'adulte, où les algorithmes avaient été son unique progéniture. Tout en rêvassant à ses enfants, aux occupations quotidiennes qu'il n'aurait plus le plaisir de partager, il suivit inconsciemment le même trajet qu'Araceli et ses fils bien des heures auparavant : il sortit par la porte, remonta l'impasse et descendit en direction du portail du domaine, accompagné par les mêmes protestations de chiens. Il attira le regard de l'équipe de paysagistes mexicains qui n'avait pas remarqué Araceli neuf pelouses et neuf jardins plus tôt, et son regard distant leur fit penser au chagrin d'un homme riche. *Tu vois : même une grande maison dans un quartier aussi impeccable que celui-ci ne peut pas garantir le bonheur.* Au portail, la surveillante enceinte le regarda s'approcher et lui demanda : « Monsieur, est-ce que je peux faire quelque chose pour vous ? » Mais il la dépassait déjà. Il se dirigea vers l'arrêt du bus puis entra dans le pré derrière pour emprunter dans l'herbe un sentier pratiquement effacé qui descendait vers le Pacifique.

Nous autres Californiens, nous allons à la dérive jusqu'à la mer. Je m'endormirai sur la plage, la marée montante me recueillera et m'emportera vers l'ouest comme ces pêcheurs mexicains qui, dans une chasse aux requins, ont quitté leur village et, quelques semaines plus tard, brûlés par le soleil et les lèvres parcheminées, se sont retrouvés sur une île du Pacifique Sud.

Quand ils eurent terminé leur repas, les quatre garçons et la fille d'Isabel s'assirent sur les marches devant le bungalow. Araceli et Isabel se tenaient derrière eux dans le séjour, et Araceli s'assurait de ne pas laisser passer plus de trente secondes sans jeter un coup d'œil à Brandon et à Keenan, tout en écoutant Isabel raconter par le menu ses grossesses à l'époque où elle était amoureuse et puis sa brouille avec l'Homme aux yeux baladeurs. Isabel avait ouvert une porte intérieure pour profiter de la brise du soir après une journée où le soleil n'avait pas arrêté de taper sur son petit logement, mais les enfants s'étaient déplacés vers la porte de sécurité en fer, attirés vers l'extérieur par les molécules d'air qui passaient à travers les minuscules trous. Dans les pauses du monologue d'Isabel, Araceli entendait quelques rares voitures passer sur Broadway, ou le sifflement d'un pétard qui explosait à quelques rues de distance, tandis qu'on jouait un merengue dans le bâtiment adjacent et que, dans la chanson, il était question de lèvres, de baisers, encore de baisers, avec comme refrain *Bésame, bésame, bésame.*

Sur la véranda juste à l'extérieur de la porte ouverte, Tomás racontait aux nouveaux venus l'histoire du quartier où il vivait avec Héctor et María Antonieta. L'histoire telle que lui la comprenait après deux années d'observations menées depuis la porte et depuis son lit – lequel était situé sous la fenêtre donnant sur la rue. Souvent, la nuit, il s'était glissé hors des couvertures et il avait regardé par la fenêtre pour s'enquérir de l'origine d'un bruit, puis, en chuchotant, il transmettait ses découvertes à Héctor qui était trop effrayé pour quitter ses couvertures et voir de ses propres yeux. « C'est les flics. Ils tiennent un mec que j'ai jamais vu. Il est assis sur le trottoir. Ils lui mettent les mains derrière le dos. » « C'est juste un ivrogne. » « Elle pleure, elle lui tape sur la poitrine et maintenant il la serre encore dans ses bras… »

Dans l'esprit de Tomás, la fenêtre et l'embrasure de la porte étaient comme un poste de télévision où les chaînes changeraient sans cesse, avec de nouveaux drames et de nouveaux acteurs qui viendraient jouer sur le plateau de la 39ᵉ Rue avant de partir vers d'autres quartiers vivre de nouvelles vies hors scène. Comme il avait survécu à une existence où rien n'était permanent, cet état de choses ne lui paraissait pas anormal. Il voyait des gens débarquer dans le voisinage au volant de Chevrolet Nova qui débordaient de boîtes et de serviettes entassées contre le verre bombé de la lunette arrière, ou sauter de l'arrière d'un pick-up, ou venir à pied en portant leurs affaires dans de grands sacs marins qu'ils traînaient sur le trottoir avec l'obstination d'animaux de ferme. Ils arrivaient par familles entières qui bavardaient et riaient, ou bien tout seuls, sans bruit, avec des petits sacs de voyage calés sous les bras, levant des yeux interrogateurs vers les plaques des rues pour s'assurer qu'ils n'avaient pas tourné au mauvais endroit. En les regardant, Tomás s'était secrètement fait une idée de leur histoire, et maintenant il essayait de la restituer le mieux possible, de montrer à ses nouveaux amis qu'il pouvait lui aussi raconter quelque chose bien qu'il n'ait jamais lu de livre. La 39ᵉ Rue, comme Tomás s'en rendait compte à présent, était une histoire qui pouvait faire un livre, même si elle présentait des personnages plus variés et plus éphémères que ceux des lectures de Brandon.

Bien des événements, dans l'histoire du voisinage qui pouvait entrer dans un livre, avaient lieu sous les quatre réverbères qu'on voyait depuis la véranda, expliqua Tomás. Il y avait des machines nocturnes qui s'animaient par un déclic et un bourdonnement juste une heure après le coucher du soleil, et la lueur jaune qu'elles émettaient avait la curieuse propriété d'effacer les couleurs de la rue, de sorte que les événements se déroulaient comme dans un film en noir et blanc. Pendant de nombreux mois, l'histoire de ce coin avait été dominée par des incidents qui se produisaient à la limite de ce qu'on pouvait apercevoir depuis la fenêtre de Tomás, à l'angle de la rue Calvino, sous un réverbère réparé depuis peu par une équipe d'employés municipaux arrivés dans un camion muni d'une nacelle qui s'élevait dans les airs en portant un homme. Un groupe de jeunes avait l'habitude de se réunir sous le réverbère de la rue Calvino, non pas à cause de sa lumière (ils cassaient régulièrement l'ampoule à coups de cailloux) mais à cause des tags qu'ils avaient faits sur le revêtement métallique du poteau : un enchevêtrement de lettres et d'arabesques qui donnait au poteau l'aspect d'un bras raide et tatoué. Ces jeunes se réunissaient là pour discuter ensemble, et ils écoutaient, les mains dans les poches, tandis que tour à tour plusieurs membres du groupe faisaient un discours, puis ils luttaient entre eux et boxaient dans le vide. Parfois, ils s'en prenaient à l'un des garçons et le bourraient de coups en comptant jusqu'à treize. Maintenant, le réverbère n'était plus couvert de graffitis et ces jeunes ne se réunissaient plus là. D'après ce que Tomás avait entendu dire, ils étaient allés se battre dans un autre quartier. Après leur départ, leur lieu de réunion sous le réverbère avait été occupé pendant plusieurs semaines par des voitures de police remplies d'agents qui s'ennuyaient ferme et qui avaient les paupières lourdes.

Une fois ces jeunes partis, poursuivit Tomás, d'autres personnes s'étaient mises à sortir dans la rue. Parfois, le soir, les ouvriers des usines jouaient au foot en se servant du réverbère désormais sans tags pour marquer l'emplacement du but, et leurs cris, leurs sifflements et leurs rires résonnaient contre les bâtiments. Il y avait une adolescente qui s'asseyait dans l'embrasure d'une porte de l'appartement juste derrière le réverbère et, pendant plusieurs mois, un garçon, lui aussi adolescent, est venu lui faire la cour. Ils parlaient pendant une heure ou deux tous les soirs devant la porte ouverte, et la silhouette mal assurée de la fille était encadrée par la lumière d'un poste de télévision, lumière kaléidoscopique qu'on voyait danser par l'ouverture de la porte. Une fois, la fille est descendue s'asseoir sur les marches près du garçon, elle a tiré sa jupe vers le bas et ajusté les bretelles de son débardeur, et sa jambe touchait celle du garçon, jusqu'à ce qu'apparaisse dans l'entrée l'ombre volumineuse de la mère. Tomás raconta qu'il avait regardé le couple discuter huit soirs de suite, et puis le garçon avait arrêté de venir, et la fille l'avait attendu sur les marches, les coudes posés sur ses genoux. Après deux soirées comme ça, elle était rentrée dans la pièce où il y avait la télévision, laissant Tomás en proie au désir étrange et persistant de la revoir, mais il ne l'avait jamais revue.

Et ici, sur la droite, sur le trottoir sous le réverbère proche de l'angle de la 39e et de Broadway, un marchand ambulant était venu un samedi soir vendre des jouets, des robots Transformer, à des prix qui faisaient venir les acheteurs de loin. Comme la foule autour de son éventaire grandissait, le marchand avait donné un Transfomer à Héctor et un autre à Tomás. La semaine suivante apparurent d'autres vendeurs à la sauvette, des hommes et des femmes qui proposaient des modèles réduits de voitures en métal, des ballons, des poupées et d'autres objets en plastique ou emballés dans du plastique, et la foule devenait encore plus dense, ce qui avait aussi provoqué la venue de vendeurs de churros et de hot-dogs. Tous ces marchands riaient et criaient pour vendre leurs marchandises, et ils attiraient des inconnus qui venaient coller des affiches sur les réverbères. Pour finir, la foule avait tellement grossi, dans cette rue étroite, que la circulation du samedi en était bloquée. Alors les véhicules de la police réapparurent avec leurs lampes stroboscopiques qui envoyaient des éclairs roses contre les bâtiments de la fabrique, les appartements et les bungalows, et les vendeurs disparurent. Aujourd'hui, la seule chose qui rappelait ce bruyant marché, c'étaient les Transformer cassés que lui et Héctor possédaient encore et, collées au réverbère à quelques mètres du bungalow, les deux ou trois couches d'affiches dont les feuilles se détachaient lentement et se recourbaient au fil du temps. Tomás fit remarquer ces vieilles affiches à ses visiteurs, et Brandon se mit debout pour examiner, depuis les marches de l'entrée, le réverbère où il distingua des mots et des images à moitié resurgis sous l'effet de l'érosion.

« Los Tu-ca-nés de-el-Nor-té », articula-t-il lentement en se délectant des sons phonétiquement exotiques qui sortaient de ses lèvres – mots étrangers qui semblaient tirer leur sens des gilets de cuir noir et des chemises tigrées que portaient Los Tucanes, un groupe de chanteurs qui, apparemment, voyageaient dans le semi-remorque représenté derrière eux. Il les imagina arrivant dans ce quartier devenu manifestement un carrefour, un poste avancé, une sorte d'oasis. Les livres de Brandon étaient pleins de récits sur ces endroits transformés en lieux de rassemblement dans des jungles et des déserts, dans des cavernes ou au sommet de montagnes, dans des bourgs où les protagonistes se reposaient avant d'importantes batailles et autres bouleversements narratifs. Une force secrète avait attiré les gens à cet endroit. Comment, sinon, expliquer toutes ces allées et venues de voyageurs, de guerriers et de commerçants, et puis sa propre arrivée avec son frère et Araceli dans leur longue randonnée depuis le domaine des Laguna Rancho Estates ?

Parfois, le soir, poursuivit Tomás, alors qu'il était assis sur ces marches, il voyait un homme longer South Broadway et il s'imaginait que c'était peut-être son père, surtout si l'homme avait la démarche irrégulière et le corps voûté des gens dont la tête nage dans ce qu'Isabel appelait les *estupefecantes*. Tomás n'avait pas particulièrement envie de se trouver face à son père, et, à la vue de ces personnes droguées et ivres, il lui arrivait souvent de se retirer dans le bungalow pour que le vieux ne vienne pas le chercher et qu'ils ne reprennent pas leurs aventures d'hôtel en hôtel. Mais Tomás comprit vite que c'était une crainte idiote, son père et sa mère étant sans doute morts : s'ils étaient en vie, ils seraient venus le chercher depuis longtemps parce qu'ils avaient besoin de lui pour les aider à se nourrir et pour qu'il appelle l'ambulance quand ils perdaient conscience – même s'ils prétendaient ne pas vouloir être sauvés.

« Il se peut que nos parents soient morts eux aussi, dit Brandon distraitement. C'est peut-être pour ça qu'ils nous ont laissés seuls avec Araceli.

— Non, ils sont pas morts, dit Keenan. Je leur ai parlé. »

Avant que Keenan ait pu s'expliquer, Araceli était sur leur dos à leur dire qu'il était temps d'aller se coucher. Ils mirent leur pyjama et échangèrent encore quelques fous rires dans l'obscurité avec Tomás et Héctor, jusqu'à ce qu'Araceli s'étende par terre à côté de Brandon et de Keenan et leur ordonne à tous de se taire. La fatigue d'une journée passée à marcher et à voyager rattrapa vite les deux garçons qui glissèrent sans effort dans un sommeil total et sans lumière, également sans rêves, sans fantasmes et sans illusions.

« Na-an, je ne vous suggérerais pas de partir sur ces autoroutes, non, vraiment pas à cette heure-ci. » Le réceptionniste de l'hôtel était un jeune Américain d'origine iranienne intelligent, d'allure cosmopolite, âgé d'environ vingt-cinq ans, qui donnait son avis avec une telle confiance tranquille qu'il en devenait simplement plus difficile pour Maureen de partir et de se dépêcher de rejoindre ses enfants pour résoudre l'énigme des cinquante coups de fil qu'elle avait passés chez elle et qui étaient restés sans réponse. Elle avait, semblait-il, dépassé de plusieurs heures le moment où sa chambre devait être libérée ; impossible de revenir là-dessus, et c'était malheureux parce que, depuis la dispute à propos du nouveau jardin, Maureen appréciait nettement plus le pouvoir d'achat de l'argent qu'elle allait jeter par la fenêtre en partant. Mais ce qui était encore plus sérieux que de l'argent gaspillé, c'était cette nouvelle sur l'état de la circulation. « Écoutez, je viens juste de quitter la Dix, et dans les deux directions c'est affreux. Rien que pour arriver en ville, vous risquez de mettre cinq heures. Demain, on est le 4 Juillet [1]. » Maureen réfléchit à cinq heures passées pare-chocs contre pare-chocs avec un bébé bien reposé et d'humeur instable sur le siège arrière. « Mais si vous partez demain matin, la route sera libre et dégagée. Et comme ça vous pourrez profiter du buffet de petit-déjeuner que vous avez déjà payé. Nous aurons des croissants frais ! » Quand elle mit en balance d'un côté la circulation et les croissants, et de l'autre les appels téléphoniques sans réponse, l'idée que ses garçons étaient sans doute partis avec leur père pour quelque aventure « entre hommes » lui parut plus plausible. Ils étaient sortis, ils voulaient échapper au sentiment d'enfermement qui gagnait les résidents du 107 Paseo Linda Bonita les longs week-ends. Elle les imagina en train de camper dans une forêt : les enfants s'étaient blottis près de leur père après le coucher du soleil, et ils s'étaient endormis dans leur sac de couchage en nylon dont ils se servaient si peu, sur un matelas d'aiguilles de pin et sous un ciel d'été qui s'obscurcissait.

Araceli s'éveilla en sentant le dur plancher sous son corps monter et descendre comme une vague, et quand elle ouvrit les yeux elle vit l'ampoule nue et non allumée au-dessus d'elle qui se balançait. *¿ Un*

1. Fête nationale des États-Unis.

tremblor ? Oui, sans aucun doute. Et puis ce fut terminé. À présent, elle remarquait la lumière blanche de ce petit matin d'été qui filtrait à travers les interstices de l'épais caoutchouc des rideaux et la poussière qui dansait dans les rayons du soleil. Elle se souleva sur le plancher. Elle se trouvait au centre de la salle de séjour et vit Keenan en train de dormir sur le lit de Tomás. Brandon, allongé par terre entre elle et Tomás, reposait sur des amoncellements de couettes en polyester où étaient imprimés des perroquets, des figurines japonaises et le logo d'une équipe de foot mexicaine. Brandon avait la bouche ouverte et le cou tendu, ce qui fit penser à Araceli qu'il avait eu un sommeil malaisé et inégal. Quant à Keenan, il tenait devant sa bouche un pouce mouillé comme celui d'un auto-stoppeur. Ils n'avaient pas été réveillés par la cacophonie du matin qui, de la rue, passait entre les barreaux et les rideaux : une moto dépourvue de silencieux, un camion dont le poids avait fait trembler le plancher en bois, un alcoolo appelant à la prière en hurlant : « Ou-ou-ou-ou-ouh ! Ba-a-a-ande d'encu-u-u-ulés ! Tremblement de terre ! Prenez-le en pleine gueule. Prene-e-ez-le ! » Araceli réfléchit au côté pathétique de la situation des jeunes Torres-Thompson, chevelus et bien nourris, qui se retrouvaient exposés aux bruits des pauvres et des drogués, qui dormaient dans ce nid bondé, le living du bungalow avec ses commodes en panneaux d'aggloméré et ses murs dont la peinture grise semblait transpirer. Les cheveux fins des garçons étaient trempés de sueur ; de leur bouche sortaient des bouffées qui flottaient dans l'air vers l'ampoule nue, redevenue immobile. Que dirait Maureen et que ferait-elle si, surgissant soudain, elle voyait ses deux princes endormis dans une pièce avec un jeune Mexicain et un jeune Salvadorien ? La *jefa* baisserait ses sourcils fins et légèrement sculptés pour en faire une proue agressive lourde de reproche, puis elle produirait des sons en conséquence, des demi-paroles indignées, en anglais : « Humph ! Vous avez amené mes enfants ici ? Dans ce sordide petit ensemble de bungalows ? Pour les faire dormir à côté d'un orphelin ?
— Oui, *señora*, répondrait-elle. Vous étiez partie. » Et ce serait la fin de la discussion.

Araceli enjamba les enfants avec précaution, ouvrit la porte et sortit dans la rue en direction du magasin d'alimentation et de son téléphone à pièces.

14

LEUR AUTOBUS ROULA VERS L'EST, s'enfonça dans le cœur industriel de la métropole, franchit les grands axes nord-sud et les voies ferrées sur lesquelles circulaient les trains de marchandises, puis il entra dans des zones de fils de fer barbelé et de trottoirs où s'épanouissaient des mauvaises herbes aussi grosses que le poing. Il dépassa des cuves en inox remplies d'eau de mer qui rejetaient des cristaux salins, roula devant des parcs de stationnement industriels où la sécheresse et le manque de soins avaient fait dépérir les buissons qui, cuits au soleil, avaient pris une couleur d'ambre. Il passa devant des terrains où étaient empilés des tuyaux en PVC, devant des jeunes arbres rabougris et des bâtiments sur lesquels on lisait CHOY'S IMPORT ET VERNON GRAPHIC SERVICES et COMAK TRADING, puis il traversa une intersection où arrivait un semi-remorque qui gémit et attendit. Ce décor ne suscita aucune nouvelle rêverie dans l'imagination débordante de Brandon : il avait trop sommeil pour penser, car il était resté éveillé jusque tard dans la nuit en songeant à Tomás et à ses histoires sur les carrefours de la 39e Rue. Ensuite, Araceli l'avait obligé à se lever tôt pour qu'ils partent vers leur nouvelle destination. Ils se rendaient à un parc où son grand-père, disait-on, habitait peut-être.

« Je ne sais pas où, avait dit Araceli. Mais je sais à qui demander. » Elle leur parla de sa copine Marisela et d'un homme qui était son oncle par alliance et qui vivait à Huntington Park, *su tío político*, supposé occuper une maison de banlieue américaine bien rangée dans un quartier qui était également celui où, selon ce qu'avait dit M. Washington de la 39e Rue, *el abuelo* avait déménagé.

« L'oncle de mon amie pourra nous aider, dit-elle.

— Tu as une amie ? » fit Keenan. Il ne fut pas surpris qu'elle ne réponde pas.

Araceli avait déjà l'impression que les choses se déroulaient mieux qu'elle ne l'aurait cru. Le bus avançait rapidement, peu gêné par la circulation habituelle d'un matin de semaine. Pendant un moment, ce fut plutôt le vide qui la frappa, et la sensation qu'il lui manquait peut-être une information qui aurait expliqué un mardi aussi étrangement calme.

Ils changèrent de ligne dans la rue California et se dirigèrent vers le sud. Ils étaient à présent dans un bus dont ils étaient les uniques passagers, avec le poste de radio personnel et non autorisé du conducteur. « De magnitude quatre virgule huit, et l'épicentre était à Barstow, annonça la radio. Le chef des pompiers du comté de Los Angeles, Bill Abrams, nous demande d'être tous prudents avec les pétards… Drapeau rouge dans les canyons des comtés d'Orange et de Los Angeles, ce qui signifie un risque très élevé d'incendies… Et pour vous tous qui vous déplacez en ce jour férié, vous roulez sans problème sur les autoroutes… » Le bus entra dans un quartier de petits cottages de couleur crème bâtis dans le style des missions espagnoles avec des portes en plein cintre, et des immeubles d'appartements sans ornement qui ressemblaient à des hôtels de Monopoly. La ligne des toits, derrière eux, était dominée par deux monstres d'acier, deux pylônes électriques à haute tension avec une demi-douzaine de câbles parallèles dont les garçons, en levant les yeux, suivirent le mouvement en arc qui descendait et montait d'un pylône à l'autre.

« Nous suivons l'électricité, dit Keenan.

— Oui, approuva Brandon. On est comme des électrons ou un truc du genre. »

Ils arrivèrent à leur dernière station et se dirigèrent vers la porte à l'avant du bus. Araceli prit un moment pour demander au conducteur moustachu, qui semblait être mexicain : « *¿ Qué se hizo toda la gente ?*

— *Es el* 4 Juillet. *¿ No sabías ?* » dit le conducteur. Puis, dans un anglais qui sortit avec la même dureté que s'il l'avait parlé toute sa vie, alors que son espagnol était plat et peu utilisé : « Réveille-toi, ma fille. T'as rien entendu ? C'est un jour férié ! »

⁂

Maureen roula hors de l'hôtel-spa à l'heure matinale mais raisonnable de huit heures et quart. Sans s'être arrêtée, elle arriva au Paseo Linda Bonita au bout de trois heures et vingt-six minutes, selon l'ordinateur de bord de sa voiture. À ce moment-là, le soleil était à sa hauteur de midi et dans toute sa force de juillet, et Maureen vit que, pour une raison quelconque, la voiture de son mari cuisait dans l'allée au lieu de se trouver dans le garage. Cette absurdité réussit néanmoins à chasser l'angoisse qui s'était emparée de Maureen la nuit précédente. *Scott est là*. Elle ouvrit la porte du garage, gara sa voiture et éprouva le plaisir d'être rentrée pour redevenir responsabe du foyer qu'elle avait construit. Sa fille sur le bras, Maureen marcha d'un pas volontaire jusqu'à la porte qui séparait le garage de la cuisine, et elle entra en criant « Je suis rentrée ! » Ses yeux se posèrent sur la cuisine familière et immaculée où chaque morceau de carrelage bien net, chaque plaque de marbre luisant était une note musicale dans une partition d'ordre. « Je suis rentrée ! » cria de nouveau Maureen, en mettant cette fois un peu de rauque dans sa voix. Le son résonna dans la maison sans susciter de réponse, et, pendant une seconde ou deux, elle en conclut que ce devait être un silence de ressentiment, que ses fils et son mari allaient bientôt émerger d'une des pièces et lui lancer des regards noirs parce qu'elle les avait quittés pendant quatre jours.

Ils débarquèrent du bus dans une avenue de belle largeur qui, aux yeux de Brandon, paraissait à la fois très neuve et très vieille. Une suite de devantures s'élevait au bord de la rue, et chaque édifice ressemblait à un robot rectangulaire sur lequel était inscrit en grandes lettres le nom d'une entreprise commerciale : SOMBREROS EL CHARRO, KID'S LOVE, SPRINT MOBILE. Les foules qui remplissaient normalement cette zone commerciale étaient absentes, et dans la douce lumière de ce matin férié il n'y eut qu'une adolescente de deux mètres quarante de haut, portant un appareil dentaire et une robe blanche gonflée par le vent, pour accueillir Araceli et ses protégés. Elle était étourdiment figée en deux dimensions derrière un rideau de barreaux en fer noir ; quand Brandon plongea son regard dans l'obscurité de la vitrine qui emprisonnait cette figure pour savoir quel genre de marchandises l'entourait, il vit d'étincelantes couronnes aussi grandes que des enfants et des photos de limousines de mariage. C'était l'endroit, en conclut-il, où les filles venaient pour être transformées en princesses par le pouvoir du dollar et celui d'un rite. Mais Brandon n'aimait pas les histoires de princesses, et il s'en détacha pour observer de nouveau la rue, son frère et Araceli qui, tous deux, tournaient la tête vers le nord, puis vers le sud, puis encore vers le nord.

« Vers où on va ? voulut savoir Keenan.

— *Tengo que preguntar* », dit Araceli, mais il n'y avait personne à qui demander, et ils se mirent à avancer sur le trottoir, dépassant des parcmètres et des places de stationnement en diagonale totalement vides. Ils passèrent sous la tour cannelée d'un grand cinéma Art déco entièrement fermé, et Keenan tendit le cou pour admirer la surface verte et comme fondante d'une horloge en bronze qui était fixée tout en haut et ne fonctionnait plus. Un demi-pâté de maisons plus loin, ils trouvèrent un magasin dont la porte était ouverte. Des lumières étaient allumées derrière les vitrines.

« Pas ouvert », annonça la Coréenne à l'intérieur. Agenouillée sur le plancher, elle tenait un bloc-notes à la main. Elle était entourée de boîtes et de chemises en rayonne sur des portants.

« *Cerrado.*

— Je ne veux pas de vêtements, dit Araceli. Je cherche une rue. » Elle montra à la femme un bout de papier avec l'adresse que Marisela lui avait donnée.

Myung Lee se leva, prit le papier, puis regarda de haut en bas la femme qui le lui avait tendu et qui était accompagnée de ces garçons. Depuis quatre mois qu'elle avait ouvert son commerce, chaque jour semblait lui apporter une nouvelle bizarrerie, une nouvelle énigme, comme cette Mexicaine et ses beaux enfants. Myung Lee était née à Séoul, elle était célibataire, âgée de trente-huit ans et elle connaissait bien le vocabulaire des modes locales : rayonne à motifs de fleurs tropicales, dessins de léopard et décolletés audacieux, polyesters au drapé généreux pour recouvrir des corps de toutes formes et de toutes tailles. « Il se peut que je connaisse cette rue », dit-elle. La géographie, rien de plus simple : ce qu'elle ne comprenait pas, c'étaient les méthodes furtives des voleurs à l'étalage ou la logique des prix des grossistes de la zone où l'on fabriquait les vêtements, ou la raison pour laquelle son oncle lui prêtait quarante mille dollars pour ouvrir un commerce alors qu'il s'attendait à ce qu'elle fasse faillite. Ce matin du 4 Juillet lui avait apporté encore d'autres heures solitaires consacrées à l'inventaire, d'autres rêveries obsessionnelles sur son oncle et son assurance dédaigneuse de Californien millionnaire, sur la fille de cet oncle, une ado toute mince qui portait des robes de taille trente-six, sur leur somptueuse demeure à Bradbury, le Beverly Hills asiatique. Plus Myung se rappelait la dette qu'elle avait envers son sceptique *samchon,* plus elle détestait la rayonne, les fleurs tropicales et les motifs léopard. Bizarrement, cependant, elle aimait encore se trouver en présence d'Américaines, ou de Mexicaines, ou de la plupart de ses clientes quelles qu'elles soient, et au moment où elle se dirigea vers la porte pour montrer à Araceli la direction à suivre, elle sentit, sur son visage, l'irritation céder la place à cette amabilité qui était toujours de bonne pratique dans le commerce de détail.

« C'est là-bas, dit Myung Lee en montrant l'est. Pas loin. Deux rues. » Elle posa une main sur l'épaule de Keenan et ajouta : « Vos garçons sont très beaux », ce qui laissa Araceli trop étonnée pour qu'elle puisse procéder à la moindre clarification. Leur père doit avoir la peau très claire, pensa Myung Lee, et elle s'imagina ce partenaire blanc et absent tandis que les inconnus s'en allaient le long du boulevard du Pacifique. *Je suis une célibataire, oui, mais je n'ai permis à aucun homme de me laisser avec deux garçons à nourrir et à habiller. Ça, non.*

« Elle a cru que tu étais notre mère, dit Keenan. C'était bizarre.

— *Estaba muy confundida* », répondit Araceli, et ils quittèrent le boulevard du Pacifique pour aborder un quartier où le revêtement des maisons ressemblait à du papier de verre peint en violet bleuté et en rose, où de petites parcelles de digitaires raides étaient clôturées par des piliers de brique peints et des barreaux de fers soudés en forme d'éventail ou de plumes. Une voûte de fils entrecroisés – câbles électriques et de télécommunication – fit de nouveau lever les yeux à Brandon tandis que Keenan, regardant de l'autre côté de la rue, vit un homme qui s'appuyait sur une clôture en se déhanchant à la manière des paysans latino-américains ; cette pose rappela à Keenan les photos de son grand-père enfant. « C'est peut-être là qu'habite notre grand-père John, dit Keenan.

— Possible, fit Brandon. C'est pas aussi pauvre que Los Angeles. »

Ils marchèrent encore pendant deux pâtés de maisons, mais comme le nom de la rue n'apparaissait toujours pas sur un panneau, Araceli s'arrêta de nouveau. Les roulettes des valises cessèrent leur bruit et, pendant un instant, Araceli et ses protégés furent plongés dans un silence d'une profondeur inattendue. Les avenues et les autoroutes qui entouraient ce quartier étaient vides, pendant ces premières heures de jour férié. Pas de camions ni de chariots-élévateurs à l'œuvre dans les zones industrielles adjacentes, et, en l'absence des bruits habituels, régnait un calme naturel qui, étrangement, ne semblait pas naturel. Tous les habitants de Huntington Park debout ce matin-là remarquaient eux aussi le silence. Il leur apparaissait d'abord par les fenêtres qu'en cette nuit d'été ils avaient laissées ouvertes, puis dès qu'ils mettaient le nez dehors. Pour la première fois depuis des mois, ils entendaient le cri des oiseaux, le *kiik-kiik* des échasses blanches qui volaient haut pour rejoindre la rivière Los Angeles à proximité, le chant en trois notes des merles d'Amérique, les signaux en morse des pics-verts qui cherchaient à coups de bec les glands mis en réserve dans les poteaux électriques. Et quand leurs oreilles s'adaptaient au silence, ils entendaient des bruits encore plus faibles : l'air qui sifflait dans les ailes des tourterelles pleureuses, les craquements et les froissements dans les branches qu'agitait une faible brise de juillet. C'étaient des bruits de village, de campagne, et ils avaient pour effet de rendre ceux qui les entendaient plus conscients des charmes du lieu et du moment, de tout ce qui était apaisant et accueillant dans ce paradis du travailleur – pourtant bien encombré – que voulait être Huntington Park.

Ce calme poussa Victorino Alamillo, le seul homme éveillé et hors de chez lui dans ce pâté de maisons, à s'interrompre alors qu'il dépliait le drapeau américain. Il contempla un instant son camion – un Chevrolet datant de 1972 qui possédait une partie habitable montée à l'arrière mais qui, pour l'instant, reposait dans l'allée du garage –, puis son œil fut attiré par un corbeau qui fendait le ciel comme une balle à trente mètres de hauteur. Il grimpa au sommet de son échelle où il s'arrêta une fois de plus, le drapeau dans ses mains, car depuis son perchoir on percevait encore plus nettement à quel point le calme s'était étendu sur tout le coin. Victorino pouvait balayer du regard les toits de ses voisins, les antennes paraboliques, les conduits d'aération des cuisines ainsi que la zone toute proche où l'on vendait des objets de récupération, et quand même entendre quelques sons lointains mais distincts : les *fi-bi ? fi-bi ?* interrogatifs d'un moucherolle noir, et puis, chose extraordinaire, le bêlement d'une chèvre invisible. *¿ Un chivo ?*

Soudain le charme fut rompu par un cliquètement venant du trottoir.

« Excusez-moi, dit Araceli. Excusez ! Moi ! »

La Mexicaine et ses protégés s'étaient arrêtés, car ils avaient rencontré quelqu'un qui paraissait en mesure de les aider – un homme auquel le drapeau conférait une autorité. Ils l'avaient observé plusieurs secondes, dès le moment où il avait grimpé sur son échelle en tenant son drapeau, et, aux yeux de Brandon et de Keenan, il avait l'air d'un homme qui prenait possession d'un bout de terre pour son pays après une bataille.

Victorino Alamillo baissa les yeux vers Araceli et, quand il entendit son fort accent, lui répondit : « *Espérate allí un momentito.* » La vue de ce trio égaré qui semblait fuir quelque drame familial l'avait complètement ramené au véritable Huntington Park, lui avait rappelé le caractère éphémère et instable de la vie en cet endroit. Brusquement, le drapeau et le marteau lui tombèrent tous deux des mains.

« Je crois que l'étoile signifie qu'il a un enfant qui fait la guerre, dit Brandon en montrant du doigt un rectangle pourvu d'une seule étoile bleue qui, pour une raison mystérieuse, était fixé sur la paroi intérieure de la fenêtre de la salle de séjour.

— C'est exact, dit Victorino en descendant pour récupérer le drapeau. Mon fils est à Kandahar. En Afghanistan. Médecin. » Il prononça ce dernier mot d'une manière qui combinait fierté paternelle et pacifisme.

« Cool, dit Keenan.

— *Estamos buscando esta calle,* dit Araceli. *La calle* Rugby.

— *Está del otro lado de* Pacific, expliqua Victorino en montrant l'ouest. *Regresáte por allá.*

— *¿ Está seguro ?* demanda Araceli de façon plutôt impertinente. *Porque una Coreana nos dijo era por aquí.*

— *Sí, señorita* », dit Victorino. Passant alors à l'anglais qui lui donnait de l'autorité, il ajouta : « Ça fait quinze ans que j'habite ici. C'est par là. »

Araceli lui lança un bref « *Gracias* », et sans plus de cérémonie elle se dirigea vers l'ouest, avec Brandon et Keenan dans son sillage. Ils venaient d'entrer dans un territoire de très anciens rêves américains. Huntington Park était un ensemble de jardins potagers dont on avait fait des lotissements il y avait de cela un siècle, et il avait été habité depuis lors par des hommes et des femmes attirés par des prix immobiliers abordables, des gens qui croyaient tous que cela valait la peine de posséder quelques arpents dans une ville américaine, et tant pis pour les usines avoisinantes, les entrepôts et les trains de marchandises. Pendant le premier tiers de son histoire, Huntington Park avait été peuplé par des anglophones venus de l'Oklahoma, de l'Iowa et d'autres terres plates de l'Amérique du Nord. Pendant le deuxième tiers, ces résidents, fiers mais paranoïaques, s'étaient battus pour empêcher l'installation de divers nouveaux venus à la peau foncée, et puis, à la fin, ils étaient partis, laissant la place à ceux qui devaient dominer Huntington Park lors du dernier tiers de son histoire, à savoir des gens arrivés du Texas du Sud, de Jalisco, de Zacatecas, de l'est de Los Angeles et d'autres endroits où la plupart des noms de famille étaient espagnols. Tous ces petits propriétaires, durant ces trois époques, furent rassurés par la perpendicularité des rues, par le travail des arpenteurs qui avaient patiemment construit cette uniformité et utilisé l'espace avec efficacité, par les panneaux stop et par les employés municipaux qui nettoyaient les parcs. Le drapeau à bandes rouges et blanches, avec son fond bleu et ses étoiles blanches, avait longtemps été un symbole de cet ordre protecteur et nourricier, et il le restait pour bien des habitants de Huntington Park, même pour ceux qui préféraient les couleurs d'autres drapeaux et le genre d'ordre que représentaient ces autres étendards.

Quand le cliquètement de la valise de Keenan recommença derrière lui, Victorino Alamillo prit sa Bannière étoilée et se mit à donner des coups de marteau sans se rendre compte que le bruit faisait sortir du lit son voisin Jack Salazar et l'amenait à écarter un rideau. *Alamillo accroche son drapeau ! Il était temps ! Il attend qu'on soit le 4 !* Jack Salazar avait lui aussi une étoile bleue à sa fenêtre, un fils à Ramadi (Irak), et deux drapeaux américains qui pendaient de son avant-toit trois cent soixante-cinq jours par an. Il remarqua qu'en ajoutant la bannière d'Alamillo on dénombrait maintenant dans cette section trois maisons qui avaient l'audace de montrer leur patriotisme le jour de la fête de l'Indépendance – *trois, quelle quantité !* –, bien que l'une d'entre elles appartienne à une famille pakistanaise, laquelle comptait donc pratiquement pour rien dans l'opinion droitière de Salazar, lui-même Américano-Mexicain de la quatrième génération. Le drapeau de la famille pakistanaise était en plastique, et Salazar avait l'impression que ces gens-là l'avaient sorti pour qu'il arrête de leur jeter des regards soupçonneux ou même pour qu'il vienne bavarder avec eux comme s'ils étaient des Américains normaux. À la vérité, ces résidents d'origine pakistanaise avaient mis le drapeau parce que leur fille Nadia l'avait acheté durant une manifestation pour les droits des immigrants au centre de Los Angeles. Nadia Bashir, âgée de vingt ans et étudiante en licence de biochimie à UCLA, avait décidé que suspendre ce drapeau sur sa porte d'entrée reviendrait à faire une déclaration personnelle et quelque peu ironique sur l'état actuel de l'évolution culturelle de sa famille. Le jour où elle l'installa, elle se rappela son oncle Faisal et ce qu'il racontait de ses premiers voyages pleins d'insouciance dans le centre du Canada et des États-Unis. C'était dans les années 1980, il roulait dans une Volkswagen Coccinelle et, dans le coffre, il avait des pipes à eau qu'il revendait. Il aimait dire que les États-Unis étaient restés le pays qu'il avait connu alors, un pays qui donne la pêche.

« Ici, disait-il, il n'y a pas de clans. C'est pour ça que les Américains prospèrent. Ils n'ont pas des haines idiotes comme celles dont nous héritons. Nous, on a trop l'esprit de clan. C'est ce qui nous a toujours empêchés de progresser. »

À cela, Nadia répondait très souvent d'un ton impertinent, avec l'accent légèrement nasal de Los Angeles qui avait un charme tout provincial pour son oncle né au Pakistan mais éduqué à Londres : « Pas de clans ? Tu plaisantes ? Même dans cette petite ville, on n'a que ça, des clans ! » À Huntington Park, il y avait un grand clan mexicain où l'on parlait espagnol et un clan de moins en moins nombreux mais toujours puissant d'Américano-Mexicains qui ne parlaient jamais espagnol, et puis un petit clan de gens qui se disaient encore blancs, sans parler des Coréens et des Chinois éparpillés et discrets et, actuellement, d'un clan de musulmans en expansion rapide qui, étant le dernier venu dans cette partie de la métropole, était celui que tous les autres craignaient le plus et comprenaient le moins. Ajoutez à cela les clans qui se faisaient la guerre, c'est-à-dire les gangs de rues avec leurs disputes baroques, et la comédie caustique des deux clans politiques qui, deux mardis par mois, s'affrontaient brutalement lors des réunions du conseil municipal, et le tout devenait aussi peu ragoûtant que ce qu'on pouvait trouver dans le sous-continent indien. Il y avait à Huntington Park un courant de violence mentale sous-jacent, estimait Nadia, et il était bien vivant derrière une façade de coexistence aussi fragile que le calme qui avait brusquement et miraculeusement enveloppé le quartier ce matin et n'avait été interrompu que par le cliquètement de trois étrangers passant devant la fenêtre de sa chambre.

« On devrait peut-être montrer à quelqu'un la photo de notre grand-père pour savoir s'il habite par ici », dit Keenan.

Araceli eut la même idée, et puis elle se souvint de l'ancienneté de la photo – en la montrant, elle ne ferait que se ridiculiser. Le quartier dans lequel ils se trouvaient à présent, remarqua-t-elle, était manifestement plus récent que celui de la cabane où l'*abuelo* Torres avait vécu il y avait un demi-siècle, et la plupart des gens qu'elle pouvait voir bouger derrière leurs portes-écrans et leurs fenêtres étaient beaucoup plus jeunes que lui. Ils lui paraissaient manifestement mexicains, malgré la présence d'un drapeau américain de temps à autre. Araceli devinait que, comme elle, c'étaient des bénéficiaires relativement récents du boom national de liquidités, des domestiques et des ouvriers peu qualifiés qui n'avaient guère que dix ans d'avance sur elle pour ce qui était de remplir leur tirelire en dollars. Non, ils ne connaîtraient pas John, Johnny ou Juan Torres, et elle n'allait donc pas perdre sa salive à leur poser la question. À la place, elle allait trouver l'oncle de Marisela et lui demander de puiser dans ces réservoirs de renseignements américains qui restaient un peu mystérieux pour elle, ces listes de noms et de chiffres que des doigts alertes faisaient apparaître sur des écrans d'ordinateur, et puis il passerait un coup de téléphone et il la délivrerait de ses protégés et de ce voyage.

Huntington Park se réveilla encore un peu plus pendant la demi-heure qu'il fallut à Araceli et aux garçons pour retourner à l'avenue du Pacifique, la traverser dans l'autre sens et arriver dans un quartier qui les accueillit par les grincements de ressorts de deux portes de garage en train de s'ouvrir. Des patriarches tout juste sortis de leur douche allaient chercher dans leur garage divers équipements pour le 4 Juillet – chaises de jardin et barils de pétrole convertis en grils –, tandis que, derrière les rideaux, on préparait des petits-déjeuners au taux de cholestérol explosif dans le grésillement des plaques de cuisson. Brandon pressentit un ordre dans ces bruits qui gagnaient en volume : celui qui vient du pouvoir exercé par des routines quotidiennes qui se répètent à l'abri des clôtures et à l'intérieur des maisons. De son côté, Keenan était de plus en plus persuadé qu'ils se rapprochaient de son grand-père, parce que ces bruits étaient les mêmes que ceux qu'il faisait avec ses mains maladroites de vieillard. À mesure que la journée avancerait, le volume des bruits et leur diversité augmenteraient : alimentés à l'électricité et à l'essence, ces bruits s'étendraient bien au-delà des limites des propriétés. On aurait des mélodies piratées jouées en MP3 et des jam-sessions de percussions sous forme d'outils électriques qui aboliraient le silence du living voisin où des vieux essayent de lire, bon sang de bon sang, et anéantiraient le calme de chambres où, dans la rue d'à côté, des ados tentent de dormir après midi. Le vacarme grandissant de ce jour de fête rappellerait à chaque résident l'existence de ses nombreux voisins et toutes leurs manies irritantes, leur tendance à hurler maman, leurs W.C. mal entretenus, leur recours excessif au sèche-cheveux, la manière dont ils harcèlent leurs enfants et manquent de respect à leurs parents. D'heure en heure, le vacarme allait augmenter, et c'était énervant, car on avait là une preuve supplémentaire, s'il en fallait une, d'un fait auquel on ne pouvait pas échapper et qui ôtait beaucoup de son attrait à Huntington Park : l'existence de trop de gens, trop près les uns des autres, dans un trop petit espace.

Les résidents de cette ville allaient oublier ces nombreux tracas lors d'un 4 Juillet qu'ils comptaient remplir de hamburgers, de viandes assaisonnées à la coriandre, sur du charbon de bois de prosopis. Et qu'ils meubleraient par des activités sans patriotisme avéré, telles que s'allonger sur l'herbe et écluser des bières. C'était une époque où l'on pouvait acheter beaucoup de choses à bas prix, à Huntington Park, à cause des hypothèques et des illusoires facilités qu'elles procuraient, à cause aussi des liquidités produites par les nombreuses heures supplémentaires proposées dans les ports, les gares et les entrepôts où l'on déchargeait les marchandises venant de la révolution industrielle qui se déroulait de l'autre côté du Pacifique. Ça va bien pour eux, observa Araceli, parce que les Américains ont encore beaucoup d'argent à dépenser pour ce que des gens comme moi et ces gens-là peuvent faire pour eux. Ce qu'elle ne savait pas, pourtant, c'était que le flux de conteneurs portant des inscriptions asiatiques avait commencé à se ralentir imperceptiblement et que la charge des hypothèques s'était mise à augmenter, ici comme ailleurs, rendant du même coup les travailleurs de Huntington Park inquiets pour tous ces agréments qu'ils avaient achetés – une deuxième voiture, ou la dette contractée pour convertir le garage en salle de jeux. Et donc ils se sentaient un peu soulagés, moins sous pression et plus détendus, à l'idée de pouvoir profiter ce soir d'un plaisir gratuit. Pour le 4 Juillet, en effet, ils n'auraient pas de billets à acheter, pas de parking à payer ; ils ne seraient pas obligés de faire la queue, ils n'auraient que le bonheur de se reposer et le spectacle viendrait à eux quand le rideau d'un ciel couleur d'encre, après le coucher du soleil, tomberait à l'horizon. À cette heure-là, ils tourneraient leurs chaises de jardin et leur tête vers le parc Salt Lake et vers le spectacle municipal de feux d'artifice, et tous les quartiers de ce grand damier urbain seraient unis par les lumières et par les explosions de poudre chinoise qui résonneraient encore plus fort que le tintamarre de cette bruyante journée. Les grondements de batailles simulées dans les airs permettraient aux familles qui respectaient le silence de s'unir avec leurs voisines pathologiquement bruyantes, et de rappeler à toutes le nom du pays souverain dans lequel elles se trouvaient : *Los Estados Unidos de America*, les États-Unis d'Amérique. C'était un pays dont la cohésion était maintenue par des salaires assortis de déductions d'impôts, par des formulaires standardisés disponibles en pratiquement toutes les langues, par des voitures de police qui parfois s'arrêtaient tard dans la nuit devant la maison de ceux qui agressaient le plus violemment les oreilles d'autrui et leur disaient de mettre un peu la sourdine, s'il vous plaît. Et c'était dans ce pays qu'il y avait une ville de banlieue où deux garçons erraient avec la femme qui s'occupait d'eux et scrutaient les portes et les fenêtres à la recherche d'un grand-père qui n'avait jamais vécu là.

Le reste de la maison était aussi impeccable que la cuisine. Maureen ne trouva pas d'assiettes vagabondes dans d'autres pièces, pas de bols remplis de céréales et de lait caillé dans le living. Pas de linge sale pour souiller les couloirs, aucun cube danois jeté n'importe où, et pas de salissures sur les fenêtres. Dans l'ordre laissé par Araceli, Maureen devinait une explication du vide ambiant. *Ils sont partis faire quelque chose, on dirait, et Scott a emmené Araceli, ce qui est très raisonnable. Araceli a nettoyé avant de partir parce qu'elle est comme moi et ne peut pas s'en aller en laissant une maison en désordre.* Mais la voiture de Scott ? Étaient-ils partis à pied, en randonnée jusqu'au parc qui se trouvait presque à un kilomètre et demi ? Ou pour un pique-nique dans les prés ?

Maureen décida qu'elle attendrait leur retour et prépara un déjeuner pour sa fille, laissant la casserole et les assiettes sales dans l'évier pour Araceli. Quand elles eurent terminé, elle dit : « Allez, Sam, on va chercher tes frères... et ton père. » Ils étaient sans doute en train de rentrer à pied du parc. « Allons à leur secours parce que c'est une longue marche quand on remonte la colline. Je me demande si cette pauvre Araceli va y arriver. »

Cinq minutes plus tard, Maureen et Samantha s'arrêtaient devant le parc où elle avait déposé Araceli et les garçons dans un accès d'énervement deux semaines auparavant, mais il était vide : toutes les bonnes qui normalement s'y retrouvaient étaient absentes parce qu'on était le 4 Juillet. Elle repartit en vitesse, roula de nouveau vers les Estates et fit une halte à l'arrêt de bus où, depuis le siège avant de sa voiture, elle regarda l'herbe du pré qui montait à hauteur de genou et que le soleil avait décolorée en une sorte de vert doré. Elle se rappela avoir pique-niqué là avec Scott et les garçons quelques années auparavant pour jouir de la vue totalement dégagée sur l'océan. Ils y seraient bien retournés s'il n'y avait eu ces bouses de vache qui parsemaient le pré et lui ôtaient le goût de ses sandwiches et de son pinot noir. Elle parcourait à présent des yeux la surface changeante de cette herbe lissée par le vent, à la recherche de son mari ou de ses enfants, ou de la grande et épaisse silhouette de son employée mexicaine.

« Où sont-ils, Samantha ? »

Où qu'ils soient, ils sont obligés de passer par ici. À pied ou en voiture, ils ne peuvent entrer que par ce portail. Elle avait arrêté le moteur en se demandant combien de temps elle devrait attendre, quand elle vit une silhouette surgir à l'horizon, celle d'un homme qui avançait là où le pré s'inclinait en pente abrupte, et il luttait pour ne pas perdre pied, comme aux prises avec une marée invisible.

Araceli souleva le loquet du portail, traversa en droite ligne une pelouse de digitaires, monta sur une véranda et sonna. Son long voyage pour arriver à cette adresse fut récompensé de belle manière quand apparut soudain à la porte un homme à la beauté rugueuse, âgé d'une quarantaine d'années, qui l'accueillit d'un chevaleresque « *Buenos días* ». Il arborait toujours la moustache ultra-fine et le sourire enjoué qui avaient brisé des cœurs lorsqu'il avait quitté le Mexique deux décennies plus tôt. Salomón Luján s'attendait à voir arriver Araceli et les enfants dont elle avait la charge parce que, une heure auparavant, il avait écouté d'une oreille distraite le récit de la saga familiale des Torres-Thompson que lui avait fait sa nièce – en même temps, il regardait deux équipes de travailleurs installer un chapiteau en toile de tente et un trampoline dans la cour de derrière pour la grande fiesta du 4 Juillet de la famille Luján.

Maintenant, M. Luján, debout devant sa porte, entendit Araceli lui raconter elle-même l'histoire des parents absents. « *Estás haciendo lo que debes hacer, y tus jefes te lo van agradecer* », déclara-t-il. Jadis ouvrier non qualifié, Salomón Luján croyait que leur loyauté envers leurs employeurs gringos était le secret du succès des Mexicains de ce côté-ci de la frontière. Et tout ce qu'il avait fait à la force de son torse puissant pour satisfaire divers propriétaires d'entrepôts et autres entrepreneurs en bâtiment lui avait permis de gravir, sur l'échelle de la réussite nord-américaine, de nombreux échelons parmi lesquels il comptait l'achat de cette maison, une entrée triomphale dans le commerce des chauffe-eau, le serment par lequel il était devenu citoyen des États-Unis et sa récente élection au conseil municipal de Huntington Park. Il jaugea Araceli du regard et décida qu'elle aussi était destinée à un avenir meilleur. De plus, si l'on en jugeait par les cheveux flottants et les sandales que portaient les garçons dont elle s'occupait, c'était manifestement elle qui maintenait un peu d'ordre dans la maison de hippies où elle travaillait.

« Reste avec nous aujourd'hui et ce soir, si tu veux, et demain je trouverai le grand-père, dit-il en passant à l'anglais pour que les deux garçons comprennent. Aujourd'hui, inutile de le chercher, parce que c'est le 4 Juillet et tous les bureaux municipaux sont fermés. Mais dès demain matin, je téléphonerai au secrétaire de mairie et on vérifiera sur les listes électorales. On le trouvera. Pour l'instant, venez dans la cour. La fête ne fait que commencer. »

Il conduisit Araceli et les garçons dans la salle de séjour, laquelle était décorée dans un style que la fille de Salomón – étudiante délurée fréquentant une des universités privées de l'Est – qualifiait de « chic de soap-opéra à la mode de Zacatecas ». Sur un mur, il y avait un tableau à l'huile représentant Don Quichotte et Sancho Panza. Le chevalier errant Don Quichotte de la Manche suggérait que les Luján provenaient de lieux très nobles où les hommes, fièrement campés sur leur cheval, contemplent avec orgueil leur patrimoine de collines sèches et jaunies. Don Quichotte partageait le living avec un assortiment de fers à cheval et de revolvers vintage montés sur divers supports, un divan-banquette et un canapé à deux places aux pieds fragiles en bois sculpté, pourvu de coussins en velours crème brodés d'entrelacs dorés. Ces deux meubles avaient été expédiés, pour reprendre les mots de la fille de Salomón, par le « meilleur pourvoyeur de mobilier kitsch de Durango ». Disséminées parmi ces symboles de sa vision romantique du monde se trouvaient des photos de famille, y compris une de la fille déjà mentionnée, dûment parée de la toge et du mortier des cérémonies de remise de diplôme. Sur une autre, le patriarche de la famille levait sa main jointe à celle du maire de Huntington Park debout à côté de lui, le soir de l'élection. Brandon et Keenan regardèrent un instant cette photo sans en connaître le sens exact, mais Brandon supposa, en voyant la composition de l'image ainsi que l'air de fermeté et d'autorité de M. Luján, que celui-ci venait d'être nommé président de Huntington Park.

Ils se rendirent dans la cour où six tables blanches de location avaient été dressées sous la lumière couleur moutarde qui filtrait par la toile de tente. Salomón fit passer Araceli et les garçons devant un groupe de jeunes gens à moitié réveillés qui s'étaient réunis près des tables, puis les mena au bord de la cour où deux hommes munis de pelles discutaient autour d'un tas de terre beige qui ressemblait à une bulle surgie de la pelouse.

« On va préparer des *carnitas* comme on le fait dans les ranchs, dit Salomón aux garçons. On a enterré un cochon, là-dessous.

— Dans la terre ?

— Ouais. On a mis des pierres brûlantes, là-dessous. Et le cochon est enveloppé dans du papier alu. Il cuit. On va le laisser cuire quelques heures. Quand ce sera fini, vous aurez une viande très juteuse. *Sabrosísima.* »

Brandon regarda le monticule avec un tel air de perplexité innocente que M. Luján et les deux manieurs de pelle au visage couvert d'une barbe de deux jours en sourirent. De fait, il était profondément troublé par l'idée qu'une combustion puisse s'opérer dans un creux invisible sous ses pieds. « Je croyais que le feu ne pouvait pas brûler sans oxygène », dit-il, mais M. Luján avait déjà porté ailleurs son attention et ne répondit pas. Quant aux deux cousins avec les pelles, ils ne parlaient pas assez bien l'anglais pour expliquer la physique simple de la cuisson de leur *carnitas*. Après y avoir réfléchi quelques secondes, Brandon en vint à la conclusion troublante qu'il se trouvait au-dessus d'une fosse aux flammes enterrées, comme dans les enfers si souvent mentionnés dans ses livres : de pauvres âmes coincées dans des passages souterrains, des scélérats mettant au point des machines infernales dans des grottes. Il songea un instant à s'enfuir, jusqu'à ce que M. Luján revienne et lui pose une main sur l'épaule.

« Je voudrais vous présenter aux gens qui sont ici », dit-il aux garçons. Puis, se tournant vers Araceli, il ajouta en espagnol, d'un ton affable : « *Y tú también.* »

Pour l'instant, les seuls convives étaient les quatre jeunes adultes assises à table, à moitié endormies, apparemment hypnotisées par le piano qui résonnait dans deux haut-parleurs de la taille de ceux qui équipent les petits postes de radio. Une seule note de piano se répéta au milieu d'un air de flûte tourbillonnant, puis un ténor se mit à chanter en montant jusqu'à prendre une voix de fausset. Araceli trouva bizarre que ces gens aux traits manifestement d'Amérique centrale écoutent une voix plutôt efféminée chanter en anglais.

> *L'histoire s'en est mêlée,*
> *une ombre mystérieuse en a pris la forme.*
> *Ou ce que c'était, une incarnation,*
> *trois étoiles*
> *de leurs yeux tombaient des signes et de la poussière.*

« ¡ *Buenos días !* » lança le conseiller Luján. À ces mots, Lucía, sa fille, sursauta et se redressa. Ses trois amies grognèrent et toussèrent en se réveillant.

« Voici Araceli, dit-il à Lucía. C'est une amie de ta cousine Marisela. Elle vient nous rendre visite en ce 4 Juillet avec les deux enfants qu'elle garde. ¿ *Cómo se llaman ?*

— Brandon.

— Keenan.

— Regardez. Ils viennent de finir d'installer le trampoline, dit le conseiller Luján. *Vayan a jugar*. Allez jouer. »

Les enfants partirent en courant tandis qu'Araceli se joignait aux quatre jeunes adultes. Lucía Luján avait dix-neuf ans, et Araceli la reconnut immédiatement comme étant la fille qui portait une toge et un mortier sur la photo du living. Pourtant, sa coiffure de l'été – des nattes épaisses – lui donnait curieusement l'air plus jeune que sur la photo. Ses amies portaient des bijoux, des clous à leurs narines et des anneaux dans le lobe des oreilles. Araceli se rendit alors compte qu'elle perdait le fil de la mode citadine. Sans doute portait-on déjà les mêmes choses à Mexico, ou bien on allait le faire sous peu, se dit-elle. « *Hola ¿ qué tal ?* lança Lucía après s'être frotté les yeux pour chasser les traces de sommeil. Je crois que ma cousine m'a parlé de toi, une fois. »

Lucía avait gardé ses vêtements du soir précédent, mais même avec sa fatigue et ses habits froissés, elle donnait une image de féminité mexicaine à la mode et très branchée. Elle avait mis un chemisier ancien froncé, en soie caramel, dont le tissu miroitant jouait étrangement avec les tons cuivrés de sa peau et la demi-douzaine de bracelets brésiliens qu'elle avait au poignet. Aux yeux d'Araceli, ce chemisier semblait avoir cent ans et être tout neuf en même temps. Lucía était rentrée de l'université de Princeton depuis deux semaines et souffrait encore du choc culturel cruel provoqué par son retour à Huntington Park. Elle avait passé neuf mois parmi divers génies et autres gamins hyper-riches venus de tous les coins des États-Unis, mais aucun d'entre eux n'avait idée des contradictions auxquelles on était soumis quand on était un expatrié d'un coin aussi incohérent que le sien, cette partie *mexicana* de la Californie. Une semaine avant les examens, elle avait rompu avec un jeune homme issu d'une banlieue huppée de Long Island, en partie parce qu'il avait parlé de venir à Huntington Park cet été et qu'elle ne supportait pas l'idée de le voir arriver chez elle dans ses fringues d'été Tommy Hilfiger. Elle l'imaginait en train de réciter à des amis à elle les poèmes de Lorca qu'il avait appris par cœur – *¡ verde que te quiero verde !* – et elle se disait : Non, ça ne le fera pas à HP. Elle essayait encore de savoir où elle en était après un rêve éveillé de neuf mois dans la tradition ossifiée de l'Est et au contact de l'ambition américaine sans fard. *Je ne suis plus la même Lucía.* Elle essayait aussi de savoir comment dire à son père qu'elle avait déjà laissé tomber le cursus qui devait la préparer à faire médecine et choisi d'étudier plutôt Walt Whitman, Jack Kerouac et James Baldwin. Imprégnée de l'esprit des universités privées de l'Est, Lucía souriait et riait moins facilement, et parfois elle éclatait d'un rire plus dur et plus strident, chargé d'une certaine méchanceté cynique, que ses amis ne reconnaissaient pas. Ses amis, comme son père, lui lançaient d'étranges regards comme pour dire : *Est-il possible que tu te croies meilleure que nous, maintenant ?* Ce fut donc un plaisir, pour Lucía, d'engager la conversation avec une Latina éduquée qui n'était pas dans son orbite de Huntington Park ou de Princeton. Après quelques minutes à peine d'un échange décontracté, elle avait appris bien des choses sur Araceli, sur l'Instituto Nacional de Bellas Artes et sur ce que c'était que de faire du ménage dans le comté d'Orange.

Araceli déclara qu'elle ne savait pas si elle reprendrait un jour des cours, mais qu'elle n'allait en tout cas pas continuer « *esto* » beaucoup plus longtemps, et elle fit un geste plutôt froid en direction de Brandon et de Keenan sur le trampoline. Elle avait mis un peu d'argent de côté, et cette « *aventura* » avec les garçons serait sa dernière.

Lucía comprenait tout ce que disait Araceli, même si le castillan qu'elle pratiquait ne sortait qu'avec lenteur et avec le genre de vocabulaire simple qu'aurait une élève beaucoup plus jeune, car elle avait étudié le français au lycée et n'avait jamais été précisément instruite en espagnol. Aussi revenait-elle souvent à l'anglais.

« Fais ce que te dit ton cœur », lui conseilla Lucía avant de répéter la phrase en espagnol : « *Haz lo que te diga tu corazón.* » Elle jeta un regard oblique à ses amies qui s'étaient à moitié rendormies, la tête sur la table. « J'étudie l'histoire et la littérature américaines. Je ne sais pas pourquoi. Sans doute juste parce que j'aime les histoires. L'histoire de mon père, c'en est une bonne. Je l'écrirai peut-être un jour. »

Scott était resté éveillé sur la plage jusque tard dans la nuit à regarder les constellations suivre l'écliptique. Ses yeux s'étaient adaptés à l'obscurité et discernaient la tache ovale de la galaxie d'Andromède. Il avait observé le vol d'oiseaux qui rasaient les eaux bleu-pourpre du crépuscule ainsi que les formes noires et sans trait distinctif de deux hélicoptères se dirigeant vers le sud et le Mexique, puis le lent passage silencieux de navires éclairés, et il s'était enfin endormi à une heure avancée de la nuit, sa tête posée près du haut de la pente de sable qui montait de la mer. Il avait été réveillé peu après l'aurore par l'assaut simultané des premiers rayons du soleil sur son visage et d'une vague qui avait éclaboussé la plante de ses pieds. Il s'étira puis alla se promener longtemps et lentement sur la plage en écoutant les mouettes hurler. Quand il arriva à un étang formé par la marée basse où il était déjà venu avec les garçons, il dut retenir ses larmes en songeant de façon peu rationnelle qu'il risquait de ne plus jamais connaître un moment aussi vital et positif pour sa paternité, jusqu'à ce que les grondements de son estomac le guérissent de ce genre de mélodrame et qu'il décide d'entreprendre la longue montée qui le reconduirait à la maison. Il allait tenter de retrouver sa femme et ses enfants qui, très probablement, étaient partis passer une semaine, voire un mois ou deux, de récréation et d'exil dans le Missouri, loin de ce pater familias qui leur infligeait des mauvais traitements. Et peut-être s'y rendrait-il lui-même pour plaider sa cause.

Il eut la surprise, à mi-chemin des quatre cents mètres que comptait la traversée du pré, de repérer la silhouette haute et familière de la voiture de sa femme. Pendant un moment, il éprouva du soulagement et du répit – ils ne l'avaient pas quitté, finalement – et puis de nouveau quelque appréhension en se rendant compte qu'il allait devoir fournir également une explication pour cette nuit passée sur la plage, en plus de ses excuses pour le fiasco dans la salle de séjour et pour son absence des quatre derniers jours. *Elle va croire que je suis devenu totalement cinglé.* En se rapprochant de la voiture, il imagina ses fils malheureux à l'intérieur et sa fille qui l'entourerait de ses bras quoi qu'il arrive. Quand il parvint au véhicule en souriant malgré lui, la vitre commandée électriquement se baissa de façon théâtrale pour laisser apparaître les lunettes de soleil de Maureen. Mais celle-ci les écarta aussitôt pour examiner à l'œil nu Scott et ce qui l'entourait.

« Où sont les enfants ? demanda-t-elle immédiatement.

— Quoi ? »

Maureen avait vu Scott surgir à l'horizon, et elle aussi avait senti ses peurs s'envoler, sentant toute proche une réunion familiale. Elle aussi s'était imaginé une embrassade ou plusieurs, elle se voyait tomber à genoux comme elle le faisait quand les gosses étaient plus petits. Mais non, Scott était tout seul.

« Où sont les garçons ? insista-t-elle.

— Tu ne les as pas avec toi ?

— J'ai Samantha ! Je suis partie avec Samantha et je t'ai laissé avec Brandon et Keenan.

— Non, tu ne m'as pas laissé avec eux. J'étais pas à la maison.

— Qu'est-ce que tu racontes ?

— Je n'ai aucun des enfants avec moi. J'étais parti. Je croyais qu'ils étaient tous avec toi.

— Je suis partie vendredi avec Samantha.

— Tu n'as pas emmené les garçons ?

— Non, manifestement !

— Où sont-ils ? »

Quand arriva le crépuscule, la grande cour à l'arrière de la maison de Luján était remplie par une centaine de personnes qui mastiquaient du cochon dont les jus succulents s'accumulaient au fond d'assiettes en papier et suscitaient le souvenir de barbecues d'été dans des villes provinciales du Mexique pourvues de belvédères et d'églises en pierre. Araceli nota que ces convives étaient nettement mieux habillés que ceux qui étaient venus à la fête d'été des Torres-Thompson. C'étaient tous des immigrants rattachés à M. Luján par les liens du sang, du mariage ou des affaires, et plusieurs d'entre eux étaient des amis proches de M. Luján et de sa femme. Comme ils n'avaient pas perdu le sens des convenances qui accompagnait les réunions familiales dans leur pays natal, les hommes portaient des chemises repassées de frais et rentrées dans leur jean ainsi que des bottes en peau de serpent bien cirées, tandis que les femmes arboraient de beaux bijoux et avaient passé un peigne mouillé dans les cheveux de leurs fils, démêlé et tiré en arrière les cheveux de leurs filles pour faire des chignons, des nattes, des queues-de-scheval, ou des sortes de petites gerbes maintenues par des barrettes ornées de papillons et de fleurs. Les hommes faisaient étalage de leurs nouvelles boucles de ceintures sur lesquelles on avait gravé le drapeau mexicain et le nom de villes des États de Jalisco et de Durango, tandis que les femmes circulaient dans des jeans tout neufs ou dans des robes raides en lin dont le bas en forme de cône très évasé faisait penser à ce qu'on voyait dans les films américains à l'époque d'Eisenhower.

À côté de ce groupe de gens relativement âgés, pour la plupart nés au Mexique et hispanophones, il y avait un cercle plus jeune d'invités à la fête, et ceux-là parlaient anglais et « spanglish ».

C'étaient des adolescents et de tranquilles jeunes gens pas encore trentenaires pour qui le bon goût allait de pair avec des vêtements discrets et qui, ironiquement, s'attachaient à des modes d'autrefois. Ils portaient des chapeaux en feutre ronds ou des casquettes de base-ball, des jeans étroits, des tennis en toile et des tee-shirts mauves en coton de bonne qualité, ainsi que des chaînes délibérément kitsch aux maillons en similor. Un couple avait mis des maillots de base-ball aussi larges que des capes et le genre de short et de chaussettes blanches montant jusqu'aux genoux que pourrait mettre un père de famille banlieusard un peu loufoque vivant dans le Midwest. Et sur leurs chaussettes de coton ils avaient des sandales de type *guarache*, ce qui donnait à l'ensemble un style que Lucía qualifiait volontiers de « gangster rétro-estival informel ». C'étaient tous des gens dont l'ambition était également peu ronflante ; la plupart d'entre eux, après leur diplôme, avaient dû se contenter d'un travail pour une quincaillerie ou s'étaient inscrits dans des centres universitaires à des cours d'écriture d'essais, quand ils n'étaient pas obligés de faire de longs trajets dans cette métropole pour rejoindre les parkings bondés d'universités publiques insuffisamment financées où ils étaient en liste d'attente.

Mais les deux groupes de convives, celui des jeunes comme celui des vieux, considéraient M. Luján et sa fille Lucía avec des degrés divers d'envie et de respect, car, à leur façon, ce père et cette fille étaient, parmi toutes leurs connaissances, celles qui avaient le mieux réussi. Et tous ces amis qui entraient chez M. Luján trouvaient son mobilier « chevalier errant » à la fois élégant et de bon goût, et ils voyaient en Lucía et la célèbre université désormais associée à son nom quelque chose de particulier et de brillant qui les rendait malades d'inquiétude pour leur propre progéniture, car ils se demandaient quel serait le sérieux de leurs enfants et jusqu'où irait leur volonté de faire des études. Parmi ses amis aussi, Lucía suscitait le respect et l'estime, mais également la suspicion. Car non seulement elle était allée plus loin de Huntington Park que tous ceux qu'ils connaissaient, mais elle était revenue de ce lieu lointain et riche, et elle était là, debout sous les fils électriques, à boire de petites gorgées de bière comme n'importe quelle fille ordinaire de HP – et cela alors même qu'elle savait bien qu'elle ne serait jamais plus une fille ordinaire de HP.

Parmi tous ces gens, les jeunes, les vieux, ceux qui étaient nés au Mexique et ceux qui étaient nés en Californie, la présence à la fête de deux garçons venant du comté d'Orange passa en grande partie inaperçue, car Brandon et Keenan se fondaient facilement dans la nuée d'enfants qui, pour la plupart, parlaient anglais. Seuls quelques parents remarquèrent leurs longs cheveux façon bohème, leurs ongles des orteils non coupés ou l'aisance avec laquelle ils circulaient dans la cour pieds nus. En revanche, il ne fallut que quelques minutes pour que tout le monde s'interroge sur l'énigme que représentait une de leurs compatriotes de stature toute germanique, avec ses taches de rousseur couleur bronze et le chapeau de toile qui lui donnait un air d'exploratrice. Elle était trop âgée et pas assez dans la mode informelle pour être une des amies de Lucía, mais trop jeune et habillée de façon trop informelle pour être une des amies proches de M. Luján.

« *¿ A quién llevas en la camisa ?* demanda Araceli à l'un des amis de Lucía, puis elle passa à l'anglais quand il eut l'air de ne pas la comprendre d'emblée. Sur ta chemise. *Ese hombre.* On dirait Jésus, mais il fume. *Y tengo entendido que Jesucristo Nuestro Señor no fumaba.* Jésus ne fume pas. »

Griselda Pulido, la meilleure-amie-pour-toujours de Lucía Luján, entendit l'accent *chilanga* d'Araceli et se mit à la mitrailler de questions sur Mexico. Griselda considérait depuis longtemps la capitale du Mexique comme une sorte de Paris, une destination où elle se rendrait un jour en pèlerinage solennel, un endroit où une femme aux racines mexicaines pourrait se soustraire aux tensions de la vie américaine et trouver son véritable soi. Elle voulait savoir où les *chilangos* sortaient le soir, quels groupes de rock ils écoutaient, dans quelles boîtes de nuit ils allaient danser. « À quoi ressemble le Palacio de Bellas Artes ? » demanda Griselda Pulido. Puis, passant au spanglish, elle demanda : « *Tienen las pinturas de Frida allí,* ou bien faut-il aller dans la maison de Frida, à Coyoacán, pour les voir ? »

Aux yeux d'Araceli, cette jeune femme semblait aussi curieuse et intelligente que Lucía, mais elle avait un air tragique encore accentué par son fard à paupières et par des cheveux peignés à contresens qui lui tombaient sur le front et s'écrasaient sur les sourcils. « J'ai été admise à l'université Brown, dans le Rhode Island, et je me disais que j'irais là-bas, sur la côte Est, traîner avec Lucía, mais je n'ai pas pu m'y résoudre », expliqua Griselda, et Araceli la regarda droit dans les yeux comme pour dire : *Je comprends parfaitement.* Faire des études aussi longtemps qu'on le voulait était une des choses qu'une Latino-Américaine ne pouvait pas faire, et cela depuis des siècles. D'ailleurs, à cause de cette injustice, au moins l'une des grands-mères d'Araceli était restée analphabète toute sa vie. *L'émancipation des femmes, chez nous, est incomplète : peut-être nos filles, si nous en avons, seront-elles libres.* Araceli tenta de répondre du mieux possible aux questions de Griselda sur Mexico, même si elle était un peu décontenancée par la façon dont celle-ci entremêlait l'anglais et l'espagnol avec beaucoup de liberté et de désinvolture.

« Lucía et moi, nous allons y aller, déclara Griselda. *Un día. Tal vez.* »

Araceli voulait suggérer quelques musées dont Griselda n'avait peut-être pas entendu parler, mais avant qu'elle puisse le faire, le petit jeune homme à la chemise décorée d'un Jésus qui fumait lui demanda si elle était déjà venue à Huntington Park.

« Non », répondit Araceli. Elle tordit la bouche pour prononcer l'anglais de façon que le garçon au Jésus qui fume puisse la comprendre. « Mais c'est un endroit qu'on oublie facilement. Il se peut que je sois déjà venue et que simplement je ne m'en souvienne pas. » En entendant ces mots, les deux copains de Lucía qui étaient d'ici enfoncèrent encore un peu plus leurs mains dans leurs poches, lancèrent des coups d'œil approbateurs à Araceli à travers leurs pupilles dilatées et firent des sourires faibles et malicieux de fumeurs de cannabis en se demandant brièvement si cette femme avait participé à ce qu'on appelait *The Life* et qui était la vie des gangs, là-bas, au Mexique, parce qu'elle avait l'air d'une meuf qui saurait tenir son rang dans une bagarre. Un instant plus tard, ils l'avaient déjà oubliée ; ils se mirent à regarder le croissant de lune et les premières étoiles du crépuscule, puis ils écoutèrent intensément les vibrations de la basse qui jouait et déclarèrent qu'elle habitait les profondeurs d'un espace infini. Mais alors ils humèrent l'air chargé de gras qui venait de la fosse à barbecue, et brusquement leur estomac souffrit tellement de se sentir si creux qu'ils décidèrent qu'il était grand temps de manger de nouveau quelque chose.

Araceli était une énigme, la plus grande de toutes, pour tous les parents et les autres membres âgés de la famille de M. Luján. Quelques-uns d'entre eux étaient un peu agacés dès qu'elle entrait dans leur cercle – ils étaient tous debout près des tables et de leurs pyramides de porc et de plats d'accompagnement. Araceli était sur le point de plonger sa fourchette dans une portion de *carnitas* quand elle remarqua qu'elle avait provoqué une interruption dans la conversation des convives. « *Buenas tardes* », lança-t-elle, ce qui lui valut une avalanche de « *Buenas tardes* » plutôt froids. Ces mères et ces pères étaient également irrités parce qu'elle ne faisait guère attention aux garçons qu'elle avait apparemment le devoir de surveiller, même lorsque l'aîné des deux s'était approché d'elle pour dire d'un ton implorant : « Je crois que quelqu'un devrait dire à tous ces gamins d'arrêter de jouer avec des pétards. C'est vraiment dangereux.

— *¿ Qué quieres que haga ?* » avait répondu Araceli – question purement rhétorique étant donné qu'elle ne pouvait rien faire. Et le garçon était reparti sans bruit, laissant tous ceux qui avaient observé cet échange se demander ce qui se passait au juste entre cette femme hostile aux enfants et ces petits Américains.

« Ce que dit *el niño* est vrai, déclara en espagnol une des femmes. Ces machins-là sont trop dangereux. Quelqu'un va avoir des brûlures.

— Ils voient des choses plus dangereuses à l'école, vous pouvez me croire », dit une autre mère d'un ton qui écartait toute objection. Et tous les autres parents du cercle hochèrent la tête pour l'approuver. « L'autre jour, je vais chercher mon fils, et l'école entière était entourée de voitures de flics et d'agents de police. Fermeture temporaire, ont-ils dit. Mon fils est en sixième et, croyez-le si vous voulez, un des gamins courait dans le couloir avec un couteau. Je crois qu'il avait poignardé un enseignant à la jambe.

— *Qué barbaridad.*

— Il s'en passe, de ces choses, dans les écoles.

— Mon fils est en sixième, lui aussi, et il ne connaît même pas ses tables de multiplication au-delà de celle de trois, déclara l'un des pères. Je lui demande : "Six fois huit, ça fait combien ?" Et il me regarde, complètement perdu. Alors je lui dis : "Mais qu'est-ce qu'on t'apprend, là-bas ?" Et il répond : "J'sais pas." Dans mon *pueblo*, on nous enseignait ça en CE1.

— Qu'est-ce qu'on doit faire ? demanda l'une des mères.

— Vous devez aller voir l'enseignant et vous plaindre, lança en anglais Lucía Luján qui venait d'entrer dans le cercle à la recherche de choses à mettre sur son assiette. Vous devez aller parler directement à cet enseignant et lui dire : "Qu'est-ce qui se passe avec les tables de multiplication ?"

— *¿ Podémos hacer eso ?*

— Bien sûr que vous le pouvez. C'est comme ça que ça marche, dans ce pays. Prenez une classe pleine de gamins blancs, c'est ce que font tout le temps leurs parents. Ils traitent tous les enseignants comme des ouvriers.

— *Tiene razón,* dit Araceli. *La señora Maureen, mi jefa, siempre está peleando con los maestros.*

— Mais quand on y va, ils ne nous prennent pas au sérieux, rétorqua l'une des mères en s'adressant directement à Lucía. On va au bureau et ils nous disent : "Qu'est-ce que vous faites ici ? Allez-vous-en, on a du travail." »

Ils restèrent un instant sans rien dire, les vieux comme les jeunes, ceux qui étaient nés au Mexique comme ceux qui étaient nés aux États-Unis, et ils songèrent à la trahison des écoles, au grillage d'acier qui recouvrait chaque fenêtre, aux caméras de sécurité dans les couloirs, aux affiches de mise en garde destinées aux élèves comme aux adultes, et quelques-uns d'entre eux, très gênés, laissèrent leurs regards s'égarer vers les filles et les garçons qui étaient de leur sang et dont ils avaient la responsabilité, qui couraient et sautaient dans la cour – chacun d'entre eux était une promesse resplendissante, et chacun était également pauvre et dénué de promesses. Des cris de garçons et de filles remplirent le silence qui suivit, un silence lourd de blessures, d'impuissance et d'un sentiment vague, sorte de méfiance du travailleur, qui ne trouvait pas les mots pour s'exprimer.

Brusquement, Araceli brisa ce moment sans paroles pour dire que les enfants dont elle s'occupait semblaient recevoir une excellente éducation.

« D'où viennent-ils ?

— Des Laguna Rancho Estates. *Por la playa. En los cerros.*

— Là-bas, les écoles publiques sont bonnes, je parie, dit Lucía Luján.

— *No van a la escuela pública,* dit Araceli. Ils vont dans une école privée. *Todo pagado. Y muy caro.* Très chère. Je vois les factures.

— Combien ? » demanda rapidement Lucía Luján.

Araceli énonça le chiffre dans un espagnol lent, en articulant bien, pour permettre à son obscénité mathématique qui s'élevait à des milliers et des milliers de planer au-dessus de cette assemblée où les adultes durs au travail, à cours d'argent mais très imposés, côtoyaient des étudiants boursiers, et de briller comme l'éclat aveuglant d'un faux soleil. Il y eut un ou deux hoquets d'étonnement, mais Lucía ne marqua qu'une surprise modérée en levant ses sourcils, car les frais de scolarité des deux garçons ensemble dépassaient de peu ce qu'on lui demandait à Princeton avant qu'elle ne reçoive un certain nombre d'aides financières.

« *Imposible,* dit l'un des parents.

— *Estás loca,* dit un autre.

— *No sea chismosa. Por favor.* »

C'était absurde, et soudain tous ceux qui étaient dans ce cercle, hormis Lucía, en voulurent à Araceli d'avoir révélé un chiffre qui, s'ils devaient l'accepter comme vrai, allait leur ôter pendant quelque temps une bonne part du sentiment qu'ils avaient d'avoir accompli quelque chose. Car, justement, il leur disait que ce qu'ils réalisaient n'était pas grand-chose par rapport au véritable succès et à la véritable richesse américaine. Les Latino-Américains qui mettaient leurs enfants dans des écoles paroissiales s'imaginaient qu'ils payaient des frais très élevés, mais ce n'était qu'une fraction de la somme qu'Araceli venait de divulguer. Et pourtant ces garçons, ces jeunes gringos, ne paraissaient pas très différents des leurs, n'avaient rien de particulièrement spécial et ne semblaient en tout cas pas si riches que ça.

« *Es lo que cuesta* », insista Araceli. Elle expliqua qu'elle était au courant de cette somme tout à fait stupéfiante non pas parce qu'elle s'était efforcée de la découvrir, mais parce que ses employeurs ne faisaient pratiquement pas attention à leurs papiers et laissaient traîner des factures et des lettres un peu partout. Et quand une telle somme en dollars vous hurlait son énormité depuis le plan de travail de la cuisine, même une bonne aussi prudente qu'Araceli se sentait obligée de la regarder.

« Tu es bien sûre de ce chiffre ? demanda Lucía.

— *Claro que sí,* répondit-elle.

— *No,* insista l'un des convives. *Estás confundida.* »

Il se peut que je ne sois qu'une bonne et une chilanga, aurait voulu dire Araceli, *mais je connais l'anglais de base et l'arithmétique, et je sais aussi ce que signifient les virgules, les décimales et le signe du dollar*. Mais elle se contenta de jeter un long regard à l'assistance incrédule, puis secoua la tête en lançant un gloussement qui mettait fin à l'affaire et dans lequel Lucía reconnut immédiatement une forte dose de condescendance intellectuelle. Alors Lucía et le reste de la bande s'éloignèrent, laissant Araceli amusée et enfin en mesure de goûter réellement les *carnitas* qui étaient fort juteux. Elle chercha les garçons et les repéra, puis décida qu'elle pouvait les oublier de nouveau parce qu'ici, dans cette grande arrière-cour, ils ne risquaient rien.

Brandon et Keenan couraient donc avec les enfants du vaste clan Luján. Après avoir regardé les hommes enlever à la pelle la terre puis la viande entourée de papier alu et quelques pierres chaudes, Brandon s'était persuadé qu'il n'était plus menacé par les feux de la terre, même si, à présent, il y avait divers pétards qui explosaient autour de lui et envoyaient des flammes dans les airs. Pedro, le frère de Salomón, avait apporté de Tijuana trois grosses caisses de pièces d'artifice portables, et les enfants jouaient avec. La plus prisée consistait en petites boules argentées qui éclataient en étincelles quand les enfants les jetaient contre le sol en béton du patio.

« J't'ai eu, j't'ai eu ! » cria une fillette quand une de ses « pierres de feu » explosa aux pieds de Keenan. Celui-ci riposta en lui en jetant une à son tour, et il se mit à rire quand elle poussa des cris aigus.

« Fais attention ! » hurlait Brandon à son frère et à tous ceux qui pouvaient l'entendre, mais personne ne l'écoutait. Un garçon allumait des pétards qu'il lançait dans la soue à cochons désormais vide, et aucun adulte ne l'en empêchait. La poudre chatouillait les narines de Brandon ; le sol du patio ainsi que le gazon étaient parsemés de bouts de papier et de carton provenant des pétards. D'autres enfants allumaient des bâtons qui sifflaient et crachaient le feu : ils les tenaient trop près de leurs yeux et ne les éloignaient pas, même quand Brandon leur criait en espagnol « *¡ Cuidado !* ». Il chercha Araceli, mais elle s'était mêlée à la foule qui arrachait à coup de dents la viande du cochon enterré, et pour la première fois depuis qu'il avait quitté la maison du Paseo Linda Bonita, Brandon se sentit réellement seul et il eut peur. Les explosions des pétards lui contractaient les tympans. Les chiens du voisinage souffraient eux aussi et, remplissant l'air de leurs plaintes et de leurs aboiements, aussi bien dans ce pâté de maisons que dans tous les autres autour, ils suppliaient les humains de faire un cessez-le-feu. C'était une chose de jouer à la guerre quand tous les bruits venaient de votre bouche ou de votre imagination, mais toute autre chose de se retrouver au milieu d'un nuage de poudre à canon. Il entendit ensuite une très forte explosion dont la vibration lui secoua la poitrine, puis l'écho de la détonation. « Un M-80 ! » hurla un des garçons, et Brandon se demanda pourquoi personne, dans cette cour, ne s'abritait alors que des bombes explosaient dans la rue.

Il aperçut un éclair à l'horizon et se retourna pour voir trois gerbes de feu se développer en feuilles de pissenlit contre un ciel gris foncé. Elles furent suivies, quelques secondes plus tard, par le bruit étouffé de lointains canons.

« *¡ Son los* feux d'artifice *de la ciudad !* » cria quelqu'un alors que de nouvelles feuilles dentelées et enflammées montaient dans les airs et illuminaient au loin des lignes téléphoniques et leurs pylônes. « Les feux d'artifice de la ville ! » reprit quelqu'un d'autre, et alors tout le monde se tourna pour regarder tandis qu'on faisait partir de nouveaux feux dont quelques-uns prenaient la forme de soucoupes volantes vertes, cramoisies ou jaunes, tandis que d'autres s'amollissaient comme des méduses et d'autres encore ondulaient dans le ciel à la manière de serpents, jusqu'à ce que l'une d'entre elles forme un immense globe qui resta un moment suspendu au-dessus des tours et du quartier comme une petite planète en provoquant de nombreux *ouh !* et *a-ah !* de la part des spectateurs assemblés dans la cour des Luján.

La planète tomba du ciel et les détonations cessèrent brusquement. Pendant dix, vingt, trente secondes, les adultes et les enfants gardèrent les yeux levés vers le ciel vide et attendirent un nouveau jaillissement de lumière. Ils ne virent qu'un grand nuage de fumée qui voguait lentement vers l'est, telle une figure de test de Rorschach blanche traversant le ciel obscur. Du début jusqu'à la fin, le soixante-troisième Somptueux spectacle annuel des Feux d'artifice de Huntington Park avait été le plus court de toute l'histoire de la ville : il n'avait duré que quatre minutes et trente-cinq secondes, car la municipalité ne s'était pas avisée à temps d'une pénurie de pièces d'artifices dans tout le pays, pénurie due à l'explosion d'un entrepôt, quelques mois auparavant, dans la province chinoise du Guangdong.

« C'est tout ? demanda quelqu'un.

— *¿ Se acabó ?*

— Quelle arnaque ! »

Debout devant la table où l'on découpait les *carnitas*, le conseiller municipal Salomón Luján, une fourchette de service à la main, mesura du regard l'horizon vide et proféra une exclamation très utile, une des premières à être entrée dans son vocabulaire :

« Oh, merde ! »

Après un échange serré de questions et de réponses lancées à grand renfort de cris pendant les trois quarts d'heure du trajet qui leur fit remonter la colline jusqu'au Paseo Linda Bonita, Maureen et Scott se rendirent compte que Brandon et Keenan étaient restés seuls avec Araceli depuis vendredi matin, et que ni elle ni lui n'avaient parlé aux garçons depuis leurs appels téléphoniques du vendredi soir. La durée de leur absence s'étalait en chiffres carrément inconvenants : quatre jours, plus de quatre-vingt-seize heures de chapitres blancs et inconnus dans la vie de leurs fils, quatre-vingt-seize heures durant lesquelles ils avaient abdiqué leurs responsabilités de parents. Quand ils sont petits, songea Maureen, on est vigilant, et s'ils sont au parc on ne les lâche jamais des yeux plus de quelques secondes. Et si on les perd de vue pendant vingt secondes ou une minute, on est soudain transporté dans un abîme de culpabilité et de panique ; on scrute les alentours pour combattre la pensée que cette perte va durer toujours, jusqu'à ce qu'on les repère et que notre cœur retrouve la tranquillité de cet endroit où les parents cherchent à vivre le plus longtemps. Maureen roula devant la guérite de surveillance sans prendre la peine de saluer la femme enceinte qui était de service, et, transgressant la vitesse limite de quarante kilomètres/heure, vola par-dessus les ralentisseurs et fit couiner plusieurs fois ses pneus dans les rues sinueuses des Laguna Rancho Estates. Elle s'arrêta à l'intérieur du garage et courut dans la maison, laissant Samantha encore attachée dans la voiture aux soins de son père.

Bien qu'elle ait déjà parcouru ces pièces une demi-heure auparavant et qu'elle sache qu'il était très improbable que ses fils puissent être rentrés en si peu de temps, elle recommença à crier : « Brandon ! Keenan ! Maman et papa sont à la maison ! Brandon ! Keenan ! » Ce réflexe maternel se muait de plus en plus en supplication et en lamentation en se répétant, si bien qu'à la fin Scott lança : « Ils sont pas là. » À quoi Maureen répondit aussitôt d'un ton sec en se retournant vers lui : « Je le vois bien ! »

Scott se mit à chercher un mot d'Araceli et d'autres indices sur son départ et sa destination. Il n'y avait rien dans la cuisine, le lieu le plus probable pour un message de sa part. Dans la salle de séjour, Scott fut distrait par le grand espace vide là où se trouvait autrefois la table basse maintenant brisée, et il ne remarqua donc pas qu'un des cadres photo, sur une des étagères à livres, était vide lui aussi. Il retourna à la cuisine où il fit part à Maureen de son indéniable conclusion : les enfants n'étaient plus à la maison depuis quelque temps. « Si tu regardes de près, dit-il, tu peux voir que les salles de bains n'ont pas servi depuis au moins vingt-quatre heures. Et personne n'a utilisé la cuisine avant que tu rentres et que tu fasses à manger pour Samantha. Tu es d'accord ? » Avant que Maureen puisse répondre, Scott franchit la porte qui donnait dans la cour et se dirigea vers le logement d'amis. De retour devant la porte d'Araceli, il tenta de tourner la poignée.

« Est-ce qu'on a une clé pour cette porte ? »

Pendant les dix minutes qui suivirent, Maureen et Scott fouillèrent leur maison à la recherche d'une clé supplémentaire ouvrant le logement d'amis. Ils finirent par trouver, dans un tiroir de la buanderie, un sac à sandwich en plastique rempli de clés. Ils se dépêchèrent de retourner à la chambre d'Araceli : aucun des deux n'avait mis le pied dans ce coin fermé de leur propriété depuis quatre ans, depuis qu'Araceli était leur employée. Ils respectaient l'intimité de la Mexicaine et ils comptaient sur elle pour veiller à la propreté du lieu. Ils ouvrirent la porte et pénétrèrent dans un espace plus encombré et plus mystérieux qu'ils ne l'auraient cru. Leur attention fut tout de suite attirée vers le haut par un objet qui pendait au plafond de cet étroit living. Planant au-dessus d'une petite table à dessin et de nombreux croquis scotchés aux murs, ainsi que sur des images découpées dans des magazines, il y avait une sculpture qui se balançait très lentement sous la légère brise chaude filtrant par l'unique fenêtre de la pièce, en partie ouverte.

Maureen recula jusqu'à l'embrasure de la porte pour avoir une vue complète de l'objet. C'était un oiseau de proie constitué d'au moins une centaine de fourchettes, couteaux, et cuillères en plastique jetables, bleues, blanches, rouges, orange et jaunes, que Maureen avait achetées pour les dernières fêtes d'anniversaire. Ces ustensiles avaient été rassemblés pour figurer un oiseau d'environ un mètre de long : les serres étaient faites de pointes de fourchette cassées, et il y avait des dents réalisées par de nombreux couteaux-scies placés côte à côte. Pour le corps et les ailes, elle avait eu recours à deux couches ou plus d'ustensiles. Les parties lisses des ustensiles en plastique étaient recouvertes sans ordre précis par des bouts de vêtements au rebut et de torchons déchirés dont les textures diverses donnaient un aspect très charnu à ce qui était censé représenter justement de la chair et des plumes. Cette sculpture avait l'aspect rude d'un objet formé par une série de collisions violentes et aléatoires – dans une lettre à une amie, Araceli l'avait appelée *El Fénix de la Basura*, le Phénix de l'ordure. Il plaisait à Araceli à la fois par ce qu'il avait de troublant et de détaché du monde, et parce qu'il représentait un commentaire sur la situation qu'elle vivait aux États-Unis. Elle le dépoussiérait une fois par mois, mais, depuis peu, elle songeait à le décrocher car, dans le cercle artistique qui suivait son œuvre et qui n'était composé que d'une seule femme, le Phénix de l'ordure commençait à dater. Maureen examina cette création puis étudia les dessins sur les murs. Il y avait un autoportrait de vingt centimètres par vingt-huit dans lequel Araceli avait agrandi la taille de ses narines et représenté le reste de son visage selon une géométrie abstraite inspirée par Picasso mais à laquelle manquaient le sens de l'équilibre et la composition du maître. Plusieurs esquisses au crayon et au fusain montraient des chaussures et des sandales en train de gravir et de descendre les marches de la station de métro Tacubaya ; les lacets et talons pourrissaient et se fondaient dans des marches de béton couvertes de mousse et dégouttant d'eau. Il y avait aussi un collage de mains découpées dans des magazines empilés sur le plancher : *Mes magazines, ceux que j'avais jetés dans la boîte de recyclage.* Maureen étudia la sculpture pendue au plafond et les dessins, et elle eut l'impression de regarder dans l'esprit d'une femme qui avait subi divers tourments capables de briser un psychisme. *Est-ce la même femme ? Celle qui vit dans ma maison depuis quatre ans, qui nourrit mes enfants et nettoie mes vêtements ? Non. C'est une inconnue. Elle boude en faisant la cuisine pour nous, puis elle s'assoit ici pendant ses heures de loisir et crée des monstruosités avec les fragments brisés et les rebuts de notre maison.* L'esthétique sinistre de l'oiseau fait d'ustensiles, les narines caverneuses, les chaussures fondantes, tout cela suggérait à Maureen la haine de soi et un désir refoulé de destruction. Comprise à la lumière de sa pratique artistique, la nature revêche de l'Araceli de tous les jours se chargeait de sens nouveaux, et cet éclairage soudain, insoupçonné, devenait encore plus inquiétant au vu de ce que Scott venait de déclarer : « J'ai regardé, et il n'y a rien, ici, aucun mot, aucun indice. » Araceli avait conduit les deux garçons quelque part sans dire où elle pouvait être.

En tenant toujours Samantha qui avait tendu le bras pour toucher le mobile, Maureen revint dans la cuisine en se demandant ce qu'ils devaient faire maintenant.

Quarante minutes après le fiasco du feu d'artifice, Brandon et Keenan se trouvaient sur la véranda devant la maison des Luján, au bord de l'avenue Rugby, attirés là, ainsi qu'une bonne partie de la famille Luján et de ses invités, par les cris et les chants scandés en provenance de la rue. Araceli à leur côté, les enfants Torres-Thompson jetaient des regards déconcertés sur une foule d'une centaine de personnes, toutes d'origine latino-américaine, qui s'étaient rassemblées au milieu de la voie sous la lumière vacillante d'un réverbère. Certaines d'entre elles portaient des bouteilles de bière dans des manchons en caoutchouc mousse, d'autres avaient des chaises pliantes, mais elles avaient en commun l'air débraillé, offensé et rougi par le soleil de gens qui trouvent que leur récréation du 4 Juillet a été interrompue prématurément. Ils venaient du parc, ou simplement de leur propre jardin, désorientés par le vide du ciel et le manque de détonations, mais aussi par les sons ordinaires et très déplaisants d'alarmes de voitures, ou des systèmes stéréo des mêmes voitures, ainsi que par les pleurs d'enfants qu'ils avaient laissés sur place à la suite du spectacle tronqué. Le vide créé par l'absence soudaine de bruits d'explosion était comblé par leurs propres voix qui leur disaient de se mettre en colère, de se rappeler où ils habitaient. Ce jour férié était une insulte qui s'ajoutait à toutes les insultes habituelles, quotidiennes, de Huntington Park : l'eau sale qui sortait des robinets, l'agressivité des flics chargés du stationnement et la surprise annuelle de l'augmentation des impôts fonciers. « Ces connards d'incompétents du conseil municipal ! Encore ! *¡ Pinche ciudad de la chingada !* » Et quand, dans le parc, une femme qui se mêlait de tout ce qui ne la regardait pas suggéra que Luján en était responsable, ils partirent en groupe vers sa maison, et d'autres protestataires les rejoignirent en chemin.

Le conseiller Luján fit son apparition sur la véranda, les deux pouces passés dans sa ceinture, et même les gosses, dans la foule, semblèrent pris de rage : leurs voix aiguës ajoutèrent un couinement féminin aux mots d'ordre scandés collectivement.

« *¡ Afuera los Tres ! ¡ Afuera los Tres ! ¡ Afuera los Tres !* »

« Dehors tous les trois ? fit Brandon sans s'adresser à quiconque en particulier. Il s'agit de quoi ?

— Ils veulent dire : dehors mon père, la conseillère María et le conseiller Vicente », dit Lucía qui se tenait derrière lui. Le garçon lui semblant assez intelligent pour comprendre, elle expliqua rapidement la dispute politique qui dressait son père et deux de ses alliés contre un maire corrompu. « Donc, chaque fois que quelque chose dérape, le maire accuse mon père. Et sa grande copine, cette femme à l'arrière, là, réussit à faire sortir toute la racaille du *movimiento* et à nous harceler parce que nous voulons réformer certaines choses. » Là-dessus, Lucía s'avança sur la véranda puis descendit les marches menant à l'allée cimentée qui traversait la pelouse de devant, et en se penchant, hurla : « Rentrez chez vous, pauvres types !

— *¡ Rateros !* répondit quelqu'un dans la foule, lançant ainsi la reprise en chœur de ce mot qui, en espagnol mexicain, signifie « bandit » ou « escroc ». *¡ Rateros ! ¡ Rateros !*

— T'as volé l'argent du feu d'artifice.

— Sors et défends-toi comme un homme, Salomón. On voit bien que tu as dépensé l'argent du feu d'artifice pour ta propre fête. *¡ Ratero !* »

Comme elle avait entendu les explications de Lucía, Araceli parcourut du regard l'arrière du groupe et repéra la Grande Copine du maire, une femme aux cheveux noirs, rigidifiés par la laque comme des poils de raton laveur, et des tempes blanches identiques, en forme d'ailes. Elle avait le teint clair et paraissait petite dans sa grande robe d'été à motif cachemire. Elle avait un téléphone portable à la main – l'instrument, se dit Araceli, par lequel la Grande Copine rassemblait des foules et exprimait sa volonté. Repérant M. Luján sur la véranda, elle le défia d'un long regard plein de suffisance, comme un grand maître d'échecs à moitié fou qui testerait sur son adversaire l'effet d'un coup censé renverser le jeu. Elle finit par hausser rapidement les sourcils comme si elle attendait une réponse de son rival, mais M. Luján resta imperturbable. « *No hay que hacerles caso* », déclara-t-il à sa fille et à tous ceux qui voulaient l'entendre. M. Luján le dit avec une conviction tranquille et une profondeur de pensée qui donnaient l'impression qu'il savait où il en était et quelles choses croire. La Grande Copine recourut alors de nouveau au téléphone pour appeler des troupes supplémentaires. Araceli pouvait voir que la Grande Copine et M. Luján s'affrontaient dans un combat familier, celui qu'on rencontrait aussi, dans leur pays natal, au sein des conseils de village, dans les manifestations des grandes villes, dans les procédures d'enquêtes et dans les tribunaux, entre ceux pour qui l'exercice du pouvoir revenait à se conduire en berger paternaliste à l'égard d'un troupeau stupide et ceux qui rêvaient d'un empire de la raison et de citoyens instruits. Araceli voyait bien que la Grande Copine et le conseiller Luján occupaient des positions antagonistes dans l'histoire du Mexique alors même qu'ils se trouvaient aux États-Unis.

Dans la foule, un homme qui portait une casquette de base-ball à l'envers et un début de barbe s'avança jusqu'au bord du gazon et lança un crachat en direction de Lucía. Le conseiller Luján donna alors de la voix contre le cracheur et fit remonter sa fille sur la véranda pour la mettre à l'abri.

Keenan, qui n'avait jamais vu d'adulte utiliser sa salive comme arme, saisit avec crainte le bras de Brandon. « Qu'est-ce qui se passe ? demanda-t-il à son frère.

— Je crois que c'est des lyncheurs », répondit Brandon avec le détachement amusé d'un anthropologue qui décrit un rite primitif. Curieusement, il se réconfortait en se disant qu'il venait de tomber sur un autre cas où la vie, clairement et manifestement, imitait la littérature. Il avait cru que l'existence de lyncheurs étaient une invention de romanciers et de cinéastes, mais il en avait là devant lui - des gens qui montraient réellement leurs canines et tordaient leur visage dans des expressions qui laissaient présager une vengeance sur le point de s'exécuter. « Je l'ai lu dans des livres. Chez ces lyncheurs-ci, il n'y en a pas qui portent de torches. Mais il faut croire que les torches ne sont pas, disons, obligatoires pour que ce soit une foule de lyncheurs.

— Qu'est-ce qu'ils vont faire ? demanda Keenan. Ils vont nous faire du mal ?

— Eh bien, je ne vois pas qu'ils aient de cailloux, donc ils vont pas nous lapider. Je prédis qu'ils vont se mettre à lancer leurs bouteilles et leurs boîtes de bière. Sauf si la police arrive en premier.

Dans une situation comme ça, c'est bien que la police se montre. On appelle ça "rétablir l'ordre". »

Une ou deux minutes plus tard, deux voitures de police arrivèrent lentement dans la rue, toutes les deux peintes en blanc et marquées du mot *POLICE* en lettres bleu acier penchées, suivi de HUNTINGTON PARK en lettres plus petites et enfin, en encore plus petit, de la devise verbeuse du département de police : NOTRE VOCATION EST DE SERVIR PAR L'EXCELLENCE DANS LA PERFORMANCE. Le commissaire de police Mike Mueller émergea d'un des véhicules, grand, épais, l'air d'être du Midwest, vêtu de bleu marine. Il fit quelques enjambées pour se placer entre les parties en conflit, puis leva les mains comme un officiel faisant une annonce dans un ring de boxe. « Je suis désolé, mais je vais devoir vous rappeler à tous, une fois de plus, que nous avons un nouvel arrêté municipal concernant les soi-disant rassemblements politiques dans des rues résidentielles. »

Gardant les bras levés, il effectua une rotation complète de son torse puissant – c'était sa manière préférée de mettre fin à ces « affrontements mexicains ». « OK, ça va, tout le monde rentre chez soi, maintenant. » La foule obéit, tout comme la famille Luján sur la véranda, jusqu'à ce que Lucía reste toute seule sur les marches et se mette à scander en direction des lyncheurs qui se retiraient :

« *¡ Re-for-ma ! ¡ Re-for-ma ! ¡ Re-for-ma !* »

Brandon se joignit à Lucía d'une voix qui couinait quand il essayait d'être dans le même ton qu'elle. « Ray-for-ma ! Ray-for-ma ! »

Keena se dressa sur la pointe des pieds et donna lui aussi de la voix en s'efforçant de reproduire les sons espagnols comme le faisait son frère. Quand, le dernier lyncheur ayant disparu, ils cessèrent de crier, Keenan se tourna vers son grand frère et lui demanda : « C'est qui, Ray Forma ?

— *No sé* », répondit le garçon.

Maureen et Scott se regardaient, debout dans la cuisine, après avoir bien examiné le lieu de travail principal de leur domestique. Le bol et le verre en plastique non lavés dans l'évier étaient les seuls objets qui n'étaient pas à leur place : la surface des plans de travail en marbre léopard brillait, sans la moindre tache, et même les fenêtres donnaient une impression de propreté impeccable. Cette cuisine parfaite et une production artistique dérangeante étaient l'œuvre de la même Mexicaine, et, face à cette nouvelle preuve de la complexité humaine, Maureen se sentit aveugle et ignorante : *C'était quelqu'un sur qui je ne me posais aucune question, je l'ai laissée se fondre dans le bruit d'ambiance autour de moi.* Ce que Maureen et Scott devaient faire maintenant n'allait nullement de soi, et ils erraient dans la maison en espérant que la sonnerie du téléphone ou du carillon de la porte d'entrée allait les libérer de leur attente. Pour l'instant, il semblait probable, ou au moins plausible, que leurs deux fils et leur domestique apparaissent à la porte d'un moment à l'autre. Ce que Maureen et Scott avaient vécu en tant que parents les portait à croire que toutes les crises avaient une fin et qu'au bout du compte leur foyer retrouvait sa normalité placide. Les fièvres baissaient, on suturait les coupures, on faisait des radiographies, et les médecins déclaraient que les enfants récupéraient bien et qu'ils étaient destinés à vivre en bonne santé. Et une fois que tout était passé, les agréments habituels de la maison – le ronronnement des télés, l'odeur salée du fromage et des préparations de viande en train de cuire dans la cuisine – les confortaient dans leur croyance que leur vigilance et leurs principes de bons parents les protégeraient.

Mais très vite, les heures qui passaient, la maison vide avec tous ses objets, le silence en l'absence des garçons, tout se mit à soumettre leurs propres actions à un jugement insoutenable, à une punition qui s'égrenait lentement. « Où peuvent-ils être ? » demandait Maureen en entrant dans la chambre des garçons et en étudiant les boîtes de plastique modulaires qui contenaient leurs jouets. « Où les a-t-elle emmenés ? » Maureen répéta cette question plusieurs fois à haute voix en passant de la chambre des enfants à la pièce des médias, puis à la cuisine, sans arrêter de porter Samantha sur son épaule et en essayant d'obtenir de sa fille qu'elle fasse la sieste de midi, sieste déjà retardée de deux heures. *Ce n'est plus du tout le bon moment pour qu'elle s'endorme, maintenant. Elle va rester éveillée tard dans la soirée. Elle sent que quelque chose ne va pas : elle sent que ses parents sont en panique.*

Maureen passa en revue ce qu'elle savait d'Araceli, se demandant si elle pouvait trouver un fait ou un nom susceptibles de fournir une réponse ou une piste à la question de savoir où elle avait amené les enfants. La mère de famille qui avait indiqué Araceli à Maureen était en Amérique du Sud depuis trois ans – à présent expatriée, elle travaillait pour une société américaine de São Paulo, au Brésil, et

Maureen n'avait pas son numéro de téléphone. Pour autant qu'elle s'en souvienne, Araceli venait de Mexico. Il lui fallut faire un effort de mémoire pour retrouver son nom de famille : Ramírez – ce que Scott confirma quelques instants plus tard en trouvant dans la chambre d'Araceli un paquet de cartes postales qui lui avaient été adressées et le livret de banque du compte épargne que Scott avait ouvert pour elle quatre ans plus tôt. Le livret indiquait lui aussi Ramírez comme nom de famille, mais l'adresse était la leur. « Nous avons son nom complet, mais c'est tout. Qu'est-ce qu'on sait de plus ? » Maureen n'avait pas la moindre idée du nom des parents d'Araceli. Combien y avait-il d'habitants à Mexico ? Dix millions ? Vingt ? Et combien de Ramírez pouvait-il y avoir dans une telle métropole ? Un nom de famille aussi commun offrait à ces Mexicains une sorte d'anonymat. *Ils s'appellent tous Ramírez, ou García, ou Sanchez.*

« Où va-t-elle le week-end ? demanda Maureen à Scott.

— Je crois qu'elle a parlé de Santa Ana. Je suis presque sûr de l'avoir entendue dire ça, une fois. »

Scott décida d'éplucher les vieilles factures de téléphone et de vérifier les numéros qui ne lui étaient pas familiers. Il ressortit du bureau avec une pile de papiers, se mit à les parcourir et se rendit vite compte qu'il ne trouverait rien. « Je crois que je l'ai vue utiliser une carte ou un truc comme ça pour téléphoner au Mexique, dit-il. Et Santa Ana, c'est un appel local. » Les numéros gratuits donnant accès aux appels longue distance avec une carte n'apparaissaient pas sur les factures, et c'était précisément ce qu'Araceli avait souhaité : elle ne voulait pas devoir d'argent aux Torres-Thompson pour le téléphone, et elle estimait que les détails de sa vie mexicaine ne la concernaient qu'elle : les autres n'avaient pas à les connaître, ni à les examiner, ni à s'en amuser. Araceli était quelqu'un qui était très « jalouse de sa vie privée », comme le disait Maureen à ses amies, et jusqu'à cet instant cela n'avait nullement gêné Maureen parce qu'elle pensait que la réserve de la bonne allait de pair avec le sérieux et l'efficacité de son travail. Pendant l'année précédant l'arrivée d'Araceli, les Torres-Thompson avaient eu une bonne guatémaltèque prénommée Lourdes qui n'arrêtait pas de se lamenter sur la fille qu'elle avait dû laisser dans un endroit appelé Totonicapán, et elle le faisait souvent en pleurant. Après un monologue larmoyant suscité par le spectacle d'enfants de l'âge de sa fille venus fêter le septième anniversaire de Brandon dans le jardin des Torres-Thompson, Maureen avait décidé de se séparer de Lourdes. Ce fut Mme Bizarre, cette femme sans enfant, originaire de Mexico, qui arriva pour prendre sa place. *J'ai laissé cette personne vivre chez moi pendant quatre ans sans avoir une seule conversation substantielle avec elle sur ses origines, ses frères et sœurs, et sur la manière dont elle est arrivée ici. J'ai permis à ce mystère étranger de flotter de chambre en chambre dans ma maison, de se pencher sur l'aspirateur, de jouer des avant-bras en passant le balai-éponge, et toujours avec ce regard qui se perdait si souvent au loin. J'ai laissé cet état de choses durer, et j'ai peut-être mis mes enfants en danger en échange de son poulet en sauce, de l'assaisonnement léger et acidulé de ses haricots noirs, et de notre passion commune pour le pouvoir désinfectant du chlore.*

L'ignorance de Maureen quant à la vie d'Araceli en dehors du Paseo Linda Bonita signifiait qu'elle n'avait aucun renseignement lui permettant de faire la moindre supposition éclairée sur l'endroit où la Mexicaine aurait bien pu conduire Brandon et Keenan. « Où est-elle allée ? Qu'est-ce qu'elle *fait* avec eux ? » Si Scott avait raison, s'ils avaient quitté la maison depuis au moins deux jours, la situation devenait encore plus inexplicable : pourquoi une femme qui avait montré si peu d'intérêt pour ses fils se lancerait-elle brusquement dans une excursion avec eux ? Comme la lumière qui passait à travers les fenêtres avait perdu son éclat blanc et déclinait en se teintant faiblement de jaune, comme les ombres dans le jardin aux succulentes s'allongeaient et que le souvenir et la culpabilité d'avoir elle-même quitté la maison s'affaiblissaient, les pensées de Maureen prirent un tour de plus en plus sombre et soupçonneux jusqu'à ce qu'elle déclare, quelques minutes à peine avant le coucher de soleil :

« Je crois qu'on va devoir appeler la police. »

15

PEU DE TEMPS APRÈS QUE LA BANDE DE LYNCHEURS se fut dispersée, Keenan se mit à sucer son pouce et partit dans le jardin de derrière, où il s'affala dans un fauteuil de jardin. Quand Araceli l'y trouva, elle se rendit compte que ses protégés avaient besoin d'aller se coucher. Elle en parla à Lucía qui proposa sa chambre en disant : « Je vais sortir jusqu'à très tard. » Les garçons pouvaient donc dormir dans son lit et Araceli sur le plancher dans un sac de couchage, dit-elle, et il ne fallut pas longtemps à Brandon et Keenan pour sombrer dans le sommeil sous un poster de Frederick Douglass – un torero espagnol adolescent dont la photo était découpée dans un magazine – et sous le gland orange et argent de la toque que portait Lucía lors de la remise de son diplôme du lycée. Araceli s'endormit vite elle aussi, mais d'abord elle contempla l'image du torero dans la faible lumière que projetait un réverbère à travers les tournesols des rideaux de Lucía, et elle se demanda quel air aurait son *gordito* Felipe dans le pantalon collant d'un torero : comique, sans doute. Elle se demanda aussi s'il avait tenté de lui téléphoner en son absence.

« Mes enfants ont disparu. Mes deux fils.

— Quel est votre nom ?

— Maureen Thompson.

— Et vous êtes leur mère ?

— Oui !

— Vous m'appelez de chez vous ?

— Oui. »

Maureen avait composé le 911 sur le téléphone de la cuisine et avait eu au bout du fil une voix de femme qui, sans émotion, appliquait le protocole des opérateurs du service des urgences et qui, du coup, notait les faits essentiels d'un ton curieusement détaché.

« Ils s'appellent comment ?

— Brandon et Keenan. Torres. Torres-Thompson.

— Ils ont quel âge ?

— Brandon a onze ans. Keenan huit.

— Quand les avez-vous vus pour la dernière fois ?

— Hier, dit rapidement Maureen.

— Hier ? »

Maureen hésita devant le ton étonné de l'opératrice, et dans le bref silence qui suivit elle put entendre une salle pleine de voix en arrière-fond. « Non, non, je veux dire avant-hier.

— Dimanche ?

— Oui, dimanche matin. » Maureen ne pouvait pas se résoudre à dire qu'elle ne les avait pas vus depuis quatre jours. Si elle avait été un peu moins en proie à la panique, elle aurait pu ressentir le besoin de se soulager du poids de toute la vérité dans sa complexité. Mais il lui aurait fallu être dans un état d'esprit très calme et rationnel pour arriver à expliciter à une inconnue les raisons qui poussent une mère et un père à abandonner leurs fils pendant quatre jours, et pour ramener ces raisons à un jardin en train de dépérir et à une dispute dans la salle de séjour. « Mon mari et moi sommes allés dans un hôtel-spa. » Elle leva les yeux vers Scott qui faisait non de la tête, mais cela ne fit que renforcer sa conviction que, si elle prenait le temps d'expliquer leur dispute dans le living et les événements qui s'en étaient suivis, elle ne ferait que ralentir les recherches pour retrouver leurs fils. *Ce n'est pas le moment de réexaminer notre petit incident avec la table basse.* Et qu'est-ce que ça pouvait bien faire, de toute façon ? L'important, c'était de trouver les garçons, de les ramener pour qu'ils aient la protection de cette maison. « Nous les avons laissés avec la bonne. Dimanche. Avec leur nounou. » Il y eut deux petits sons, un avertissement automatique signifiant que la conversation était enregistrée. « Nous lui avons dit que nous serions de retour ce matin, mais nous avons eu un peu de retard. Et nous avons attendu toute la journée qu'elle rentre avec les gosses. Nous ne savons pas où elle est.

— Nous ?

— Mon mari.

— Il est là avec vous ?

— Oui.
— Et il s'appelle ?
— Scott Torres. »

Au centre de communication du service des urgences du comté d'Orange, l'opératrice considéra les options qui s'affichaient sur son écran et selon lesquelles elle devait classer l'urgence des drames – certains banals et d'autres sanglants – qu'on chuchotait ou qu'on hurlait chaque jour dans ses écouteurs. Ayant l'assurance que les deux enfants, dans le cas présent, étaient accompagnés d'un adulte censé les protéger (la nounou) et que le coupable habituel dans les affaires d'enlèvement d'enfants (le père) était à la maison, elle en conclut avec raison que ce n'était sans doute pas un enlèvement dans lequel les enfants couraient un danger imminent mais plutôt une sorte de malentendu familial. La personne qui appelait mentait manifestement à propos du moment où elle avait vu ses fils pour la dernière fois : Elle essaye probablement de nous pousser à agir plus vite, pensa l'opératrice. Elle a sans doute vu ses enfants il y a tout juste quelques heures. L'opératrice 2 du service des urgences, Melinda Nabor, était une mère célibataire mexicano-américaine, et elle avait chez elle deux jeunes garçons dont se chargeait leur grand-mère pendant qu'elle travaillait. D'après son expérience, les parents et les personnes qui s'occupaient de leurs enfants nageaient toujours en plein quiproquo. Le lieu de l'appel qui clignotait sur son écran révélait une adresse dans un des quartiers les plus huppés du comté, et elle s'imagina dire au téléphone : *Ressaisissez-vous, madame. Je suis sûre que votre nounou mexicaine que vous payez si cher a tout bien en main.* Parfois, les opérateurs faisaient ainsi passer des conseils de sagesse à leurs interlocuteurs désorientés, mais l'opératrice Nabor ne s'y autorisait jamais : elle respectait à la lettre les protocoles et les scénarios qui régissaient les échanges téléphoniques, car ils lui procuraient une sensation réconfortante de logique et de professionnalisme, et ils canalisaient des événements de toutes sortes dans une machinerie qui transformait la folie humaine en codes et en « déploiements d'unités d'intervention » à partir des vingt-huit juridictions de police se superposant dans la région dont elle prenait les appels. Dans le cas présent, ce serait le shérif du comté qui interviendrait dans cette communauté si riche qu'elle préférait ne pas avoir de personnalité juridique plutôt que d'être obligée de payer le fonctionnement d'un gouvernement municipal.

« Nous envoyons une voiture de police.

— Merci, dit humblement Maureen.

— Des policiers du comté d'Orange. Ils devraient être là dans peu de temps.

— Merci. »

Le shérif adjoint Ernie Suarez fut frappé par l'absurdité de la scène : une mère aux yeux rougis qui se perdait dans une lamentation de deuil au milieu de son living parfaitement meublé, le père qui tenait le bébé dans ses bras tellement la mère était affolée. « Mes beaux garçons. Je les ai laissés et maintenant ils ont disparu, disait la mère en pleurant. Ils ont disparu ! » Suarez n'était venu qu'une seule fois au domaine des Laguna Rancho Estates, à la suite d'un appel pour une affaire de violence conjugale qui, par pure coïncidence, avait eu lieu dans le même pâté de maisons. Il s'agissait d'un vieux marin qui tapait sur sa femme, une Vietnamienne qui ne pleurait pas et ne hurlait pas qu'elle allait porter plainte, mais qui se contentait de regarder par la fenêtre en direction de l'océan, hébétée, songeant très probablement à l'océan situé de l'autre côté de cet hémisphère arrondi et bleu. Sinon, cette partie de sa zone de surveillance était une zone morte. Il avait l'habitude de rouler dans sa Chevrolet Caprice jusqu'au portail d'entrée, de faire signe au garde et de considérer que les pouces que le garde levait dans sa direction étaient un signal lui permettant de faire un demi-tour accéléré pour redescendre vers la ville et le travail réels.

« Nous les avons laissés avec leur nounou. Avec notre bonne, dit le mari en répétant l'histoire qu'avait racontée la mère avant de se mettre à pleurer.

— Elle s'appelle Araceli, c'est bien ça ? dit le shérif adjoint en regardant son petit carnet.

— Ouais.

— Et le nom de famille ?

— Ramírez.

— Quel âge ?

— Proche de trente ans, je crois.

— Elle vient d'où ?

— Du Mexique.

— Et sa situation au plan de l'immigration ? » Le shérif adjoint Suarez savait qu'il n'était pas censé poser cette question, mais le mot

« immigration » rôdait autour d'eux, dans les refrains des infos télévisées, dans le badinage des gens de la radio : immigration, immigrant, irrégulier, illégal. Dès qu'on entendait « Mexique », on pensait d'abord à l'un de ces mots commençant par « i » et puis à une infraction criminelle. Et quand on entendait un nom espagnol qui se terminait par « z », comme celui de cet adjoint, on pensait aux Mexicains et aux divers règlements fédéraux qu'ils transgressaient quand ils sautaient par-dessus une clôture métallique pour entrer aux États-Unis. À part ce « z », l'adjoint Suarez n'avait pas de lien avec le Mexique, et il ne voyait aucune contradiction entre, d'un côté, l'inquiétude qu'il manifestait de plus en plus vis-à-vis du Mexique et de ces mots commençant par « i » et, de l'autre, l'histoire de sa famille sur la côte du golfe du Texas.

« Je ne sais absolument pas si elle est en situation régulière ou pas.

— Mais vous êtes bien sûr qu'elle vient de là-bas ? Du Mexique ?

— Oui. »

Soucieux, l'adjoint Suarez se mordit les lèvres. Quelques semaines plus tôt, il avait fait le trajet jusqu'à la station de police des frontières, à San Ysidro, pour déjeuner avec un vieux copain également shérif adjoint, et étudier d'un peu plus près la possibilité de prendre un tournant professionnel en passant dans la police fédérale. À la suite de cette conversation, la vision du Mexique qu'avait l'adjoint Suarez s'était fortement dégradée. Jusqu'alors, il avait considéré le boulot de la police des frontières un peu comme courir après des poulets échappés – on raflait des êtres humains dans le désert –, et il avait vu le Mexique comme un endroit pittoresque pour amateurs d'alcools et d'artisanat bon marché. Mais, d'après ce que lui racontait son vieux copain, il y avait, de l'autre côté de la frontière, une armée terroriste qui se renforçait et qui était bourrée du fric provenant de la cocaïne et de la crystal meth. Ces hors-la-loi dominaient la Basse-Californie avec leurs armes automatiques et leur flotte de luxueux 4 × 4 volés à des Californiens respectueux des lois, et ils s'affublaient de surnoms bizarres tels que « Monsieur Trois Lettres » ou « Les Béquilles ». Ils contrôlaient le réseau de passeurs qui faisaient entrer les gens par le désert et parfois même directement par les postes de contrôle, ayant soudoyé certains agents de la police. « On peut le sentir », avait dit son copain. Et le shérif adjoint Suarez était troublé quand il songeait qu'il y avait des endroits où le flot de corruption avait pris de telles proportions qu'il pouvait entraîner même des agents du gouvernement fédéral américain pourtant bien payés. Les gangs de la drogue montaient des réseaux de kidnapping qui piégeaient des médecins, des enseignants et les enfants des riches habitants de Tijuana ; ils torturaient leurs ennemis et jetaient leur corps sur les routes avec un mot attaché au cadavre et, dans la bouche, les doigts qu'on leur avait coupés. « Par ici, il se passe des putains de trucs qui foutent les boules, je te dis que ça. » Le shérif adjoint Suarez était allé à Tijuana enfant, et il se souvenait qu'il tenait sa mère par la main quand elle zigzaguait entre les stands du marché grouillant de monde, tant il craignait de se perdre. Maintenant on avait lâché de nouveaux démons, tout à fait réels, ceux-là, dans cette ville de l'autre côté de la barrière.

« Vous croyez qu'elle pourrait les avoir emmenés au Mexique ? demanda l'adjoint.

— Non, répondit Scott. Non. Je veux dire que non, je ne crois pas. Mais j'en suis pas sûr. Quoi ? Vous croyez, vous, qu'elle pourrait les avoir emmenés au Mexique ? Ça arrive ?

— Eh, ce qui m'étonne, moi, c'est ce qui n'arrive pas. »

Scott le conduisit dans la chambre d'Araceli en pensant que le regard professionnel de l'adjoint verrait peut-être quelque chose que lui ne pouvait pas voir. « Ça, c'est louche », fit l'adjoint à voix haute. Son œil était attiré par une page de magazine découpée et scotchée au mur : on y voyait un tableau peint à l'huile d'une femme couchée à plat ventre sur un lit ; elle avait le visage enveloppé dans un drap blanc et les jambes écartées. Un bébé au visage de femme adulte doté d'un seul sourcil émergeait du vagin de cette femme. L'adjoint Suarez déclara : « Waouh ! ça, c'est un truc de malade ! » et, inconsciemment, il fit un pas en arrière. Il avait réussi à passer quatre ans à l'école secondaire puis deux ans à l'établissement d'enseignement supérieur Rio Hondo sans étudier une seule œuvre d'art moderne. Il appartenait aussi à cette minorité de gens d'ascendance hispanique qui n'avaient jamais entendu parler de Frida Kahlo. *C'est ça qu'ils appellent « pathologique ». Je m'en souviens, c'était dans mon cours de criminologie.* Il regarda ensuite l'autoportrait cubiste d'Araceli et le prit à tort pour un dessin représentant l'un des deux garçons disparus. *Comment est-ce qu'on dit, déjà ? « Démembré. » Le visage est démembré.* Il commença à se demander si les enfants n'étaient pas en train de subir, en quelque lieu caché, des mauvais traitements de la part de cette femme.

Comme il en avait assez vu, l'adjoint quitta la pièce et demanda au père des photos des deux garçons et de la nounou. Scott et Maureen disparurent alors plus loin dans la maison pour aller les chercher. Dès qu'il fut seul, Suarez appela son commissariat. Dans le comté, il y avait deux ou trois cas par an d'enfants enlevés et conduits au Mexique, mais il s'agissait toujours de familles d'immigrés et de disputes familiales. Un cas d'enlèvement transfrontalier dans les Estates et qui, de plus, impliquait une personne qui n'était pas de la famille, voilà une urgence criante. De toute façon, la procédure normale, quand on soupçonnait un cas de maltraitance d'enfant ou une disparition, c'était de parler directement au superviseur des urgences.

« Hé, sergent, je suis là-haut dans les Estates et je crois que l'affaire est sérieuse. J'ai deux gosses portés disparus. Peut-être une situation d'enlèvement.

— Hein ?

— J'ai dit que j'étais devant une situation d'enlèvement d'enfants. Possible. Là-haut dans les Estates.

— Dans les Estates ?

— Ouais.

— Ah, merde.

— Ouais, c'est ce que je dis. J'ai deux gamins des Estates portés disparus. Il semblerait que la nounou les ait emmenés. Peut-être au Mexique.

— Elle les a emmenés au Mexique ?

— Peut-être. J'sais pas. Ça me paraît être une piste à suivre.

— Tu as une demande de rançon ?

— Non. Mais elle n'avait pas non plus la permission de les emmener où que ce soit.

— Ils ont disparu depuis combien de temps ?

— Depuis dimanche, dit l'adjoint, puis en vérifiant ses notes il s'aperçut que les parents lui avaient donné deux dates différentes. Ou alors depuis hier, je suppose.

— Hier ? T'es sûr qu'ils sont pas juste en retard pour rentrer d'un parc d'attractions, Knott's Berry Farm, par exemple ?

— Négatif. »

Un long silence suivit à l'autre bout de la ligne, et l'adjoint Suarez comprenait pourquoi. Entre autres, quand un agent déclarait un enfant disparu, on ouvrait un dossier de maltraitance d'enfant et un système complexe de rapports et de notifications était alors mis en route. Le cas entrait dans une base de données fédérale et les travailleurs sociaux du comté étaient alertés. C'était un grand branle-bas de combat bureaucratique, et si la nounou réapparaissait dans une demi-heure à la porte de la maison, tout ça n'aurait été que de la branlette.

« Bon, c'est ce que tu décides alors, toi qui es sur les lieux ? Deux gamins portés disparus dans les Estates ?

— Oui.

— Quel âge ?

— Huit et onze ans.

— Possible enlèvement vers le Mexique – article 207 ?

— Ouais.

— Merde !

— Ouais, exactement. »

Ensuite, pendant plusieurs heures, l'histoire de la bonne à tout faire mexicaine et des deux garçons disparus d'un des quartiers les plus riches du comté d'Orange gagna en force et en volume dans les flux numériques des infos. Elle était véhiculée avec un amas disparate de faits avérés, de faits douteux et de conjectures. Ça commença par un communiqué de presse du bureau du shérif, communiqué raide et réduit à l'essentiel : « disparition depuis dimanche… âgés de 11 et 8 ans… sous la garde d'une personne de nationalité mexicaine… police des frontières alertée… » Cette information fut transmise à divers organismes de presse par le moyen désespérément archaïque du fax et tomba d'abord entre les mains d'un reporter au siège de l'agence de presse régionale City News Service, boulevard Sunset. Comme il travaillait sans superviseur dans cette société à court d'argent, ce tâcheron de vingt-trois ans téléphona au commissariat du sud du comté à une heure quarante-cinq du matin et réussit à se faire confirmer par l'homme à moitié endormi qui était de garde au téléphone qu'il pourrait bien s'agir d'un enlèvement. « Selon l'adjoint du shérif sur les lieux en première visite, il pourrait s'agir d'un enlèvement vers le Mexique relevant de l'article 207. » Le reporter de CNS, quand il prépara la synthèse de l'actualité de deux heures du matin, classa l'info sous les mots-clés « enlèvement d'enfants – immigrant en situation irrégulière », geste de négligence journalistique qui, deux ans plus tard, allait faire l'objet d'un chapitre entier d'une dissertation doctorale présentée au Département de communication de l'université de Southern California. « Je l'ai réduite à sa partie la plus excitante », déclara l'ancien reporter qui, à présent, étudiait le droit. Le bulletin de City News Service apparut dans une liste de « sujets brûlants » d'actualité diffusée par la vieille méthode filaire du Télétype aux rédacteurs du matin de tous les journaux et stations de TV et de radio de Californie du Sud. Dès six heures du matin – heure avancée du Pacifique –, l'histoire figurait sur les sites web de toutes les stations affiliées à CBS de Los Angeles et de San Diego, ces dernières faisant état d'une « surveillance accrue » à la frontière. Le reportage de la télévision de San Diego, accompagné des premières photos de Brandon et de Keenan diffusées officiellement, retint l'attention de l'éditeur des infos de mi-journée d'un site regroupeur de nouvelles situé à Miami Beach. Il fit de cette histoire son article numéro un avec le gros titre habituel en lettres capitales de trente-six points, comme dans la presse tabloïde. FERMEZ LA FRONTIÈRE ! DRAME DE DEUX GARÇONS DE CALIFORNIE ENLEVÉS PAR ÉTRANGÈRE ! Parcourir le mélange incomparable de commérages de célébrités, d'infos politiques et d'anecdotes bizarres sur les animaux ou sur le temps que diffusait ce site web était une source de plaisir coupable dont on abusait aussi bien dans de minuscules bureaux que sur les ordinateurs portables et Smartphone de tout le pays, et parmi ses fans se trouvaient des millions de mamans américaines dont les enfants étaient sous la garde de femmes prénommées María, Lupe et Soledad.

Le matin qui suivit le 4 Juillet, Brandon et Keenan se rendirent seuls dans la cour derrière la maison des Luján et écoutèrent le toit de la tente claquer sous un coup de vent occasionnel. Ils avaient laissé Araceli dans la chambre de Lucía, où elle ronflait, résorbant le manque de sommeil dû à quatre nuits agitées consécutives. Elle était allongée près d'une table de nuit et d'une lampe à lave que Brandon avait allumée le matin pour lire. Ils avaient doucement contourné leur surveillante temporaire et, dans la maison silencieuse, ils étaient passés devant la porte d'une chambre qui vibrait du ronflement tectonique d'un homme âgé. Ils avaient traversé le séjour où deux gobelets en plastique remplis de mégots trônaient sur la table basse, et ils étaient enfin sortis dans la cour vide. Devant la fosse qui avait servi de foyer, ils se servirent de bouts de bois – des bâtons érodés par les intempéries et fendillés qu'ils avaient trouvés tout près – pour trifouiller les pierres à l'intérieur tout en se demandant s'ils ne risquaient pas de s'attirer des ennuis. Ils découvrirent des bouts de papier alu dispersés et des morceaux de charbon, ainsi que quelques os qu'on avait rongés puis jetés là avant de les recouvrir de cendre et de terre, mais ils ne trouvèrent ni flammes, ni roches en fusion, ni aucune autre source de combustion.

« C'est rien que des cailloux, dit Keenan avant de lever les yeux vers son frère aîné dont il remarqua la déception.

— Peut-être, ou peut-être pas. C'est pas parce que tu vois pas quelque chose que ça signifie qu'il est pas là. »

En se baladant dans le jardin, ils lancèrent des coups de pied aux cylindres de papier qui avaient contenu des pétards et ramassèrent les tiges des fusées à baguettes. Brandon rassembla quelques boîtes de bière éparses, les entassa en pyramides puis les disposa de manière à ériger de petits forts qu'il bombardait avec les enveloppes des pétards brûlés, les faisant ainsi s'écrouler au milieu de bruits métalliques réalistes. Quand ils en eurent assez, ils se laissèrent choir sur les bancs loués pour le pique-nique, faisant reposer leurs coudes et leur tête sur les tables comme des étudiants qui auraient eu du mal à rester éveillés lors d'un cours l'après-midi.

« Je veux aller chez papy, dit Keenan.

— Ouais, moi aussi. »

Keenan se demanda s'il lui servirait à quelque chose de pleurer – même si ce n'étaient pas les braillements spontanés qui lui venaient quand il s'écorchait le coude ou quand son frère le traitait de sale ci ou ça –, d'éclater en sanglots manipulateurs comme le faisait parfois sa petite sœur Samantha, qui pleurait pour un oui ou pour un non et semblait ainsi toujours obtenir ce qu'elle voulait. Il se dit qu'il allait user de cette stratégie avec le premier adulte qu'il verrait, mais il entendit une porte-écran s'ouvrir puis se refermer avec un claquement, et il vit Lucía Luján se précipiter vers lui et vers son frère. Griselda Pulido était sur ses talons, et les deux jeunes femmes portaient des vêtements de soirée chics qui laissaient supposer qu'elles ne s'étaient pas encore couchées. Leur visage était tout éveillé, marqué par d'étranges expressions où se mêlaient l'étonnement, le ravissement et l'inquiétude.

« On vient de vous voir tous les deux à la télé, dit Lucía. Vous êtes portés disparus.

— Quoi ?

— La télé dit que vous êtes des gosses disparus. Aux infos.

— On a disparu ?

— C'est ce qu'ils disent.

— Mais je suis là, moi, dit Brandon. Comment est-ce que je pourrais avoir disparu ? »

Les garçons suivirent Lucía et Griselda dans le living, devant l'écran de télé qui miroitait. Ils furent déçus de voir des images d'un feu de broussailles qui dévorait un flanc de colline. « Eh, vous étiez à l'écran il y a à peine une seconde, dit Lucía qui, prenant la télécommande, se mit à zapper d'une chaîne à l'autre.

— *¿ Qué pasó ?* demanda Araceli en arrivant derrière eux après avoir été réveillée par le bruit des portes.

— On vient de voir les garçons à la télé, dit Griselda.

— *¿ Qué ?*

— Aux infos. »

Plusieurs images et plusieurs voix passèrent en boucle sur l'écran : une starlette blonde, sur un tapis rouge, saluait une foule d'un geste de la main ; les membres de l'équipe de football du Mexique, habillés de vert, saisissaient et serraient dans leurs bras un joueur qui avait marqué un but le soir précédent ; un supermarché aux rayons vides, dont le sol était couvert de cartons et de boîtes en métal et au-dessous duquel apparaissaient les mots TREMBLEMENT DE TERRE DE BARSTOW ; deux présentateurs d'un journal télévisé en espagnol : dans un studio, ils échangeaient des bons mots avec la présentatrice de la météo qui était enceinte, se frottait le ventre et tirait la langue comme dans un dessin animé, ce qui faisait tellement rire les deux hommes qu'ils en envoyaient des claques sur la table.

« Vous deux, je vous ai vus, je le jure, dit Lucía.

— Tu dérailles, répondit Araceli. Tu es comme ce garçon, là, tu t'imagines des choses.

— Ils ont dit qu'ils étaient perdus, affirma Griselda. *Perdidos.*

— Mais on est là !

— Cool ! »

Brusquement, Brandon et Keenan furent à l'écran, et ils avaient de grands sourires. Les imperfections de leurs dents de devant restèrent figées en haute définition pendant plusieurs secondes, ce qui poussa Brandon à porter inconsciemment sa main à sa bouche, puis à la fermer en pensant : *Maman a raison, je vais bientôt avoir besoin d'un appareil dentaire.* Maureen avait récupéré cette image dans son appareil photo numérique environ huit heures auparavant, en présence du premier des nombreux inspecteurs à venir dans sa salle de séjour. C'était un gros plan recadré d'une photo de la fête du huitième anniversaire de Keenan, une image de fin d'après-midi – prise la dernière heure alors que tout le monde était épuisé, parce que, sur les photos prises plus tôt, les enfants portaient des casques en papier mâché – où l'on voyait les garçons debout, se penchant sur le gâteau.

« Ce matin, la police vous demande de l'aider à retrouver ces deux jeunes garçons, les petits Brandon et Keenan Torres-Thompson, des Laguna Rancho Estates, annonçait gravement une voix masculine. Oui, Nancy, voilà deux jours qu'ils ont disparu, et leurs parents se désespèrent de les revoir.

— Oh, mon Dieu, comme ils sont mignons ! » L'écran revint un instant sur le studio où Nancy, la coprésentatrice, avait porté sa main à sa bouche et tordu les sourcils pour faire une grimace dont la mièvrerie était trop théâtrale pour ce sujet, et très vite l'écran passa à une autre image fixe.

« On pense qu'ils sont sous la garde de leur bonne, une immigrante mexicaine du nom d'Araceli Ramírez. » Maureen avait fouillé désespérément pendant trente-cinq minutes dans ses boîtes de photos familiales avant de dénicher une photo où l'on voyait Araceli. C'était une image fugace, prise elle aussi dans la faible lumière d'une fin d'après-midi, mais lors d'une autre fête d'anniversaire de l'année précédente – celle des dix ans de Brandon. Araceli apparaissait peu distinctement à l'arrière-plan d'une photo plus grande qu'on avait redécoupée – mais sur laquelle demeurait cependant l'oreille du sujet de premier plan, à savoir Maureen qui posait dans la partie manquante avec son nouveau-né, Samantha, serré en bandoulière contre sa poitrine. Hors du champ du flash, Araceli se tenait de profil, floue et grise, vêtue de sa *filipina :* traversant la pelouse du fond, elle passait derrière sa patronne en portant un tas d'assiettes sales, comme précédée par les franges qui jaillissaient au-dessus de son front et ressemblaient à des aigrettes. Ce n'était pas une image flatteuse. Détachée de son contexte, elle suggérait, par son flou, quelque chose de furtif chez la personne photographiée, comme si elle était déjà en fuite à ce moment-là. « Il semble que les parents aient laissé les garçons aux soins de la bonne et que celle-ci ait disparu – avec les garçons.

— Elle a disparu avec eux ?

— C'est ce que dit la police.

— Mon Dieu, prions qu'ils ne soient pas en danger.

— Leur maman et leur papa, en tout cas, attendent très impatiemment de les revoir. »

Ainsi se termina le reportage, laissant à Araceli et aux garçons, dans le séjour, la troublante impression qu'ils occupaient les corps et les visages qui venaient juste d'être diffusés via les ondes, les câbles et les antennes paraboliques, dans de nombreuses autres salles de séjour de toute la mégapole. Araceli ne saisissait pas bien le sens de l'expression « disparu avec les garçons », et elle se demandait si « disparaître » avait des connotations aussi mystérieuses et affreuses que *desaparecer.* Puis Lucía articula à voix haute le mot « disparu » et Araceli se rendit compte, à son ton étonné et son air de dégoût retenu, qu'il n'y avait aucune différence.

« Ils disent que tu as disparu avec eux. Que tu les as enlevés. Tu n'avais pas la permission ?

— *¿ Permiso ?* riposta Araceli comme si elle crachait. *Me dejaron sola con dos niños. Me abandonaron.*

— Mais maintenant, ils les cherchent.

— Oui, je sais, dit Araceli en changeant de langue parce que Lucía ne semblait pas bien comprendre. Sauf qu'ils sont partis depuis quatre jours sans jamais rien me dire. J'étais toute seule. »

Griselda prit de nouveau la télécommande et navigua dans tout un bouquet de chaînes jusqu'à ce qu'elle arrive à une image prise depuis un hélicoptère et qui montrait un embouteillage de voitures d'un côté d'une autoroute. Elle s'était arrêtée à cette image à cause des mots au-dessous de l'écran : ENFANTS DISPARUS, et elle augmenta le volume pour mieux saisir l'échange entre un autre présentateur en studio et un homme qui semblait parler depuis l'intérieur d'un mixeur.

« Nous sommes en ligne avec le capitaine Joe McDonnell dans Sky Five volant au-dessus de San Ysidro, juste sur la frontière avec le Mexique... et, waouh ! voyez un peu cette file de voitures.

— C'est exact, Patrick. Il y a une retenue de trois kilomètres, et d'après ce que je peux voir pour l'instant... elle se poursuit bien au-delà de la dernière sortie de San Ysidro. Et tout cela à cause de l'affaire des deux enfants disparus. Ils ont huit ans et onze ans, et il est possible qu'ils aient été enlevés par leur nounou mexicaine. Il semble que la police ait des raisons de croire qu'elle les emmènerait au Mexique.

— C'est exact, Joe. Brandon et Keenan Thompson, du comté d'Orange. Les voici. Et voici leur nounou, Araceli Ramírez. Elle est de là-bas, semblerait-il, à ce qu'on dit, et donc la police vérifie toutes les voitures qui passent la frontière. On peut comprendre. Ils n'ont pas fermé complètement la frontière, n'est-ce pas, capitaine ?

— Non, Patrick. Comme vous pouvez le voir si je zoome dessus... il y a des voitures qui passent au poste de contrôle, mais vraiment à une allure d'escargot. À une allure très ralentie parce que, dans un cas comme celui-ci, c'est-à-dire un cas d'alerte orange impliquant un suspect qui peut être de nationalité mexicaine, ils ne veulent prendre aucun risque. »

L'œil de la caméra fit un nouveau zoom et montra les deux drapeaux - le mexicain et l'américain - aux extrémités opposées d'un bout de route en béton comprenant vingt voies, puis les cabines de contrôle et enfin la longue et sinueuse file de voitures aussi étroitement imbriquées que les pièces d'un puzzle, entassées du côté américain en direction du sud, en train de mijoter à l'arrêt entre le bas-côté et le séparateur central. Et l'on voyait des semi-remorques en forme de parallélépipèdes, des pick-up, des taxis et une voiture remorquant un bateau. La caméra revint ensuite en arrière et montra des lignes parallèles de véhicules qui montaient et viraient vers le nord, vers la silhouette de la ville de San Diego qui se profilait à de nombreux kilomètres, tel un brumeux pays d'Oz. À la fin, l'émission passa à une séquence enregistrée au sol où un agent des douanes américaines, tenant à la main une feuille de papier sur laquelle on avait imprimé les photos de Brandon et de Keenan, regardait à l'intérieur d'un fourgon.

Araceli arracha la télécommande des mains de Lucía et éteignit la télévision, espérant arrêter ainsi la folie de cette machine à illusions, folie qui ne manquerait pas de se propager si elle, Araceli, n'empêchait pas la machine de continuer à diffuser ses images et ses mensonges. *Dans ces infos, je suis une criminelle floue. Des policiers me cherchent, des agents vérifient.* Ils cherchaient les garçons pour les sauver, et ils voulaient aussi trouver Araceli pour l'arrêter. *C'est Maureen qui a fait ça. Parce qu'elle est rentrée et qu'elle n'a pas trouvé les garçons, elle veut me punir d'avoir agi comme si j'étais leur mère, même si je n'ai jamais demandé à être leur mère. Je ne l'ai jamais voulu.* L'instinct qui la poussait à se tenir à l'écart des enfants de ses *jefes* avait été juste, finalement. Elle avait transgressé une limite en se prenant pour celle qui les gardait. Et on allait l'arrêter pour avoir osé sauver ces enfants sans parents en leur épargnant le placement familial.

Et puis elle surprit Griselda et Lucía en train de l'observer intensément. Est-ce que ça pourrait être vrai ? se demandaient-elles. Est-ce qu'il y a une ravisseuse d'enfants parmi nous ?

« *Están locos* », déclara Araceli d'un ton dédaigneux, désignant ainsi tout ensemble les présentateurs et les journalistes, Maureen et Scott et les deux jeunes filles présentes dans la pièce avec leurs doutes. Elle se tourna vers les garçons et le répéta en anglais pour eux qui connaissaient la vérité et qui, espérait-elle, pourraient dire quelque chose pour sa défense. « Ils sont fous. Ils disent que je vous ai kidnappés.

— Je veux rentrer à la maison », dit Keenan. Les nouvelles qu'il venait de regarder à la télévision avaient encore ajouté à son trouble, parce que voir un reportage télévisé qui le déclarait disparu lui donnait l'impression de le pousser un peu plus vers sa disparition réelle. Il ne voulait pas être un « disparu », car cela lui semblait être quelque chose comme être assis dans l'espace blanc d'une autre dimension en attendant d'être réintégré dans le monde du connu et du défini. « Je veux pas être disparu. Je veux rentrer à la maison. »

Être qualifié de « disparu » inquiétait aussi Brandon, mais quand il entendit Keenan gémir et implorer, le grand frère en lui prit le dessus. « On n'a qu'à téléphoner à la maison et leur dire où on est », dit-il. Et sa voix enfla d'avoir découvert une solution rapide et simple à leur dilemme. « Et ils viendront nous chercher !

— Bonne idée, déclara Lucía.

— Dans ce cas, il faut que je m'en aille, dit Griselda. Avant que la police arrive. » Elle lança à Lucía un regard entendu qui se transforma en expression peinée quand elle vit que son amie ne la comprenait pas immédiatement. « Parce qu'ils vont se mettre à poser des questions. »

Lucía tourna ses yeux dans tous les sens, confuse, puis les fixa sur son amie jusqu'à ce qu'elle saisisse. « Ah, oui, c'est vrai. Bien sûr. Il faut que tu t'en ailles.

— Quoi ? fit Araceli soudain irritée par ce mystérieux dialogue entre amies. La police te cherche aussi ? »

Griselda Pulido hocha la tête et déclara sans fard en anglais : « Je n'ai pas de papiers. »

Ça paraissait impossible. Voilà une jeune femme qui parlait de musique et de garçons en anglais, qui avait été manifestement élevée dans la liberté de pensée des écoles américaines – privilège accordé aux filles les plus intelligentes de ce pays – et qui annonçait solennellement qu'elle était sans papiers. Cette position difficile ne cadrait pas avec les fins bracelets d'argent qu'elle portait au poignet, avec son allure assurée et élancée, ou avec sa voix douce et égale, la voix d'une personne qui aime les études. Ça ne s'accordait pas non plus avec le costume de lutin qu'elle avait mis pour la fête, une robe vert épinard bouffante, un caleçon vert forêt et des chaussons d'elfe, l'ensemble suggérant une actrice qui venait de quitter la scène où se jouait *Le Songe d'une nuit d'été*.

« *Pero eres gringa,* dit Araceli.

— Non, pas du tout. Je suis mexicaine.

— *¿ De veras ?* insista Araceli. *Pero ni hablas bien el español.*

— Il est vrai que je pourrais parler l'espagnol un peu mieux », dit Griselda calmement. Et soudain elle rayonna avec toute la confiance de ses cheveux noirs et de sa jeunesse, en même temps que d'une inévitable humilité. « Mais comme je n'ai jamais vraiment vécu au Mexique, ça se comprend. » Après un silence dans lequel elle considéra le paradoxe de son statut, Griselda baissa la voix et ajouta : « Je suis arrivée ici quand j'avais deux ans. Et je ne suis jamais revenue là bas, parce que je n'ai pas le droit. L'université Brown m'avait acceptée de toute façon, mais elle ne pouvait pas me donner de bourse. »

Araceli eut un choc en entendant ces mots. Griselda avait été une sans papiers alors qu'on lui mettait encore des couches ; ce pays lui apparaissait comme un endroit excessivement cruel et froid pour coller un tel étiquetage à un bébé et continuer à le lui imposer même quand elle était devenue une femme anglophone.

Lucía posa une main sur l'épaule de Griselda. « Il vaut mieux que tu t'en ailles, alors. Dès que les garçons téléphoneront, vas-y. » Elle se tourna vers Araceli et lui parla avec une sévérité qu'elle allait regretter plus tard : « Et peut-être tu devrais partir, toi aussi.

— *¿ Qué ?*

— *¿ Tienes documentos ?* » demanda Griselda. Mais elle devina vite la réponse dans le silence soudain et la gêne d'Araceli. Griselda connaissait aussi ce manque de mots : il survenait quand on portait un secret depuis si longtemps qu'on avait oublié qu'on en était le dépositaire ; jusqu'à ce que quelqu'un ou quelque chose nous en rappelle l'existence et qu'en sentant la pression des mots sur notre peau on se rende compte que les mots étaient toujours là.

« Bonjour, papa, dit Brandon au téléphone. On est ici. » Il observa un silence pour écouter la voix de son père. « Ouais, nous venons de nous voir à la télé. Mais je suis pas disparu. Je suis ici. » À présent, il pouvait entendre des cris d'excitation, des adultes en miniature qui fêtaient l'événement dans l'écouteur, qui applaudissaient, clamaient leur joie. « On a mangé des tacos hier soir, poursuivit Brandon. Ils ont fait cuire un cochon. Avec du feu dans la terre. Mais je pense qu'il ne brûle plus... Quoi ? L'adresse ?

— C'est le 2626 rue Rugby, dit Lucía. À Huntington Park. »

Brandon répéta l'adresse à son père. « Ouais, Araceli est ici avec nous. Elle s'est occupée de nous. On a pris un train et aussi des bus. On a vu une rivière, mais il n'y avait pas d'eau dedans. » Brusquement, ses yeux se rétrécirent d'irritation. « Et vous, vous êtes allés où ? Est-ce que maman est là ? » Il écouta la réponse et se tourna vers Keenan. « Il dit que maman ne peut pas parler pour l'instant mais qu'elle va bien. »

Son frère prit le téléphone et déclara tout net à son père qu'il allait bien lui aussi. « Moi aussi, je vous aime », dit-il, et il raccrocha aussitôt parce qu'il pensait que quand on disait « je t'aime » au téléphone ça voulait dire à peu près la même chose qu'au revoir.

Le cliquetis du combiné sur le support donna le signal à Griselda. Elle vint embrasser Lucía sur la joue, puis, sans autre forme de dramatisation, partit calmement vers la porte d'entrée, se retourna, fit un sourire et un au revoir de la main en direction des garçons et d'Araceli, et, en même temps, forma entre ses lèvres le mot espagnol pour « bonne chance ». *Suerte*. La porte-écran se referma derrière Griselda en claquant, et Araceli la regarda par la fenêtre du living traverser la pelouse, arriver sur le trottoir, et, dans ses chaussons et sa grande robe, passer avec légèreté le long des voitures garées et d'autres pelouses – une fée verte sans papiers qui marchait sans inquiétude, qui se fondait dans l'environnement tellement elle semblait ne pas se presser, une Mexicaine-Américaine de plus, une *Mexicana* de plus dans ces rues où ils étaient si nombreux à avoir la même histoire et le même visage qu'elle. C'était ce qu'il fallait faire. Se comporter comme si la ville vous appartenait. Marcher au rythme d'une femme leste qui fait sa promenade quotidienne. *Je pourrais me comporter comme ça, moi aussi, et retraverser la ville inaperçue, peut-être retourner au Mexique après un petit arrêt à la banque pour prendre mon argent.* Araceli aimait l'idée de faire un pied de nez à la police et aux autorités chargées de l'immigration simplement en s'absentant, en refusant de répondre à des questions ou de donner des explications, et ceci bien qu'elle n'ait aucune raison de s'enfuir, aucune raison de se cacher de quiconque – hormis le malencontreux inconvénient d'être de nationalité mexicaine. Plus tard, ils l'arrêteraient et trouveraient la vérité de cette l'histoire. *Mais je ne veux pas être mise en prison, pas même quelques heures.* Au fil des ans, Araceli avait digéré tout un tas d'anecdotes venant de tous les coins des États-Unis, des histoires que lui servaient régulièrement la radio et la télévision de langue espagnole et qui, toutes, donnaient la preuve éclatante que ceux qui arrivaient sans permission de ce côté-ci de la frontière étaient non seulement renvoyés chez eux mais subissaient en même temps une série de punitions humiliantes. Des conditionneurs de viande, des ouvriers du textile, des mères avec leurs bébés dans des langes : Araceli les avait tous vus à la télé, entassés dans des fourgons, dans des cars aux fenêtres grillagées, regroupés dans des camps derrière des clôtures, embarqués dans des avions qui atterrissaient sur les pistes tropicales de San Salvador, de Tegucigalpa et d'autres lieux très éloignés de ces endroits qu'ils appelaient maintenant chez nous – l'Iowa, Chicago, le Massachusetts. *Pobrecitos*. Quand ce genre de saga passait à la télévision, on pouvait s'en distancier en parlant de malchance pour les autres. Araceli était trop occupée pour se faire du souci, et elle acceptait les risques de son choix de vie. Mais maintenant que son nom et son visage étaient venus alimenter ce flot dramatique de personnes recherchées, arrêtées et déportées, elle éprouvait le besoin de résister. *Mes paroles et la vérité de mon histoire ne m'achèteront pas la liberté, pas d'emblée.* Araceli raconterait son histoire en espagnol, et la *señora* Maureen en anglais : pour Araceli, il était évident que les deux langues ne faisaient pas le même poids.

« *Me voy*, déclara Araceli gaiement. Bonne chance, les garçons. Je suis contente que vous ne soyez pas allés en placement familial. Lucía et son père s'occuperont de vous jusqu'à l'arrivée de la police. »

Après être passée dans la chambre de Lucía récupérer le sac à dos qu'elle avait porté, Araceli revint une dernière fois dans le séjour, tapota la tête de Keenan et posa une main sur l'épaule de Brandon.

« Je les laisse avec vous, dit-elle à Lucía et à M. Luján qui venait juste d'entrer dans la pièce. *Cuidenlos, porfis.* »

Araceli prit encore un instant afin d'examiner ceux qui l'entouraient, l'adulte et sa fille – un dernier coup d'œil global comme celui qu'une mère pressée peut donner pour se rassurer avant de laisser ses enfants dans une garderie qu'elle connaît bien. Ensuite, n'oubliant pas que la police était en route, elle s'avança vers la porte d'entrée. « *Adíos, niños* », dit-elle en ajoutant un « restez ici » superflu. Puis elle passa dans le four de la lumière de juillet, descendit les marches de la maison familiale des Luján, traversa la pelouse et le bout de rue où les lyncheurs s'étaient rassemblés la veille, suivant un trajet qui la reconduirait à l'arrêt du bus. De là, elle entreprendrait un voyage vers quelque nouvel endroit inconnu pour elle.

Dans la tribu des adjoints du shérif, des inspecteurs, des travailleurs sociaux et autres fonctionnaires du comté regroupés dans le living des Torres-Thompson, c'était la présence de la représentante du Service de protection de l'enfance du comté d'Orange que Maureen trouvait la plus menaçante. Olivia Garza était une Américaine d'origine mexicaine de cent kilos posés sur une charpente d'un mètre soixante-dix-huit, dont la respiration difficile et les bruyants soupirs d'exaspération meublaient les silences de la pièce. Cette corpulente inconnue avait passé un bon moment à inspecter les photos sur les étagères, et Maureen sentait qu'elle cherchait des indices dans les visages qu'elle voyait là, dans le langage corporel de ses photos de mariage, dans la présentation de ses garçons sur leurs portraits scolaires.

Parmi les membres assemblés de l'équipe d'intervention de l'Enfance en danger, seule Olivia Garza n'éprouvait pas le besoin de cacher son scepticisme. Elle avait un don particulier pour mettre au jour les dysfonctionnements familiaux, et elle était montée dans la hiérarchie depuis son premier poste d'assistante sociale de base. Dans son bureau de Santa Ana, elle avait les dossiers de cent vingt-sept enfants dont les parents ou les tuteurs étaient des héroïnomanes aux yeux cernés, des plombiers amateurs de baston, des soi-disant caïds de coin de rue, et des voleuses à l'étalage – versions *mexicanas* de Scarlett O'Hara – qui attendaient dans un lotissement de Fullerton que leur héros tatoué leur claque la porte au nez. Elle était particulièrement habile pour repérer les manipulations dans les affaires de garde d'enfants, déjouer les histoires à faire dresser les cheveux sur la tête qu'inventaient les mères et les pères sur leur ex-conjoint. Elle avait sauvé des bébés de malnutrition, les enlevant de leur berceau et des sols collants de certains appartements de Santa Ana, et elle avait également coincé des enfants de célébrités de Newport Beach, des garçons de treize ans pris dans des lieux délabrés d'Anaheim où l'on prenait du crack. En somme, *de todo un poco*.

Olivia Garza ne croyait pas qu'une nounou mexicaine s'engagerait avec les deux enfants dont elle s'occupait dans une histoire de kidnapping, surtout avec deux garçons qui avaient l'âge des jeunes Torres-Thompson. Ou plutôt, on ne lui avait pas donné de faits qui lui permettaient de croire à un scénario aussi invraisemblable. Qu'allait-elle faire avec eux ? Les vendre à Tijuana ? En faire ses propres enfants, leur enseigner l'espagnol et les élever dans un minuscule village des montagnes ? Elle n'avait rien dit de tout cela aux autres membres de l'équipe d'intervention. Elle n'en avait pas besoin, parce que les deux inspecteurs envoyés sur place étaient plus ou moins parvenus à la même conclusion, même s'ils faisaient de grands efforts pour montrer de la déférence pour la mère en pleurs et pour le père rongé d'inquiétude.

Après avoir entendu de la bouche du père les grandes lignes de l'affaire, Olivia s'était promenée dans la maison. Trop propre, se disait-elle, trop parfaite. Quand elle regarda dans la Chambre aux mille merveilles, elle ne fut guère impressionnée. Les jouets en surnombre indiquaient une distance, des parents qui remplaçaient la proximité par des objets, même si la présence d'une grande quantité de livres de tailles et de sujets variés était rassurante. Olivia Garza en ramassa quelques-uns et examina les pages écornées d'un roman, puis la couverture usée d'un livre d'images sur les armures médiévales, et elle en conclut : *Ces gosses vont réapparaître avant la fin de la journée.* Si les membres de la troupe d'élite d'Olivia Garza avaient été rassemblés ici en toute hâte, c'était uniquement parce que la famille vivait dans la zone postale où l'on relevait le plus haut revenu par tête de toute la région et parce que les garçons étaient assez photogéniques pour avoir attiré l'attention des reporters massés dehors. *Il y a des choses si évidentes qu'on a envie de les faire sortir comme des crachats.*

Elle rencontra deux inspecteurs qui venaient de rentrer dans la salle de séjour et se tenaient debout près des fenêtres donnant sur le jardin des succulentes.

« Y a-t-il autre chose ici que je devrais voir ?

— Est-ce que vous avez regardé la chambre de la nounou ? C'est une petite maison à l'arrière. »

Ils pénétrèrent dans le logement d'amis qui n'était guère plus petit, à vrai dire, que l'appartement en copropriété de Laguna Beach où Olivia Garza, sans enfants, vivait avec ses deux chats. L'un des inspecteurs leva le bras et tapota le mobile, le regardant tourner et bouger par à-coups.

« Intéressant, fit Olivia Garza.

— C'est de l'art, dit l'inspecteur Harkness.

— Ouais, à ce qu'on dit, ajouta l'inspecteur Blake.

— C'est ce qui a complètement fait flipper notre adjoint quand il est venu ici », déclara l'inspecteur Harkness en agitant sa main en direction des dessins, des collages et du mobile – toutes productions qui ne le dérangeaient nullement.

On avait appelé les membres de l'équipe d'intervention juste avant le lever du jour, on les avait tirés de leur lit, et dans la pleine lumière du milieu de matinée la situation prenait un éclairage très ordinaire que n'avaient pas capté ceux qui avaient été les premiers à réagir le soir précédent.

« Mon hypothèse : la nounou les a amenés à Disneyland ou à un truc analogue, et ils se sont perdus ou ils ont été retardés en rentrant, dit l'inspecteur Blake.

— Ouais, ils sont probablement en train de dormir dans un hôtel quelque part, et ils rêvent à la tarte aux pommes de leur dîner d'hier soir, dit l'inspecteur Harkness.

— Je prédis, après l'alerte à toutes les patrouilles, estima l'inspecteur Blake, qu'ils vont se pointer vers midi.

— Na-an, dit son collègue. Encore avant. Dix heures, dix heures quarante-cinq au plus tard.

— Et vous, Garza, qu'est-ce que vous en pensez ? »

Elle parcourut la pièce du regard, remua les papiers et les enveloppes sur la table qui servait de bureau à Araceli, et finit par dire : « Ces parents m'ont menti, et j'aime pas qu'on me mente.

— Ça fait combien d'années que vous êtes dans le Service de protection de l'enfance ? demanda l'inspecteur Harkness.

— C'est ce que nous faisons, Garza, ajouta l'inspecteur Blake. Nous allons dans des endroits où les gens nous mentent. Alors nous les coinçons dans leurs gros mensonges, ils se sentent mal, ils se mettent à pleurer et ils nous racontent de plus petits mensonges.

— J'aime pas que les gens mentent et m'obligent à sortir du lit de trop bonne heure, dit Olivia Garza. Et j'aime pas qu'on m'oblige à passer devant les équipes de la TV quand j'ai même pas eu le temps de me maquiller.

— Vous voulez dire que vous pouvez être encore plus belle que maintenant ? » Les deux inspecteurs gloussèrent. « Vous êtes drôle, Garza. »

Olivia Garza revint dans le séjour avec sa mauvaise humeur. Elle refusa de s'asseoir sur le canapé ou à la table de la salle à manger, et préféra continuer à arpenter la maison de sa manière délibérément insolente, comme si elle mettait les autres membres de l'équipe au défi de la supporter. Après avoir écouté Scott réciter une fois de plus sans grande conviction l'histoire que Maureen avait d'abord racontée à l'opératrice du numéro d'urgence, elle s'adressa pour la première fois aux parents.

« Vous la payez combien, cette femme ?

— Deux cent cinquante dollars par semaine, dit Scott.

— Au noir, pas vrai ? »

Il n'y eut pas de réponse, mais Olivia Garza se fit plus pressante. « Vous laissez souvent vos gosses seuls avec elle ?

— Non, dit Maureen en brisant un long silence. Nous ne l'avons jamais fait. Avant. On avait quelqu'un d'autre…

— Vous ne l'avez jamais laissée seule avec eux, et puis vous partez pendant deux jours en lui laissant deux garçons ?

— C'est ce qu'ils nous ont dit », lança le représentant du bureau du procureur qui était assis sur le canapé à angle droit de Maureen.

Olivia fit durer le silence pour qu'il souligne ce qu'elle voulait démontrer. Les deux inspecteurs avaient fait la même chose à diverses reprises depuis une heure : ils poussaient l'histoire jusqu'aux endroits où elle ne devenait plus tout à fait crédible, puis ils reculaient parce que le représentant du procureur s'était placé à côté de Scott et de Maureen et que, par les paroles de soutien qu'il répétait en faveur des présumées victimes, il empêchait les inspecteurs de chercher plus loin. Olivia Garza et les policiers se posaient la même question : *Que cachent donc ces gens ?* Quelque chose de petit et d'insignifiant, conclut Garza, un fait qui n'est pas vraiment essentiel pour qu'on retrouve les enfants : quelque sujet de honte familiale, ou un petit acte de délinquance. Probablement, les inspecteurs et elle arriveraient à faire dire la vérité à ce couple si le représentant du procureur n'était pas là à se pencher en avant sur son siège juste au-dessus de l'endroit où se trouvait autrefois la table basse. Il était visiblement trop bien habillé, avec un costume en tissu brillant de chez Brooks Brothers, et il regardait intensément Maureen et Scott. Par son comportement et ses vêtements, il faisait penser à un prêtre catholique soucieux d'avoir l'air d'un cadre d'entreprise.

Ian Goller était en troisième position dans la hiérarchie du bureau du procureur, et il avait officiellement le titre de procureur adjoint senior en charge des opérations, mais de manière non officielle c'était le protégé du procureur, l'exécuteur de ses basses œuvres. Goller avait mobilisé l'équipe d'intervention de l'Enfance en danger à 5 h 25 après avoir regardé les infos du matin en prenant rituellement son café et avoir vu le visage des garçons surgir à côté des mots DISPARITION D'ENFANTS DU COMTÉ D'ORANGE. Ian Goller avait trente-huit ans et, comme Olivia Garza, il vivait seul, même si c'était dans un appartement beaucoup plus spacieux avec vue sur le port de Newport Beach. Il avait alors augmenté le volume et entendu les grandes lignes de l'affaire. En deux profondes inspirations et deux battements de cœur, il avait pressenti quelle grande vague d'indignation populaire une telle affaire pourrait provoquer. Une nounou qui, très probablement, était une immigrante en situation irrégulière, disparaissait avec deux gamins du comté d'Orange qui avaient le look d'Américains parfaits. Ça rendrait les braves électeurs du comté d'Orange plus furieux qu'une dizaine d'homicides dus à des violeurs mexicains ou qu'une vingtaine de conducteurs à l'ivresse meurtrière pourvus de noms hispaniques et dépourvus de permis de conduire. Et puis, en soi, c'était précisément le genre d'affaire à forte visibilité pour laquelle l'équipe de réaction d'urgence avait été créée.

Ian Goller, né dans une banlieue de Fullerton, donc dans le comté d'Orange, aimait raconter que sa ville natale, par ailleurs très ordinaire et sans prétention, avait jadis hébergé l'écrivain de science fiction Philip K. Dick. « Vous connaissez *Blade Runner ?* » Fullerton n'avait rien produit d'autre de grandiose, autant qu'il sache, à part une excellente équipe universitaire de base-ball, et Goller lui-même qui était diplômé de l'université San Diego State et de l'école de droit plutôt moyenne de l'université Chapman. Au bureau du procureur, il faisait de longues journées, contrairement à beaucoup de ses collègues, et il avait réussi à grimper rapidement les échelons depuis son premier poste au tribunal des infractions routières et des conduites en état d'ivresse. Son ascension avait été favorisée par quelques originalités qui, en l'identifiant comme natif du comté d'Orange, en avaient fait un des préférés du procureur, lui-même enfant du comté. Goller laissait encore ses cheveux blonds descendre jusqu'à son col et portait un bracelet de surf hawaïen tressé sur les poignets mousquetaires de ses chemises habillées. Dans sa jeunesse, il avait flirté avec une carrière de surfeur professionnel, ce qui lui avait valu, dans un numéro récent de *California Lawyer*, son portrait sous l'appellation de « procureur surfeur ».

À présent, assis avec ces deux parents dans leur living bien meublé des Laguna Rancho Estates, il voyait bien qu'il se trouvait en présence d'une mère du comté d'Orange tout à fait sérieuse. Il le sentait dans cet air sans poussière, dans la bonne et vivifiante odeur de l'océan proche, dans les microdictionnaires et les balançoires usées ; il le décelait dans la façon qu'avait Maureen de caresser le dos de sa fille comme pour réconforter l'enfant alors qu'elle se réconfortait elle-même. En envisageant le sort des garçons que cette maman du comté d'Orange avait confiés à une nounou mexicaine, Goller voyait tout ce qui était à la fois satisfaisant et frustrant dans sa position de procureur.

Protéger les enfants et pourfendre la maltraitance était la tâche la plus pure qu'un homme de loi puisse entreprendre : les victimes étaient sans péché et les accusés invariablement des ordures manifestes, condamnées par les jurys avec autant de célérité que de plaisir. Dans la nationalité de cette suspecte et son visage cuivré, il lisait cette arithmétique des foules qui, un jour, l'obligerait à abandonner sa profession, car des immigrantes latino-américaines naïves comme elle étaient en train d'engorger les salles d'audience. C'était, pour le fils d'une longue lignée de Démocrates, une prise de conscience difficile à laquelle il n'était parvenu qu'après des années d'observation et malgré ses positions invariablement progressistes sur la plupart des autres sujets, depuis le droit à l'avortement jusqu'à la protection des zones humides locales. Sachant d'une part à quel point les étrangers embouteillaient les graphiques d'évolution et autres tableaux et matrices de son tribunal, et connaissant d'autre part la culture provictime du bureau du procureur avec ses manifestes pour les droits des victimes et pour le respect des procédures, Ian Goller avait sur cette affaire un point de vue qui penchait nettement en faveur de Maureen – même si elle avait relaté les faits avec nervosité et de manière quelque peu incohérente

Ian Goller songea aux enfants de cette femme puis à d'autres enfants qu'il n'avait pas pu sauver, et il baissa la tête pour une prière privée et silencieuse.

Voyant le procureur baisser la tête et joindre soudain les mains sans explication, Maureen sentit sa peur s'accroître encore. Elle ne comprenait pas ce qui motivait les regards intenses du procureur ni l'irritation évidente de la grosse femme qui représentait le Service de protection de l'enfance. *Ce sont ces gens-là qui enlèvent les enfants à leurs parents.* L'arrivée de la Mexicano-Américaine, cette femme obèse avec son gros nez, sa peau rougeoyante au mélange étrange d'indianité et d'ébène, avec surtout son badge d'identité en plastique affichant le sceau du comté, avait autant effrayé Maureen que l'idée que Brandon et Keenan puissent errer quelque part dans la ville. Maureen n'écartait pas l'éventualité que les policiers retrouvent ses enfants, écoutent l'histoire véridique et tout à fait plausible que leur raconterait Araceli et puis décident de lui enlever ses enfants. *Je devrais peut-être leur dire maintenant ce qui s'est réellement passé : que ça fait quatre jours, pas deux, et qu'Araceli ne savait pas que nous partions.* Dans quels ennuis avait-elle plongé sa famille par ce petit mensonge ? Maureen décida alors de révéler la complexité de la situation, de dire qu'elle et Scott avaient eu leur part dans le déroulement des événements, et peut-être cette petite vérité aiderait-elle à lui ramener ses enfants plus vite et assouplirait-elle le masque revêche de la déléguée du Service de protection de l'enfance, la seule autre femme dans la pièce et la seule, parmi ces inconnus, qui semblait flairer l'enchaînement puéril et caché qui les avait tous fait venir ici.

Maureen était sur le point de se lancer dans sa confession quand le téléphone sonna.

Araceli traversa le quartier d'un pas tranquille, passant le long de cactus vieillissants et de rosiers en fleur plantés devant les maisons. Elle dépassa les façades grises, pas encore peintes, de maisons récentes en ciment avec des toits à pignons et des câbles d'alimentation électrique qui pendillaient. Elle dépassa des pick-up décorés d'ailes dorées peintes sur leurs flancs, d'autres pick-up en trois couleurs dont les portes et le capot n'étaient pas assortis, d'autres encore aux couleurs d'équipes de foot mexicaines, puis elle se faufila entre deux d'entre eux après avoir traversé hors des clous la rue California. Malgré son allure délibérément tranquille, elle s'était dit qu'il valait mieux ne pas marcher en ligne droite mais plutôt décrire de grands zigzags à travers la grille que dessinaient ces rues, surtout maintenant qu'un hélicoptère venait d'apparaître au-dessus d'elle.

L'appareil hachait l'air comme une tondeuse dans l'espace au-dessus de la maison des Luján, et il ne fallait pas beaucoup d'imagination pour en déduire que la police était lancée en ce moment dans le « sauvetage » de Brandon et de Keenan. Araceli trouva miraculeux que, dans ce pays, la police puisse surgir du ciel vide en moins de temps qu'il n'en fallait pour franchir cinq pâtés de maisons à pied. Les policiers allaient à présent ramener Brandon et Keenan à la Chambre aux mille merveilles et aux super-héros bidimensionnels de leurs draps de lit. L'hélicoptère était si bruyant qu'il fit sortir dehors quelques personnes qui levèrent les yeux en se demandant ce que cherchait cette machine.

L'hélicoptère se mit ensuite à bouger, à se déplacer en cercles concentriques autour du point où il se tenait auparavant, s'inclinant et décrivant des cercles de plus en plus larges jusqu'à ce que ses pales tournoyantes et son corps vert descendent au-dessus de sa tête à la manière d'une gigantesque libellule mécanique dont le hurlement répété proclamait qu'il y avait crise et urgence. Araceli se mit à presser le pas tandis que d'autres personnes sortaient de chez elles, se postaient sur leur pelouse et tendaient le cou vers le haut. Une voiture qui accélérait leur fit de nouveau baisser les yeux : c'était un véhicule de la police de Huntington Park qui passait en vrombissant avec un sens très masculin du but à atteindre. Araceli s'arrêta sur le trottoir et regarda les gyrophares de la voiture atteindre le bout du pâté de maisons, traverser l'intersection et foncer dans la rue suivante avec un nouveau coup d'accélérateur. *Ils essayent de me faire peur pour que je me montre. Ils croient que s'ils passent ici en vrombissant je vais me mettre à courir et me trahir.*

Elle recommença à marcher, mais elle se rendait compte que, quand elle s'était arrêtée au passage du véhicule de police pour repartir ensuite, elle avait attiré l'attention sur elle.

« Hé, c'est elle ! » cria la voix d'un adolescent debout derrière elle sur le trottoir. Elle poursuivit son chemin sans se retourner. « C'est la femme ! À la télé ! »

Araceli avança encore un peu jusqu'à ce qu'une deuxième voix crie depuis une des portes : « *¡ La secuestradora !* » Se retournant, elle vit une femme qui avait des fossettes sur les joues pointer un doigt vers elle depuis une véranda en ciment. Elle désignait Araceli avec autant de bonheur que si elle avait gratté un ticket d'un jeu de loterie et découvert qu'elle avait gagné vingt dollars. Araceli s'éloigna en trébuchant, pressa encore le pas, effrayée autant par le voyeurisme des gens autour d'elle que par l'idée qu'ils puissent la livrer à la police. « *¡ Es ella ! La vi en el canal 52 ! ¿ A dónde vas ?* » Elle commença à courir à petites foulées en pensant qu'elle serait à l'abri dès qu'en tournant à l'angle elle échapperait à ce pâté de maisons et à son chœur grec de téléspectateurs, à ces gens qui la prenaient pour la ravisseuse des infos, pour une horrible kidnappeuse d'enfants.

« *¡ Córrele !* » cria un homme avec un entrain réservé habituellement aux courses de chevaux et aux rassemblements de troupeaux.

« *¿ Y los niños ?* » implora une voix de femme au moment où elle tournait à l'angle. Araceli fut tentée de se retourner et de dire : *Je ne les ai pas, je ne les ai jamais pris.* Elle parvint à un pâté de maisons où d'étroits bungalows étaient alignés comme des wagons de marchandises en rangées parallèles, et dont les pelouses avaient été transformées par la sécheresse en carrés de poussière plats et vides. Les fils en plastique de guirlandes électriques ondulaient et pendaient des avant-toits, et tous les habitants étaient à l'intérieur, scotchés à leur télé, devinait-elle, regardant sur les écrans la photo floue d'Araceli. Une rue plus loin, elle se trouva sous le tronc énorme, en zinc, d'un pylône électrique : huit lignes attachées à quatre bras s'étiraient comme ceux d'une femme à qui on prendrait les mesures pour une robe. Les lignes dominaient un couloir de terrain vague qui s'étendait sur plusieurs kilomètres à travers des quartiers résidentiels, et les pylônes se succédaient et s'enfonçaient graduellement dans la fournaise à l'ozone de l'heure de midi et sa brume bleu sale avant de disparaître dans le néant. Araceli prit une seconde ou deux pour contempler l'énormité du pylône qui se dressait au-dessus d'elle et mesurer la bizarrerie de cette trouée pratiquée dans le plan quadrillé des habitations. Elle sauta par-dessus la petite clôture proclamant entrée interdite et se mit à avancer sous les lignes électriques en pensant qu'il n'y aurait pas de téléspectateurs trop curieux pour l'embêter dans ce parcours, et en se disant aussi qu'elle pourrait peut-être suivre ces lignes vers le nord jusqu'au cœur désert de la métropole où elle s'abriterait dans des bâtiments d'usine et des entrepôts. Ses jambes peinaient sur le sol irrégulier, couvert de mauvaises herbes : elle entrait dans une sorte de friche urbaine, une pépinière de plantes bizarres qui surgissaient à travers la moutarde sauvage. Un cyprès dont la voûte avait la forme d'une grande aile. Des rosiers maladifs sans bourgeons. Des fraisiers qui s'accrochaient à un coin de terreau. De jeunes bambous et un palmier rabougri dont les feuilles minces jaillissaient du tronc comme une fontaine, et puis le bouquet, grand et large, d'un figuier de Barbarie. Elle était tombée sur le dépotoir des jardins de Californie, l'endroit où les jeunes plants d'espèces rejetées et abandonnées venaient enfoncer leurs racines dans le sol desséché. Si elle n'avait pas été en train de fuir, elle aurait pu s'arrêter pour admirer ce paysage un peu monstrueux, et elle aurait aussi pu remarquer au loin un groupe de caméras et de projecteurs.

Au lieu de cela, ce fut l'équipe du film qui la vit la première lorsque, à quelque huit cents mètres au nord, un chef opérateur estonien regarda dans le viseur de sa caméra. Araceli était loin, sous le deuxième pylône, et elle avançait en trébuchant dans les vagues dansantes de la chaleur montante, levant les jambes au-dessus de la terre envahie d'herbes comme une femme traversant des congères.

« Il y a quelqu'un dans mon champ, dit le chef opérateur, le cou baissé et l'œil rivé au viseur. Il arrive dans le champ.

— Encore ? fit le réalisateur. Où ça ? »

À peu près une dizaine de membres de la petite équipe du film se mirent à plisser les yeux en direction de l'horizon. Ils étaient en train de filmer l'épilogue d'une production indépendante pourvue d'un modeste budget de 3,1 millions de dollars, et ils avaient déjà eu à subir l'apparition des hélicoptères qui rendaient fou le responsable du son. À la demande du réalisateur, le chef opérateur avait filmé pendant deux minutes et quarante-cinq secondes les cercles que décrivait l'hélicoptère, et il avait pris plusieurs vues de leur acteur principal en train de lever la tête vers les machines qui tournoyaient au-dessus des câbles électriques, car l'appréhension et la curiosité qui se peignaient alors sur son visage tanné étaient tout à fait en accord avec les thèmes du scénario. Des pylônes électriques apparaissaient à la fin de chacun des trois actes du film, et le chef opérateur avait filmé d'autres pylônes et d'autres câbles dans les montagnes de San Bernardino, puis dans une plaine couverte d'amarantes à l'extérieur de Henderson au Nevada, ainsi que dans les prairies nationales de Cimarron au Kansas. Le tournage de Huntington Park était destiné à l'épilogue ; les pylônes et le couloir de terrain vague avec ses mauvaises herbes au pied des acteurs devaient symboliser l'échec de la recherche de soi du protagoniste dans les casinos de Las Vegas et dans une ville du Kansas où l'on conditionnait de la viande de bœuf.

« Je t'ai dit que ces sites de l'Eastside étaient emmerdants, dit le chef machiniste. Je te l'ai dit. » La plupart des habitants du coin s'étaient tenus tranquilles : ils étaient habitués à être embêtés par des équipes de cinéma attirées par cette toile de fond épique et sinistre, et seule l'apparition d'un acteur de tout premier plan ou d'une vedette de la télévision mexicaine pouvait les enthousiasmer. Toutes les quelques minutes, en revanche, arrivait un sans-abri hirsute ou un membre de gang violent sur son vélo, des gens qui n'avaient pas lu la lettre disant : *Désolés pour la gêne occasionnée. Nous apportons un peu de Hollywood dans votre quartier.*

« Maintenant, je le vois, dit le réalisateur.

— Tu *la* vois. C'est une femme. »

À cet instant, un hélicoptère descendit rapidement et tout près de la ligne à haute tension tandis qu'une voiture de police émergeait avec un crissement de pneus dans l'une des rues qui traversait le couloir. Deux agents sautèrent du véhicule, et la silhouette féminine commença à courir vers l'équipe de tournage.

« Waouh, ils lui courent après !

— Ils ont sorti leurs bâtons.

— C'est pour de vrai ?

— Des matraques. Ça s'appelle des matraques, pas des bâtons.

— Faut filmer ça ! hurla le réalisateur au chef opérateur. Il appela l'acteur principal, jeune homme intelligent et prometteur qui, par sa présence, assurait le financement du film. C'était un Australien de vingt-quatre ans avec une barbe châtain peu fournie assortie à ses yeux et un côté Monsieur tout-le-monde à la Gary Cooper qui proclamait qu'il était destiné à la grandeur des productions à gros budget. « Dans ton personnage, dit le réalisateur. Reste dans ton personnage. » L'acteur prit une bonne respiration et un petit moment pour se rappeler ce qu'il avait appris sur l'improvisation en cours d'art dramatique, et il laissa tomber ses bras des deux côtés de son corps. Il détendit les muscles de son visage pour avoir un air d'authentique perplexité et de supplication muette filmé de profil pendant qu'il regardait la course-poursuite qui se dirigeait maintenant vers lui : une Mexicaine traînant un nuage de poussière et deux hommes en noir courant derrière elle. Ce spectacle était à présent à une centaine de mètres.

« Ils vont lui taper dessus, dit un des membres de l'équipe en haletant. Ils vont en faire de la chair à pâté.

— Fais un pas vers eux, juste un pas. »

L'acteur avança avec hésitation vers la femme qui courait comme s'il voulait l'aider sans être certain de pouvoir le faire.

« Bien. Maintenant un de plus. Juste un. On est encore en train de le prendre ?

— Oui, je suis sur une minuscule ouverture de diaphragme, dit le chef opérateur. La profondeur de champ est magnifique.

— Superbe. »

Quelques semaines plus tard, dans la salle de montage, le réalisateur et son monteur allaient incorporer environ soixante-quinze secondes de cette séquence dans la version finale du film. Araceli ne vit jamais la caméra, l'acteur ou l'équipe du film. Elle se concentrait sur les hommes qui la poursuivaient et sur l'espoir de leur échapper. Ils étaient venus pour l'attraper et lui attacher les mains avec des cordes en plastique, mais elle se trouva encore à réprimer un rire tandis qu'elle courait – même quand des ronces lui écorchèrent les chevilles – parce qu'il y avait quelque chose d'un jeu d'écolier dans le fait qu'elle soit ainsi pourchassée. *Il y a d'autres façons plus faciles de retourner au Mexique. Ils vont m'attraper et me traîner sur le sol comme un veau dans un rodéo, et puis ils me mettront en cage. Il nous faut endurer ces rituels d'humiliation : c'est notre gloire de Mexicains d'être poursuivis et appréhendés dans des lieux publics pour que les spectateurs puissent bien voir.*

Si vous me laissez partir, señores, *je marcherai tout simplement jusqu'à la gare routière, j'achèterai un billet et je rentrerai dans mon pays.* No les molesto más.

Au début, ils étaient loin derrière elle, et pendant un moment elle se laissa aller à croire que si elle réussissait à atteindre la rue suivante, ou si elle parvenait à se glisser dans une allée ou un jardin à l'arrière d'une maison, elle pourrait leur échapper et trouver son propre chemin pour repartir chez elle. Mais elle n'était pas forte à la course à pied. Le premier policier réduisit vite l'écart par un sprint empreint de la volonté féroce d'un homme entre deux âges qui étonna et effraya Araceli, car il avait le visage qui s'empourprait tandis que la sueur jaillissait de sa figure et de sa poitrine. Quand il l'atteignit, il courait encore beaucoup trop vite et trébucha sur elle en essayant de l'arrêter ; son corps écrasa celui d'Araceli lorsqu'ils tombèrent par terre, et ils eurent tous les deux la bouche pleine de terre et d'herbes gluantes.

Livre trois

Circus Californianus

« J'allais reprendre mes vilaines manières... Et d'abord m'employer à voler Jim, à l'arracher à l'esclavage une fois de plus... »

Mark Twain, *Huckleberry Finn*

16

PENDANT SES DEUX PREMIÈRES HEURES de garde à vue, Araceli refusa de parler. Elle ne se plaignit pas d'avoir été couverte de poussière par le policier qui l'avait maladroitement heurtée et plaquée au sol, de même qu'elle ne répliqua pas aux sarcasmes du deuxième agent qui, en la menant vers le véhicule de police, lui disait : « Alors, on va rentrer au Mé-chi-coo, c'est bye-bye pour toi. » Elle ne dit rien non plus lorsqu'ils passèrent devant l'attroupement de résidents qui répétaient en chuchotant les accusations entendues dans les émissions télévisées en langue espagnole : *la secuestradora*. Elle résista à la tentation de riposter à l'un des membres les plus ignares de la foule qui lui avait craché en anglais : « Alors, salope, qu'est-ce que tu leur as fait, à ces gosses ? » Elle se contenta de lever brièvement les yeux dans la lumière aveuglante de midi en direction de la flotte des hélicoptères de télévision qui s'étaient joints à ceux de la police et tournoyaient comme dans une ronde de hyènes des airs. Puis de jeter un coup d'œil à l'attroupement où elle reconnut un ou deux visages de la bande de lyncheurs qui s'étaient rassemblés devant la demeure des Luján la veille au soir : ils la regardaient avec ce mélange de fascination morbide et de pitié superficielle que montre un groupe de *chilangos* en découvrant un cadavre sur un trottoir, et elle pensa à toutes les choses sarcastiques qu'elle pourrait dire si elle en avait le courage. *Regardez, surtout regardez bien parce que l'un de vous pourrait être le prochain.* Mais elle ne dit évidemment rien, et elle s'en tint encore à son rôle de muette quand un deuxième groupe de policiers prit ses empreintes digitales et la conduisit à une cellule de détention provisoire du commissariat de Huntington Park. Elle ne parla pas davantage quand une troisième équipe la mit dans une voiture et qu'ils roulèrent à travers de nombreuses villes de banlieue, sur des autoroutes et des échangeurs, dans un air urbain rendu lourd et opaque par la brume grise et la fumée que crachait un feu de broussailles lointain mais massif. Lorsqu'elle se retrouva dans une autre cellule de détention, dans un commissariat appelé South County Operations, elle se dit qu'elle garderait le silence jusqu'à ce qu'on la conduise de l'autre côté de la frontière ou jusqu'à ce qu'elle atterrisse à l'aéroport de Mexico. *Bien évidemment, je préférerais rentrer en avion.* Elle regarderait depuis le ciel la route qu'elle avait suivie pour venir dans ce pays, mais en sens inverse : les autoroutes américaines, les passages dans le désert, les villes de l'État de Sonora, les routes à péage dans des paysages arides parsemés de chênes et de murs en pisé où l'on avait peint les slogans de candidats à la présidence, et enfin cette ultime métropole qui s'étend comme un labyrinthe pour souris, dont elle disait jadis « C'est chez moi » – chose qu'elle redirait bientôt –, cette ville de musées, de galeries et de monuments que Griselda voulait aller voir mais ne pouvait pas.

Ils la menèrent dans une salle d'interrogatoire et lui dirent de s'asseoir. Elle commença à se demander ce qu'elle allait dire à sa mère quand elles se reverraient et combien de temps il faudrait avant qu'elle se retrouve à travailler de nouveau dans cette cuisine exiguë avec la vieille dame. Elle s'inquiéta de savoir s'il y avait encore un moyen pour elle de récupérer l'argent qu'elle avait dans la banque à Santa Ana. Quand elle avait mis cet argent de côté, elle avait agi comme une « mauvaise fille », mais maintenant il allait peut-être la libérer de la cuisine de sa mère et lui ouvrir une voie vers une autre version mexicaine d'elle-même, plus radicale. Une femme pouvait faire plein de choses rebelles, au Mexique, si elle ne se souciait pas du qu'en-dira-t-on. Il y avait des endroits où se réunissait la bohème et où l'esprit de liberté était bienvenu : Huatulco et les hippies de la côte d'Oaxaca, Palenque et les chamans brûleurs d'encens de Veracruz.

Trois hommes entrèrent alors dans la pièce : un policier avec un badge en cuivre et un uniforme en laine ; un inspecteur de police d'environ cinquante ans, en pantalon habillé gris, dont émanait un air d'ennui et de je-m'en-foutisme ; un homme d'à peu près trente-cinq ans, aux vêtements recherchés, dont le visage étroit émergeait comme un tronc d'arbre de son col de chemise raide et dont les cheveux blonds balayaient le haut du crâne comme une vague dorée gelée à mi-hauteur. Le troisième était le seul des trois à ne pas transpirer, et il prit un siège à la table où Araceli était déjà assise. L'inspecteur plus âgé se serra près de lui mais, après deux ou trois collisions de coudes, il fut évident que la pièce était trop petite pour qu'ils y tiennent tous. Elle avait à peu près la taille du dressing de la chambre des parents du Paseo Linda Bonita, et les trois hommes se cognèrent les épaules et la poitrine quand ils tentèrent de s'asseoir en même temps sur les chaises vides, tant et si bien que le policier en uniforme finit par se lever et se mettre dans l'embrasure de la porte restée ouverte.

« Mais bon sang, dit le jeune inspecteur en costume, on n'aurait pas pu trouver un endroit plus grand ?

— Le budget, répondit l'homme au pantalon gris. On a demandé des salles supplémentaires. Du coup, ils ont pris celles qu'on avait déjà et ils les ont coupées en deux. » En s'installant sur sa chaise, il se présenta : « Inspecteur Mike Blake », et il indiqua que l'homme jeune, en costume, était le procureur adjoint Ian Goller.

« Et votre nom, d'après la carte que nous avons ici, c'est Araceli N. Ramírez », ajouta l'inspecteur d'un ton fatigué et affable qui surprit Araceli. Il posa une enveloppe havane sur la table, en retira la carte d'électrice d'Araceli et l'examina comme s'il tentait de déchiffrer le sens des mots « Instituto Mexicano Electoral » qui entouraient un aigle agrippant un serpent dans ses serres. « Intéressant. Je suppose que vous avez besoin de ça pour voter au Mexique. »

Araceli resta sans rien dire, se souvenant du petit discours que lui avait tenu l'agent qui l'avait placée dans le véhicule de police – discours qu'il avait lu en espagnol sur une carte qu'il avait extraite de la poche arrière de son pantalon : *Usted tiene el derecho a guardar silencio.*

Voilà encore une chose que j'aime vraiment dans ce pays, se dit-elle. Le droit de garder ses lèvres aussi étroitement closes que celles d'une chaste nonne dans un couvent est garanti par leur Constitution, et il n'y a pas de policier ou de juge qui puisse vous obliger à ouvrir la bouche.

« Vous avez déjeuné ? lui demanda l'inspecteur Blake. Parce que je peux vous faire porter quelque chose à manger. Mais il faut que vous vous mettiez à me parler.

— Ou bien on peut vous renvoyer dans votre cellule sans déjeuner, dit Goller.

— Voyons, je suis sûr qu'il s'agit juste d'un malentendu. Pas vrai ? fit l'inspecteur Blake. Expliquez-le-nous. »

Araceli les regarda fermement dans leurs yeux d'anglophones et se demanda si elle devait leur faire confiance.

« Écoutez, on sait que vous parlez parfaitement anglais », dit brusquement le représentant du bureau du procureur. Ian Goller avait eu ce renseignement essentiel de la bouche de Maureen au Paseo Linda Bonita, et il pensait à présent qu'Araceli essayait délibérément de faire croire qu'elle ne les comprenait pas, ce qui ne faisait que le contrarier davantage. C'était un comportement qu'il avait souvent rencontré : des étrangers soupçonnés de crimes et qui croyaient qu'en ne parlant pas anglais leur langue les mettait aussi à l'abri de dire la vérité. « Alors, pourquoi est-ce que vous vous êtes enfuie ? »

Araceli faillit répondre à cette question à cause de son évidente stupidité. Pourquoi le lapin fuit-il le renard ? avait-elle envie de dire. Pourquoi la poule fuit-elle la femme qui tient le couteau ? Au lieu de quoi elle fronça les sourcils et renvoya un regard furieux qui imitait plus ou moins bien celui d'un instituteur mexicain mécontent.

« Vous voulez retourner en cellule ? aboya Goller. On va vous y renvoyer tout de suite. Sans déjeuner. Sauf si vous nous dites ce que vous aviez en tête. Pourquoi avez-vous emmené les deux garçons faire cette virée ? Dans quel but ? Où êtes-vous allés ? » Il y avait une éternité qu'Ian Goller ne s'était plus retrouvé assis en face d'un suspect non inculpé – il s'occupait maintenant presque exclusivement d'administratif – et il était en train de retomber très vite dans une des mauvaises habitudes de ses débuts d'accusateur : il perdait son détachement professionnel. « Voilà comment je vois les choses : vous avez emmené ces enfants sans autorisation dans une partie dangereuse de la ville. Vous avez laissé ces deux excellents parents se faire un sang d'encre à la maison sans leur donner le moindre indice sur l'endroit où vous étiez. » L'inspecteur assis près de lui semblait s'irriter, mais Goller ne le remarquait pas et n'aurait d'ailleurs pas agi différemment s'il l'avait remarqué. « Vous n'aviez jamais montré le moindre intérêt pour le bien-être de ces garçons, et soudain, dès que vous êtes seule avec eux, vous filez. Pourquoi ? »

Le procureur adjoint n'avait pas bien mesuré l'ahurissement qui venait brusquement de se peindre sur le visage d'Araceli, mais l'inspecteur, lui, en avait pris note. L'inspecteur Blake décida alors de tenter de reprendre le contrôle de l'interrogatoire. Mais avant qu'il intervienne, Goller lâcha : « Qu'est-ce que vous avez cru ? Que vous étiez leur mère ? Ou bien cherchiez-vous à obtenir de l'argent ? Parce que, manifestement, vous n'étiez pas assez payée pour tout le travail que vous faisiez. C'est ça ? Donc, vous vouliez davantage d'argent. »

Araceli prit quelques secondes pour digérer ces insinuations et pour étudier l'homme qui les lançait. Elle était frappée par l'indignation venimeuse de la vision que ce procureur adjoint avait d'elle. Il semblait croire qu'elle était dénuée de toute moralité humaine fondamentale et d'intelligence ; en même temps, il l'estimait capable de ruse criminelle élaborée. Certains hommes arriérés, au Mexique, avaient une vision semblable de toutes les femmes, et un instant Araceli se rappela quelques rencontres particulièrement affreuses qu'elle avait faites jadis. « Vous ne supportiez tout simplement pas de travailler pour cette famille », ajouta Ian Goller. Puis il se laissa choir sur sa chaise et inclina son corps en arrière avec la satisfaction de celui qui vient de tout résoudre, sauf qu'il heurta la mince cloison en se penchant et fit trembler ainsi la petite pièce. « Ils vous font confiance en vous laissant leurs enfants et vous voulez les faire souffrir ? Je ne comprends pas. Ou alors c'est que vous êtes totalement irresponsable ? » Araceli tenta de voir les événements de la semaine passée comme les imaginait ce gentleman si élégamment habillé et si bien coiffé. Elle forma une image mentale où elle se voyait emmener Brandon et Keenan dans une banque et les échanger contre leur pesant d'or ; ou bien chez un moustachu qui achetait des enfants volés contre un tas de pesos. Dans la vision du procureur, Araceli pratiquait ce genre de chose ; en revanche, Maureen et Scott étaient des parents qui lui avaient dûment confié Brandon et Keenan et leur avaient peut-être même donné des baisers d'adieu en les laissant à ses soins. Face à ces idées absurdes et au dégoût grandissant qui se peignait sur le visage du procureur, Araceli sentit sa bouche exploser brusquement en un éclat de rire énorme et prolongé – ce qu'on appelle en espagnol une *carcajada* et qui, par onomatopée, suggère un caquètement d'oiseau. Le rire d'Araceli, cependant, était plus profondément un son de mammifère qui naissait au-dessous de l'œsophage et elle l'avait associé, dans sa jeunesse, à certains marchands ambulants de Nezahualcóyotl particulièrement méchants ainsi qu'à sa propre grand-mère qui venait de l'État d'Hidalgo. Avec ce rire, elle sentit s'alléger le poids des tensions de la journée, et son soulagement donna un nouvel élan à son hilarité. Elle se pencha en avant sur sa chaise dans un authentique éclat de gaieté, montrant aux trois hommes les dents souriantes qui, longtemps auparavant, avaient séduit Sasha « Big Man » Avakian. Elle continua à rire quand ses yeux rencontrèrent ceux de l'inspecteur et du policier qui, tous deux, étiraient leurs lèvres en un sourire subtil laissant entendre qu'eux aussi avaient saisi la plaisanterie. Pendant trente secondes au total, son rire rebondit sur la table en acier et contre le verre du miroir sans tain qui dominait la pièce, jusqu'à ce qu'elle finisse par s'arrêter et pousser un demi-soupir de satisfaction.

L'inspecteur pensa : *Ce rire-là n'est en aucun cas celui d'une coupable.*

Le policier souleva le gilet pare-balles en Kevlar sous son uniforme et conclut : *Na-an, cette femme ne kidnappe pas des gosses. Dommage qu'on soit obligé de la remettre au service d'immigration.*

Le procureur adjoint eut la réaction exactement inverse : *C'est pratiquement un aveu de culpabilité. Par son rire agressif, elle se moque de nous et nous provoque.*

« Je les emmenais chez leur grand-père ! cria soudain Araceli à tue-tête et en anglais. Parce que ces gens, là, que vous avez fait passer à la télé, la mère et le père, *los responsables*, m'ont laissée seule avec Brandon et Keenan pendant quatre jours ! *¡ Sola !* Depuis samedi matin ! J'avais plus rien à leur donner à manger.

— Ils nous ont dit qu'ils étaient partis pendant deux jours, dit l'inspecteur.

— *¡ Mentira !*

— Ça veut dire « mensonge » en espagnol, dit le policier dans l'embrasure de la porte. D'après son badge, il s'appelait CASTILLO.

— Quand vous parlez du grand-père, vous voulez dire qui ?

— *El abuelo* Torres.

— John Torres ?

— Oui.

— C'est lui, là ? demanda l'inspecteur en montrant la photo en noir et blanc d'*el abuelo* qu'Araceli avait laissée dans son sac à dos.

— *Sí*. Oui, je veux dire. C'est lui. »

En un rien de temps, l'inspecteur reconstitua l'histoire d'Araceli : la bagarre entre Maureen et Scott, la table cassée, le voyage malavisé d'Araceli au centre de Los Angeles, et enfin Huntington Park et sa fuite quand elle s'était vue aux informations. « Je vois la télévision dire que je suis une kidnappeuse. À quoi je pense ? dit-elle. C'est pour ça que j'ai couru. Aussi vite que je pouvais, mais c'est pas très rapide, je suis désolée. » Goller garda le silence, apparemment décontenancé par la salve soudaine de questions lancées par l'inspecteur et par les réponses sans hésitation d'Araceli.

« Je voulais pas voir Brandon et Keenan dans le Faster Care, ajouta Araceli.

— Quoi ? fit l'inspecteur.

— Dans le Faster Care. *Porque no estaban sus padres.* Parce qu'ils n'avaient pas de parents ! Je voulais pas qu'ils y aillent.

— Qu'ils aillent où ?

— Au Faster Care.

— Elle veut dire *Foster* Care, intervint le policier Castillo depuis la porte. Pas Faster, ajouta-t-il en levant les yeux au ciel. Foster ! »

L'inspecteur Blake examina la vieille photo et l'adresse gribouillée au dos, puis il s'affala sur sa chaise, exaspéré par la petite comédie dans laquelle on l'avait attiré. Un mois après que son chemin avait croisé celui d'un réseau de trafiquants d'enfants taïwanais et d'une grand-mère droguée à la méthamphétamine qui faisait régner la discipline avec une cigarette allumée, puis après trois voyages en compagnie d'enfants d'âge préscolaire dans des services d'urgence pour les faire examiner et photographier afin d'accomplir cette tâche sinistre et perverse qui consiste à recueillir des preuves, il était plus irrité que soulagé par l'innocente stupidité de ce cas. Et s'il n'y avait pas de crime, ici, sur lequel enquêter, d'autres l'attendaient ailleurs. *Aux conneries succède la vraie merde – ça marche toujours comme ça.* Quelques secondes plus tard, il se leva et quitta la salle d'interrogatoire suivi par le procureur adjoint. Ils se lancèrent alors dans un débat qui dura pendant les vingt minutes qu'il leur fallut pour rouler jusqu'au Paseo Linda Bonita.

L'officier de police Castillo conduisit Araceli à la cellule de détention provisoire où elle eut trois heures de solitude pour étudier les œuvres d'art sur les murs ; celles-ci consistaient en cinq représentations d'une licorne aux pattes renflées, trois crucifix aux extrémités en pointe de flèche et enfin un bourgeon de rose exquis. Elles étaient toutes dessinées au crayon et leurs lignes s'étaient presque effacées pour former des images fantômes dans un brouillard de peinture d'un jaune brillant, résistante à l'eau. Elle se dit qu'elle pourrait demander à l'un des gardes de lui prêter un instrument pour écrire, car lorsqu'elle serait libérée elle serait de nouveau maîtresse de son temps, à jamais, et pourquoi ne pas se servir de ce moment pour se lancer ? Elle ajouterait peut-être à cette galerie un taureau comme ceux de Picasso ou un cheval comme ceux d'El Greco.

« Monsieur, un crayon, s'il vous plaît. C'est possible ? » demanda-t-elle à l'officier de police Castillo quand il revint. Contre toute attente, il déverrouilla la porte et la maintint ouverte.

Sur la page d'accueil du site agrégateur d'informations, il y avait encore les lumières clignotantes d'une voiture de police à côté d'une série de gros titres sans cesse réécrits à mesure qu'arrivaient les nouvelles de ce qu'on avait appelé l'enlèvement de Brandon et de Keenan, et maintenant celles de leur sauvetage. Cette histoire avait réussi à engranger trois millions quatre cent mille « clics » pendant les trois premières heures, et le nombre de visiteurs doubla lors des deux heures suivantes, quand le site diffusa des séquences obtenues par une agence affiliée à ABC News : quarante-cinq secondes montrant Araceli qui courait et qui était plaquée au sol par un policier – séquence filmée par une équipe de cinéma qui se trouvait à Huntington Park puis revendue par le réalisateur pour mille dollars, soit le prix de deux jours de restauration sur le site du tournage, comme le raconta plus tard le réalisateur à ses amis. Très vite, la séquence se mit à circuler sur les émissions nationales du câble et, dès le milieu de l'après-midi, des responsables de reportage et des directeurs de rédaction de toute la Californie du Sud dépêchaient un bataillon de gros malins de reporters pour surveiller le commissariat de la zone sud du comté ainsi que le Paseo Linda Bonita.

Au portail d'entrée des Laguna Rancho Estates, les gardes laissaient passer tous ceux qui étaient munis de la petite carte de presse rectangulaire en plastique vert fluorescent, délivrée par le bureau du shérif. Devant la maison du Paseo Linda Bonita, les reporters harcelaient les agents du bureau du shérif et des employés subalternes de l'agence publique d'information qui se trouvaient sur les lieux pour obtenir des détails sur le « drame » des garçons. Ils avaient installé des trépieds et des réflecteurs de lumière sur le gazon. Un deuxième groupe de gens des médias faisait le siège de la maison de la famille Luján à Huntington Park où le conseiller municipal avait fermé portes et fenêtres, obligeant les reporters à traquer les voisins pour glaner la moindre hypothèse farfelue sur un kidnapping éventuel, voire une fuite jusqu'à la frontière.

« Selon des sources policières, le conseiller municipal Sal Luján serait hors de soupçon dans cette affaire », annonçait KFWB, la station de radio d'infos en continu, par la voix de baryton d'un vieux routier des émeutes, des procès de célébrités et des accidents d'avion de toute nature. C'était un macho qui se la jouait reporter-détective privé et qui était à tu et à toi avec les fonctionnaires de police de niveau intermédiaire ou supérieur dans la plupart des dizaines de juridictions des comtés d'Orange et de Los Angeles. « Il semblerait que Luján soit seulement un bon Samaritain qui s'est laissé piéger dans le drame des deux garçons. Mais les autorités nous disent qu'elles n'ont pas encore élucidé ce que mijotait cette madame Araceli Noemi Ramírez. Une fois de plus, les enfants avec lesquels elle s'est enfuie ne seraient plus en danger... Ici Pete, en direct de Huntington Park... »

Cette affaire était une « énigme troublante », selon le reporter associé de la chaîne NBC, portrait vivant de la jeunesse en cheveux gris, bien connu des habitants de la Californie du Sud pour l'urgence calme de ses reportages au bord de feux de broussailles, près d'éboulements de terrains et sur diverses scènes de crimes dus à la pègre. « Nous ne savons pas vraiment dans quel état sont ces garçons ni quelles épreuves ils ont traversées. Nous ne savons pas si cette nounou mexicaine sera inculpée ou pas. Nous ne savons pas exactement quelles étaient ses intentions », expliqua le reporter en résumant tout ce qu'il ignorait lorsque son associé le fit passer sur le réseau national du câble. Pendant plusieurs heures, la diffusion répétée de la photo floue d'Araceli dans le jardin était juxtaposée à la séquence des fouilles et des queues à la frontière du Mexique, puis à celle où l'on voyait Araceli plaquée au sol. Il y avait aussi celle de la maison blanche et brillante dans un quartier qualifié le plus souvent de « chic », « à flanc de colline » et de « protégé ». Enfin, comme les informations du soir de la côte Est, sur le câble, s'intéressaient de plus en plus à cette histoire, la clique des pontifes professionnels experts en tragédie entra en scène. C'étaient des anciens procureurs et des avocats dont la spécialité consistait à prendre de petits bouts d'information nébuleuse et à les triturer pour les transformer en opinions et en intuitions fondées sur « ce que me dicte mon instinct » et sur « ce que nous savons et nous ne savons pas ».

Quelques-uns étayaient leur avis – pourquoi pas ? – sur ce qu'ils croyaient savoir des Mexicaines et des familles assez aisées pour confier leurs enfants aux soins d'étrangères. Ces commentaires se mêlaient à ceux de téléspectateurs qui appelaient le numéro gratuit d'un peu partout dans le pays. Pour eux, Araceli était désormais une figure menaçante et effrayante, tandis que Maureen et Scott étaient devenus les objets d'une pitié teintée d'un peu d'envie et de dédain populiste. « Voilà une bonne raison de rester chez soi et d'être une maman plutôt que laisser ses gosses à une Mexicaine, même si on peut en trouver une pour dix dollars par jour », déclara quelqu'un qui téléphonait de Gaithersburg, dans le Maryland, à l'animatrice aux narines dilatées, laquelle opina gravement du chef.

Dans ces foyers américains où travaillaient en fait des Mexicaines, des Guatémaltèques et des Péruviennes, les mères et les pères assimilèrent ces informations, puis, après un regard sur leur salon bien épousseté et leurs lits soigneusement bordés, ils scrutèrent d'un peu plus près les domestiques qu'ils employaient. Ils se posèrent des questions qu'ils refoulaient d'ordinaire, les réponses étant en pratique invérifiables. *D'où vient cette femme, qu'est-ce que je sais réellement d'elle ?* Un bon nombre d'entre eux étaient au courant des détails superficiels de la vie de leurs employés. Ceux qui avaient le plus de sympathie pour eux avaient examiné les photos arrivées du Sud par la poste – de petites images lointaines portant le mot KODAK imprimé anachroniquement au dos et qui montraient des parents ridés dans des jardins de villages entre des figuiers de Barbarie et du maïs blanchi par la sécheresse, ou encore des enfants vêtus de vêtements américains usagés en train de célébrer des fêtes exotiques où l'on brûlait de l'encens dans des cortèges qui exhibaient des icônes religieuses. La conscience de cette pauvreté lointaine suscitait des sentiments d'admiration et de culpabilité en même temps que divers degrés de répugnance, mais aussi un certain trouble. *Comment pouvons-nous vivre dans un monde aussi vaste où des sweat-shirts à capuche et des robes de bébés à volants circulent du nord au sud, passent de neuf à usagé, vont de ceux qui achètent leurs vêtements au détail à ceux qui les achètent au poids ?* Maintenant, ajoutez à ce mystère un personnage de méchante femme et l'éventualité de petites fautes cachées et de motifs secrets de vengeance, et on obtient une augmentation légère mais sensible des coups de téléphone passés dans la grande zone de Californie du Sud : des mères dans leur minuscule bureau, des mères qui sortent de leur séance de yoga, des mères en train de quitter une réunion du personnel, des mères travaillant au musée Getty ou à la bibliothèque Huntington, au centre commercial Beverly Center ou à celui de Sherman Oaks, ont levé la tête de l'écran de leur ordinateur, ont arrêté la radio dans leur voiture, pris le téléphone de leur bureau ou leur téléphone portable, juste pour vérifier, juste pour entendre la voix à l'accent étranger de leur domestique, pour voir si elles ne captaient pas quelque intonation dénotant une machination, le lapsus de l'intrigant. « Tout va bien ? *¿ Todo bien ? Sí ?* Yes ? Très bien, alors. » Quand elles sont rentrées, elles ont compté les articles dans leur boîte à bijoux et certaines ont examiné les bras et le cou de leurs enfants pour voir s'il n'y avait pas d'hématomes, et il y en a même eu quelques-unes, très peu, pour demander pour la première fois depuis des semaines à leurs bambins si Lupe et María et Soledad étaient vraiment « gentilles » ou s'il leur arrivait d'être « méchantes », à quoi les petits ont le plus souvent répondu par « Quoi ? » et « *¿ Qué ?* Maman ? ».

17

BRANDON ÉTAIT ASSIS PAR TERRE DANS LE SÉJOUR, les jambes croisées, et il racontait le voyage qu'il avait fait avec son frère dans un pays lointain du nom de Los Angeles. Pour la première fois de sa courte vie, un auditoire d'inconnus l'écoutait avec la même expression de concentration absolue que prennent les adultes quand ils discutent et débattent entre eux. Les grandes personnes étaient assises au bord du canapé et de la causeuse ainsi que sur une chaise de la salle à manger : quatre hommes et deux femmes habillés de façon plus ou moins formelle, munis de divers badges en métal ou en plastique et d'instruments de communication fixés à leurs vêtements – ces accessoires établissant, aux yeux de Brandon, leur statut de personnages officiels. Rien de tout cela ne l'intimidait. Il voyait plutôt dans la présence de ces gens qu'on lui avait présentés comme les « officiers de police » et les « travailleurs sociaux » une confirmation du fait qu'il avait survécu à une aventure assez dangereuse. Il était allé dans des lieux très éloignés de sa maison, de sa douce sécurité et de sa prévisible routine, et il en était revenu pour en raconter l'histoire.

« Et alors on est montés dans un train à deux étages, et on est allés dans un autre endroit. À Los Angeles, dit-il, tandis que son frère, près de lui, approuvait en hochant la tête. Cet autre endroit était en briques, presque partout.

— Et en bois, ajouta Keenan.

— Ouais, et en bois, je crois. Et on est allés à côté d'une rivière, poursuivit Brandon. À moins que ce soit un canyon.

— Ouais, un canyon hyper grand, dit Keenan.

— Avec des ponts dessus. Et il y avait des gens qui vivaient là. Des réfugiés, à cause des Avaleurs de feu.

— Les Avaleurs de feu ? demanda Olivia Garza.

— Ouais, c'est ceux qui sont arrivés et qui ont détruit le village de Vardur à la fin de *La Vengeance des hommes du fleuve.*

— C'est un des livres qu'il lit », dit Keenan. Mais comme il voyait que les adultes étaient perplexes, il se sentit obligé d'expliquer davantage. « Quand maman et papa sont partis et qu'Araceli a dit qu'elle s'occuperait de nous, elle ne s'est pas vraiment occupée de nous – je veux dire qu'elle nous a pas dit quoi faire comme maman. Alors Brandon s'est mis à lire plus que d'habitude. Et quand il lit...

— Ouais, mais ces gens que j'ai vus, c'est des gens réels, dit Brandon en l'interrompant. Ils avaient des cicatrices sur la figure à cause des combats avec les Avaleurs de feu. Et après, on est allés dans une grande gare. Et puis on est montés dans un bus et on a cherché la maison de papy parce que Araceli disait qu'il fallait le chercher. Mais, à la place, on a trouvé un autre endroit où il y avait des maisons – comme des prisons, je suppose. Et puis encore d'autres maisons avec des demi-portes et des quarts de portes et des trois-quarts de portes et d'autres choses dont je croyais qu'elles existaient seulement dans les livres. Mais elles existaient pour de vrai. Et puis on a trouvé une cabane, et ça c'était dans un endroit qui ressemble à une oasis dans le désert où des gens arrivent de partout pour se rencontrer et vendre des trucs. On a rencontré un garçon qui était un esclave. J'ai un livre sur l'esclavage, et il ne ressemblait pas aux esclaves de ce livre, mais c'était un esclave quand même. On a été avec lui dans sa cabane. Il nous a parlé des guerriers qui habitaient avant de l'autre côté de la rue et des batailles entre eux qui duraient toujours treize secondes. La dame qui vivait là, elle était vraiment méchante avec ce garçon, elle le faisait travailler.

— C'est vrai, approuva Keenan. C'était vraiment un esclave.

— Ouais. Il avait à peu près le même âge que moi, mais c'était un esclave. Alors on a dormi là une nuit, et puis on s'est réveillés le matin en entendant un homme qui hurlait dehors.

— Moi, j'ai pas entendu quelqu'un hurler, dit Keenan.

— Tu dormais encore, mais moi, je l'ai entendu. C'était juste après le tremblement de terre.

— Il y a eu un tremblement de terre ? demanda Keenan.

— Ouais. Bon, alors cet homme-là, il devait souffrir ou un truc comme ça. Il hurlait comme s'il avait vraiment mal au ventre. Et puis tout le monde s'est levé et on est allés ailleurs, dans un endroit qui avait un nom de parc, et pourtant c'était pas un parc. On y est allés parce qu'on croyait que papy habitait là, je suppose, mais il n'habitait pas là non plus. Dans ce parc machin, il y avait un feu qui brûlait dans la terre pour recevoir un cochon et en faire des os. Le feu était brûlant, même s'il était enterré : après on a touché les cailloux qui étaient sous la terre et ils étaient encore chauds. Mais avant ça, il y a eu plein d'explosions tout autour de nous. Une bombe a explosé dans la rue. Et Keenan tenait du feu dans sa main. Je lui ai dit de le lâcher mais il a pas voulu m'écouter.

— Non, c'est pas vrai.

— Si, c'est vrai. Ne mens pas. Tu tenais du feu, ça faisait des étincelles dans ta main et puis la bombe a explosé dans la rue. À ce moment-là j'ai eu envie de pleurer. Après, une bande de lyncheurs est arrivée devant la maison et ils ont commencé à crier contre nous parce qu'ils en voulaient au monsieur qui vivait là, et alors, nous, on leur a crié le nom de Ray Forma parce qu'il est contre eux. Ray Forma, c'est une sorte de héros qui protège les gens contre les lyncheurs. Ces gens qui nous criaient dessus, ils n'avaient pas de torches, mais c'était une bande de lyncheurs, j'en suis presque sûr, et ils étaient vraiment furieux contre le monsieur qui habitait là parce que c'est un président. Mais la police est arrivée et elle a fait partir les lyncheurs et on est allés dormir, et quand on s'est réveillés le lendemain matin on était à la télé, alors j'ai pris le téléphone et j'ai appelé papa. »

L'auditoire rassemblé là, bouche bée et sourcils froncés, contempla Brandon d'un air perplexe, déconcerté par l'absurdité des détails de son histoire, par la manière directe et authentique qu'il avait de la raconter et par les hochements de tête occasionnels de Keenan pour confirmer les dires de son frère. Comme les enfants, les adultes avaient été momentanément transportés dans un monde de mystère et d'innocence qu'ils avaient partagé, une sorte de vide mental où tout devenait possible, et ils s'autorisèrent à envisager, pendant le plus petit instant d'un temps d'adulte, que ces enfants qui parlaient si bien puissent réellement revenir d'un pays enchanté. Même Olivia Garza, qui croyait avoir entendu toutes les histoires que peuvent raconter des gosses, ne savait pas précisément comment prendre le monologue de Brandon. Du coup, elle se contenta de regarder son enregistreur numérique et de l'arrêter.

L'inspecteur Blake et le procureur adjoint Goller se levèrent en même temps pendant qu'un deuxième inspecteur du nom de

Harkness tapotait la tête de Brandon et celle de Keenan en disant : « Merci, les gars. » L'inspecteur Blake rappela les parents de leur exil temporaire dans la cuisine et laissa les garçons avec eux, le comité se retirant dans l'arrière-cour pour discuter. Debout en cercle, ils se regardèrent quelques instants avec des expressions qui disaient : et maintenant ?

« Je me demande quoi faire de cette histoire, dit enfin l'inspecteur Blake. Ce gamin a une sacrée imagination.

— C'est ce qui se passe quand on les laisse trop seuls, à mon avis, dit Olivia Garza. Que ce soit avec la télé, des livres ou des jeux vidéo. Il y a toujours des inconvénients. Ils s'enfoncent dans un monde à eux.

— Dieu sait ce qu'ils ont vraiment subi, dit le procureur adjoint Goller. Je ne suis pas un psychologue, mais il se peut que ce soit une sorte de réaction fantasmatique émotionnelle à un traumatisme grave. »

Les yeux de tous se tournèrent alors vers la psychologue de l'équipe du Service de protection de l'enfance, une fille de vingt-neuf ans du nom de Jennifer Gelfand-Peña, récemment reçue docteur en psychologie à l'université UCLA. C'était la première sortie du Dr Gelfand-Peña avec cette soi-disant équipe d'intervention d'urgence, et elle s'était un peu trop bien habillée pour l'occasion, avec sa jupe la plus chic en laine vierge. Maintenant, elle trouvait étrange de se retrouver avec un représentant du bureau du procureur et deux inspecteurs, étant donné l'évidente bénignité de cette affaire.

« Ce que j'en pense ? dit-elle avec une gaieté de jolie femme qui ne fit qu'accroître l'irritation que tous les autres membres du groupe commençaient à éprouver envers elle. Je pense que la vue, de ces hauteurs, est spectaculaire. Je suis un peu chagrinée parce qu'on est en train de rater le coucher de soleil. Je pense aussi que ce jardin de plantes du désert est réellement beau, mais que là on a poussé un peu loin. » Ses collègues lui décochèrent des regards glaciaux, mais elle ne parut pas s'en soucier. « Et mon avis professionnel est le suivant. Ce gamin, Brandon, présente un cas fascinant. Il a les compétences verbales et la capacité de lecture d'un garçon de dix-huit ans. Mais la sociabilité d'un gamin de sept ans, ce qui n'a rien d'étonnant puisqu'il est tout à fait protégé, ici, et qu'il fréquente l'école privée la plus chère, la plus gentillette et lénifiante du comté.

Donc, je crois que le problème, c'est probablement qu'il a lu trop de livres.

— Bon, à mon avis, ce garçon a au fond confirmé ce que la nounou a dit à notre inspecteur, ajouta Olivia Garza. Elle a dit qu'elle les emmenait chez le grand-père. Pas vrai, inspecteur ? Et c'est bien ce qu'a dit le garçon. Il a expliqué qu'ils étaient tout seuls dans la maison avec la bonne et qu'ils étaient partis à la recherche du grand-père.

— Mais il n'a pas su dire depuis quand, déclara l'inspecteur Blake.

— Ouais, les gosses sont nuls question temps, dit la psychologue.

— À mon avis, sans dommages, pas de faute, déclara l'inspecteur Blake. Je ne vois pas sur quelle base on incriminerait cette Mexicaine.

— Alors, nous allons jeter à la poubelle la déclaration des parents ? lança Goller. Est-ce que nous ne devrions pas au moins enquêter pour déterminer s'il y a eu mise en danger des enfants ?

— Section 11165, article 2 ? dit Blake. De la part des parents ? Ou de la domestique ?

— Non, pas des parents, répondit Goller, parce qu'ils ont laissé les garçons avec une adulte chargée de les garder. Mais je pensais moins à ça qu'à l'article 273A.

— Intéressant », observa le Dr Gelfand-Peña. C'était sa manière ironique de dire que parler de maltraitance lui paraissait fort exagéré.

« Sérieusement ? fit Olivia Garza.

— Est-ce que nous avons des indices de l'un ou l'autre de ces deux crimes ? demanda Blake.

— Est-ce que vous vous souvenez de l'adresse de l'endroit où nos victimes semblent être allées en premier lieu ? dit Goller. J'ai parlé au département de police de Los Angeles. Cet endroit se trouve en plein milieu du secteur des fabriques de vêtements de Los Angeles, une zone infestée par les gangs. Si le fait d'emmener des gosses du comté d'Orange dans cet enfer ne relève pas de l'article 273A, je me demande ce qui en relève.

— Crime selon le 273A ? fit l'inspecteur Blake. Je n'y crois pas. Délit selon le 273A ? Peut-être.

— Est-ce que nous allons réinterroger les parents ? demanda Olivia Garza.

— Nous avons déjà leur déposition, dit Goller.

— Est-ce qu'on ne pourrait pas tout simplement laisser tomber cette affaire ? » demanda Jennifer Gelfand-Peña.

Il y eut un silence général pendant lequel les trois membres les plus expérimentés de cette équipe d'intervention d'urgence - Goller, Blake et Garza - se regardèrent et attendirent, comme des *pistoleros* dans un western, le premier qui cillerait. La vérité, c'était qu'une fois qu'on avait amassé autant d'éléments il fallait un certain courage pour se contenter de crier : *Désolé ! Fausse alerte !* Après tout, on avait envoyé des patrouilles cynotechniques fouiller les collines, des adolescents du programme « Explorer » arpenter les prés, et on avait jeté en pâture le nom d'un suspect, une femme dont le crime supposé avait été dénoncé. On avait déclenché une alerte orange et presque fermé les frontières pendant quelques heures, tout cela au nom de la protection de deux enfants du comté d'Orange. Il fallait quand même que quelque adulte soit tenu responsable de tout ce foutoir.

« Selon ce que je peux en dire, déclara finalement Goller, et selon ce que je vois de la famille, et puis aussi après avoir interrogé cette femme, il me paraît assez évident que Mme Ramírez n'aimait pas ses employeurs. Elle a donc manigancé de larguer leurs gosses quelque part. De les abandonner dans un endroit vraiment moche. Si elle a "volontairement" mis ces enfants dans une situation où ils étaient en danger, c'est un cas de 273A. C'est la loi. »

L'inspecteur Blake n'était pas convaincu. Il sentait à l'œuvre des motivations politico-théâtrales trop familières, le baratin habituel du procureur. « Eh bien, monsieur Goller, passez votre coup de fil. Je passerai le mien.

— Vous savez, Goller, les choses sont parfois vraiment comme elles le paraissent, dit Olivia Garza. Il me semble clair qu'on devrait simplement parler d'un cas de 10-40 et rentrer chez nous.

— Non, je ne pense pas pouvoir faire cela », répondit le procureur adjoint en levant le menton pour montrer au groupe qu'il fallait regarder le ciel et sa teinte de bleu outremer en train de s'étendre. Les moteurs ronflants de deux hélicoptères de la télévision s'étaient glissés dans l'espace au-dessus d'eux pendant qu'ils débattaient de l'affaire. « On a retiré ces hélicoptères de l'incendie pour qu'ils couvrent ce cas, dit Goller. C'est un truc énorme. Je parie qu'on est en direct sur le câble dans tout le pays, maintenant. » Le procureur adjoint laissa les membres de l'équipe d'intervention réfléchir à ce que signifiaient ces hélicoptères qui rôdaient au-dessus d'eux et ces petits globes qui étaient attachés entre les patins d'atterrissage. « Malheureusement, reprit-il, nous sommes dans la salle de séjour de toute l'Amérique, maintenant. Par conséquent, il nous faut agir avec énormément de prudence. »

Ils se trouvaient en plein milieu de ce grand spectacle que Goller avait prévu dans son appartement dès les premières heures de la matinée, quand le visage de Brandon et celui de Keenan étaient apparus sur son écran de télévision. Et il sentait déjà où la pression de ce spectacle pourrait les conduire.

« Donc, allez-y, inspecteur, libérez votre suspect si vous le devez, déclara Goller. Mais dans quelques jours, il se peut que vous soyez obligé de l'arrêter de nouveau. »

Après un premier baiser sur le front de sa fille, après avoir regardé ses deux fils et les avoir serrés dans ses bras, après s'être assuré par quelques coups d'œil et quelques minutes passées tranquillement en leur présence qu'aucun mal ne leur avait été fait, Scott se retrouva à s'esquiver, à se replier sur lui-même. « Tu nous as manqué, papa », dit Keenan, et cette simple déclaration lui fit venir des larmes aux yeux. Il se tourna vers sa femme pour chercher un regard, un moment commun de compréhension et de pardon, mais elle l'évitait avec agressivité, et il se retira donc dans un état de silence choqué à partir duquel il écouta sa femme répéter sans cesse : « Vous allez bien ? Vous allez bien ? » Ensuite, une fois que les policiers, la travailleuse sociale et la psychologue eurent terminé leur « conversation » privée avec Brandon et Keenan, une fois que Maureen et lui eurent retrouvé leurs fils pour une deuxième réunion – une version plus brève et moins émotionnelle que la première –, il sortit de la pièce, laissant sa femme apaiser sa culpabilité en lisant à voix haute aux garçons et à Samantha un grand livre d'images. C'était une imitation forcée de bonheur domestique, et Scott supposa que Maureen la produisait à l'intention du personnel de la police et des services sociaux encore en réunion dans leur jardin. Scott regarda Brandon lever les yeux au ciel parce que *Mademoiselle Coccinelle* n'était pas précisément le genre de livre qu'il trouvait irrésistible. *Mon fils a onze ans, mais il est déjà snob dans ses lectures.* Scott finit par aller jusqu'à la pièce où l'on regardait la télévision, jusqu'aux objets high-tech regorgeant de masculinité qui étaient branchés au mur, et il tendit la main vers le bouton de mise en marche de la télé – geste dont le manque de volonté avait quelque chose de très pavlovien. Puis il se mit à zapper d'une chaîne câblée à l'autre. Il s'arrêta quand il arriva à une prise de vues aérienne d'une construction dans une impasse circulaire qui avait un air familier. Lorsqu'il lut la bande où apparaissaient les mots « enfants disparus retrouvés », il comprit que c'était sa maison. Il considéra la taille de l'arrière-cour en forme de croissant et vit à quel point elle était occupée par le jardin de plantes du désert. Vu des airs, sous la lumière déclinante du crépuscule, le jardin ressemblait à un troupeau de petits animaux hérissés de pointes et gardés par de grands bergers en forme de cactus. Il pensa que tout cela donnait une composition de cercles et de lignes plaisante sur le plan esthétique quand on la regardait du ciel, jusqu'à ce que le petit commentateur qu'il avait dans la tête finisse par se réveiller, et alors il comprit : *Oh, bordel, il y a un hélicoptère au-dessus de ma maison.*

Avant qu'il puisse se lever pour aller à la fenêtre essayer de voir l'engin, la télévision passa à un clip vidéo pris du sol où l'on voyait Scott lui-même en train de parler à un policier devant sa porte plusieurs heures plus tôt, quelques instants après le coup de fil qu'il avait reçu de Brandon. Le policier souriait et lui donnait une tape dans le dos, et Scott supposa que cette image était censée suggérer que le drame s'était dénoué de façon heureuse. En effet, quelques secondes plus tard, on voyait ses deux fils remonter à pied l'allée du garage, escortés d'un pas rapide jusqu'à la porte d'entrée par un autre policier. La télévision passa ensuite à une séquence en studio montrant une femme aux narines dilatées, avec des cheveux blonds très raides qui jaillissaient de sa tête comme une fontaine et un collier de pièces d'or autour du cou. Elle parlait à la caméra avec une sorte de véhémence que Scott trouva déplaisante, puis elle s'arrêta soudain et regarda fixement la caméra pendant plusieurs secondes avant de se mettre à hocher la tête. Du coup, Scott appuya sur le bouton de volume. La femme à l'écran écoutait un spectateur au téléphone, et celui-ci avait un accent que Scott reconnut comme venant du nord de la Nouvelle-Angleterre.

« ...et rien qu'en regardant ces deux précieux petits garçons, Nancy, je me demande : cette Mexicaine, qu'est-ce qu'elle leur voulait ? Que pensait-elle pouvoir faire avec eux ? Je m'interroge.

— C'est ce que nous nous demandons tous », répondit l'animatrice blonde, ce qui poussa Scott à changer de chaîne, provoquant ainsi sans le vouloir l'apparition d'Araceli à l'écran. On la conduisait à la voiture de police, plus tôt dans la journée, et elle avait les poignets entravés par des menottes en plastique. *Oh, mon Dieu. Qu'avons-nous fait à cette pauvre Mexicaine ?* L'écran passa à une autre prise de vues sous-titrée EN DIRECT : COMTÉ D'ORANGE, CALIFORNIE, où l'on voyait sa bonne (payée deux cent cinquante dollars par semaine) émerger d'un commissariat puis serpenter entre des chicanes censées parer à une éventuelle attaque terroriste. « Araceli Noemi Ramírez, soupçonnée de kidnapping, vient d'être libérée et les enquêteurs disent... » Araceli s'éloignait des caméras, mais elle contemplait ceux qui, pour produire de l'info, la filmaient de loin, avec le même regard interrogateur et ennuyé qu'elle lançait à Scott quand il lui demandait du ketchup pour ses sandwichs à la dinde. Ensuite elle s'arrêta, apparemment pour écouter une question qu'on lui criait. La caméra fit alors un zoom, trembla, et la grande domestique de Scott sauta d'un coup au milieu de l'image au moment où elle se retournait puis repartait avec des enjambées si longues qu'on aurait dit des bonds, et cette vision rappela à Scott une prise de vues censée montrer la grande créature Bigfoot en train de traverser une clairière en Californie - instant de vidéo à mi-chemin entre le réel et le simulé, semblable à ces séquences sur l'homme au turban et sur la femme aux jumelles qu'Elysian Systems vendait au gouvernement.

Scott était en train de changer à nouveau de chaîne lorsque Maureen apparut à la porte derrière lui.

« Scott. La police dit que les reporters qui sont dehors ne veulent pas s'en aller. » Il fut quelque peu saisi quand il l'entendit s'adresser à lui. « Elle dit qu'ils vont attendre jusqu'à ce que nous fassions une déclaration. » Elle n'avait pas dormi depuis deux jours et s'affaiblissait rapidement : sa voix était rêveuse et lointaine.

« Je vais sortir leur parler.

— Non, je dois y aller avec toi. Il ne faut pas que tu sois tout seul.

— Pourquoi ?

— Parce qu'il faut qu'on nous voie tous les deux. Il faut qu'on y soit tous les deux. Pour nous défendre.

— Quoi ?

— Les gens jasent sur notre famille. Dans toute la ville. Tu ne savais pas ? Stephanie Goldman-Arbegast vient d'appeler. Ils rentraient en voiture de l'aéroport et ils ont entendu des gens parler de nous à la radio. Parler des garçons, d'Araceli, de moi et de toi. Pendant une heure entière. Les gens racontent qu'on est de mauvais parents. Il faut qu'on se montre. Parce qu'on dit des choses sur nous. Tu ne savais pas ? »

La nouvelle du « kidnapping » avait également circulé en espagnol dans un flot de discours à peine moins violents qu'en anglais. Et cela avait commencé dès le matin, quand un animateur populaire de radio FM officiant dans des émissions de débats et de variétés avait interrompu sa série habituelle de blagues paillardes et de bruits d'animaux de basse-cour pour méditer sur *el caso*. Il baissa sa voix d'une octave pour prendre ce qu'il appelait hors antenne sa « voix de citoyen ». « Mes amis, déclara-t-il en espagnol, il s'agit d'une affaire qui pourrait avoir des répercussions sur n'importe lequel d'entre nous. Je ne sais pas ce que cette dame fait avec ces garçons, mais si vous m'entendez, *señora*, ou *señorita*, ramenez-les chez eux. N'oublions pas que notre relation avec les gens d'ici repose sur la confiance. Car je sais qu'il y a des milliers de *nuestra gente* qui s'occupent de ces petits *mocosos* aux cheveux blonds et aux yeux bleus. Et si un seul d'entre nous fait des bêtises comme, dit-on, cette dame est en train de le faire, vous êtes nombreux à savoir ce qui va nous tomber sur la tête à tous. » Dans des cuisines où des femmes prénommées Lupe, María et Soledad préparaient le repas, le niveau d'anxiété monta très fort dès qu'on entendit ce sermon, et il grimpa encore plus quand Lupe, María et Soledad virent les reportages des trois chaînes en espagnol montrant Araceli en train de fuir. Et donc, à la fin de ce 5 juillet, les sols brillèrent plus que jamais, les repas furent préparés avec un soin tout particulier et moins d'épices, jusqu'au moment où, en fin de soirée, quand Lupe, María et Soledad rentrèrent chez elles et retrouvèrent l'encombrement de leur appartement à South Central Los Angeles ou à Compton [1], ou quand elles réintégrèrent leur étroit logement de domestique dans

1. Deux zones du comté de Los Angeles réputées pour leurs conditions de vie difficiles et leur criminalité. Compton est ainsi la ville qui connaît le taux d'homicides le plus élevé de tous les États-Unis.

des maisons de Beverly Hills et qu'elles allumèrent leur poste de télévision ou leur radio, elles entendirent l'heureuse nouvelle : Araceli Noemi Ramírez avait été libérée et *exonerada* de tout chef d'accusation.

À la télévision de langue espagnole, on diffusait les images d'Araceli libérée en les accompagnant de commentaires dont le ton jubilatoire était à peine voilé, avec des voix qui montaient comme pour une victoire au foot ou pour la naissance du bébé d'une célébrité. « *Salío una mujer libre, con la cabeza alta, y digna.* » Tout cela n'avait été qu'un malentendu, annonçaient-ils d'une voix frôlant le soupir. Les poursuites contre Araceli, désormais abandonnées, n'étaient qu'un faux pli dans le tissu de responsabilité amidonné de frais qui avait fait la réputation des nounous latino-américaines. *Une mala comunicacíon.* Au téléphone, le nouveau refrain était « *la soltaron* », ils l'ont laissée sortir, ils l'ont laissée s'en aller. C'était une remarque émaillant des conversations qui n'avaient pas tardé à retomber dans le banal bavardage quotidien avec ses commérages mélodramatiques sur les réunions de parents à l'école, sur les *comadres* de nouveau enceintes, sur de nouvelles opportunités d'emploi dans des « *casas buenas* » et sur la conduite irritante des employeurs dans les « *casas malas* ». Ils avaient laissé partir Araceli et tout fut donc normal jusqu'au lendemain matin, où la journée de travail reprit dans l'obscurité de l'aube, où Lupe, María et Soledad pénétrèrent dans des cuisines et des chambres et, lorsqu'elles cherchèrent du regard le visage de la femme qui les payait, leur *jefa*, trouvèrent des lèvres aux coins relevés en signe de gaieté, des sourcils qui, telles des petites chenilles blondes, se soulevaient pour exprimer la reconnaissance et le soulagement : *Oui, je sais, vous êtes ma Lupe, ma María, ma Soledad. Vous êtes de nouveau ici à l'heure et vous allez faire courir vos mains brunes pour remettre ces draps et ces couettes en ordre, vous allez ôter les taches de graisse de la cuisine et empêcher les fourmis d'entrer. Vous allez changer les couches de mon bébé et je vous laisserai toute seule ici dans mon nid, seule avec mon enfant et ce que je possède, et je le ferai en vertu de ce moment de foi et de calcul qui me vient quand je ferme les yeux et que je sens cette chose qu'on appelle la confiance.*

Maureen ramena Scott dans le living où le procureur adjoint Goller se tenait debout près de la porte d'entrée avec l'air empressé d'un garçon d'honneur qui attend les futurs époux à un mariage. Quand Maureen apparut, il lui adressa un sourire de réconfort, lui passa un bras autour des épaules et baissa le menton pour lui parler tout bas alors même que personne d'autre que Scott n'écoutait.

« Il y a, disons, une dizaine de reporters dehors. Ne vous laissez pas effrayer. » Il guida Maureen doucement jusqu'à la fenêtre panoramique et souleva un coin du rideau, révélant ainsi un décor de lumières et d'antennes micro-ondes télescopiques. Maureen eut l'impression de voir une force étrangère rassemblée sur sa pelouse, animée d'infâmes intentions filmiques et alimentée par l'électricité de fourgons dont on entendait le bourdonnement. « Le responsable de l'information du Bureau du shérif était là il y a à peine un quart d'heure. Il a déclaré qu'on avait remis votre employée en liberté et qu'aucun chef d'inculpation n'était retenu contre elle. Il a ajouté que toute l'affaire n'était, je cite, qu'un malentendu.

— Exact, dit rapidement Scott.

— Mais quand on l'a pressé de donner des détails, il a dévié de son scénario, continua Goller. Il a commencé à dire des choses qui ne concernaient pas l'élargissement. Il a dit des choses que notre ami l'inspecteur Blake, apparemment, lui a soufflées. Que votre employée essayait, je cite, de "sauver" vos enfants parce que, je cite encore, "vous les aviez abandonnés".

— Merde, dit Scott, ce qui lui valut un regard acéré de sa femme.

— C'est ce qu'il a dit. "Sauver." Ce qui, bien entendu, implique que vous auriez mis vos enfants en danger.

— Bordel ! fit Scott.

— Pourquoi dirait-il une chose pareille ? demanda Maureen. Qu'est-ce que ça peut bien leur faire ? Du moment qu'on a récupéré nos garçons.

— Il l'a dit parce qu'il avait besoin d'expliquer comment un shérif, un shérif américain, pouvait simplement laisser repartir dans les rues une immigrante sans papiers, surtout quand elle vient d'être soupçonnée dans une affaire de rapt d'enfants.

— Rapt d'enfants ? dit Scott. Mais est-ce que c'est vraiment…

— Il fallait bien que le responsable de l'information leur donne quelque chose, poursuivit Goller. Donc, pour parler clairement, ce qu'il leur a donné, c'est vous.

— Nous ? fit Maureen.

— Et cette suggestion, dès qu'il l'a faite, a excité les reporters. Ils ont commencé à lancer des mots comme "irresponsables" et "négligence", et ils ont demandé si on allait "lancer des poursuites". Comme ce sont des journalistes, ils ne comprennent pas vraiment ce que ces mots signifient. Mais s'ils se mettent à poser ce genre de question, le Service de protection de l'enfance finira par mettre son nez dans cette affaire. » Goller expliqua alors rapidement les impératifs bureaucratiques contradictoires qui allaient bientôt toucher Maureen, Scott et leurs enfants, et comment il arrivait facilement que de bons parents se retrouvent au tribunal des affaires familiales devant un juge sceptique. Il n'était pas normal qu'un père et une mère ayant appelé la police pour les aider à rechercher leurs garçons finissent sous la surveillance du Service de protection de l'enfance – ce machin grossier au personnel sous-payé, selon l'opinion du procureur adjoint, et qui n'écoutait les parents qu'avec un maximum d'incrédulité. Mais ça arrivait tout le temps.

« Alors, que faut-il faire ? finit par demander Maureen.

— Premièrement, vous allez dehors et vous parlez très calmement ; vous montrez à ces gens qui vous êtes, dit Goller. Vous êtes l'image même de la famille californienne heureuse. Rien que vous voir là, debout, permettra de calmer les vagues, pour ainsi dire. Ne répondez à aucune question. Mais dites que vous remerciez le Bureau du shérif, la police de Huntington Park et les médias – n'oubliez pas les médias, c'est important –, que vous leur êtes reconnaissants à tous de vous avoir aidés à retrouver vos deux fils. S'ils vous crient des questions, ne répondez pas. Vous dites juste merci et vous vous en allez. D'accord ? »

Scott digéra cette information en descendant le long de la pelouse. Maureen le suivait avec Samantha sur son épaule ; ils avaient laissé les garçons à l'intérieur en compagnie du procureur adjoint. Comme une famille condamnée à la guillotine, ils avançaient, tête baissée, vers l'endroit où la pelouse s'inclinait brutalement en talus. Une grappe de micros attachés à deux piquets les attendaient là, et leurs silhouettes métalliques luisaient contre un nuage de lumière blanche provenant des projecteurs. Scott sentit la chaleur de ces lumières sur sa peau et une sorte de nudité qu'il n'avait pas connue depuis son adolescence. *Nous nous tenons devant vous, ma famille américaine et moi : ayez pitié de moi qui subviens tant bien que mal à leurs besoins et suis leur protecteur. Ayez aussi pitié d'eux car ce n'est pas leur faute.* Il s'approcha du micro pour parler, mais avant qu'il ait pu ouvrir la bouche, quelqu'un beugla : « Torres, c'est avec un *s*, ou un *z* ?

— Un *s* », dit-il. Puis il sourit parce que la question l'avait calmé et l'avait remis dans l'instant présent.

« Moi, nous, ma femme et moi… je voudrais juste vous dire merci à tous, commença Scott. Merci au Bureau du shérif, au personnel du Service de protection de l'enfance, à tout le monde. Et aussi aux médias pour avoir passé le mot. Brandon et Keenan sont à la maison, hors de danger désormais. Ils vont aller bien. » En dix secondes il était allé au bout de tout ce qu'il pouvait dire.

« Est-ce qu'ils ont été kidnappés ? demanda une voix d'homme sur un ton qui suggérait l'ironie et l'incrédulité. Est-ce qu'on vous a laissé un mot ? »

Scott put alors mesurer la sagesse du conseil d'Ian Goller : déployer toute la vérité dans sa complexité à cette populace avide d'infos serait un suicide. « Et nous sommes heureux que ce soit terminé, poursuivit-il sans tenir compte de la question. Merci d'être venus. » Il sentit aussitôt que sa tentative pour signifier une fin venait de tomber à plat. Dans le silence immensément long qui suivit, il prit conscience du fait que Maureen, Samantha et lui passaient en direct à la télé. Il pouvait d'ailleurs discerner leur portrait de famille en miniature, animé et comme dans un miroir, sur cinq écrans de contrôle qui reposaient aux pieds des reporters et qui, tous, portaient les mots EN DIRECT : LAGUNA RANCHO ESTATES écrits dans diverses polices. « Donc, bonsoir à tous. Et merci. »

Maureen articula en silence le mot *merci*, peut-être avec une faiblesse un peu trop affectée. Ils se tournaient déjà pour rentrer quand une voix résonna de derrière les projecteurs éblouissants.

« Une de mes sources dans la police dit que vous avez, je cite, "abandonné" vos enfants. Pendant quatre jours. Apparemment, vous avez simplement disparu. Pourquoi ? » Scott et Maureen furent pris au dépourvu par la brusquerie de celui qui posait la question. La voix était celle du vétéran du reportage de KFWB. Il était arrivé sur les lieux depuis quelques minutes à peine, après une course sur les chapeaux de roue depuis le commissariat de la zone sud du comté où une conversation en aparté avec l'inspecteur en chef, peu avant l'élargissement d'Araceli, avait fait pencher son opinion en faveur de la Mexicaine.

« Pourquoi les avez-vous laissés seuls dans cette maison pendant quatre jours ? » Aucun de ses collègues ne s'étonna du ton direct de ce radioreporter. Son irritabilité, sa façon de harceler ceux qu'il interviewait, était légendaire, et dans son palmarès figurait un savon qu'il avait passé au porte-parole principal du commandement central de l'armée américaine à Riyad pendant la première guerre du Golfe. « C'est une question simple. Avez-vous abandonné vos enfants à cette immigrante en situation irrégulière ? »

Maureen ne pouvait pas voir celui qui posait la question : c'était un inconnu qui se trouvait dans sa propriété et qui la calomniait en direct devant des téléspectateurs. Il hurlait derrière le groupe de caméras, au-delà du halo de lumière blanche qui jaillissait derrière la tête des reporters. « C'est un mensonge », lança-t-elle d'un ton cassant. Elle eut alors un moment pour réfléchir. *C'est la chose la plus pénible que j'aie faite de toute ma vie,* mais elle ne fut pas à même de remarquer l'expression d'étonnement et de dégoût modéré qu'eut la femme située au premier rang des reporters. Cela aurait pourtant pu lui donner une indication sur la réaction du public qui la voyait. « Comment osez-vous ! » Après trente-six heures passées sans dormir, elle avait les yeux qui tombaient comme si elle était atteinte d'amnésie, mais elle ne pouvait pas accepter qu'un parfait inconnu la qualifie de « mauvaise mère ». Elle avait les cheveux ternes et plats, et elle portait encore la robe qu'elle avait mise le matin où elle était partie de l'hôtel-spa du désert : une robe à bretelles spaghettis qui s'enfilait par le haut et dont les motifs en forme de tournesols pendaient à présent tristement de ses épaules. Son cri rageur ne fit que renforcer son air hagard, pauvre et soucieux, comme si elle débarquait du plateau d'une émission de télé-poubelle. Plus tard, Maureen allait voir cet instant passer à la télévision et elle verrait sa réaction comme un acte d'autodéfense encore plus désespéré que celui qu'elle avait commis à l'âge de dix-neuf ans quand, coincée sous le corps suant d'un ami étudiant ivre, elle avait voulu s'échapper et s'était servie de ses poings et de ses dents pour le blesser – la seule fois de sa vie où cela lui était arrivé. « Je n'ai *pas* délaissé mes enfants. C'est un mensonge dégueulasse, dégueulasse !

— Ouais, on a compris ! répondit le reporter d'un ton sarcastique.

— Pete, reprends-toi, dit un autre journaliste.

— Allez. Racontez-nous ce qui s'est passé. »

Maureen plissa les yeux et scruta une dernière fois la silhouette des reporters, puis se retourna et s'éloigna, tandis que Scott marmonnait un merci au micro et se précipitait derrière elle.

Araceli se disait que les caméras à l'extérieur du commissariat pourraient bien la suivre, mais elles ne le firent pas. Elle tourna à l'angle d'un pas rapide, traversa le parking et sa flotte de véhicules de police, puis elle entra dans le centre vide d'Aliso Viejo, un endroit où il n'y avait plus de piétons dans les rues après quatre heures trente de l'après-midi. Les policiers lui avaient rendu son argent, et pendant ses premiers moments de liberté, elle fut obnubilée par cet acte d'honnêteté. Au Mexique, on appelait ça *transparencia*, et ici cette idée était symbolisée par le grand sac en plastique transparent dans lequel les objets qui lui appartenaient avaient été rassemblés et répertoriés. *Voilà un exemple de « premier monde » irréfutable.* Au Mexique, on payait sa libération cash, et la police faisait en sorte qu'on ne quitte la garde à vue avec rien d'autre que ses vêtements froissés et toutes les taches qu'on avait pu ramasser pendant une ou deux nuits en prison : c'était arrivé à deux de ses ivrognes d'oncles. Un bakchich, et tout était oublié. Si on se faisait voler sa voiture, on payait la police pour qu'elle vous la retrouve : son père avait connu ça au commissariat de Nezahualcóyotl. Ici, en revanche, ce n'était pas par de l'argent qu'Araceli avait été libérée, mais par la vérité et le rire, et quand elle en prit conscience elle se remit à avoir le fou rire, mais toute seule, au coin d'une rue, ce qui lui rappela le dicton populaire : *La que sola ríe, en sus maldades piensa.* Celle qui rit toute seule se souvient de ses péchés. « C'est bête : je n'ai commis aucun péché. Je suis juste une pauvre *Mexicana* qui essaye de trouver son chemin. » L'inspecteur lui avait simplement demandé un numéro de téléphone où l'on pourrait la joindre – « au cas où nous aurions besoin d'aide dans notre enquête » –, et puis on lui avait remis le sac en plastique. Elle franchit encore une rue avant de se rendre compte qu'elle ne savait pas où aller. Il était hors de question de retourner chez les Torres-Thompson. *No los quiero ver.* Elle avait l'argent qui se trouvait dans le sac plastique et elle songea un instant à prendre un billet de car jusqu'à la frontière : elle avait suffisamment pour se rendre à Tijuana et acheter un taco et une *torta* une fois qu'elle y serait, mais pas assez pour aller plus loin. Et il lui était impossible de sortir son argent de la banque sans revenir au Paseo

Linda Bonita. Elle téléphona donc à Marisela avec une pièce de vingt-cinq cents qui tomba dans le dernier téléphone public à pièces encore disponible au centre d'Aliso Viejo, et elle demanda à son amie de l'héberger une nuit.

« Tu étais à la télé, dit Marisela. Tu y es encore.

— *Estoy cansada*. Je crois que je vais dormir pendant deux jours.

— Ils t'ont fait mal ? Quand je les ai vus aux infos t'attraper quand tu courais, j'ai dit à M. Covarrubias : "Oh, mon Dieu. Ils vont lui casser le bras !" Et puis on t'a vue ressortir et tu avais l'air bien.

— Ils ont été polis. Une fois qu'ils ont compris que je ne suis pas une *secuestradora*... Alors, je peux venir chez toi ?

— Laisse-moi poser la question à M. Covarrubias et voir ce qu'il va dire. » Araceli entendit le bruit d'assiettes qu'on déplaçait dans la cuisine et le bavardage indéfini de la télévision, puis le jingle publicitaire très clair d'une marque de bière suivi par un échange de voix.

« Il dit qu'il va venir te chercher en voiture, lança Marisela d'une voix toute gaie. Il est vraiment furieux à cause de ce qu'il a vu à la télé. Il dit qu'il faut qu'on t'aide. Il sort en courant à l'instant même. Attends-toi à le voir dans vingt-cinq minutes à peu près.

Dans sa maison de l'avenue Calmada, à South Whittier, Janet Bryson était furieuse, elle aussi, mais pour de tout autres raisons. Juchée sur le bord d'un canapé ancien mais confortable et récemment rénové, elle venait de voir à la télévision, avec stupéfaction, Araceli Ramírez sortir en toute liberté. Dans cette grande maison, la climatisation était défectueuse. La chaleur et les événements à la télé mettaient Janet Bryson de très mauvaise humeur. Elle avait commencé à suivre le drame de Brandon et de Keenan avant le lever du jour, lors des dernières heures de son travail de nuit à l'hôpital, et elle avait vu les premières images des garçons sur le poste d'un hall d'accueil encore vide. Chez elle, plus tard, elle chercha des détails sur Internet, puis s'installa dans son living pour regarder en direct sur Canal 9 le dénouement insultant des événements de la journée.

« Ils la laissent partir ? Mais c'est quoi, ça ? »

Janet Bryson ne connaissait personnellement aucun des protagonistes, bien que sa maison, par coïncidence, soit située à huit rues de distance de la maison de Safari Drive où Scott Torres avait vécu jadis. Elle était aide-soignante, et c'était une mère divorcée qui élevait seule un fils adolescent dans une maison à deux niveaux, de style ranch, dont le plan était identique à celui de l'ancienne habitation des Torres et qui, comme elle, était posée sur la plate étendue de pâturages pour vaches tombés dans l'oubli, à côté d'un canal de drainage en béton appelé Coyote Creek. L'été, seul un filet de liquide saumâtre coulait dans Coyote Creek, alimenté surtout par le déversement des collecteurs d'eaux pluviales qui recueillaient l'eau gaspillée par des voisins qui dorlotaient leur gazon, leurs rosiers et leurs voitures surbaissées en les soumettant à des déluges deux ou trois fois par semaine. Ce filet d'eau saumâtre attirait des corbeaux, des chats et, de temps à autre, une bande de perroquets retournés à l'état sauvage et dotés de plumages vert émeraude et jaune safran. Et voilà que maintenant, alors que Janet se laissait retomber en arrière sur les coussins raffermis de son canapé pour absorber pleinement le choc d'avoir vu une fois de plus une étrangère en situation irrégulière et soupçonnée de crime relâchée pour qu'elle profite de la liberté américaine, un des perroquets lança un cri rauque, presque humain, juste au-delà de la clôture du jardin derrière la maison.

« Oh, ferme-la, imbécile d'oiseau ! »

Janet Bryson éprouvait à peu près les mêmes sentiments vis-à-vis d'Araceli Ramírez, la ravisseuse d'enfants, que vis-à-vis de tous les Mexicains qui envahissaient son espace et que vis-à-vis des perroquets sauvages. Comme les familles hispanophones dans son lotissement, les perroquets étaient des envahisseurs venus du Sud. C'étaient les descendants de perroquets apprivoisés qui s'étaient échappés et, dans un environnement qui était naturellement celui du moineau domestique et de la corneille d'Amérique, ils dérangeaient en exhibant de manière aussi ostentatoire leurs couleurs exotiques. Cinq ans plus tôt, elle avait écrit à la SPCA, au Sierra Club et au Club Audubon pour dire à quel point la chose était gênante et expliquer que ces oiseaux tropicaux violaient les rythmes et les habitats naturels en se perchant en grand nombre sur les fils téléphoniques et en se baignant dans le canal. Seul le Club Audubon lui avait répondu par une lettre polie qu'il resservait souvent, dans laquelle il s'opposait à ces « espèces envahissantes » mais déplorait le coût et la difficulté pratique de rafler tous ces oiseaux qui, en fait, formaient six espèces différentes du genre *Amazona*.

Les Mexicains venaient après les perroquets. Il y en avait toujours eu quelques-uns, mais ils étaient anglophones et, en général, c'étaient des gens acceptables à l'époque où Janet Bryson venait de se marier et habitait dans cette même maison avec son mari. Elle pouvait parler à ces Mexicains-là parce que c'étaient des Américains, et elle pouvait même retrouver un peu d'elle-même en les voyant entrer et sortir de leurs garages ou en suivant la routine de leur vie familiale autour des voitures, du football américain et des jours de fête. Leurs cousins et leurs grands-parents se rassemblaient pour Thanksgiving, et ils allumaient des guirlandes pour Noël. Mais ensuite avait commencé l'infiltration des hispanophones, et le pâté de maisons où vivait Janet Bryson s'était inexorablement rempli de gens qui, de fait, étaient citoyens de cet autre pays. Quand une des premières familles parlant uniquement espagnol avait emménagé juste à côté de chez elle, Janet avait frappé à la porte pour offrir une assiette de brownies car c'était le genre de geste de bon voisinage qui se faisait. Un homme d'environ trente ans avec une chevelure noire du style tampon Jex lui avait ouvert, et il avait eu l'air perplexe devant ce geste, mais également ravi de voir apparaître à sa porte une femme blanche encore très sexy. Quelques instants plus tard, la femme de cet homme l'avait rejoint et avait lancé à Janet Bryson un « merci » maussade – et prononcé à la mexicaine – avant de la dévisager de haut en bas de manière dédaigneuse comme pour dire : *Non, mon mari ne va pas courir après celle-là.* Et, bien des années après, ce couple ne lui avait toujours pas rendu son assiette ! Janet Bryson n'oubliait jamais un affront – c'était la raison pour laquelle elle n'avait pas parlé à son ex-mari depuis plusieurs années, depuis un incident impliquant une petite amie de cet ex lors d'une fête pour le Super Bowl [1]. Elle se rappelait l'assiette manquante chaque fois que de nouveaux Mexicains arrivaient, et surtout lorsqu'une famille, dans sa rue, hissait un drapeau mexicain sur sa pelouse de devant en violation d'un règlement de voisinage que personne ne se souciait plus de faire respecter.

Les perroquets criaillaient et se dandinaient dans le filet d'eau, prospéraient et se multipliaient en se nourrissant d'oranges et de citrons, et leurs soudains éclats bruyants, leurs chœurs de criailleries matinales tiraient souvent brutalement Mme Bryson de son

1. Finale du championnat annuel de football américain.

sommeil, comme le faisaient d'ailleurs les Mexicains en appuyant à fond sur l'accélérateur de leurs vieilles voitures dès six ou sept heures du matin pour les mettre en route. Les perroquets volaient par groupes de vingt, à peu près, en grandes formations en losange, tandis que les Mexicains se déplaçaient en grappes – les hommes étaient penchés par deux sur les moteurs, et plus loin, des groupes de femmes et de jeunes filles portaient des casseroles. Les Mexicains semblaient toujours comploter : les hommes se tenaient par les épaules et parlaient à voix basse. Chose encore plus inquiétante, Janet entendait plusieurs fois par semaine l'un d'entre eux pousser un sifflement comportant sept tons différents. C'était une sorte de signal, une convocation, et la dernière note s'estompait en un appel plaintif. Qu'est-ce que cela signifiait ?

Janet Bryson s'était mise à les étudier de la même manière qu'elle avait étudié les perroquets, en tapant des mots-clés dans des moteurs de recherche sur Internet, puis en écrivant des lettres et des courriels dans lesquels elle donnait voix à son sentiment de perturbation. Elle en était venue à se considérer comme appartenant à un ensemble de citoyens concernés mais devenus invisibles, une de ces voix isolées, dispersées dans des villes de banlieue telles qu'El Monte et Lancaster, qui se battent contre les méfaits de l'instruction bilingue et les mauvaises habitudes de ces gens-là qui se servent de la pelouse devant leur maison pour garer leur voiture et faire sécher leur linge. Par les amis qu'elle avait connus sur Internet, elle fut mise au courant des complots ourdis au plus haut niveau du gouvernement et de la finance pour fondre les États-Unis, le Canada et le Mexique en un seul pays utilisant une seule monnaie, l'Améro. Elle avait vu des schémas censés représenter la super-autoroute qui relierait l'intérieur du Mexique à Kansas City et ferait plonger le pays encore plus vite dans un environnement étranger. En regardant les Mexicains de l'avenue Calmada comploter, en lisant des descriptions de la machination bien plus vaste qui cherchait à transformer son pays, elle était transportée dans une sorte de rêve : les événements devenaient étranges, menaçants et ils échappaient à son contrôle.

C'était pour son seul enfant que Janet Bryson travaillait, faisait des sacrifices et tenait les Mexicains à l'œil ; pour son fils de seize ans, un gosse ingrat qui commençait à parler anglais comme un Mexicain. Elle l'entendait à la façon dont il étirait les voyelles de certains mots en une longue plainte nasale et dans les intonations façon gangster qu'il donnait à des expressions comme « et alors ? ». « Pourquoi parles-tu comme ça ? » lui demandait-elle, mais il se contentait de lui adresser le sourire méprisant et ennuyé qui s'était installé sur son visage depuis qu'il avait treize ans. Avant d'avoir fait la connaissance de Mexicains, Carter était un garçon qui comprenait qu'elle et lui étaient une mère et un fils unis contre le reste du monde. Elle lui avait récemment offert les clés de sa première voiture, et il l'avait récompensée en bricolant la voiture dans l'allée du garage avec un des Mexicains, puis en disparaissant tous les après-midis et presque tous les soirs dans cette vieille Toyota Celica, laissant Janet seule dans la maison penser à ses voisins mexicains et regarder la télévision où les journaux étaient eux aussi remplis de Mexicains. Si l'on regardait de près, on en voyait partout : autour des incendies, dans les matchs de basket, sur les photos d'identité judiciaire. Et maintenant il y avait le visage de cette femme qui s'enfuyait en courant, cette ravisseuse d'enfants qui, pour de mystérieuses raisons, se baladait désormais en toute liberté.

Le jour où Araceli Ramírez devint une célébrité nationale, Janet Bryson sortit sur sa véranda et cria à son fils : « Carter ! Où vas-tu ? » Il fit un signe de la main mais ne répondit pas. Elle était restée plantée devant son téléviseur presque toute la journée, et elle avait été tellement obsédée par cette histoire qu'elle avait mangé toute seule un sachet - taille familiale - de maïs soufflé au fromage. *Ce n'est pas bien de manger comme ça.* Mais que pouvait-elle faire d'autre ? Ces garçons ressemblaient à son garçon à elle, sur la vieille photo de l'école primaire où l'on voyait des taches brunes de fixateur à l'endroit du couloir, à son Carter avant que les hormones ne lui enflent les bras et ne lui épaississent le cou. Deux jeunes Américains qu'on avait fait disparaître, emmenés au sud, au Mexique. Deux garçons sans protection. Elle versa réellement des larmes quand la nouvelle de leur sauvetage apparut dans un flash de *Headline News.* « Dieu merci ! » Elle se glissa dans la cuisine où elle se prépara un déjeuner tardif, et elle laissa le bruit de la télévision remplir la maison pendant qu'elle attendait l'épilogue, quel qu'il soit, que les infos télévisées apporteraient. Et puis elle entendit que la Mexicaine avait été relâchée et que des insinuations calomnieuses étaient lancées contre les parents américains.

Quand Maureen cria « C'est un mensonge », Janet Bryson partagea son sentiment d'indignation maternelle, et la sensation de futilité qui pesait sur son esprit et sur sa maison pendant les longues heures où son fils était absent la quitta instantanément. *On devrait tous crier comme ça.* Janet Bryson voulait hurler contre le voisin et ses guirlandes de Noël qui entouraient un sanctuaire au fond du jardin dont la lueur nocturne emplissait sa chambre à elle trois cent soixante-cinq jours par an, elle voulait hurler contre les jeunes Mexicains qui avaient appris à son fils à terminer ses mots par un son geignard. Il lui fallait faire quelque chose ; il fallait que son hurlement s'ajoute au cri de cette mère américaine à laquelle on avait fait du tort. Il lui fallait rallier les troupes. Elle retourna à son ordinateur et commença à écrire.

18

EN L'ESPACE DE TRENTE MINUTES, Maureen raconta toute l'histoire à Stephanie Goldman-Arbegast, en commençant par le fiasco de la fête d'anniversaire, les divagations de Sasha « Big Man » Avakian et la mise en place du jardin du désert. Elles étaient assises dans la cuisine, et Samantha, avec son corps plutôt rebondi de bébé qui ne marche pas encore, était glissée dans un fauteuil à bascule à présent immobilisé, qu'on actionnait à la main. Stephanie remarqua que Samantha avait à peu près trois mois et sept kilos de trop pour ce machin-là, et elle fut légèrement troublée de voir que sa vieille amie faisait preuve d'une négligence, certes inhabituelle, mais qui durait et qu'elle faisait subir à son bébé. Stephanie Goldman-Arbegast était habituée à voir Maureen rester élégamment maîtresse d'à peu près toutes les situations qui se présentaient à elle et réagir sans précipitation, avec détermination et bonne humeur quand se produisaient des bagarres au bord de la piscine ou des accidents de verres de vin. Stephanie admirait et, dans bien des domaines, essayait d'imiter sa vieille copine du groupe de garderie. Pourtant, à quelques moments précis de ces derniers mois, elle avait observé que la Maureen à l'humeur égale de jadis était lentement rongée par les exigences de deux garçons en pleine croissance et d'un bébé. Mais Stephanie Goldman-Arbegast n'avait encore jamais vu Maureen dans l'état de manque de sommeil et de désorientation qui était le sien aujourd'hui. Elle tournait en rond dans la cuisine sans arrêter de parler, et, à la fin, c'était en essuyant des larmes sur son visage qu'elle avait poursuivi son récit jusqu'aux événements étranges et imprévus qui avaient provoqué la dispute, la table basse cassée dans le séjour, puis son voyage dans le désert avec Samantha et son retour dans les pièces vides et immaculées de cette maison.

« Et c'est comme ça qu'on s'est mis dans ce foutoir », dit Maureen qui levait ses yeux enflés vers sa vieille amie au moment où le téléphone sonna une fois de plus. À la deuxième sonnerie, Peter Goldman décrocha dans la salle à manger où il buvait du vin avec Scott.

« Les reporters, dit Maureen. On a cette peste de médias sur le dos. Ils nous ont transformés en histoire.

— Ça y allait fort, aux infos de ce matin », dit Stephanie Goldman-Arbegast qui, pour l'été, avait fait couper ses cheveux noirs aussi courts que ceux d'un homme. C'était une femme de quarante ans, maigre, avec l'air carré de ses ancêtres du Wyoming et le même penchant qu'eux pour les chemisiers brodés.

« Ils ont téléphoné ici hier soir avant qu'on débranche le téléphone pour pouvoir dormir. L'émission *Today*. Scott leur a parlé et leur a dit de nous laisser tranquilles.

— Et puis il y a les trucs dans les journaux. Et dans les blogs.

— Les blogs ? Je peux imaginer. »

Stephanie sortit trois pages de blog imprimées de son sac à main et les tendit à Maureen pour qu'elle puisse les voir. Un échantillon des trois cent seize commentaires postés sur le site du *Los Angeles Times* à la fin de la matinée. Elle le faisait pour que celle-ci soit au courant, parce que le rôle d'une amie était d'être à la fois loyale et vigilante, d'apporter des lumières qui pouvaient être gênantes et non désirées mais qui n'en étaient pas moins nécessaires. Presque exactement la moitié des commentaires exprimaient leur accord avec Scott et Maureen. Et parmi ceux-ci, ils étaient la moitié à citer le passage où Maureen répondait en criant au reporter et à clamer leur indignation vis-à-vis de ces médias « de gauche » et « amoureux des immigrés » qui refusaient de croire que Brandon et Keenan avaient été kidnappés. Ces commentateurs et leur rhétorique paranoïaque ne retinrent qu'un instant l'attention de Maureen. L'autre moitié, en revanche, lançait diverses remarques narquoises sur les Torres-Thompson et sur les Laguna Rancho Estates ainsi que sur la « diatribe » de Maureen. Cette autre moitié qualifiait les parents de gens « gâtés » et parlait de l'« héroïsme » évident de la Mexicaine brièvement emprisonnée pour avoir commis le « crime » de sauver deux enfants que leurs parents avaient abandonnés.

« Ne prends pas ces trucs-là trop au sérieux, dit Stephanie. Je me suis dit qu'il fallait te mettre au courant. Je n'aurais peut-être pas dû te les montrer.

— Si, il faut que je le voie.

— Il y a eu un type, là, à la radio. Sur KABC. Un type d'une association d'immigrants qui disait que les Mexicaines sont le "sel de la terre", qu'elles élèvent nos enfants et font des choses héroïques tous les jours, qu'Araceli est – quel est le mot ? – "emblématique" de cette grande "source de sollicitude maternelle" que sont les nounous latino-américaines. J'ai essayé de téléphoner pour te défendre, pour répondre quelque chose, mais…

— Une "source de sollicitude maternelle" ? Araceli ?

— Ouais. C'était une expression hyper-fleurie de ce genre.

— Incroyable. » Maureen passa en revue quelques-uns des commentaires en anglais, puis s'interrompit et se retourna vers son amie. « Il faut croire qu'Araceli est la vraie mère, dit-elle avec une résignation sarcastique. Et moi, je ne suis que le riche parasite.

— Ne t'occupe pas d'eux. Tu sais qui tu es. Tu es une maman formidable. Pour trois enfants. Et maintenant que Guadalupe est partie tu les élèves, toi, toute seule ! Personne, parmi ces gens, ne sait que tu travailles aussi dur. Et puis, franchement, leur opinion, on s'en fout. »

Maureen était surtout offensée par l'idée que des personnes distantes, des étrangers, puissent livrer une opinion toute faite et automatique sur sa maison et sa famille. Ils jetaient un coup d'œil dans son foyer et se moquaient d'elle, de Scott et de leurs enfants, se permettaient des extrapolations reposant sur quelques photos lâchées au public, sur leurs préjugés vis-à-vis de gens « comme elle » et sur le moment filmé où elle avait décidé de se défendre contre l'intrusion de la lumière blanche des caméras plantées sur sa pelouse. Ces inconnus sans visage pouvaient poster des insultes et créer collectivement le grand mensonge par lequel ils transformaient Araceli en star sans savoir que cette Mexicaine n'aimait pas les enfants de Maureen, leur faisait la tête en leur servant leur dîner et avait même eu un jour le culot de lui dire : « Ces garçons ont trop de jouets pour être bien dans leur tête. Leur cerveau n'est pas organisé pour avoir autant de jouets. » *Araceli doutait de l'intelligence de mes fils. Elle a passé des heures dans sa chambre à jouer à l'artiste avec nos objets au rebut, et elle était dégoûtée quand elle voyait les renvois de mon bébé. Mais maintenant, la voilà en Jeanne d'Arc mexicaine.*

« Il est vrai que je suis partie, que nous l'avons laissée seule à la maison, finit-elle par dire à Stephanie. Mais ça ne lui donne pas le droit d'embarquer nos enfants dans un voyage glauque en ville, pour aller faire Dieu sait quoi.

— C'est vrai. »

Maureen songea à toute la vigilance quotidienne nécessaire pour préserver l'ordre dans une maison, pour rester fidèle à ses valeurs et élever des enfants qui deviendraient de bons citoyens et seraient capables de réfléchir. Tout cela relevait d'une action personnelle et altruiste, mais maintenant on la tournait en dérision en l'accusant de faire exactement le contraire. Araceli était responsable de ce chœur de voix râleuses, à l'orthographe incorrecte, qui s'élevaient contre elle.

« Comment a-t-elle pu croire que nous ne reviendrions pas ? Pour moi, ça n'a aucun sens. Elle n'a même pas laissé de mot. Cette femme a toujours été à côté de la plaque. Et pourquoi les emmener à Los Angeles ?

— Là, elle a eu tort.

— Elle les a mis en danger. »

Stephanie Goldman-Arbegast resta silencieuse et adressa à son amie un faible hochement de tête en signe de solidarité. Elle sentait que Maureen finirait par ajouter sa voix à celles des gens qui souhaitaient punir Araceli, ce qui ne lui plaisait pas. *Mais je ne vais pas lui en vouloir pour ça.* Devant elle se tenait une femme bien qui se trouvait dans une situation impossible. Une femme qui vivait pour ses enfants. Dont les enfants étaient l'œuvre d'art. Et maintenant la ville la rabaissait au rang de mauvaise mère. *Est-ce que je me conduirais différemment ? Si ma mâchoire se contracte quand ma belle-famille de New York critique ma façon d'élever les enfants, comment est-ce que je réagirais si une ville entière me jugeait ?* Stephanie regarda son amie se mordre la lèvre puis se retourner pour jeter un œil sur son bébé qui dormait.

« Ce fauteuil à bascule est trop petit pour Samantha, n'est-ce pas ? finit par dire Maureen comme si elle émergeait d'un brouillard et tombait à l'improviste sur sa fille. Je ne peux plus la mettre dans ce machin. Elle est toute serrée, dedans. Où avais-je la tête ? »

Dans le lieu qu'Araceli connaissait sous le nom de Chambre aux mille merveilles, Brandon et Keenan s'étaient réunis en petit comité avec leurs amis, Max et Riley Goldman-Arbegast. Pour une fois, ils ne s'étaient pas immédiatement laissé aller au plaisir d'emboîter des cubes en plastique pour construire des parapets imaginaires, des forts ou des bunkers, ni laissé distraire par des jeux électroniques dont on manipule les commandes. À la place, ils discutaient de leurs récentes aventures : du voyage en Europe des Goldman-Arbegast et du trajet en train que Brandon et Keenan avaient effectué en quittant leur maison pour pénétrer dans un autre monde au cœur de Los Angeles.

« On a vu le Parthénon d'Athènes, dit Max.

— C'est là que Zeus habitait ? demanda Keenan.

— Non. Ça, c'est le mont Olympe », corrigea Brandon. Comme Max, l'aîné des frères Goldman-Arbegast, c'était un passionné de mythologie grecque.

« Et ensuite on est allés à Londres et on a vu les marbres que les Anglais ont pris aux Grecs.

— Ils leur ont pris des arbres ? demanda Keenan.

— Non, des marbres. C'est de grandes images plates sculptées dans du marbre, répondit Max. Et on a vu la pierre de Rosette.

— Quand on est allés à L.A., presque tout le monde parlait espagnol, dit Keenan. On a vu *el cuatro de julio*.

— J'ai appris à dire "merci" en italien, répliqua Riley. C'est "*grazie*".

— Et on t'a vu, toi et Keenan, à la télévision.

— Ouais, dit Brandon d'un ton neutre. On est passés sur plein de chaînes.

— Plein et plein. Toutes, je crois, dit Riley.

— Vous avez eu peur, quand cette femme vous a kidnappés ? demanda Max, posant la question à toute vitesse comme s'il n'avait attendu que ça.

— Na-an. Je pense pas qu'elle nous ait kidnappés, dit Brandon. On cherchait notre grand-père. Mais on s'est trompés d'endroit. Mais on a vu plein de choses cool.

— Nous, on a vu le Colisée, dit Riley.

— Il y avait des gladiateurs ? demanda Keenan.

— No-on, fit Max. C'est rien que des ruines, maintenant.

— Il y a des parties de L.A. qui sont des ruines aussi », dit Brandon. Il commença à leur livrer quelques détails supplémentaires sur son voyage à Los Angeles, ses rencontres avec des réfugiés de guerre et des lyncheurs, y mettant cette fois moins d'entrain que précédemment. Il avait déjà essayé de raconter cette histoire à ses parents, mais il avait été si souvent interrompu par les questions de sa mère qu'à la fin l'histoire ne lui paraissait plus être la sienne. Comment se fait-il, se demanda-t-il plus tard, que les histoires se mettent à vieillir dès la première fois qu'on les raconte ? Pourquoi est-ce qu'une histoire ne peut pas se re-raconter sans cesse ?

« L.A. me paraît plus cool que l'Europe, jugea Max une fois que Brandon eut terminé.

— Ouais, je suppose, dit Brandon. Mais j'ai vraiment envie d'aller en Grèce. Et à Rome aussi. »

Les quatre garçons, le dos voûté, restèrent assis en cercle ; les plus âgés sentaient une certaine gêne s'emparer de leur corps, quelque chose de trop grand en eux qui annonçait l'adolescence. À la fin, Brandon remarqua un livre qui dépassait de la poche de Max.

« Tu lis quoi ?

— C'est un vieux bouquin que j'ai trouvé sur l'étagère de mon grand-père quand on s'est arrêtés chez lui à New York, dit Max. D'après lui, je n'étais sans doute pas assez âgé pour le lire. Il y a des trucs, dedans, que je devrais pas lire parce que j'ai seulement douze ans. Et puis il me l'a quand même donné quand ma mère regardait pas. Il y a des endroits mortels. Vraiment mortels, en fait.

— Comment ça ? Des meurtres et des trucs comme ça ?

— Na-an. Je peux pas te décrire. Il n'y a pas de dragons, ni de guerriers, ni d'elfes comme dans tous les livres que j'ai lus avant. Mais c'est vraiment, vraiment cool. Mortel. Y a des gosses qui fument, dedans.

— Ils fument ?

— Ouais. Des cigarettes. C'est, bon, le meilleur livre que j'aie jamais lu. »

Max jeta un regard de conspirateur autour de lui, puis il sortit le vieux livre de sa poche et le tendit à Brandon qui en examina la couverture usée par les ans et le titre qu'il ne fut pas en mesure de déchiffrer d'emblée.

« Tu peux le garder, dit Max. Je l'ai fini dans la voiture. »

Brandon ouvrit la première page et commença à lire. Quand le narrateur promit de décrire « ce qu'avait été ma saleté d'enfance », Brandon fut conquis.

« Tu sais, au bout du compte, ils vont poursuivre cette pauvre femme à cause de moi. » Ce fut un des rares commentaires que Scott se permit de faire sur la situation, et Peter Goldman décida qu'il ferait comme s'il ne l'avait pas entendu. « C'est elle ou moi. Elle ou nous, je veux dire. Je suppose que nous mériterions d'être punis davantage. » La bouteille était presque vidée, et, la plupart du temps, ils avaient parlé de base-ball et de football américain. Après avoir révélé brièvement son sentiment de culpabilité, Scott se rattrapa, but une autre gorgée de vin et leva les yeux vers son ami qui paraissait plus amusé qu'indigné par sa situation. Voilà quelqu'un, pensa-t-il, qui ne va pas me juger. Scott essayait de trouver quelque chose de spirituel à dire pour chasser ce que ce moment avait de pathétique lorsque le téléphone sonna de nouveau juste devant eux sur la table de la salle à manger. Peter Goldman décrocha.

« Non, ça ne l'intéresse pas, déclara-t-il. Oui, exactement. Merci. Au revoir, maintenant… au revoir.

— Merci d'avoir fait ça, dit Scott. Je te suis vraiment reconnaissant.

— Tout bon quart-arrière a besoin d'une bonne ligne d'attaquants. Surtout quand la défense lance un blitz contre le quart-arrière aussi féroce que celui qui s'en prend à cette maison, je peux te le dire. » Leur camaraderie s'était forgée en cinq ans de conseils d'école, d'anniversaires, d'excursions dans des parcs d'attractions, et leur fraternité était née du fait d'être mariés à des femmes qui les traînaient à travers toute la ville et les avaient empêchés de passer plein d'heures à regarder du sport à la télé, tout ça au nom des « obligations familiales ».

On frappa à la porte. Trois coups espacés et polis suivis d'une pause, puis trois autres coups plus régulièrement espacés mais plus forts. Peter Goldman se leva et dit : « J'y vais. » Un instant plus tard, Scott sentit un rayon de lumière tiède pénétrer dans la maison par la porte à moitié ouverte, et il entendit une voix marmonner dehors. Après un échange rapide, Peter revint à la table de la salle à manger.

« C'est un type du bureau du procureur.

— Encore ? Merde !

— Je lui dis de s'en aller ?

— Non. Il faut que je lui parle. »

Scott se leva, alla jusqu'à la porte d'entrée et l'ouvrit d'un grand geste.

« Monsieur Torres, nous n'avons pas pu vous joindre par téléphone », dit Ian Goller. Il portait un costume anthracite qui absorbait la lumière et une fine cravate rouge sur une chemise blanche amidonnée. Pour Peter Goldman, qui ne l'avait encore jamais rencontré, il émanait de lui le même genre d'irréalité qu'un comédien qui sortirait de la salle d'enregistrement d'un film d'espionnage en Technicolor. Goller avait dû revenir à toute vitesse au Paseo Linda Bonita à cause de la vertigineuse spirale du cycle de l'info, de la clameur d'une partie véhémente de l'électorat du comté d'Orange et à cause d'un autre groupe, lui aussi influent, de spectateurs et de commentateurs situés au-delà du comté. Ces voix exigeaient, au moyen de médias numériques et analogiques, qu'Ian Goller et ses collègues du bureau du procureur fassent prévaloir l'« application de la loi » dans le cas d'Araceli Ramírez, présumée ravisseuse d'enfants.

Goller avait débarqué dans les services du procureur après avoir beaucoup fréquenté la plage, encore baigné (au figuré comme peut-être au propre) de certaines notions idéalistes bien implantées dans son cerveau – en particulier de celle qui lui faisait croire que le droit criminel était un domaine de recherche scientifique dans lequel les traditions américaine et européenne de jurisprudence étaient utilisées pour évaluer les faits sans passion et protéger le public. Pendant son ascension vers les étages supérieurs de cette institution, puis lorsqu'il fut enfin admis dans le sanctuaire lambrissé de noyer du procureur en personne, cet idéalisme avait pris de l'âge et mûri pour permettre une compréhension plus réaliste du travail à accomplir et des responsabilités qu'il impliquait. Surtout, Goller avait appris qu'il était tout simplement impossible pour un fonctionnaire de son rang de ne pas tenir – entièrement – compte de l'opinion publique quand il s'agissait de définir le bien et le mal. La perception des gens comptait : leurs peurs et leurs besoins collectifs, leurs indignations et ce qui les laissait indifférents. Dans cette affaire, la sensibilité légaliste de bien des habitants du comté d'Orange avait été offensée par l'entrée illégale de la suspecte sur le territoire des États-Unis d'Amérique. Elle leur inspirait des doutes sur la conduite de cette femme vis-à-vis des garçons et les poussait à demander une punition. En termes non juridiques, ils n'allaient pas la laisser s'en tirer comme ça. Par conséquent, Goller ne le pouvait pas non plus et se trouvait plus ou moins obligé de plonger dans les eaux incertaines d'une action en justice qui, bien que politiquement nécessaire, pouvait s'avérer épineuse.

À partir du moment où il plongeait, cependant, Goller devait s'assurer d'être en mesure d'arriver de l'autre côté. Autrement dit, il lui fallait être certain de ne pas perdre. Pour cela, il devait clarifier l'image des victimes et raffermir leur détermination.

« Est-ce que vous avez lu les journaux, ce matin ? demanda-t-il à Scott.

— Tout ça, c'est une sacrée épreuve pour ma famille », dit Scott lentement. Il pinça l'espace entre ses yeux tout en résistant à la tentation de se servir un autre verre de vin.

« Je comprends. Mais vous devriez regarder ceci. » Goller posa sur la table de la salle à manger la page des nouvelles locales de l'*Orange County Register*. La manchette dont il parlait s'étalait sur la moitié inférieure de la page et, de façon incongrue, sous une photo d'enfants dans une piscine publique de Santa Ana.

SAGA DES GARÇONS DISPARUS
LE SERVICE DE PROTECTION DE L'ENFANCE
ENQUÊTERA SUR LES PARENTS

Le procureur adjoint laissa cette info désagréable pénétrer dans l'esprit de Scott tandis que celui-ci se rasseyait lourdement et, ce faisant, s'écartait de la table, poussait sa chaise en arrière et prenait une posture de nonchalance agressive dans laquelle il exposait surtout le bleu délavé de son jean. Peter Goldman se dit que, quand il prenait cette pose, Scott ressemblait tout à fait à son fils Brandon.

« Il y a des gens qui déforment ce qui vous est arrivé et ce qui est arrivé à vos fils », reprit Goller avec un air de sollicitude paternelle. Peut-être à cause du vin, ou seulement de la pression des événements, Scott avait en tout cas du mal à se concentrer.

« Scott. Est-ce que je peux vous appeler Scott ?

— Bien sûr.

— Je suppose que vous êtes californien de naissance, Scott. C'est bien le cas ? demanda Goller bien qu'il connût déjà la réponse.

— Ouais, ouais.

— Vous avez été à quel lycée ?

— À South Whittier. À Saint Paul High School.

— Ah ! Moi, je suis allé à Mater Dei, à Santa Ana. Et je crois que nous sommes à peu près du même âge.

— Sans doute. Mais qu'est-ce que ç'a à voir avec...

— Je veux juste que vous compreniez ce qui se passe autour de vous, reprit Goller en l'interrompant. Parlons net : il y a plein de gens qui prennent un certain plaisir à voir ce qui vous arrive. »

Scott n'avait pas de réponse à cette affirmation, pas d'observation pour ou contre. Il avait envie de dire que ce que pensaient les gens le laissait indifférent, qu'il se foutait également d'Araceli, des journaux ou de la télévision. Mais ce n'était pas vrai.

« Bon, alors, pourquoi ça se passe comme ça ? demanda Scott avec l'insolence sceptique d'un adolescent.

— Parce que la Californie a changé. Et que ce n'est plus le même endroit qu'à l'époque où nous y avons grandi.

— Ah bon ?

— Oui. Pensez au respect que les gens avaient pour certaines choses. Autrefois, personne n'aurait remis en question les bonnes intentions de deux bons Américains tels que vous et votre femme.

— Sans doute que non.

— Et maintenant, on le fait. Pourquoi ? Parce que la femme qui vous accuse a des milliers de soutiens. Très bien : c'est leur droit de dire que le système fait d'elle une victime. Mais ces gens nous considèrent, vous et moi, comme leurs ennemis. C'est totalement fou, mais c'est ainsi. Et ils voient dans cette affaire une occasion de nous ridiculiser tous.

— Ça me gêne pas qu'on me ridiculise, répondit Scott sans vraiment vouloir dire cela. Il ne comprenait pas bien la direction que Goller imprimait à leur conversation.

— OK, mais ça va plus loin que d'être ridicule, vous ne croyez pas ? poursuivit Goller. En réalité, ces gens veulent vous humilier pour faire de la Mexicaine une héroïne. Et pourquoi ? Pour une idée. » Le procureur adjoint était sur le point de partir dans des abstractions et de remonter dans le temps parce qu'il avait appris que Scott était programmeur, et il avait senti que c'était quelqu'un qui avait besoin d'une solide architecture d'idées avant de passer à l'action. Goller avait conçu les grandes lignes de cette discussion alors qu'il roulait en direction des Laguna Rancho Estates à travers des marais et des terrains vallonnés encore incxploités, et qu'il passait devant d'immenses eucalyptus et les mamelons dénudés de collines jaunies. De manière générale, le fait d'être un procureur dans sa ville natale représentait une agression quotidienne contre ses souvenirs d'enfance, mais cet endroit-ci près de la mer, avec ses grands horizons et ses quartiers bien ordonnés et immaculés, le ramenait au comté d'Orange de sa jeunesse, à ses colliers de coquillages *puka* [1] et ses chemises d'été OP [2]. Certaines choses devenaient plus claires pour lui quand il venait ici, et maintenant il allait expliquer ces vérités essentielles à Scott et lui exposer le tableau d'ensemble.

« Pensez à ce moment dans lequel nous vivons, cette folie, une perspective historique. Celle de l'histoire de la Californie, commença Goller. Nous avons grandi dans des endroits semblables, vraiment. Moi à Fullerton, vous à Whittier. » Leurs maisons étaient situées dans la même plaine où alternaient vergers et pâturages à bovins, au sud-est de Los Angeles, et ils avaient fréquenté des lycées qui étaient de grands rivaux à l'époque où il y avait encore assez « de gosses de grand gabarit d'origine allemande et américaine pour faire de bonnes équipes de football américain ». La Californie était un paradis de grands espaces et de brise de mer, un bout d'éden entre le désert et la mer. Telle était la Californie qui avait vu naître Scott et Ian Goller, un lieu calme où des lotissements propres étaient séparés par la géométrie de champs de melons et de choux, par la répétition de vergers de citrus, par le parfum des orangers en fleur. « Cet endroit magnifique a été notre terrain de jeu. C'était un endroit où tout était possible, où les grands espaces correspondaient à l'idée que nous avions de nous-mêmes. À notre vision de l'avenir. » Ce paradis avait disparu, disait Goller ; les vergers avaient été arrachés pour faire place à des quartiers résidentiels, des rangées de maisons toujours plus délabrées et plus défraîchies chaque décennie. Depuis qu'il était procureur – et cela faisait plusieurs années –, Ian Goller avait été obligé de suivre de près la décomposition de sa ville natale. Il y avait désormais trop d'habitants, là, des corps massés sur les trottoirs et trop de voitures sur les routes, des gens entassés dans les maisons et les appartements de Santa Ana et d'Anaheim, villes qui autrefois étaient d'*excellents* lieux

1. Les coquillages *puka* sont, à l'origine, des coquillages hawaïens naturellement percés avec lesquels les amateurs de surf aimaient faire des colliers et des bracelets.

2. OP est l'acronyme de la marque de vêtements « Ocean Pacific », créée dans les années 1960 en Californie du Sud pour fournir les surfeurs.

de vie. Les repères de la jeunesse de Scott – restaurants bon marché et débits de hamburgers – étaient désormais recouverts par les taches crasseuses du temps et par quelque chose d'autre, une présence étrangère. Il y avait plus d'ordures dans les rues que jamais auparavant. Qui jetait des détritus dans les rues quand Scott et Ian étaient enfants ? Personne. Tout avait été corrompu et souillé. Mais la plupart des gens s'en fichaient tout simplement. Ils laissaient ces multitudes envahir leur État. Ces étrangers, pour la plupart sans instruction, sans perspectives d'avenir dans leur propre pays. Et lorsque ces multitudes, par une sorte d'inévitabilité mathématique, produisaient les détenus qui remplissaient les prisons, trop de Californiens détournaient le regard et faisaient comme s'il ne se passait rien. Pis, même, les défenseurs de ces gens déformaient tout et diabolisaient des familles américaines comme celle de Scott pour avoir le bon sens de vivre derrière des barrières qui les protégeaient de l'anarchie criminelle sévissant dehors. C'étaient ces gens-là qui maintenant criaient bravo à l'idée que sa famille allait faire l'objet d'une enquête.

Scott avait parfois regardé le plateau en chêne de la table et parfois Goller droit dans les yeux pendant que celui-ci parlait, et il n'avait pas remarqué qu'à un moment, pendant le discours de Goller, Maureen était entrée dans la pièce avec Stephanie Goldman-Arbegast qui tenait dans ses bras Samantha endormie. Elles avaient été attirées par le son de la voix du visiteur, et Maureen, dans un premier temps, s'était amusée de l'incongruité du costume noir de celui-ci par une chaude journée de juillet ainsi que de sa manière de partir dans une transe d'illuminé quand il discourait. Ses motivations devinrent vite parfaitement claires pour Maureen, et, dans d'autres circonstances, elle lui aurait demandé de partir. « Je n'aime pas entendre tant de méchanceté, d'intolérance », aurait-elle peut-être dit. Mais la situation n'était pas normale et elle se trouva happée jusqu'à un certain point par la force émotionnelle de son argumentation. Je ne comprends vraiment plus rien. *Je suis entourée de mystères et d'apparitions : comme la présence de cet homme en noir. C'est lui qui me dit ce que je dois ressentir tout autant que ce que je dois penser.* Ce n'étaient pas les immigrants, qu'elle considérait comme des étrangers intrusifs, mais plutôt les reporters de Los Angeles qui s'étaient installés sur sa pelouse et qui, maintenant, occupaient le portail d'entrée des Estates. C'était un clan désordonné et pressant d'hommes et de femmes munis de micros, qui brandissaient des caméras et hurlaient des questions. Ils rappelaient à Maureen la ville de Los Angeles même et les premiers jours qu'elle avait passés dans cette métropole. Quand elle était venue en Californie, elle avait une vingtaine d'années et s'attendait à tout autre chose qu'à ce qu'elle avait initialement rencontré en tant que jeune célibataire dans un quartier de L.A. baptisé Mid-City, un endroit très laid avec de larges boulevards, des magasins de spiritueux grisâtres et des immeubles d'appartements transformés en bunkers dont les garages en sous-sol étaient de vrais repaires de violeurs. À cette époque, elle portait une bombe de gaz incapacitant dans son sac à main et elle mettait un antivol en acier sur le volant de sa Honda Civic garée là, une voiture pour femme seule avec des plaques d'immatriculation du Missouri. Elle avait vite trouvé un moyen de s'échapper vers le sud. *C'est la raison pour laquelle je vis ici, sur cette colline qui domine l'océan, au lieu d'être dans un appartement près de La Cienega, ou à Brentwood. Ici, j'ai trouvé une version plus pure de ce qu'est la Californie.*

« Il y a des gens qui croient que ces changements dans nos villes sont quelque chose de naturel et d'inévitable », poursuivit Goller. Il regarda Maureen s'avancer et prendre le journal sur la table, et il vit ses yeux se remplir d'indignation quand elle lut la manchette. « Il est dans leur intérêt de faire passer cette Mexicaine pour une victime et vous pour ceux qui la maltraitent. Et c'est comme ça que tout le monde verra l'affaire, sauf si vous leur dites que ce n'est pas ça. »

Maureen l'examina avec un mélange égal de scepticisme et de curiosité. C'était un petit homme étrange et élégant ; on ne rencontrait pas tous les jours quelqu'un capable de donner une apparence douce et raisonnable à un argument plein de fureur et de dureté. « Je ne saisis pas bien ce que vous nous proposez, dit Maureen. Nous devons commencer à parler d'immigration et de gens en situation irrégulière, ou sans papiers, ou je ne sais pas ? Et ça suffirait pour que les médias nous laissent tranquilles ? Est-ce que ça ne va pas nous créer encore plus d'ennuis ?

— Non. Ne parlez pas de ces choses-là. Absolument pas. Votre rôle est très simple. Vous racontez juste votre histoire à quelqu'un qui vous écoute avec sympathie. Vous lui racontez votre histoire et vous effacez cette idée qui fait de vous une famille qui déraille. » Il les tenait à présent, surtout Scott qui écoutait dans une sorte de rêve éveillé et procédait déjà à du « traitement de vérité ». « Je connais un reporter. C'est en fait le correspondant local d'une des chaînes d'infos sur le câble. Il vous guidera lors d'un entretien, me semble-t-il, sans vous compromettre en quoi que ce soit. »

Stephanie Goldman-Arbegast regarda Maureen prendre des mains de Goller un bout de papier où figuraient deux numéros de téléphone et hocher très légèrement la tête pour donner son accord. *Non, Maureen, ne fais pas ça.* Dans quelques instants, Stephanie allait poliment appeler son mari et ses enfants, et ils s'en iraient pour ne pas revenir. Maureen allait lier son sort à la version de l'enlèvement qui circulait à la radio parmi les droitistes et ceux qui étaient hostiles aux immigrants alors qu'elle aurait dû raconter l'histoire de la table basse brisée. C'était ainsi que Stephanie voyait les choses. Les gens auraient compris qu'une femme veuille prendre ses distances avec un mari en colère. Mais Maureen était trop orgueilleuse. Maureen voulait, avec la détermination stoïque d'un monarque britannique, protéger l'image de sa famille : elle ne voulait pas que le monde l'imagine étalée sans défense sur le dos.

Pendant un moment, Stephanie se sentit davantage d'affinités avec la Mexicaine qui avait travaillé dans cette maison, cette perfectionniste bizarre et dure à la tâche qui avait été l'ombre de son amie depuis la première fois où Stephanie était venue ici pour que leurs enfants jouent ensemble. *Le plus triste, c'est qu'Araceli et Maureen sont en réalité très semblables.*

Le procureur adjoint serra la main de tout le monde et partit. Stephanie rejoignit son mari à la fenêtre d'où il regardait Goller descendre l'allée jusqu'à sa voiture.

« Il a une planche de surf sur sa bagnole », dit Peter Goldman en riant de cette absurdité. Stephanie lança un coup d'œil à la BMW garée dehors et vit que c'était exact. « Regardez, il enlève sa veste. On dirait Batman ou je ne sais qui. »

À un kilomètre et demi de là, le long de la côte, se trouvait un spot de surf qui constituait l'un des secrets les mieux gardés sur la côte cet été-là. Une petite tranche de bonheur du comté d'Orange que seuls les gens du coin connaissaient, un endroit où, après une tempête d'hiver qui avait modifié les sols, de longues parois liquides se déplaçaient à présent vers la gauche par-dessus du sable et des rochers, et, à mi-marée, elles étaient hautes et stables. Ian Goller se dit qu'avec un peu de chance il pourrait en profiter tout seul par une fin d'après-midi tranquille d'un jour de semaine comme celui-ci.

19

DANS SA PETITE CUISINE-SALLE À MANGER, à Santa Ana, Octavio Covarrubias servit à Araceli un énorme petit-déjeuner composé d'œufs, de chorizo et du jus des oranges qu'il venait de cueillir sur l'oranger de la cour et de presser, accompagné de fleurs de nopal frites, prises sur un énorme cactus qui poussait sur un terrain vague un peu plus bas dans la rue. Chaque fois qu'Araceli se servait, il levait le sourcil qui planait entre l'œil qu'il appelait Jupiter et les deux grains de beauté baptisées Io et Europe, et il lui demandait si elle voulait un peu plus de café. Araceli adressait de grands sourires à ce patriarche mal rasé d'environ cinquante-cinq ans, chauffeur de poids lourds à moitié à la retraite, vêtu d'un pantalon de travail vert délavé, qui tenait une poêle et lui préparait un petit-déjeuner alors qu'elle savait qu'il n'en préparait jamais pour lui-même. « *Ay, Octavio,* lança Luz, sa femme, lorsqu'elle eut aussi remarqué le côté ironique de la chose, *a mí nunca me haces* de petit-déjeuner. *Qué bonito sería* si tu me l'apportais un jour au lit. » Depuis qu'Araceli était arrivée chez lui le soir précédent, Octavio Covarrubias éprouvait un besoin soudain et étrange d'être aux petits soins pour elle, alors que jusqu'ici il n'avait eu que vaguement conscience de la présence de cette femme sur terre.

Ce qui impressionnait Octavio, c'était qu'une *Mexicana* ordinaire puisse être arrêtée, faire l'objet d'une flagellation symbolique par la machine des médias anglophones, ressortir de cette épreuve avec sa dignité de Mexicaine plus ou moins intacte, et arriver, devinez où, dans son living à lui. C'était un lecteur avide et un homme qui avalait fidèlement en deux langues les infos de la télévision par câble, mais, presque toujours, cela ne le mettait qu'en position d'être un témoin passif qui voyait comment on brisait sans cesse les gens de son peuple dans les tribunaux américains, sur les sentiers des clandestins dans le désert et dans les centres de détention de l'Arizona. Il lisait beaucoup sur ces sujets et pontifiait tant auprès de ses voisins de Maple Street qu'ils l'appelaient derrière son dos *el licenciado* parce que son indignation et sa verbosité leur rappelaient certains membres difficiles à supporter de la classe politico-bureaucratique mexicaine.

Quand Araceli en fut à sa dernière bouchée d'œuf, Octavio Covarrubias se mit à parler. « *Proceso* a un correspondant ici, à Los Angeles, dit-il. Nous devrions peut-être l'appeler, parce que *Proceso* voudra écrire quelque chose sur toi, j'en suis sûr. » Octavio Covarrubias était abonné à ce magazine d'investigation mexicain qu'il recevait de Tijuana chaque semaine. Avant qu'Araceli ait pu répondre, il commença à décrire un reportage écrit par ce même correspondant de *Proceso* sur un établissement où l'on détenait des enfants d'immigrants dans le comté de San Diego, puis un compte rendu de *Televisa* sur le même sujet, puis d'autres reportages sur CNN en espagnol et enfin sur CNN en anglais. L'appétit d'information était tel chez lui qu'il pouvait expliquer à sa femme et à ses voisins pourquoi l'armée américaine était responsable des inondations du Mississipi, qui avait comploté pour assassiner Luis Donaldo Colosio quand il était candidat à l'élection présidentielle mexicaine, quels étaient les liens entre les cartels de la drogue et l'ancien président Salinas de Gotari. Comme il avait été obligé de quitter le lycée de Durango en dernière année, son rêve d'obtenir un diplôme en sciences politiques ne s'était pas réalisé et donc, à la place, il étudiait les nouvelles, croyant ainsi pouvoir comprendre les événements apparemment imprévisibles de ce monde, car ceux-ci étaient manifestement orchestrés pour maintenir son peuple dans la pauvreté, l'ignorance et l'esclavage.

Araceli ne répondit pas à la question concernant le reporter de *Proceso*, et elle aida Octavio et sa femme à débarrasser. Ses hôtes souhaitaient manifestement l'entendre combler le silence par le récit de son arrestation et des autres événements qu'ils avaient suivis à la télévision. Mais elle n'arrivait pas à trouver par où commencer.

« Alors, on dirait qu'ils t'ont bien traitée, dit Luz Covarrubias tandis qu'Araceli essuyait une assiette avec un torchon et la lui tendait pour qu'elle la range. *No te veo traumada. Te veo tranquila.*

— *No me imaginaba* », déclara soudain Araceli. Octavio et sa femme crurent qu'elle voulait dire qu'elle n'aurait jamais imaginé être entraînée dans les abîmes de la machine à haïr, qu'elle n'aurait jamais imaginé être plaquée au sol et voir son humiliation diffusée sur les ondes, qu'elle n'aurait jamais imaginé qu'un million de téléspectateurs la diffameraient et la traiteraient de criminelle. Mais non. Elle voulait dire qu'elle n'aurait jamais cru pouvoir être tirée si vite et si définitivement hors de son train-train, de son existence confortable mais ennuyeuse, du cycle des repas et des lessives, pour passer dans le cirque totalement fou d'une vie sans emploi du temps ni rythme préétabli. Pour cette raison, son visage s'éclaira en prenant une expression étrange et perplexe lorsqu'elle dit une seconde fois : « *No me imaginaba...* » La rupture avait commencé avec l'arrivée de cette première bande de jardiniers barbares, ceux qui avaient détruit à la machette la forêt tropicale de Pepe. Ces hommes l'avaient arrachée elle aussi à ses racines et l'avaient tirée de l'ombre d'une jungle pour la jeter en plein soleil californien. Maintenant qu'elle était libérée de sa garde à vue et du souci de ce que devenaient Brandon et Keenan, elle pouvait apprécier les qualités carnavalesques du voyage qu'ils avaient fait depuis le Paseo Linda Bonita jusqu'au centre de Los Angeles. L'art délabré des voies ferrées, la sensation saisissante de rêve qui la prenait quand, après avoir été en prison un moment elle se retrouvait le moment suivant dans la gloire sinistre et silencieuse des rues d'Aliso Viejo plongées dans la nuit. Ici, dans le monde hors du paradis des Laguna Rancho Estates, il y avait la surface argentée des camions qui vendaient des tacos dans la 39e Rue, les grosses tortillas que des femmes et des hommes affamés portaient à leur bouche, et il y avait le pourpre des mers profondes au-dessus de leur tête quand le jour mourait. Ces images auraient leur place dans son carnet à croquis et plus tard sur une toile aussi grande que l'était dans son imagination le *Guernica* de Picasso. Elle voyait une composition où des pétards exploseraient en rouge et en orange à l'arrière-plan, et devant il y aurait les dents enragées d'une populace en train d'avancer et de crier. Et pourquoi pas la marche horizontale des pylônes d'une ligne électrique et ce couloir d'herbes et de palmiers retournés à l'état sauvage, route qui mènerait à des provinces américaines qu'elle n'avait pas encore vues ? Un artiste doit sortir et bouger : à présent, Araceli le comprenait. L'étude du monde visuel, à l'époque où elle tenait sur ses pieds, avait nourri sa vie à Mexico. Et puis, avec la défaite de ses ambitions créatrices, elle s'était réfugiée dans une sorte de retraite, elle avait accepté la petite chambre que lui avaient donnée les Torres-Thompson et les billets de banque dans une enveloppe à la fin de chaque semaine. Elle se sentait comme Brandon qui voyait des choses fantastiques et merveilleuses dans tout ce qui était nouveau. Elle voulait retrouver son *gordito*, Felipe le peintre dansant, et lui raconter ce qu'elle avait vu.

« Je n'aurais jamais imaginé, déclara Araceli après un bref silence, que je pouvais voir les choses comme les voyait un petit garçon.

— *¿ Cómo ?*

— Brandon. C'est l'aîné des garçons. Il adore lire. Il a cru que ce qu'il voyait à Los Angeles était comme ce qu'il y avait dans ses livres. Il était drôle. On voit les choses différemment quand on ouvre les yeux à la manière d'un enfant. » Dans cette maison aussi il y avait des enfants, ceux d'Octavio et de Luz, et ils rôdaient dans les parages, ils tendaient l'oreille pour pêcher des détails qu'ils pourraient partager avec d'autres.

« Bon, c'est bien de te voir aussi calme, dit Luz.

— *Sí, me siento calmada* », répondit Araceli. Mais Octavio semblait un peu déconcerté, un peu déçu par son humeur légère.

« La prochaine fois, señor Covarrubias, dit-elle, c'est moi qui vous préparerai le petit-déjeuner. »

Les lampes s'allumèrent, puis Maureen et le reporter de la télévision se regardèrent à travers les couches de maquillage qui leur couvraient le visage, et elle eut un dernier moment pour penser *Ah, on est vraiment dans le show business, n'est-ce pas ?* avant d'écouter la première question du journaliste. Il avait fallu quarante minutes pour transformer le living en studio. Le but de cet entretien, d'après ce qu'elle en comprenait, était de défendre publiquement son rôle de mère. Mais pendant que l'équipe déroulait des câbles noirs aussi épais que des couleuvres le long de son carrelage et plaçait une demi-douzaine de projecteurs à des hauteurs diverses, son trac et son anxiété se muèrent momentanément en une sorte de fascination morbide pour ce qui lui était révélé du fonctionnement interne des infos télévisées. Les techniciens filtrèrent par des carrés de tissu transparent les faisceaux lumineux de leurs lampes portatives de quatre cents watts jusqu'à ce que toutes les ombres aient disparu et qu'une lumière un peu inquiétante mais égale enveloppe la salle de séjour. Ils réarrangèrent les photos de la bibliothèque, apportèrent des roses fraîches et un vase, ouvrirent les portes en verre coulissantes donnant sur le jardin des plantes grasses, puis ils scotchèrent des L sur le plancher à l'endroit où ils mirent ensuite une haute chaise pliante pour que Maureen puisse être filmée à côté des roses, d'un portrait de la famille et d'un mini-paysage où divers cactus – y compris le cactus grimpant – se dressaient derrière elle. La productrice, une femme d'environ vingt-cinq ans, tapa un message sur un de ces petits appareils qui obligent à beaucoup utiliser son pouce, puis elle attendit quelques instants une réponse. Enfin, levant les yeux depuis l'écran, elle annonça que Maureen serait interviewée seule, que les garçons, Samantha et Scott feraient de brèves apparitions silencieuses dans la séquence « B » qu'on tournerait ensuite dans divers endroits de la maison pour réaliser une simulation de leur vie quotidienne sans Araceli. Bien entendu, pensa Maureen, c'est moi qu'on veut filmer. Sa « diatribe » de douze secondes avait été assez souvent répétée, depuis les trente-six heures qu'elle existait, pour qu'un ou deux commentateurs, dans les blogs sur la maternité, la qualifient d'« emblématique ». Comment se fait-il, se demanda Maureen, que dans tous les milieux, depuis celui des présidents-directeurs généraux jusqu'à celui des sénateurs américains en passant par celui des marchands de fleurs stressés et des mères affolées du comté d'Orange, une femme en colère puisse déclencher des sentiments aussi intenses ? Pourquoi estime-t-on qu'il est tout à fait remarquable et extraordinaire qu'une mère élève la voix ?

« Maureen Thompson, comment allez-vous ? Et comment va votre famille ? demanda le reporter.

— Nous allons bien. Nous avons eu une petite frayeur. Pendant deux jours et une longue nuit qui nous ont paru une éternité. Je veux dire, rentrer dans cette maison et la trouver vide, nous attendre à y trouver nos fils et puis, bon, découvrir qu'ils ne sont plus là. » Elle sentit que sa voix avait commencé à trembler, qu'elle paraissait fragile et faible, et dès qu'elle en prit conscience elle comprit que ce n'était pas nécessairement mauvais. « Et après, découvrir qu'ils étaient à l'autre bout de la ville.

— Et ils vont bien ?

— Oui, oui. Ils ont une histoire à raconter, une histoire folle, mais il semble qu'il ne leur soit rien arrivé.

— Une histoire folle ?

— Oui. Apparemment, notre employée, Araceli, leur a fait prendre le train. Dans quel but, Dieu seul le sait. À un moment, ils se sont retrouvés parmi les sans-abri, semble-t-il.

— Les sans-abri ?

— Oui. Et c'est très troublant, bien sûr.

— Mais ils vont bien ?

— Oui.

— Parlez-nous un peu de vous.

— Mon mari est programmeur. J'enseigne les arts à l'école de mon fils. J'y suis professeur d'art plastique. En fait, professeur bénévole, devrais-je dire, parce qu'on ne me paye pas, mais comme ça je suis proche de mes garçons et de leur école. » Brusquement, sa voix avait perdu son tremblement. « Et depuis cinq ans, maintenant, nous vivons dans cette belle maison.

— Bon, expliquez-nous exactement comment vous avez découvert que vos enfants avaient disparu », dit le journaliste en la regardant droit dans les yeux avant d'ajouter d'une voix nettement plus amicale, comme un acteur qui s'adresserait en aparté aux spectateurs debout dans la partie pauvre du théâtre : « Et, je vous en prie, soyez détendue. On peut refaire ça plus d'une fois s'il le faut. »

« On a fait un petit voyage, mon mari et moi, commença Maureen en résistant à la tentation de dire *séparément*, ce qui lui aurait permis de rester plus près de la vérité. Vous savez, quand on a trois gosses, on a besoin de coupures. » *Non, je n'aurais pas dû dire ça, j'ai l'air gâtée.* « Et nos garçons sont plus grands, maintenant. On s'occupe d'eux plus facilement, donc on a pensé qu'on pouvait les laisser pour la nuit avec leur nounou et ne prendre que Samantha avec nous. » Elle fit une pause et prit une grande respiration, car elle s'approchait davantage d'une contrevérité manifeste qu'elle n'aurait voulu le faire, et elle commit l'erreur de détourner les yeux de la caméra et de les baisser vers le plancher. Elle se reprit vite et se sentit étrangement consciente et alerte. « Puis nous sommes rentrés à la maison. Et tout était très silencieux. Incroyablement et anormalement silencieux, ici. » Maintenant qu'elle était de nouveau dans la vérité pleine et solide, elle pouvait en mesurer le pouvoir dans les yeux du reporter qui se concentraient en anticipation de la suite. « Quelque chose clochait. Nous sommes allés de pièce en pièce et nous n'avons pas vu les garçons. Je me suis dit : C'est très bizarre. Comment se fait-il qu'Araceli ne soit pas dans la maison avec les enfants ? Je veux dire, elle n'a pas de voiture ni la permission d'emmener les garçons où que ce soit. D'abord, je me suis dit : Oh, elle s'ennuyait peut-être, alors elle les a emmenés marcher dans le parc ou quelque chose comme ça. C'était quand même plutôt absurde, parce qu'elle n'a pas de voiture. Mais vous savez comment c'est : on a dans la tête cette petite voix qui vous dit de ne pas penser au pire. Et puis j'ai commencé à réaliser qu'ils étaient partis. Et cette maison s'est mise à me paraître vide. Horriblement vide. J'ai commencé à penser à l'endroit où ils pourraient être, à ce qu'ils pourraient être en train de subir, et à me dire que je n'étais pas là pour les protéger. Et ça, je ne pouvais pas le supporter. » Oui, c'était vrai : elle aimait ses garçons et les avait perdus pendant une après-midi, une nuit, puis encore un matin, et elle avait passé tout ce temps à vivre les peurs les plus profondes qu'une mère puisse connaître, une douleur qu'elle sentait dans ces parties de son corps où jadis ses garçons avaient vécu, où ils avaient battu des pieds et d'où ils s'étaient glissés dans le monde.

Maureen enfouissait ses subtils mensonges dans une vérité plus globale que ne connaissaient pas encore les millions de personnes qui avaient suivi l'histoire. Leurs commentaires sur Internet seraient bientôt parsemés de qualificatifs compatissants : la « braillarde » était en fait une femme qui paraissait « très raisonnable ». C'était une mère « éduquée et sachant s'exprimer » qui « aimait manifestement ses enfants », qui avait souffert le « cauchemar que redoutent tous les parents » et qui « disait clairement la vérité » sur la découverte de la disparition de ses fils.

« Avez-vous jamais autorisé cette femme, votre employée, à emmener vos enfants à East Los Angeles ?

— Non. Absolument pas.

— Alors, ont-ils été kidnappés ? demanda l'intervieweur avec une intonation qui faisait de sa question autant une suggestion qu'une interrogation.

— Eh bien, ils ont été emmenés, conduits dans... ce voyage bizarre. Ils sont partis pour L.A., et les collines étaient en feu ce jour-là. Donc, quand on les a récupérés, je jure qu'ils sentaient la fumée.

— Euh-euh, fit l'intervieweur, et Maureen comprit qu'elle avait mal répondu.

— Mais nous avons trouvé des choses bizarres dans la chambre de notre employée.

— Quelles choses ?

— De l'art étrange. Des détritus avec lesquels elle avait joué. C'est curieux. Parce qu'il s'agit d'une personne dont nous pensions qu'elle faisait partie de notre famille. Elle vivait avec nous. Nous lui faisions implicitement confiance. Et puis je me suis aperçue que je ne savais même pas qui c'était.

— Maintenant, parlez-nous de ceci, reprit le journaliste. De ce clip que je voudrais faire passer pour vous. Il est devenu pour ainsi dire célèbre, à présent. » Sur un petit écran aux pieds du reporter, les douze secondes de la diatribe de Maureen furent rejouées, et elle eut un mouvement de recul en voyant ses narines se dilater et sa mâchoire se contracter pendant qu'elle criait contre le reporter, comme si, dans sa banlieue, elle était une ourse qui essayait de mordre le naturaliste muni d'une caméra menaçant ses oursons – et cet effet était accentué par sa façon de scruter l'espace derrière les caméras pour repérer l'homme qui l'avait insultée.

« Vraiment, pourquoi une telle colère ?

— Mes enfants et moi venions juste d'être réunis, et je n'avais pas dormi depuis deux jours. J'étais incroyablement stressée. Je veux dire, quand on traverse un truc pareil : d'abord l'inquiétude de ne pas savoir où se trouvaient les garçons, s'il ne leur était rien arrivé. Et puis, vous savez, la joie de les avoir avec nous de nouveau. J'étais complètement crevée. En plus, je ne pouvais même pas voir ce type parce qu'il se tenait vers l'arrière. Je suis là, moi, la maman de ces deux gamins qui ont été enlevés, et il m'accuse. Mais je n'aurais pas dû hurler comme ça. Comme je l'ai dit, j'étais simplement complètement épuisée.

— Bien sûr. On peut se l'imaginer. »

Ils s'arrêtèrent de filmer, et quand la séquence de quatre minutes vingt-cinq secondes fut diffusée ce soir-là peu après le début des infos de vingt heures sur le câble, Janet Bryson alluma son magnétoscope numérique TiVo et la regarda trois fois.

À Santa Ana, Octavio Covarrubias rata l'interview parce qu'il préparait et servait en l'honneur d'Araceli un barbecue de *carne de res* marinée. Environ une heure plus tard, alors que le plat principal était servi au petit groupe de la famille et des voisins, il se glissa un instant dans la salle de séjour vide pour prendre sa dose d'info, et il saisit quelques secondes de l'interview de Maureen alors qu'on la repassait sur la chaîne câblée pour introduire l'émission animée par un journaliste très conservateur qu'Octavio regardait de temps à autre avec le même sentiment d'agir à la dérobée qu'éprouvait Janet Bryson quand elle étudiait les Mexicains de son quartier. Octavio devait retourner à son repas, et il se disait qu'il vaudrait mieux qu'il ne regarde pas cet animateur ce soir, mais il s'autorisa à écouter tandis que l'animateur se mettait à parler de la « femme en situation irrégulière qu'on a remise en liberté ». Cet homme de télévision était toujours bien habillé, et ce soir il portait un costume noir avec des rayures blanches plutôt larges. Octavio se dit que s'il achetait un jour un costume, ce serait un costume comme celui-là, parce qu'il avait un air de vieux film de gangster de grande ville, même si la façon dont cet homme bougeait sur sa chaise et parlait à son invité lui faisait plutôt penser à un policier : à quelqu'un qui gouverne son petit fief avec une assurance agressive, qui intimide les autres par le crépitement de sa diction et par sa foi inébranlable en son droit de le faire.

« Voulons-nous vraiment confier nos enfants à ces gens issus d'une société fondamentalement arriérée ? » demandait cet homme. Il était à New York, mais il parlait, via un satellite, au reporter qui avait pris place devant Maureen Thompson. « Faire cela, n'est-ce pas un signe de faiblesse de notre tissu social ? C'est le travail le plus important que nous ayons à accomplir. C'est la base de notre civilisation, bon sang ! La tâche de la mère. Pourquoi la vendrions-nous aux gens les moins regardants et les moins instruits comme si nous engagions un journalier pour curer un fossé ? Je vous le dis – et je connais un tas de gens qui ne vont pas être d'accord avec moi –, ça me paraît tout simplement agir de manière fondamentalement stupide. »

Luz Covarrubias entra avec Araceli à sa suite.

« Octavio ! *¿ Por qué estás mirando a ese hombre feo, ese hombre que nos odia ?* lui demanda sa femme – et ce n'était pas la première fois.

— *Porque hay que saber lo que piensa el enemigo,* dit-il.

— *Basta* », dit sa femme, et elle saisit la télécommande sur la table et appuya sur le bouton qui coupait le son, sachant d'expérience qu'il ne lui permettrait pas de l'arrêter complètement.

Octavio Covarrubias se tourna vers Araceli et posa sa main sur son épaule. « *Ese hombre te quiere encarcelar.* » À la télé, l'homme qui voulait renvoyer Araceli en prison regarda la caméra sans rien dire pendant quelques secondes, leva le menton comme s'il envoyait tout au diable et poursuivit en secouant la tête d'un air enjoué, ce qui, devina-t-elle, était censé exprimer son incrédulité. Elle nota que ses cheveux avaient la couleur et l'épaisseur d'un ruisselet en pleine sécheresse estivale, et ses lèvres se déformaient en un demi-sourire rampant qui reproduisait des montagnes russes. Cet homme à lui tout seul, précisa Octavio, avait éventuellement le pouvoir de la faire retourner en prison. Des millions de téléspectateurs le regardaient. « *No lo entiendo.* »

Octavio s'éloigna, laissant Araceli seule devant la télévision avec une assiette de restes de bœuf cuit au barbecue qu'elle était allée chercher dans le jardin. Elle avait déjà vu ce présentateur passer brièvement à l'écran les soirs où elle zappait d'une chaîne à une autre, mais elle ne s'était jamais arrêtée pour le regarder. À présent, elle remarquait que ses sourcils et sa bouche, vus de près, étaient un théâtre à eux tous seuls. Il en jouait pour la caméra, faisant bouger ses sourcils comme un savant dispositif scénique au-dessus du cristal bleu et rayonnant de ses yeux. Ses sourcils s'élevaient et retombaient, se tournaient et se tordaient tellement qu'ils semblaient défier les limites de ce que peuvent accomplir les muscles d'un visage. La caméra recula lorsqu'il fit entrer son corps entier dans le spectacle en se penchant en arrière dans son fauteuil et qu'il gonfla ses joues d'un rire contenu. Il secoua ensuite la tête et se tourna de quarante-cinq degrés pour se mettre face à une autre caméra.

Comme il était effrayant pour Araceli de penser que le cerveau derrière ce visage avait d'une certaine façon le pouvoir de changer son destin, elle tendit vite le bras et arrêta la télévision : l'image de l'homme se rétrécit jusqu'à n'être qu'un point, puis s'assombrit avec un petit bruit électrique. Quels autres sourcils, quelles bouches, quels cerveaux étaient là-bas à comploter pour la renvoyer derrière les barreaux, et que voyaient-ils en elle pour vouloir la punir ainsi ? Y penser lui donnait envie de mettre des chaussures de course pour voir si, cette fois, elle arriverait à distancer les hommes en uniforme. Mais non, elle était fatiguée de courir. *No voy a correr.* Elle attendrait et se préparerait. Pour commencer, elle prendrait une autre tortilla et se ferait un taco avec le bœuf dans son assiette, car lorsqu'un homme est aussi bon cuisinier qu'Octavio Covarrubias, il ne faut vraiment pas laisser ses plats se perdre.

20

UNE JOLIE LATINO-AMÉRICAINE d'environ vingt-cinq ans, toute menue, fut la première à arriver chez les Covarrubias. Elle tenait un mince carnet à la main. Elle avait des yeux très étirés aux iris marron et des mèches de cheveux fins d'un noir de jais. Elle était accompagnée par un homme nettement plus âgé et plus grand, aux traits taillés à la serpe, qui sentait la cigarette. Ils formaient un couple bizarre qui parlait anglais dans un quartier hispanophone, et ils n'auguraient rien de bon pour une Mexicaine qui s'attendait à être arrêtée à tout moment. Araceli aurait pu le prendre pour un cow-boy à la retraite s'il n'avait eu un appareil photo à la main et un sac en synthétique sur l'épaule. *Ces gens-là sont probablement venus m'arrêter.* Et quand ils se furent présentés comme des journalistes, elle sortit sur la véranda, puis sur la pelouse, pour voir s'il n'y avait pas de voiture de police qui patrouillait dans les parages. Après quelques instants de conversation sur l'herbe, il apparut clairement que ces deux *periodistas* ne s'étaient pas attendus à trouver Araceli toute seule. « Il n'y a pas de flics ici », dit le photographe à moitié comme une question et à moitié comme une observation, après avoir jeté un coup d'œil dans le living.

« *¿ Cómo que* flics *? ¿ Entonces sí me vienen a arrestar ?*

— Euh, je crois que je, que nous..., commença la journaliste avant de lancer un sourire coupable de petite fille qui ne collait pas avec ce moment. *Disculparme, por favor, no sabía* », ajouta-t-elle avant de s'arrêter parce que, manifestement, l'espagnol n'était pas sa première langue et à peine sa deuxième. Elle tendit à Araceli une carte de visite, petit rectangle raide où des lettres brillantes apparaissaient en relief sur le papier, invitant les doigts à traîner sur elles ; et ces lettres donnaient à la propriétaire de la carte, une certaine *Cynthia Villareal*, le titre de *Journaliste titulaire*.

« Eh bien, c'est assez gênant », dit le photographe. Et il plongea la main dans son jean pour en retirer une cigarette qu'il mit dans sa bouche sans l'allumer. « J'ai l'impression que le capitaine ne sera pas très heureux de nous voir.

— Bon, mais ils m'avaient dit à dix heures et quart.

— Il est dix heures cinq, ma chère.

— Zut. Je croyais qu'on était en retard. Et voilà qu'on est en avance. »

Le photographe secoua la tête, et comme il avait décidé qu'il allait falloir encore un certain temps pour que la jeune scribouillarde près de lui propose quelque chose d'autre, il se mit à prendre des photos d'Araceli debout sur le gazon ou les yeux levés vers le ciel. Elle chercha des hélicoptères susceptibles de rôder dans les airs, puis elle passa en revue les voitures de ce bout de rue et les intersections un peu plus loin. La première image que prit le photographe, celle qui montrait Araceli plissant les yeux d'un air inquiet et fouillant la rue du regard pour y détecter les forces de l'ordre, serait sur le Web une heure plus tard et sur la première page du journal le lendemain : un gros plan, lourd de solitude et obsédant, montrant une femme tristement célèbre dans l'expectative, attendant l'arrivée de ceux qui vont l'enlever.

« Hum, Kyle… », fit la journaliste. Mais Kyle ne l'écouta pas et ne releva pas le doigt, déclenchant six fois de suite, avec le staccato d'un chant flamenco, l'ouverture et la fermeture de l'obturateur de son appareil.

« *¡ No les tiengo miedo !* » cria soudain Araceli en se retournant pour faire face aux journalistes. « Ils me font pas peur ! Non. Pourquoi j'aurais peur ? Pour rien ! » Le photographe lâcha une autre volée d'ouvertures d'obturateur pendant qu'Araceli parlait, et ces images-là aussi allait paraître sur le Web dans un reportage de onze photos que ce journal de Los Angeles reproduirait sous le gros titre « ARRESTATION, COLÈRE ET DRAME À SANTA ANA » accompagné d'une narration audio haletante par Cynthia Villareal : « Araceli Ramírez savait qu'elle serait bientôt mise en garde à vue, mais elle a réagi par le défi. » La deuxième photo de la série montrait Araceli en train de regarder droit vers l'appareil, la bouche ouverte, l'index dressé vers le ciel au moment où elle répétait « *¡ No les tengo miedo !* », et cette image était un écho de certaines démonstrations latino-américaines, comme si Araceli se trouvait sur un marché dans un square mexicain et si elle était l'une des dizaines de milliers de femmes qui faisaient chorus, la bouche ouverte, pour protester contre le prix des oignons ou contre la torture et le meurtre d'un camarade.

Soudain, le bruit aigu de moteurs qui accéléraient annonça l'arrivée de quatre voitures de police : deux se garèrent devant la maison des Covarrubias en faisant flasher leurs lumières rouges et bleues tandis que les autres prirent position à chaque extrémité du pâté de maisons, en biais, comme pour barrer l'accès à la rue. Un capitaine des forces de l'ordre, de forte carrure mais beau, descendit du premier véhicule. Il était rasé de frais, avec trois petites coupures qui avaient saigné sur chaque joue, et il eut une expression déconcertée et blessée quand il se rendit compte que sa « petite copine journaliste », comme on l'appelait au commissariat, avait vendu la mèche auprès de la suspecte, lui ayant fait comprendre qu'il allait arriver. Il ouvrit les bras comme pour se plaindre et cria à la journaliste : « Qu'est-ce qui se passe ?

— Je suis désolée, capitaine. Désolée !

— Toi, le bouffon, braque pas ton appareil sur moi !

— Négatif, capitaine, répondit le photographe. Vous êtes dans une rue publique.

— Merde », dit le capitaine. À cet instant, il décida que c'était la dernière fois qu'il essaierait d'impressionner Mme Villareal, laquelle avait quinze ans et presque soixante centimètres de moins que lui. Il se tourna vers Araceli qui se tenait à présent devant lui sur la pelouse, les bras croisés sur sa poitrine. « Vous savez pertinemment pour quoi je suis ici. »

Araceli ne dit rien, et pendant les quelques battements de cœur qui accompagnèrent leur affrontement silencieux, on entendit des cris provenant des maisons et des jardins alentour. « *¡ La migra !* » Une panique invisible mais audible se répandait autour d'eux, scandée par le bruit de portes fermées avec violence et de fenêtres qui s'ouvraient pour qu'on puisse regarder les voitures de police depuis le premier étage, suivie par d'autres cris indéchiffrables venant de la rue adjacente et par les pas précipités sur le trottoir en ciment d'un jeune homme en chaussures de tennis et en maillot de foot du CLUB AMERICA. Le fan de football traversa la rue les mains dans les poches, jeta un seul coup d'œil par-dessus son épaule en direction des policiers, et finit par se mettre à trottiner en arrivant à l'angle de la rue. *Tire-toi, tire-toi.* Les résidents de Maple Street, douillettement installés chez eux, regardaient depuis deux jours le bref sprint et la capture d'Araceli passer en boucle sur leur télévision. Ils écoutaient en espagnol les retransmissions détaillées du chœur de médias *norteamericanos* qui demandaient qu'Araceli soit de nouveau arrêtée. Le bruit avait couru que celle qui était le protagoniste de cette fureur médiatique vivait parmi eux, mais l'arrivée des policiers avec leurs plaques en bronze, les matraques qui pendouillaient à leur côté et les lumières clignotantes de leurs voitures, venaient de transformer cette nouvelle en menace et ranimait les mauvais esprits qui hantaient leur conscience de tous les jours. *La* paisana *de la télévision a fait descendre les forces de l'ordre dans notre quartier, et maintenant elles vont nous embarquer tous avant que nous ayons pu finir notre petit-déjeuner et laver la vaisselle.* Córrele, córrele.

« Allez savoir pourquoi, ces gens croient qu'on est venus faire appliquer les lois sur l'immigration, dit le capitaine. À cause de vous, ma petite dame », dit-il à Araceli. Mettant ses mains en porte-voix, il tenta sans trop de conviction de crier comme dans un mégaphone : « Les riverains, écoutez ! Je ne suis pas la *migra*. Je ne recherche aucun de vous. »

Dans un immeuble au bout du pâté de maisons, une femme venue du Guanajuato rural prit dans ses bras son bébé et, dans sa panique, grimpa jusqu'au grenier de son duplex où elle rampa dans un recoin entre des piles de boîtes. Là, elle sortit son téléphone portable et appela *el licenciado* Octavio Covarrubias. L'autodidacte qui s'était octroyé le rôle de conscience morale de Maple Street donnait souvent son numéro de téléphone aux nouveaux venus en se présentant comme un père de famille équilibré et pratiquement à la retraite, susceptible d'aider ceux qui avaient des ennuis. La sonnerie de son portable retentit alors qu'il se trouvait sur sa véranda, et le son éclatant des trompettes et des accordéons d'une chanson de Los Temerarios qui jaillit alors brisa la transe de l'affrontement sur le gazon au moment où le capitaine essayait de trouver un moyen pour que la femme dont le nom figurait sur son mandat d'amener soit persuadée de monter rapidement dans son véhicule de police et qu'ainsi tout le monde se calme alentour.

« *Sí, quédate allí escondida* », dit Octavio au téléphone, ce qui attira l'attention de tous les hispanophones autour d'eux, y compris d'un policier.

« Hé, capitaine, dit ce policier. Il y a des gens qui se cachent dans ces maisons.

— Sans doute encore dans les placards et dans les greniers, ajouta un autre policier.

— Bon sang, ça me plaît pas. »

Le capitaine ignora ses subordonnés et se tourna vers Araceli. « Plus vite vous viendrez avec nous, mademoiselle, plus vite les braves gens de ce quartier pourront sortir de leurs placards. » Araceli se tenait à trois mètres de lui sur la pelouse, mais il ne voulait pas s'avancer vers elle et tout simplement l'attraper, parce que si elle tentait de s'enfuir, la panique risquait de se propager à d'autres rues, et si elle résistait et que ses hommes étaient obligés de la maîtriser, ils pouvaient avoir une mini-émeute sur les bras, et cela devant la presse.

« *¿ Y para qué me vienes a piscar ?* demanda-t-elle.

— Pour mauvais traitements à enfants, dit le capitaine qui, par ses rencontres avec les suspects du comté d'Orange, s'était familiarisé avec quelques-uns des mots espagnols de base utilisés dans ces cas-là. Il n'avait pourtant aucune idée de l'étendue de la gamme d'utilisation du verbe « *piscar* », bâtard hispano-californien du verbe anglais « *to pick*[1] » qui avait réussi à s'infiltrer dans le vocabulaire d'Araceli par la dose quotidienne qu'elle recevait de télévision et de radio de Los Angeles. Il baissa les yeux vers le mandat et répéta les mots qu'il y vit : « Crime de mauvais traitement à enfants. Mise en danger d'enfants, pour être précis.

— Je ne comprends pas, dit Araceli.

— Ça veut dire que vous avez mis des enfants en danger. *Peligro, los niños.* »

Araceli secoua la tête et lança au capitaine un regard assassin. Il essayait d'être courtois, mais il était l'extension des sourcils qui se fronçaient à la télévision, et il était clair, à présent, que les sourcils et les autres visages des infos avaient persuadé les autorités d'inventer n'importe quelle raison pour l'arrêter, elle. En plus, les *Norteamericanos* se disputaient entre eux pour savoir s'ils devaient l'envoyer en

1. Ramasser, cueillir.

prison ou la laisser en liberté, et le capitaine qui se tenait devant elle était manifestement un tenant de la mise en liberté alors même que son devoir l'obligeait à procéder à l'arrestation.

C'est comme vivre avec el señor *Scott et* la señora *Maureen : ils n'arrivent pas à choisir ce qu'ils veulent pour dîner, ni même à savoir s'ils veulent un dessert, et ils me font aller dans les deux sens en même temps.*

« Que voilà une brave fille », dit le capitaine, sans remarquer qu'Araceli lui jetait un nouveau regard noir en réponse à ce petit mot condescendant nullement nécessaire.

La contribution de Janet Bryson à la campagne pour renvoyer Araceli Ramírez en prison et finalement au Mexique commença au point le plus méridional de sa grande carte pliante du comté d'Orange, à savoir à l'endroit connu autrefois sous le nom de Leisure World[1]. Elle était allée recueillir des lettres écrites et signées à la main, comme l'organisation militante One California l'avait engagée à le faire, et sa première étape la conduisit sous les fougères suspendues de la véranda en parpaings d'une maison de Leisure World où une femme avait dans son sac à main un chien dont elle caressait les longs poils et la tête obéissante. « Que Dieu vous bénisse d'agir ainsi », déclara à Janet celle-ci en lui racontant à quel point son shih-tzu avait été effrayé par les pétards du 4 Juillet lancés à un kilomètre et demi de là dans les quartiers incontrôlés où vivent « ces gens-là ». « C'était terriblement injuste parce que Ginger venait d'être opérée, la pauvre. » Janet Bryson et la femme à la chienne communièrent dans leur soutien à Maureen Thompson et leur mépris pour les immigrants sans papiers et autres espèces de contrevenants à la loi. Mais quand elle repartit dans sa voiture, Janet Bryson ne pouvait penser qu'à une seule chose : quelle solitude, chez cette femme, et porter un chien ainsi, ce n'est vraiment pas naturel. Elle conduisit ensuite la Toyota Celica de son fils – sa Chevrolet Caprice avait encore refusé de démarrer ce matin – en direction du nord, jusque dans les villes de banlieue du comté d'Orange, et elle se demanda ce que signifiait ce dé rose qui pendait au rétroviseur. Était-ce un signe d'appartenance à un gang ? Cette éventualité inquiétante l'accompagna durant son trajet le long de rues appelées Main Street et First Street qui, toutes, étaient bordées

1. Village de retraités dans le sud du comté d'Orange.

de morceaux de fer rouillé et de tubes de verre brisé provenant des enseignes au néon de leur beaux jours. Jadis, les gens conduisaient leurs bruyantes Rambler et leurs Chevrolet El Camino de long en large dans ces rues disposées en quadrillages contigus qui parfois s'entremêlaient. Ils suivaient Beach Boulevard et Katella Avenue, ces grandes artères où les gens de la génération de son père passaient devant des buvettes et des petits restaurants à hamburger en se dirigeant vers les marquises d'affichage en forme de tour qui annonçaient deux longs-métrages dans la même séance de cinéma drive-in. Ces drive-in avaient tous été transformés en marchés aux puces fréquentés par les clandestins et les Vietnamiens. Elle se rappelait avoir été assise, sans ceinture de sécurité et sans soucis, sur la banquette arrière de la Ford Falcon de son père qui se coiffait avec une raie dans ses cheveux humides, et elle sentait ses jambes nues coller au siège en vinyle. Janet Bryson savait qu'elle ne pourrait jamais faire revenir ces jours anciens. En revanche, quand elle se dépensait pour récolter ces lettres, quand elle travaillait en tant que militante et bénévole, elle avait l'impression d'être une femme qui colmatait ses fenêtres et son sous-sol en septembre : c'était quelque chose qu'elle faisait moins dans l'espoir d'améliorer les choses que de les empêcher d'empirer.

Les lettres que portait Janet Bryson étaient remplies de mises en garde : les légions d'immigrants illégaux étaient sur le point d'avoir un effet catastrophique sur le budget et le taux de criminalité de l'État. Elle recueillait personnellement ces courriers qu'elle livrerait l'après-midi même au Conseil de surveillance du comté d'Orange. L'association One California avait envoyé à ses membres, par e-mail et par fax, les éléments de langage à inclure dans ces lettres, ainsi qu'une liste des délits particuliers ou typiques qu'on pouvait attribuer à ces clandestins. Parmi ceux-ci, il y avait l' « épidémie » de vols d'identité, le meurtre d'un garçon de seize ans devant un parc de plage par un gang de rue de Los Angeles au mois d'août précédent, un accroissement soudain du nombre de cas de conduite en état d'ivresse à Anaheim et le viol, suivi du meurtre, d'une fillette de douze ans à Fullerton. Chaque auteur de lettre devait choisir dans ce menu de crimes et introduire quelques phrases personnelles dans l'une des cinq lettres types différentes rédigées par One California. Certains des auteurs formaient leurs cursives avec la main tremblante de septuagénaires, d'autres réussissaient à faire tenir cinq cents mots en lettres capitales sur une seule page de cahier grand format, d'autres encore tapaient leur lettre sur une vieille machine IBM ou Olivetti. On les avait encouragés à étoffer leurs courriers de leurs propres observations sur les problèmes généraux que posaient l'immigration clandestine. Quand elle s'arrêtait à un feu rouge, Janet parcourait ces passages-là.

> Araceli N. Ramírez devrait être arrêtée et expulsée du pays, quelle que soit l'issue de l'action en justice entreprise contre elle par le comté. Les Mexicains qui travaillent au noir font baisser les salaires, et en plus ils réclament des droits. Par exemple : les écoles aidées en zones d'éducation prioritaire, le programme WIC d'aide fédérale aux mal-nourris, les soins médicaux, l'instruction bilingue. Sans parler du fait qu'ils se reproduisent comme s'il n'y avait pas de lendemain, sans se soucier de s'assurer qu'ils pourront subvenir aux besoins de leurs enfants parce qu'ils savent que l'État les subventionnera.

> Le mouvement des Latinos qui soutiennent cette femme est AGRESSIF. La pression et le nombre même de gens qui s'installent dans notre pays, la force même de la langue espagnole, tout cela veut clairement effectuer une révolution. Ce mouvement latino me choque parce qu'il soutient cette femme malgré les crimes évidents qu'elle a commis contre deux enfants américains innocents.

> À ceux qui veulent nous dire tout ce que des immigrants clandestins tels que cette Araceli N. Ramírez apportent à leur société parce qu'ils aiment leur domestique et leur jardinier et parce qu'ils aiment payer moins cher leurs tomates, je dirai de prendre un peu de temps pour regarder la vraie Californie autour de nous. Regardez nos prisons qui débordent, nos primes d'assurance qui montent, notre niveau scolaire qui baisse, les nouvelles maladies qui se répandent dans nos villes. Quant à moi, je paierai plus cher mes tomates.

L'itinéraire de Janet Bryson la conduisit ensuite à un pâté de maisons de Garden Grove où les immeuble d'appartements avaient une couleur de chair d'avocat trop mûre, où une femme trop maigre, la quarantaine, aux épaules osseuses et brûlées par le soleil, lui tendit une lettre à travers un portail sécurisé en lui disant : « Ne partez pas tout de suite, ma chère. Vous ne prendriez pas un peu de thé glacé ? » Janet grimpa jusqu'à l'appartement de la femme. Dans sa salle de séjour, elle but le thé à petites gorgées et écouta la femme lui raconter comment sa vie « s'était défaite ». Son mari avait succombé à des problèmes de foie il y avait trois ans, « et ça fera exactement un an cette semaine que ma mère est morte à Kenosha. » Elle aussi se plaignit du bruit du 4 Juillet et de la fumée, puis de son glaucome et des bureaucrates qui s'occupent des pensions d'invalidité, ensuite des voisins qui lui volaient son journal. Elle raconta aussi qu'elle entendait son défunt mari parler dans les couloirs certaines nuits chaudes d'été, jusqu'à ce que Janet finisse par dire : « Vraiment, oui, je suis vraiment désolée. Mais il faut que j'y aille. » Janet Bryson regrettait de ne pas pouvoir l'écouter plus longtemps. Elle recueillit la dernière lettre à 15 h 55 dans l'avenue Citrus de Yorba Linda, à quatre pâtés de maisons de la bibliothèque et du musée Richard-Nixon, puis elle partit vers le sud, sur l'autoroute 57 en direction de Santa Ana. À 16 h 55, elle était parvenue à livrer un exemplaire de chaque lettre dans les cinq bureaux des membres du Conseil de surveillance du comté d'Orange.

À 17 h 30, Janet était de retour sur l'autoroute fédérale 5 où elle roulait vers le nord en direction de South Whittier. La circulation était très dense, mais Janet se sentait légère, au-delà de l'engorgement des feux stop rouges et des voitures qui repartaient pour quelques centimètres. Elle toucha le siège à côté d'elle – c'était là qu'elle avait posé les lettres avant de les distribuer –, et elle poussa un soupir de satisfaction en songeant que, dès qu'elle serait rentrée chez elle, elle taperait *Mission accomplie* dans la ligne « objet » du courriel qu'elle enverrait au bureau de l'association One California. Et puis elle se souvint de la femme au chien et de celle qui entendait des fantômes, et elle se dit qu'elle les avait aidées ce jour-là rien qu'en les écoutant. *N'ayez aucune dette envers qui que ce soit, sinon celle de vous aimer les uns les autres ; car celui qui aime son prochain a pleinement accompli la loi.* Elle se sentait liée à quelque chose de plus grand qu'elle. Pas seulement à l'histoire de la famille américaine lésée, mais aussi à d'autres voitures et d'autres maisons où des femmes mettaient le nez à la fenêtre pour regarder la ville et s'efforcer de trouver un sens à ce qu'elles voyaient. Janet Bryson alluma la radio et découvrit que son fils l'avait réglée sur une horreur de hip-hop hispanique. Elle changea donc de station et tomba sur du rock and roll datant de l'époque de son père. Ces ballades modernes et joyeuses, avec leurs guitares aux arpèges ascendants et leurs chœurs imposants de style soul correspondaient à son humeur. Sa rêverie se prolongea encore quarante minutes pendant lesquelles les voitures avancèrent pare-chocs contre pare-chocs, puis elle atteignit la sortie de Carmenita Road où elle tourna vers le nord pour rentrer chez elle.

John Torres était déjà bien à l'intérieur de la maison du Paseo Linda Bonita avant que Maureen ne s'avise de sa présence. Il n'avait pas eu de mal, au portail du bas, à convaincre les gardiens totalement inefficaces de le laisser passer : ils s'étaient rapidement laissé convaincre de l'innocuité d'un homme de soixante-dix ans. Maureen était en train de balayer la cuisine au moment où, voyant que la porte d'entrée n'était pas fermée à clé, il avait pénétré dans la maison. Il était aussitôt allé trouver ses petits-fils dans leur chambre – « Alors, les gars, vous êtes en train de lire ? En plein milieu d'une journée d'été ? » Il les avait serrés dans ses bras et les soudoyait déjà à coups de billets de vingt dollars quand Maureen s'était précipitée dans la chambre. Elle avait lancé au vieux monsieur un regard furieux, et ses lèvres formaient déjà les mots *Comment osez-vous !* mais elle les laissa mourir sans les dire quand elle vit Brandon et Keenan agiter d'un air extasié des billets verts devant elle.

« Regarde ! Papy nous a donné de l'argent !

— Hello, ma fille », lança John Torres avec une gaieté un peu raide, et Maureen se demanda s'il savait à quel point elle détestait être appelée ainsi. Il était habillé comme un ouvrier mécontent qu'on obligerait à faire une partie de golf : ses mâchoires cuivrées reposaient sur le col de son polo, son pantalon de toile beige était attaché à son corps osseux par une ceinture qui mesurait à peu près quinze centimètres de trop. Et il en agrippait l'extrémité qui dépassait comme une langue de cuir en attendant la réponse de Maureen, parce qu'il sentait qu'elle l'examinait et les jugeait, lui et sa simplicité. De fait, elle regardait les doigts et les mains du vieux monsieur en se disant que le contraste entre les doigts cicatrisés au bout de bras enfoncés dans les manches d'un polo turquoise et le chic du polo lui-même résumait toutes ses contradictions. Pour cette raison, elle résista à la tentation de lui répondre par *Bonjour, Juan*, car, après tout, Juan était son prénom de naissance. Scott l'avait découvert quelques années auparavant en l'aidant avec ses papiers pour l'assurance vieillesse, et c'était un prénom que Maureen lui avait renvoyé assez méchamment la dernière fois qu'il était venu chez elle, il y avait de cela deux ans. C'était lors du sixième anniversaire de Keenan, dans un moment où elle s'était indignée de l'entendre dire – la remarque était scandaleuse, raciste et fausse – que Keenan était le « garçon blanc » et Brandon le « Mexicain ». C'était le genre de commentaire qu'il faisait quand il avait trop bu, ce qui se produisait pratiquement chaque fois qu'il venait à une réunion de famille. Et elle avait résolu, dès lors, de le bannir du Paseo Linda Bonita pendant au moins douze anniversaires.

« Bonjour, grand-père Torres. Qu'est-ce qui nous vaut le plaisir de ta visite ? »

Il parut un peu déconcerté par cet accueil poli, car il n'en avait pas relevé la dérision sous-jacente. « Eh bien, commença-t-il, j'ai la télévision. Et j'y vois mes petits-fils depuis deux jours. Et la fois où j'ai téléphoné ici, je suis tombé sur un inconnu qui m'a raccroché au nez dès qu'il m'a entendu dire : "Qu'est-ce qui se passe, là-bas ?" Alors je me suis dit qu'il faudrait que je vienne voir de mes propres yeux.

— Comme tu peux voir, tout est sous contrôle.

— Vraiment ? » Il jeta un regard autour de la pièce, à ses petits-fils qui s'employaient pour l'instant à ranger les deux billets de vingt qu'il avait donnés à chacun dans des petits coffres-forts en plastique pourvus de serrures à combinaison. « Le journal a dit qu'on allait enquêter sur vous.

— Non, Scott vient de... » Maureen s'interrompit et agita les mains en direction des garçons. « Est-ce que nous devrions avoir cette conversation ici ? » Mais John Torres la regardait droit dans les yeux, et il exigeait une réponse pour calmer cette sorte d'inquiétude parentale qu'elle reconnaissait. Elle mentit. « Scott vient de téléphoner, dit-elle. Il est allé voir les gens du comté. Et ils ont laissé tomber l'affaire.

— Parce qu'ils ont arrêté cette jeune Mexicaine qui était chez vous. C'est bien ça ?

— Quoi ? On a arrêté Araceli ? s'écria Brandon. Ils vont la mettre en prison ?

— Non, non, ils vont juste lui poser des questions », dit Maureen. Plus tard, elle songerait qu'il y avait longtemps qu'elle n'avait pas menti à ses enfants.

« Il faudrait que quelqu'un tonde le gazon, déclara brusquement le vieux Torres.

— Scott s'en occupera.

— Non, je vais le faire. » Le vieil homme tapota la tête de ses deux petits-fils et quitta la pièce avec l'air de celui qui brûle d'entreprendre un nouveau travail. Dix minutes plus tard, elle entendit un puissant grondement venant du jardin de devant, et, en regardant dehors, elle vit un septuagénaire en polo qui enfonçait dans l'herbe spongieuse devenue trop haute ses chaussures bateau, des Top-Sider en cuir. Il poussait la tondeuse sur la pelouse en pente avec une efficacité surprenante, alors même qu'au bout de trente secondes à peine il était déjà tellement couvert de sueur qu'elle se demanda s'il n'allait pas avoir une crise cardiaque. *Il s'attaque à cette tâche physique avec le même enthousiasme que Scott aborde un problème de programmation.* Au bout d'une heure de grincements, de vrombissements et de balayages opérés par des instruments motorisés ou actionnés à la force des muscles, ce fut terminé. Quand Samantha s'éveilla de sa sieste, Maureen sortit avec sa fille pour inspecter le travail. Il avait tondu le gazon d'une manière si parfaite que l'herbe en paraissait faite de plastique ou peinte, avec une régularité qui ne semblait pas naturelle mais qui était cependant agréable à l'œil.

« Ton grand-père sait tondre une pelouse », dit Maureen.

21

UNE FOIS QU'ON LUI EUT ANNONCÉ qu'elle allait passer devant le juge, Araceli connut d'abord l'excitation de traverser la prison à toute vitesse, mais ensuite elle découvrit qu'elle devait faire antichambre avant d'entrer dans la salle d'audience. Les gardiens la firent pénétrer dans une pièce cubique et lui ordonnèrent d'attendre là avec deux autres femmes assises sur un banc boulonné au sol. L'une était une Latino dont les sourcils semblaient tracés au crayon à dessin d'un demi-millimètre, l'autre était une Afro-Américaine dont la tête était couverte de rangées parallèles de cheveux et de peau nue, ce qui lui donnait l'air d'avoir été labourée par un agriculteur miniature. Les vieux murs en ciment de ce cube cellulaire étaient repeints de frais et, dans leur vide couleur d'ossements, Araceli devina les centaines d'agonies existentielles subies ici par des gens dans des situations bien pires que la sienne. Elle savait que son destin la mènerait au Mexique : au bout de la visite qu'elle effectuait en ce moment au purgatoire, elle ressortirait sous le soleil, le désordre et le spectacle familier d'une ville-frontière mexicaine, puis elle se dirigerait vers une gare routière ou une cabine téléphonique pour décider de ce qu'elle ferait ensuite. Cela se passerait peut-être dans quelques jours, voire dans un an ou deux, mais ce serait finalement son sort, et cette certitude eut sur elle un effet apaisant. Apparemment, la Latino-Américaine assise à la droite d'Araceli n'avait pas ce genre d'assurance pour lui calmer les nerfs, car elle n'arrêtait pas de plier et de déplier un bout de papier. Elle finit par lever les yeux vers Araceli et dévoiler une rangée de dents de travers comme pour dire bonjour. Émaciée, le teint cireux, elle avait la même énergie qu'une fille de vingt ans bien qu'elle en paraisse au moins dix de plus. Elle donnait aussi l'impression d'avoir été battue et d'être désorientée, mais pas de s'en inquiéter particulièrement.

« Je vais filer » chuchota-t-elle à l'oreille d'Araceli. Quand elle vit que cette dernière semblait ne pas comprendre, elle passa à l'espagnol qu'elle parlait avec un fort accent. « *Voy a correr. Para ser libre.*

— *¿ Qué ?*

— Quand on arrive dans la salle, il y a juste une petite barrière. *Chiquito.* » La femme jeta un coup d'œil à l'autre détenue sur le banc qui semblait prise de somnolence, puis sa voix se fit nettement plus forte qu'un chuchotement. « C'est une petite barrière qui t'arrive à la ceinture. Je vais sauter par-dessus. Et je vais foncer vers le fond et dans le couloir, et si j'ai de la chance je descendrai l'escalier. Si j'ai de la chance, j'arriverai aux marches de devant et à l'entrée. Je peux encore y arriver parce que j'ai mes fringues. Après, ils me foutront en bleu de prison et je pourrai plus. Il faut que je le fasse maintenant, sinon ils vont m'enfermer pour toujours. »

Araceli lança à la femme un regard qui signifiait : *S'il vous plaît, arrêtez de m'embêter avec votre délire.*

« Je mens pas. Parce que c'est ma troisième condamnation. *Uno, dos, tres* condamnations. *¿ Entiendes ?* J'ai pris mes deux premières à cause de mes tarés de fiancés. Vol et agression à main armée. Maintenant, ils me coincent parce que j'ai fait de l'œil à un flic en civil, là-bas, boulevard Pico. Ils m'ont bien eue. Pour avoir regardé ce flic et lui avoir demandé cinquante dollars, je risque de me taper entre vingt-cinq ans et la perpétuité. C'est pas croyable. Je lui ai dit : "D'accord, beau mec, si t'as pas les cinquante, on fera avec quarante", et c'est alors qu'il m'a sorti son insigne, ce minable, cet affreux petit merdeux. Moi, je lui ai dit : "Me serrez pas pour ça, m'sieur, je vous en prie. J'ai deux récidives. Je vous le ferai gratos, laissez-moi juste partir." Mais c'était un connard de coincé, et c'est pour ça que je suis là, et que je dois me tirer. » Elle lança à Araceli un regard fou de désespoir et de malice. « Tu ne me comprends pas, si ?

— Tu vas courir ?

— Oui.

— Ne me le dis pas, répondit Araceli. Je veux pas d'ennuis. »

La porte s'ouvrit et la femme qui pliait sa feuille de papier s'en alla en la gratifiant d'un ultime sourire plein de laideur. Araceli prêta l'oreille pendant une minute à peu près, s'attendant aux bruits de désordre que la tentative de fuite ne manquerait pas de provoquer, mais elle ne perçut que les vibrations d'un murmure de mots énoncés avec calme. Cinq minutes plus tard, la femme au papier plié revint, tête baissée, une main pleine de bouts de papier déchirés. Elle évita le regard d'Araceli, renifla et se mit à pleurer bruyamment. Avant qu'Araceli ait pu lui demander ce qui s'était passé, l'huissier appela : « Ramírez et Jones ». Araceli se leva avec l'autre détenue dont elle suivit la tête couverte de tresses plaquées jusqu'à la salle d'audience.

Contrairement à Araceli, Jones avait les bras et les jambes maintenus par une mince chaîne, et elle portait une combinaison bleue. L'huissier la conduisit à un siège devant le juge et fit asseoir Araceli sur une chaise pliante en fer près de la porte qu'ils venaient de franchir. « C'est à vous ensuite », lui dit l'huissier. On poussa des formulaires devant Jones, un avocat s'assit près d'elle et lui chuchota quelque chose à l'oreille ; on lui demanda aussi à plusieurs reprises si elle comprenait la déclaration qui venait d'être faite sur ses droits et sur la procédure. Jones fit plusieurs fois oui de la tête, regarda d'un air impassible les formulaires étalés devant elle puis le doigt d'un homme qui n'était ni un assistant du juge ni un avocat et qui lui montrait les endroits qu'elle devait examiner. Ensuite il lui tendit un stylo, lui chuchota quelque chose à l'oreille, et elle se mit à signer. Araceli n'était encore jamais venue dans un tribunal américain, et elle se demanda si la majorité des affaires judiciaires se traitaient de la sorte, avec des gestes, des marmonnements et des chuchotements. Presque tout le monde endurait la séance avec des yeux lourds et fatigués, même l'huissier qui passait presque tout son temps à son bureau. Quelle pouvait être la cause de cette somnolence ? L'heure matinale, les longues rangées de lampes fluorescentes, ou quelque chose dans l'air conditionné ? À moins que ce soit toute la paperasserie, les formulaires en trois exemplaires, l'entassement de tous ces dossiers havane ? Araceli eut l'impression que la fille aux dents de travers et aux trois condamnations était entrée dans cette salle bien déterminée à s'enfuir en courant, mais qu'elle avait été anesthésiée par les lumières et par le ronronnement des voix mortes d'ennui. Et puis le juge se mit à parler. Il ressemblait à un instituteur, et on aurait dit qu'il lisait à l'inculpée un texte déjà préparé. Pourtant, il ne regardait pas de papiers devant lui et, pendant une seconde, il sembla lire des mots suspendus dans les airs. *Quel curieux tour de passe-passe !* Quand la détenue se leva pour partir, Araceli vit qu'elle avait les poignets et les chevilles encore entravés et liés ensemble alors même qu'elle paraissait trop léthargique pour menacer qui que ce soit.

Le juge déclara enfin : « Nous sommes prêts pour Ramírez, Araceli. »

Elle avança jusqu'au banc où un homme âgé et maigre, portant d'épaisses lunettes, resta debout près d'elle. « Votre Honneur, nous sommes prêts », dit l'homme âgé, et Araceli s'étonna de l'emploi de la première personne du pluriel qui semblait unir cet homme à elle dans un but qu'elle ne saisissait pas. « Je suis votre avocat commis d'office, lui chuchota soudain l'homme à l'oreille. Mais rien que pour aujourd'hui. Pour la lecture de votre acte d'accusation. Ensuite, vous aurez quelqu'un d'autre. »

Elle fit oui de la tête et regarda par-dessus son épaule le reste de la salle. En effet, seule une barrière très basse séparait l'endroit où Araceli était assise de la tribune du public et des portes du fond de la salle d'audience. Le seul garde présent – l'huissier – était debout près du juge, et il n'y avait qu'un seul témoin dans la tribune, un homme en costume qui portait sur le revers de sa veste une épinglette ornée du drapeau du Mexique. Il lui fit un rapide signe du doigt, et Araceli se demanda s'il était là pour la ramener au Mexique.

« Est-ce qu'ils vont m'expulser ? » chuchota-t-elle à l'avocat commis d'office. Comme elle s'était résignée à son retour au Mexique, elle n'avait pas envie que d'autres décident pour elle de ce qu'elle ferait. On devrait avoir le droit de choisir la route sur laquelle on va voyager, et il lui était pénible de penser que les hommes réunis dans cette salle – car il n'y avait plus d'autre femme qu'elle, à présent – allaient décider à sa place. Elle leva les yeux vers le juge, sorte d'ange en négatif avec sa robe noire et ses cheveux blancs, qui tenait les clés des portes de la liberté.

« Je vous ai posé une question, répéta-t-elle à l'avocat à haute voix, assez fort pour que l'autre avocat, debout et penché sur une table près de la sienne, jette un regard vers elle. Est-ce qu'on va m'expulser du pays ?

— Non, pas pour l'instant », répondit l'avocat dans un murmure articulé du coin de sa bouche. Mais avant qu'Araceli ait eu le temps de lui demander d'expliquer, l'avocat, le juge et d'autres personnes du tribunal se mirent à parler dans une langue qu'elle ne reconnut que vaguement comme étant de l'anglais, à lancer des torrents de chiffres et de termes qu'elle ne comprenait pas, dont les racines semblaient être du latin, hormis quelques-uns des tout derniers mots que le juge lança avant qu'Araceli ne soit reconduite dans le cube et dans la prison qui lui faisait suite.

« Dix mille dollars. »

Depuis son bureau au treizième étage, le procureur adjoint Ian Goller suivit la procédure d'usage de la mise en accusation d'Araceli N. Ramírez. Il se trouvait dans une pièce adjacente au bureau que son patron n'occupait plus que rarement ces jours-ci, le procureur étant en effet sur les routes à prendre la température politique de la région en vue d'obtenir à terme l'investiture du parti républicain pour devenir sénateur à Washington. En cet instant, Ian Goller était soucieux, mais pas pour les raisons qui auraient dû l'inquiéter. Les matrices et les tableaux qui donnaient la répartition et la quantité du flux des dossiers dans les salles d'audience des étages inférieurs de ce bâtiment et dans cinq palais de justice satellites du reste du comté s'affichaient sur son écran d'ordinateur vétuste et taché, et ils indiquaient tous un tel afflux de procès liés à la drogue qu'on allait arriver au point où le bureau du procureur serait dans l'incapacité d'assurer ses missions légales. Mais cette lente descente vers le chaos judiciaire le concernait moins, ce matin, que le simple contenu d'une poche en plastique transparent et qu'une certaine feuille de papier dans un dossier havane. À travers la pellicule de plastique, il pouvait voir les tickets de train et de bus récupérés dans le sac à dos d'Araceli. Le dossier havane, quant à lui, contenait une copie de la page des admissions d'un hôtel, copie rapportée par un inspecteur de police qui rentrait du désert. Les tickets confirmaient – et ils portaient ces tampons à code numérique que les jurys adorent – la véracité de l'emploi du temps donné par la prévenue dans sa version des événements. Le document de l'hôtel-spa, lui, accompagné d'une déclaration d'un des employés de l'hôtel, contredisait de façon troublante la déposition du témoin principal.

Ça ne fait qu'un jour et ça commence déjà à se désintégrer. Il y avait quelque temps qu'il n'avait pas personnellement dirigé de procès et encore plus longtemps qu'il n'avait plus été confronté au désordre fondamental d'une action en justice dès lors qu'on la saisit dans ses détails prosaïques, lorsque les arguments et les « faits » qu'on projette d'utiliser sont minés par la mauvaise mémoire et la faillibilité morale des êtres humains. *C'est pour cela que je ne me remettrai jamais à plaider. Parce que les gens sont des idiots et qu'ils mentent même quand – non, surtout quand – on leur fait confiance.*

Si son patron avait été là, Ian Goller serait allé dans son bureau ; il aurait franchi la porte du procureur, ornée du sceau et de la balance de la justice. Et le sage de Santa Ana, avec son indéniable talent politique et judiciaire, lui aurait dit comment manier le casse-tête de cette affaire avec décontraction et sans effort. Mais, dans ce bureau, il n'y avait que des photos des enfants de son patron, des diplômes et divers trophées photographiques représentant le procureur avec des politiciens d'envergure nationale et des célébrités du camp conservateur, y compris un cliché le montrant avec un président des États-Unis à l'air égaré, décédé depuis lors. Ian Goller pouvait, rien qu'en regardant ces photos et le grand sourire confiant du procureur, deviner ce qu'il lui restait à faire. Il pouvait même entendre le procureur lui dire : *C'est comme une boîte vide sur votre chemin. Vous lui balancez un coup de pied, et il y a cinquante pour cent de chances qu'elle tombe de votre côté.*

L'avocat qu'il désignerait pour plaider protesterait sans doute de son incapacité à présenter suffisamment de preuves pour que le cas du *Peuple contre Araceli N. Ramírez* réussisse à franchir la barre pourtant très basse de l'audience préliminaire. Mais une issue naturelle se profilait déjà, un marché évident qui brillait comme un coffret à bijoux parmi les chefs d'accusation que le bureau du procureur venait de déposer. Il suffirait d'un accord par lequel on abaisserait le niveau des inculpations – on les ferait passer du crime au délit – si la prévenue acceptait de plaider coupable pour ce délit. On lui accorderait le bénéfice du temps de prison déjà effectué, et on la balancerait aussi sec aux représentants de l'ICE, le service d'immigration de la prison du comté. Elle serait alors expulsée en un tournemain, comme l'étaient des légions d'autres étrangers sans papiers atterrissant là. Les électeurs qui hurlaient pour qu'elle soit punie seraient satisfaits en apprenant que la prévenue avait été éliminée du système de justice américain et chassée de l'orbite des médias, et la prévenue, de son côté, serait libre – au Mexique. C'était même la seule issue envisageable si l'on voulait faire preuve d'équité envers les citoyens de Californie. Après tout, l'inculpée faisait partie de ces deux millions de personnes qui vivaient dans l'État en violation de la section 8, chapitre 1325, du code des États-Unis. Il incombait aux procureurs des comtés de faire respecter cette loi, ne serait-ce qu'indirectement en attendant que chacun de ces deux millions commette quelque infraction à la législation de l'État – que ce soit un homicide ou un délit de conduite en état d'ivresse. Goller voyait encore, dans la façon d'agir d'Araceli N. Ramírez, non seulement une ignorance fondamentale des mœurs américaines, mais aussi cette étourderie et ces mauvais choix qui caractérisaient l'existence de tant d'autres inculpés dont la culpabilité ne faisait aucun doute. Il estimait que l'avocat de la défense serait tenté par un tel accord – tant qu'il ne verrait ni ces tickets de bus et de train, ni la déclaration de l'employé de l'hôtel, et qu'il n'aurait pas mesuré la faiblesse des cartes du procureur. Heureusement, les règles et les usages de la procédure de communication préalable[1] étaient tels que le procureur pourrait de manière plausible retarder le moment où il donnerait ces éléments d'information à la défense et ne les livrer qu'après l'audience préliminaire – laquelle serait sans doute vite expédiée. Comme les chefs d'inculpation ne comportaient pas de violences, le bureau des défenseurs publics ferait sans doute plaider l'affaire par un avocat assistant pour qui le fait de réduire les chefs d'inculpation et de ne retenir que la qualification de délit constituerait une solution facile et équitable, un arrangement rapide qui lui permettrait d'avoir un peu plus de temps pour travailler sur la trentaine ou la quarantaine d'autres dossiers qui l'attendaient sur sa table de travail. De toute façon, la déportation était une affaire fédérale qui dépassait les compétences des simples fonctionnaires du comté : tous les avocats, dans les deux bâtiments en béton qui se faisaient face de part et d'autre de cette rue – Civic Center Drive –, acceptaient ce genre d'issue comme une évidence. Il y avait une porte au bout du labyrinthe de cellules et de salles d'audience par laquelle disparaissait un cinquième de tous les inculpés du comté. Cette porte s'ouvrait sur un tourbillon d'âmes hispaniques en pleurs qui se déversait sur Tijuana, Mexicali et autres lieux paumés. Goller expliquait aux avocats qui travaillaient pour lui que chaque affaire se terminant par une déportation signait à sa manière le triomphe de la loi. Même les membres les plus progressistes du bureau des

1. « *Discovery* ». Préalablement au procès, chaque partie doit faire connaître à la partie adverse les éléments ou documents qui étaient son action.

défenseurs publics avaient accepté depuis longtemps cet état de choses sans s'en plaindre réellement, et il revenait aux avocats commis d'office dans les salles d'audience d'expliquer sans cesse aux inculpés qu'ils étaient sur le point d'être expulsés. Très souvent, cette information était livrée lors d'audiences qui paraissaient se dérouler dans la bonne humeur, au cours desquelles les peines avaient été réduites et un sursis avec mise à l'épreuve accordé, et puis l'avocat commis d'office – souvent un jeune homme de vingt-cinq ans – murmurait rapidement la nouvelle aussitôt reprise par des chuchotements d'interprètes, ce qui provoquait le paradoxe fréquent d'un inculpé qui pleurait de façon inconsolable alors même que le juge lui recommandait de bien se tenir une fois qu'il serait « relâché ». Les inculpés pleuraient parce qu'ils savaient que leur vie américaine touchait à sa fin, et, dans la tribune du public, leurs fils, leurs filles et leurs épouses pleuraient aussi une fois que la vérité était dévoilée. C'était cruel à voir, mais il fallait qu'il en soit ainsi, estimait Goller. Bientôt, son inculpée et les problèmes qu'elle charriait passeraient par la porte menant au Mexique.

Alors qu'il contemplait son nouveau bébé, un dossier d'un quart de pouce d'épaisseur intitulé *Le Peuple de l'État de Californie contre Araceli N. Ramírez,* Ian Goller en voyait déjà le destin final, le jour où ayant atteint l'épaisseur d'un pouce entier, il partirait sur un chariot dans ce mausolée qu'on appelait les archives.

Pendant les premiers jours sans Araceli, le désordre s'installa dès le lever du soleil dans la maison du Paseo Linda Bonita par des lits défaits dont les couettes et les draps gardaient la forme de cadavres de coton bosselés jusqu'à une heure avancée de l'après-midi. Maureen s'attaqua seule à cette tâche ménagère essentielle, puis finit par tancer Scott pour qu'il agisse : « Ne pourrais-tu pas, quand même, faire *notre* lit avant de partir le matin ? » Il grogna, obtempéra, mais laissait un lit mal bordé. Lui était-il donc indifférent que la couette pende en entier du côté de Maureen, ou bien avait-il une maladie des yeux qui l'empêchait de le voir ? Elle allait devoir enseigner aux garçons à s'occuper de leur lit, et elle leur donnerait quelque chose pour les y inciter, peut-être une récompense en argent. *Ils sont assez grands pour faire des choses à la maison, maintenant. Moi, quand j'étais petite fille, je balayais et je pliais les vêtements.* Il y avait ensuite la cuisine dont l'évier encombré rappelait le poste de plonge d'un boui-boui, avec ses casseroles et ses poêles graisseuses qui s'amoncelaient et débordaient dès dix heures du matin, avec aussi des restes de nourriture qui s'incrustaient avant midi. Les trois chambres, les couloirs et la salle de séjour étaient jonchés de chemises et de chaussettes imprégnées de sueur, et de sous-vêtements de toutes les tailles – sauf la sienne. Maureen découvrit, cachées sous le canapé, des chaussettes sales de Samantha ; des hauts de pyjama dans le jardin de derrière, des livres d'images pour enfants sous la table de la salle à manger. Et puis il y avait Samantha. Bien qu'elle fût le membre le plus petit de la famille, elle jetait plus de choses pour ajouter au désordre que tous les autres réunis. Personne ne pouvait lui demander de ramasser ses marionnettes, ses poupées, ses lions en peluche, ses cubes en caoutchouc ou sa baguette de Fée Clochette. Apparemment, Araceli passait une bonne partie de sa journée à ranger ce que laissait tomber Samantha. D'ailleurs, on ne pouvait pas la lâcher des yeux une seconde et, du coup, elle empêchait Maureen d'aller dans tous les coins de la maison où elle aurait dû se rendre. *Samantha, tu es venue dans ce monde pour rendre la vie de ta mère plus belle et plus féminine, mais tu l'as également rendue infiniment plus compliquée.*

La seule solution, c'était de mettre de nouveau en action monsieur gadget.

« Scott. La vaisselle. Tu pourrais t'en occuper, s'il te plaît ? »

Il étudia la prolifération de bols en inox et d'assiettes en plastique sur les plans de travail en marbre de la cuisine : trois services complets utilisés pour préparer et servir le petit déjeuner, le déjeuner et le dîner. « Pourquoi tu n'as pas fait marcher le lave-vaisselle ? »

Maureen ne répondit pas et laissa durer l'agressivité contenue dans son silence jusqu'à ce qu'elle entende l'eau couler dans l'évier.

Quand l'année scolaire reprendrait et que Maureen recommencerait à jouer les bénévoles trois jours par semaine à l'école des garçons, les choses allaient être très difficiles. Il faudrait trouver une crèche pour Samantha, parce qu'elle ne pourrait plus jamais engager une étrangère pour travailler chez eux.

Telles étaient les conséquences de ces années de confort pendant lesquelles ils s'étaient laissé dorloter par des mains mexicaines, et il faudrait vivre avec. Des voix qui les jugeaient continuaient à occuper l'espace à l'extérieur du cocon de verre, de carrelages et de pins qu'était ce Paseo Linda Bonita, et elle avait l'impression que ces voix devenaient plus bruyantes et plus méchantes. Le besoin d'échapper à ce bruit lui donna davantage de concentration et de volonté pour la cuisine, le nettoyage, le rangement et les autres tâches ménagères, comme si tous les muscles qu'elle entraînait à accomplir des travaux domestiques érigeaient des murs qui la mettaient à l'abri de ces étrangers sacrilèges. Mais combien de temps peut-on transformer sa maison en monastère, décrocher ses téléphones et fermer ses postes de télévision et de radio avant de devenir fou ? Elle voulut téléphoner à Stephanie Goldman-Arbegast, mais le silence gêné et les excuses transparentes qui suivirent quand elle invita Max et Riley à venir jouer dans le jardin et nager dans la piscine la dissuadèrent de rappeler. *Qu'ai-je fait pour que mon amie traite ma famille avec cette distance froide que les personnes saines manifestent envers celles qui sont infectées ?* Pendant le reste de la journée, Maureen comprit qu'elle avait perdu une partie d'elle-même le matin fatidique où elle avait quitté la maison avec Samantha. *Adieu, bienheureuse innocence.* Elle refoula la pensée récurrente qui lui disait d'appeler sa mère. Non, ce serait encore pire. À la place, elle alluma la radio sur NPR, la radio publique d'État, sachant qu'elle y trouverait des voix impartiales et adultes, et pendant trois quarts d'heure elle laissa le rythme raisonné des bulletins d'informations de l'après-midi envahir sa salle de séjour et sa cuisine. Elle écouta une cafetière tchèque, la voix musicale d'un pêcheur de crevettes de Louisiane. Tout cela était très éclectique et très relaxant jusqu'à ce qu'elle entende une accroche soudaine : « Et maintenant, de Californie, une affaire dont beaucoup estiment qu'elle reflète la division sociale dans cet État ensoleillé. C'est un cas impliquant deux enfants, leurs parents et une Mexicaine… » Maureen fit trois bonds à travers la pièce et enfonça le bouton marqué OFF. *Division sociale ? Ma maison est un lieu de division sociale ?*

Sa « division sociale », en tout cas, était effacée maintenant du fait qu'Araceli était de nouveau en prison. Et la savoir incarcérée provoquait chez Maureen une pointe de culpabilité chaque fois que, dans la maison, elle faisait quelque chose qui avait été du ressort d'Araceli. Quand elle prenait une éponge dans l'évier de la cuisine, qu'elle vidait le lave-vaisselle, ou qu'elle sortait la poubelle, elle avait l'impression de marcher sur les traces de sa bonne. *Existe-t-il un lieu particulier de torture, ici bas dans les cercles de l'enfer, pour les femmes qui trahissent leurs sœurs ? Je pourrais prononcer les paroles qui lui rendront la liberté, mais si je le fais, est-ce que je ne risque pas de perdre mes enfants ?* La colère qu'elle avait ressentie contre Araceli pendant les premiers jours de la disparition de ses fils s'était dissipée. *C'est naturel, c'est maternel, de bouillir de rage contre celle qui vous a pris vos enfants.* À présent, sa culpabilité n'était atténuée que par une information que lui avait donnée le procureur adjoint ce matin. Il était venu pour l'« avertir » parce que la « ravisseuse présumée » de ses enfants allait sans doute être remise en liberté à la suite d'un accord où elle plaiderait coupable pour un délit moins grave. Il semblait croire que cette nouvelle allait rendre Maureen amère, qu'elle allait se mettre à récriminer en mère lésée. Elle avait certes pincé les lèvres – une sorte de grimace simulée –, mais en fait elle s'était sentie soulagée. *Nous avons travaillé ensemble pour cette maison. C'était notre projet commun. Le monde des hommes, des médias et du droit a enfoncé un coin entre nous.* Le procureur adjoint avait ajouté que, selon toute probabilité, Araceli serait expulsée, à la suite de quoi Maureen avait posé son unique question : « Expulsée ? Pour un délit ? » Mais Araceli aurait sans doute été chassée du pays de toute façon ; c'était devenu inévitable à partir du moment où la police avait débarqué dans cette maison. *Je suis responsable de l'exil de la femme qui travaillait chez moi. Ou, plutôt, Scott en est responsable. Et moi aussi. Nous le sommes tous les deux.* Elle eut ces pensées tout en préparant et en versant le lait de sa fille, et comme elle était distraite, le liquide blanc déborda du biberon sur la table devant la place de Samantha.

« Lait ! cria le bébé.

— Oh, mon Dieu, Sam, tu as parlé ! Ton premier mot !

— Lait ! » répéta le bébé.

Maureen embrassa sa fille sur le front et attrapa un chiffon afin de nettoyer les éclaboussures. Quand elle s'agenouilla pour essuyer les gouttes blanches sur le sol, son attention fut attirée par une petite chose qui bougeait au pied de la table. C'était une fourmi, et elle la regarda rejoindre un défilé de deux lignes serpentines qui convergeaient sur un carreau juste sous la chaise haute de sa fille. Les fourmis se bousculaient, formaient un cercle grouillant autour d'un peu de crème de blé renversée et séchée. Maureen suivit la voie qu'elles traçaient à travers la salle à manger jusqu'à la cuisine, et découvrit qu'elle menait au jardin de derrière en passant sous la porte qu'Araceli ouvrait tous les matins pour commencer son travail.

Pendant que Maureen examinait les fourmis et pensait à Araceli, l'histoire de la *doméstica* qui, apparemment, allait être déportée sous peu, plongea le maire de Los Angeles dans un rêve éveillé alors qu'il semblait consulter le menu de son restaurant préféré du centre-ville. « Ici, le filet de bœuf est si tendre, déclara le conseiller politique du maire, qu'on peut le couper à la cuillère. » Le maire jeta un coup d'œil de l'autre côté de la nappe blanche et des verres d'eau qui transpiraient, et il répondit en secouant la tête d'un air distrait et sans énergie.

« Je pensais à la salade de thon à l'orientale, marmonna-t-il. J'ai perdu l'appétit. »

Il s'enfonça aussitôt dans une rumination dépressive et, chose rare chez lui, dans vingt minutes d'un silence méditatif que ne purent s'empêcher de remarquer non seulement son conseiller mais même les habitués du restaurant Pacific Dining Car. C'était un homme qui passait la plupart de ses journées en conversations et monologues – au téléphone, dans son bureau de l'Hôtel de ville, dans des parkings et des allées, dans des salles de réunion d'écoles primaires, dans des boutiques à beignets, dans le Westside lors de réceptions, dans sa voiture officielle – une Lincoln Town Car. Le maire se définissait lui-même comme un bavard intarissable, et il aimait se vanter d'avoir parlé sans arrêt depuis l'âge de quatre ans. Il savait que son conseiller avait deux enfants en bas âge et qu'il pouvait lui téléphoner et le trouver éveillé dès l'aube. C'était exactement ce qu'il avait fait six heures plus tôt, après avoir brièvement aperçu, dans le débat *¡ Despierta America !* de la chaîne Univision, un sénateur de Fremont, Californie, qui semblait plein d'avenir. « Eh, je viens de voir Escalante qui parle encore de cette nounou mexicaine, avait déclaré le maire de but en blanc. Il en fait une sacrée tartine. Hier, il était sur Telemundo. Et quelqu'un m'a dit l'avoir entendu à la radio deux ou trois fois.

« Vraiment », dit le conseiller d'une voix fatiguée dans le combiné de sa cuisine. En même temps, il regardait son fils de huit ans et sa fille de six manger de la crème de blé tout en tortillant entre leurs doigts leurs boucles de cheveux châtain. Le conseiller était un homme d'ascendance italienne transplanté du New Jersey, doté d'une tignasse rebelle grise et bouclée à la Beethoven. D'abord pamphlétaire gauchiste, il était monté, depuis les batailles des loyers contrôlés des années 1980, jusqu'à devenir le maître tacticien de l'aile progressiste du Parti démocrate, et il avait aidé divers leaders compétents et attachés à des principes à remporter les élections. « Il me semble qu'Escalante s'agite pour des raisons évidentes, dit le conseiller. Personne ne le remarque parce qu'il n'a jamais rien fait. Un politicien latino obligé de gesticuler comme un dingue pour attirer l'attention des électeurs latinos ne va nulle part. Il n'a aucune chance de remporter une primaire impliquant toute la Californie. Aucune. »

Araceli Ramírez était une cause célèbre qui obsédait de plus en plus les Latinos formant le noyau dur des partisans du maire, mais le conseiller n'avait pas changé d'avis sur la position que devait adopter le maire à ce sujet. À 6 h 45, dans la cuisine de son pavillon du nord-est de Los Angeles, il recommandait la même chose que lors de leurs deux précédentes discussions : rester bouche cousue et résister à la tentation d'émettre une opinion. « Toi, tu es maire de Los Angeles, et ça, c'est le comté d'Orange. Ne t'en mêle pas. Sinon, cette famille de fous et leur nounou pourraient bien t'exploser au visage. »

À 6 h 45 du matin, le maire avait accepté ce conseil, le jugeant sage et manifestement vrai. Il avait donc oublié Escalante et la martyre en devenir qui croupissait dans une geôle de Santa Ana. Puis, lors des ultimes moments de sa troisième et dernière prestation publique de ce matin, à l'hôtel Bonaventure, il avait reçu un nouveau et rude rappel de l'existence d'Araceli. Il était en train de faire une visite de courtoisie à un groupe d'employés d'hôtel en grève, et il venait de prononcer quelques mots dans son espagnol à lui, qui bien qu'affecté d'un fort accent s'améliorait constamment, lorsque l'une des femmes de chambre en grève l'avait agrippé par le poignet. C'était une personne de petite taille qui avait le visage anguleux et les cheveux courts des boxeuses, et elle avait tiré le maire jusqu'à elle. « *No tengas miedo*, avait-elle proféré d'un ton qui avait rappelé au maire sa défunte mère. *Ponte los pantalones. Di algo para apoyar a Araceli. Me enoja que no hayas dicho nada sobra esa pobre mujer.* » Le maire fit un sourire grimaçant et s'écarta, un peu étonné par la forte poigne de cette femme.

« Elle m'a dit de mettre mon pantalon, déclara soudain le maire à son conseiller au moment où la salade arrivait. À l'hôtel, la dernière femme. Tu l'as remarquée ? En fait, je l'ai reconnue quand j'ai été obligé de la regarder. Déléguée syndicale intransigeante. Elle a fait du démarchage pour moi dans mes circonscriptions à chaque élection. Elle m'a dit qu'elle était en colère parce que je n'avais rien dit à propos de la domestique mexicaine. "Mets ton pantalon, elle a dit, et dis quelque chose pour soutenir Araceli."

— Ça veut dire quoi, ne pas avoir de pantalon ? Un truc de Mexicain ?

— Ouais, c'est ça.

— C'est castrateur. C'est pour ça que tu as commandé une salade ?

— Très drôle », dit le maire. Là-dessus, il fit son célèbre sourire conquérant – cet éclair de dents comme en érection qui lui avait permis de remporter l'élection pour la mairie mais lui attirait parfois des ennuis quand il l'adressait à quelque jolie petite trentenaire célibataire. Il piqua dans sa salade d'un coup de fourchette, prit quelques bouchées et se mit à parler. « Mais il y a du vrai dans ce qu'elle dit.

— Ah bon ?

— Dans son esprit, elle n'a pas voté pour moi seulement pour me voir administrer la ville de L.A.

— Tout juste. Le côté icône. Le côté peuple opprimé depuis longtemps. »

Des foules de gens comptaient sur le maire de Los Angeles pour donner son avis sur le cas d'une nounou du comté d'Orange injustement traitée, simplement à cause de leur héritage ethnique commun. Ils voyaient dans son élection l'exaucement de vœux de pouvoir et de respect qu'ils nourrissaient depuis longtemps. Peu importait que la plupart de ceux qui avaient élu le maire fussent blancs : il était censé intervenir en faveur d'une amnistie et d'une réforme des lois sur l'immigration ainsi que sur d'autres sujets qui dépassaient de loin les maigres pouvoirs réels qui lui étaient dévolus par les statuts de la ville. Quand il se prononçait en faveur de la légalisation des immigrés clandestins, comme l'attendaient de lui ces électeurs-là, il poussait d'autres électeurs à se focaliser sur la prétendue menace que représentaient ses origines mexicaines, et incitait quelques-uns d'entre eux à croire encore plus fermement qu'il était à la tête d'un complot fomenté par des Chicanos pour réduire les Blancs en esclavage. Son héritage mexicain était donc à la fois son plus grand atout politique et son boulet le plus lourd.

« Ne rien dire du tout, ça me donne l'air faible », conclut le maire. C'était un qualificatif qu'il ne s'attribuait pas souvent ; le mot était même plutôt tabou autour de lui, et quand il entendit le maire le prononcer, son conseiller s'avança sur son siège. « Les gens commencent à croire que je me défile. » La carrière du maire, depuis une enfance mouvementée dans l'Eastside, un passage à l'université de Berkeley et une ou deux petites croisades donquichottesques comme avocat défenseur des droits civiques, jusqu'à ce qu'il soit un élu de l'État et enfin maire de la deuxième plus grande ville des États-Unis, avait été une valse-hésitation entre l'affabilité et la dureté, le charme et l'implacabilité. Il sentait que le qualificatif de « faible » était un poison en politique tout autant qu'il l'avait été dans les rues de sa jeunesse. Les chapitres du début de sa biographie avaient eu pour décor une école catholique secondaire chicano très prisée où le gamin qui allait plus tard être maire portait des cardigans et jouait à s'habiller en Black Panther jusqu'à ce qu'il se trouve impliqué dans les bagarres qui lui avaient valu d'être expulsé. Chaque fois que le maire entendait le mot « faible » ou l'un de ses nombreux synonymes, il sentait un retour de sa vieille agressivité, et le silence qui avait été le sien pendant les vingt dernières minutes venait du fait qu'il avait refoulé un puissant désir de dire à cette femme de chambre d'aller se faire foutre.

Ce fut là un rare moment de doute chez un politicien lancé dans une incroyable série gagnante, un homme qui passait ses journées à soumettre son conseiller et tous ceux de son cercle proche à des enthousiasmes toujours fluctuants et à une confiance en soi inconstante. Il allait planter trois cent mille arbres, engager mille policiers, baiser une jolie animatrice de télé ou deux – le tout avant Noël. Mais voilà que la nounou emprisonnée venait tout gâcher, menaçait de ternir son panache, et qu'elle le faisait depuis le comté d'Orange. Le maire sentait que le grondement qui s'élevait en faveur d'Araceli finirait par gagner les cercles pour les libertés civiques, qui lui étaient acquis depuis longtemps, et le club informel des riches progressistes de Westside qui finançaient sa campagne. Quelques-uns, parmi ces derniers, avaient déjà écrit à des journaux, envoyé des e-mails, des articles d'opinion et des commentaires sur Internet qui faisaient de la condamnation expéditive d'Araceli non seulement un symbole de la façon dont les immigrants étaient « marginalisés » dans le système judiciaire et dans le monde du travail, mais aussi un symbole des « relations de pouvoir des récits et des croyances » au sein de la ville entre immigrants et non-immigrants, et autres imbécillités du même genre. Le maire comprenait que ces gens prenaient la mesure de son silence en cette affaire et qu'ils garderaient ça en tête. Ils s'attendaient maintenant à ce qu'il se dégonfle totalement.

« Il va falloir que je dise quelque chose », déclara-t-il.

Le conseiller joignit les mains pour se concentrer. Il avait le génie des mots ; c'était un lecteur passionné de livres d'histoire et un étudiant zélé du marketing et de la façon de composer un message. Il établit aussitôt les grandes lignes de ce que le maire pourrait dire. Le truc, comme toujours, consistait à faire passer une position fondamentalement modérée et prudente pour quelque chose d'audacieux, de moral et d'éloquent – un don que tous les grands politiciens américains possédaient depuis Lincoln. Il fit part de ses idées au maire, et lorsqu'il eut terminé, celui-ci lui sourit en disant : « Génial.

— Le point capital, c'est le ton, lui rappela le conseiller. Il faut que tu aies un ton mesuré. D'adulte. Au-dessus de la mêlée. »

Quelques heures plus tard, le maire se trouvait à East Hollywood pour une cérémonie de commémoration en l'honneur d'un des derniers survivants, en Californie du Sud, du génocide arménien. Une fois la cérémonie terminée, il s'adressa aux quatre journalistes de la télévision qui se trouvaient à l'extérieur et s'attendaient à quelques remarques innocentes portant sur les Arméniens. « Je vais vous faire une fleur, aujourd'hui, et parler un peu des sujets du jour, chuchota le maire à l'oreille d'une journaliste. Je vais dire quelques mots sur cette nounou mexicaine. Préparez-vous. » Il y eut quelques mouvements précipités, des micros qu'on branchait, des câbles et des caméras qu'on positionnait, puis, le calme revenu, le maire se lança :

« Comme bien des gens, j'ai suivi l'arrestation et maintenant l'inculpation d'Araceli Ramírez. Ce cas inquiète beaucoup de gens. Je n'ai pas à commenter les faits concernant une affaire criminelle en cours d'instruction, mais j'aimerais juste faire une observation. L'une des choses les plus belles, dans ce pays, c'est que tout le monde, qu'il soit riche ou pauvre, immigrant ou citoyen, a droit à un jugement équitable. Il a le droit d'être jugé sur des faits et non pas en fonction de passions ou de préjugés. Ce qui m'inquiète, ce sont les passions que soulève cette affaire. Je crois que tout le monde a besoin de prendre un peu de recul pour que les faits, et seulement eux, déterminent le cours des choses. Nous accordons beaucoup de pouvoir à nos procureurs pour qu'ils nous protègent – et c'est une bonne chose. Mais nous nous en remettons aussi à eux pour qu'ils usent de leur pouvoir avec sagesse. Je suis sûr que ce sera le cas ici. »

Deux heures plus tard, Ian Goller envoyait par Blackberry une transcription de cette déclaration à son supérieur qui, cet après-midi-là, était en déplacement à Bakersfield. Le procureur du comté d'Orange lui fit parvenir une réponse en un seul mot : « Étonnant. » Goller, lui, avait une opinion plus tranchée. *C'est scandaleux. Ce n'est même pas sa circonscription.* Le procureur adjoint se sentit un peu blessé dans sa fierté jusqu'au moment où il prit du recul pour considérer ce qui pouvait pousser un politicien aussi avisé et ambitieux à faire un commentaire sur l'affaire du *Peuple de Californie contre Araceli N. Ramírez.* De toute évidence, le maire croyait que Los Angeles et les Laguna Rancho Estates reposaient sur les mêmes plaques tectoniques mouvantes, et il parlait prudemment pour ne pas perdre pied quand le sol au-dessous de lui se mettrait à gronder. Le supérieur de Goller, un Républicain, risquait de sentir lui aussi rapidement le même sol trembler et de décider qu'il valait mieux ne pas prendre le risque de poursuivre un procès comme celui du cas Ramírez avec d'aussi faibles munitions. Dans les cercles politiques « sérieux » de Californie, la droite comme la gauche craignait les tremblements de terre ethniques, et c'était une des raisons pour lesquelles le problème de l'immigration perdurait et s'aggravait.

Goller en conclut que plus Araceli Ramírez traînerait dans les salles d'audience et les cellules du comté d'Orange, plus le problème politique qu'elle présentait grandirait. Le maire de Los Angeles avait parlé, prétendument pour qu'on ne se précipite pas vers un jugement final. Mais ses brèves remarques n'avaient fait que renforcer Goller dans sa détermination de balayer cette femme du sol américain et de l'envoyer au Mexique le plus rapidement possible.

22

ARACELI AVAIT MAL AU DOS parce qu'elle passait une grande partie de sa journée à se tourner et se retourner sur un matelas tout mince qu'elle sentait glisser d'un côté et de l'autre sur la feuille d'acier que ses geôliers qualifiaient de sommier. Elle attendait que la nuit tombe et que le jour revienne. Quand le mince rectangle de la fenêtre de sa cellule s'embrasait brièvement le matin d'une lueur orange, elle pouvait s'imaginer ailleurs. De nouveau dans la *colonia* San Cosme de Mexico où vivait son dernier petit ami *chilango*, sous un soleil qui leur réchauffait le visage, où des rangées d'immeubles secoués par des tremblements de terre penchaient au-dessus des trottoirs ; ou encore dans un wagon du métro quand il émergeait du souterrain pour rouler en plein air et que les passagers plissaient les yeux face aux soudains éclats de lumière. Quelle erreur, d'avoir quitté Mexico. Son trajet vers le nord l'avait menée à Santa Ana dans une cellule où elle allait s'habituer aux angles des murs et aux bruits des couloirs au milieu d'autres détenues hypnotisées par le besoin de dormir qui les submergeait toutes. La distribution rituelle de comprimés provoquait un puissant afflux de prisonnières vers la salle de récréation au bout du corridor. Là, un poste de télévision emplissait la prison d'un flot perpétuel de rires préenregistrés et de l'écho métallique des jingles publicitaires. Ses codétenues demeuraient dans cet état neutre, semi-conscient, même à trois heures de l'après-midi quand le vrai soleil tapait sur les gens du monde extérieur. Elles étaient toutes prises dans une sorte de glaciation, ces femmes en combinaison bleue assises sur leur lit, et pour certaines d'entre elles recouvertes d'une couverture anthracite – cent petites poupées crades dans des cellules empilées comme les cubes d'un jeu de construction qui rappelaient à Araceli un tableau de Diego Rivera datant de l'époque de l'étoile rouge et de son marxisme didactique. Un tableau où des corps remplissent la salle des coffres d'une banque. *Avoirs gelés.*

Le premier jour où Scott reprit le travail, il fut chassé de son bureau par un trop grand nombre de « Tu vas bien ? » et d'embrassades, mais aussi par le fait qu'il ne reçut pas un seul message instantané de Charlotte qui détourna la tête d'un geste brusque quand elle l'aperçut en train de la regarder à travers la cloison vitrée. À la maison, ce fut Maureen qui détourna le regard, alors même qu'elle lui tendait une liste d'articles à acheter au supermarché. Mais une fois qu'il fut dans le magasin avec sa liste à la main, les gens ne firent que le dévisager. Il y eut d'abord le Latino au bout de la file de chariots : il gratifia Scott d'un long regard qui, après la surprise initiale, passa vite à l'agressivité irritée. Quel âge pouvait avoir ce type ? Trente, trente-cinq ans ? Sa tête chauve ramena Scott à l'époque de South Whittier et aux premiers adeptes d'un mode de vie que son père avait estimé ne convenir qu'à « des *losers* qui ne veulent pas bien apprendre l'anglais ». Il portait un bouc et il avait l'expression flottante d'un homme qui allait entrer dans l'âge mûr sans en être conscient et sans y être préparé. Cinq secondes passèrent, puis dix, et Scott haussa le menton comme pour demander « Qu'est-ce qu'il y a ? », mais l'autre ne cilla pas. Scott poussa son chariot dans le magasin et entreprit de le remplir comme il se devait, mais quand il arriva à la caisse il dut supporter un autre regard hostile, bref celui-ci, de la part de la caissière latino qui le reconnaissait et qui fit suivre ce regard par un froncement de sourcils puis par une indifférence affichée. Il avait peut-être vu cette caissière une dizaine de fois, mais il n'avait jamais entamé de conversation avec elle, et maintenant il sentait qu'il la décevait et que son nom de famille avait quelque chose à voir avec la façon dont elle réagissait. *Je suis censé être l'un d'eux.* Ce qui expliquait également le regard du Mexicain au chariot. Scott Torres était jugé selon les règles de la loyauté tribale, uniquement parce qu'il avait un nom de famille mexicain. *Que c'est bizarre, l'esprit clanique de ces gens.* Scott qui n'avait qu'un seul nom à consonance mexicaine, était responsable de l'emprisonnement d'une femme qui, elle, en avait trois : Araceli Noemi Ramírez. Elle n'était qu'un visage et un nom à la télévision alors qu'il était, lui, client de leur magasin et que son visage leur était familier ; et pourtant c'était lui qu'ils méprisaient. La présence de Scott, ici à la caisse, avec son chariot rempli de petits pots pour bébés et de couches pour sa fille, de briques de jus de fruit pour ses fils, comptait moins aux yeux de cette caissière que la représentation abstraite qu'elle se faisait d'Araceli, martyre latino enfermée dans une cellule.

« Quelque chose ne va pas ? demanda Scott à la caissière dont le badge portait le nom EVANGELINE.

— Vraiment ? » répondit Evangeline de manière sibylline, et Scott resta à remuer cette question dans sa tête tout en sortant du magasin avec ses achats dans le chariot, et, dans ses doigts, un ticket de caisse qui faisait presque un mètre de long.

L'avocate désignée par le bureau du défenseur public était une femme grande et élégante, à l'allure discrète, qui avait un nom de famille philippin et un petit nez rond suggérant un héritage redevable au *Mayflower* autant qu'à Manille. Ruth « Ruthy » Bacalan-Howard avait environ trente ans, et chaque fois que venait son tour de parler elle observait un silence d'une seconde ou deux en regardant ses mains, dont elle se servait aussitôt pour tirer d'une manière tout à fait caractéristique sur le tissu de sa longue jupe en batik. « Bien entendu, vous ne devriez pas plaider coupable pour un crime que vous n'avez pas commis, même si l'accord qu'on vous propose vous semble très bien, dit-elle à Araceli. *Mucha gente lo hace, supongo*, mais ne c'est vraiment pas comme ça que le système est censé fonctionner. »

Elles se trouvaient dans la salle de réunion des avocats, et elles y étaient seules. Ruthy Bacalan, avocate assistante commise d'office, avait écouté Araceli expliquer la série d'événements qui l'avaient embarquée dans « un cirque nord-américain très étrange », pour reprendre les mots qu'Araceli avait dits dans son anglais à fort accent mais très clair. L'avocate lui avait ensuite exposé la proposition du procureur en recourant parfois à un espagnol bien maîtrisé mais prononcé lui aussi avec un certain accent. Elle traduisit le mot « délit » par l'équivalent espagnol le plus proche qu'elle connût, et ce fut « *delito menor* », une expression dépourvue en partie des nuances inoffensives de l'anglais. « Par conséquent, si vous plaidez coupable pour ce *delito menor*, on vous laissera sortir de prison, mais on vous remettra directement aux mains du service d'immigration.

Dans le système légal américain, ce délit est de la même gravité que griller un feu rouge. Mais ce que ça signifie, c'est que vous ne pourrez plus jamais revenir ici – légalement –, puisqu'on vous aura remise au service d'immigration qui fonctionne à l'intérieur de la prison, alors même qu'officiellement on vous aura "relâchée" de prison. Évidemment, même si vous choisissez le procès et que vous gagniez, vous risquez toujours d'être expulsée. » Ruthy Bacalan s'assit à une table carrée perpendiculairement à Araceli, et croisa ses longues jambes, exposant ses chaussures de marche en cuir bordées de rose et pourvues de lacets également roses. L'avocate commise d'office était chaussée ainsi parce qu'elle était enceinte de sept mois et que ses pieds enflés lui faisaient perpétuellement perdre l'équilibre. « Si vous choisissez le procès, vous aurez la possibilité d'appeler des témoins. Je serai votre avocate et l'État paiera tous les frais. Gratis. Mais, une fois de plus, si vous perdez, poursuivit-elle, vous risquez de faire cinq ans de prison. À la suite de quoi vous seriez certainement expulsée du pays. » Araceli oublia un instant ce que lui disait l'avocate et resta fixée sur ce que celle-ci portait aux pieds. Ce sont des chaussures pour une femme d'extérieur active, se disait-elle. Rose fillette et cuir solide. Avec elles, on peut gravir des montagnes en gardant un style féminin. Je suis à peu près sûre de ne jamais avoir vu des chaussures comme ça à Mexico, pas même au centre commercial Santa Fe.

« Puis-je vous demander, *señorita,* où vous avez acheté ces chaussures ? »

Ruthy Bacalan fut tout d'abord interloquée – apparemment, les gens dont l'avenir était en jeu n'interrompaient pas souvent la conversation pour s'enquérir de ses chaussures.

« Oh, celles-là. Au Sport Chalet.

— Si jamais on me relâche et qu'on me permet de vivre aux États-Unis, dit Araceli, j'irai dans ce chalet m'acheter une paire de chaussures comme ça. En fait, je veux rester ici, je ne veux pas accepter la très généreuse proposition d'être expulsée directement au Mexique, parce que *Los Estados Unidos de America* est un pays où les femmes peuvent porter des chaussures comme ça.

— Vous n'allez donc pas accepter la proposition que vous fait le ministère public ?

— Non. *¿ Para qué ?*

— *Fantástico* », répondit Ruthy Bacalan dont le visage prit soudain un éclat juvénile, comme si une étudiante de licence avait chassé la lugubre avocate en elle. Ruthy Bacalan se préparait à démissionner du bureau du défenseur public. Mais ce n'était pas parce qu'elle était enceinte et devait s'occuper de quarante-sept affaires en tant qu'avocate assistante commise d'office. Non, ce qui la poussait à mettre en doute son engagement de défenseur public, c'était le manque de combativité et de détermination qui minait ce travail, c'était de se voir asservie à la progression de la chaîne des dossiers havane et aux organigrammes déterminant toutes les audiences et les procédures par lesquelles un pauvre hère devait passer avant d'émerger de l'autre côté, soit coupable, soit innocenté, soit plongé dans divers vides juridiques. Elle avait pris ce poste par sens du devoir civique et par compassion, croyant qu'elle pourrait réduire les souffrances des prévenus qui passaient devant elle et leur conférer ne serait-ce qu'un peu de la dignité prévue par la Constitution. Dans le bureau exigu qu'elle partageait avec deux autres assistants du défenseur public, elle s'était plongée dans une méditation de dix minutes avant de venir à cet entretien et, tout de suite après, elle avait compris qu'il lui fallait trouver un travail où elle pourrait s'affronter plus directement aux injustices de l'époque. Peut-être en tant qu'enseignante dans des zones défavorisées, ou en tant que syndicaliste, ou simplement en tant que mère au foyer qui élèverait de futurs citoyens avec de bonnes valeurs bouddhistes. Mais voilà que cette prévenue paraissait devant elle, prête à adopter une attitude de défi dans une affaire qui pourrait connaître une certaine notoriété médiatique et envoyer un petit message à la ville et, au-delà, à toute la nation.

« Je crois que vous pouvez gagner ce procès, dit Ruthy Bacalan avec empressement et enthousiasme. Tout le monde, au bureau, s'attendait à ce que vous acceptiez de plaider coupable.

— Pourquoi est-ce qu'on plaiderait coupable si on n'a pas commis de crime ? demanda Araceli. Ça n'a pas de sens.

— Plein de gens le font. Il y a beaucoup de choses, dans le droit et dans les tribunaux, qui n'ont aucun sens.

— Madame la *licenciada*, qu'avez-vous dit avant ? Je voudrais être sûre de bien comprendre, dit Araceli. Vous disiez que je risquais d'être punie parce que je veux dire la vérité. Ça, c'est si je perds le procès. Pour avoir dit la vérité – c'est-à-dire que je ne suis pas coupable –, mais qu'on pourrait m'envoyer en prison pour encore plus longtemps pour avoir voulu dire la vérité ?

— Oui. » N'importe quelle personne, même si elle ne connaissait pas la justice, pouvait s'en rendre compte, pensa Ruthy Bacalan. Le choc de voir les principes du droit salis et tournés en dérision se lisait sur le visage de tout avocat idéaliste au bout d'une semaine ou deux après qu'il avait endossé la tenue d'avocat commis d'office. « Il y a ce mot magnifique, ce mot à racine latine : justice. Bien entendu, c'est le même mot en espagnol : *justicia.* » Ces paroles étaient le début d'un petit discours que Ruthy Bacalan tenait parfois aux étudiants en première année de droit, mais jamais à un client. « Le système judiciaire est semblable à une installation de plomberie. Dans des cas comme le vôtre, le problème fondamental, c'est qu'il y a trop d'inculpés pour le système. Du coup, nous, les avocats, nous utilisons des stratagèmes pour vous y faire passer plus vite. Mais cela s'oppose à la tradition du droit qui veut que chacun soit traité de manière équitable. Ainsi, mon travail existe parce qu'un pauvre homme de Floride a pu s'asseoir et écrire, avec un papier et un crayon, une lettre à la cour suprême. Depuis sa cellule en prison. Grâce à lui, les lois ont été modifiées pour que maintenant tout le monde puisse avoir un avocat commis d'office. Gratuitement. Un type qui se bat comme ça peut changer la loi. L'histoire des États-Unis est pleine de gens de ce genre.

— L'histoire du Mexique aussi, dit Araceli.

— Je veux bien le croire.

— Mais je ne suis pas une bagarreuse.

— Moi non plus. Pas vraiment.

— Pourtant, je crois que je veux qu'on me respecte. *Merezco respecto.* Et je veux respecter les règles, aussi. Les règles disent qu'on doit pas mentir. »

Par-dessus tout, le fait de plaider coupable à un *delito menor* et d'accepter la commodité d'un accord heurtait son sens de l'ordre et de la décence. Cette idée ne faisait qu'ajouter à la sensation que tout se débobinait autour d'elle : qu'elle vivait dans une métropole où tous les objets jadis bien rangés venaient d'être jetés dans un grand désordre. *Quand on vit loin d'ici, on n'associe jamais la Californie à la pagaille.* Lorsque Araceli se trouvait dans une maison mal tenue où les lits n'étaient pas faits et la vaisselle restait sale, elle éprouvait invariablement de la déception et des sentiments de défaite. Elle s'était sentie ainsi quand elle était petite fille à Nezahualcóyotl et que sa mère faisait des dépressions saisonnières qui, une ou deux fois par an, l'empêchaient de travailler pendant plusieurs jours d'affilée. Et elle se sentait encore ainsi quand, devenue adulte, elle vivait dans le logement d'amis du Paseo Linda Bonita. À présent, Araceli pouvait voir que ce pays appelé Californie ressemblait à une maison vétuste et négligée. Cette conclusion était confirmée par la proposition absurde que cette femme idéaliste aux chaussures bordées de rose avait été obligée de lui faire : raconte un mensonge et tu seras libérée. La vérité se mettait en place depuis longtemps, maintenant : Araceli avait pu la voir de près dans la maison du Paseo Linda Bonita où les interactions de plus en plus tendues entre Scott et Maureen lui avaient donné le sentiment qu'elle vivait avec deux personnes désorientées et irritées par les rôles familiaux qui leur étaient attribués. Elle avait eu le même sentiment de perturbation quand elle était arrivée dans le centre de Los Angeles avec Brandon et Keenan, quand la foule de lyncheurs avait affronté le conseiller municipal à Huntington Park ou quand la femme aux trois condamnations avait projeté son évasion et puis avait capitulé et s'était mise à pleurer. Elle voulait prendre tous les Américains épuisés qu'elle avait vus et leur donner des vêtements amidonnés de frais, elle voulait aussi prendre tous les objets déplacés, leur donner un coup de chiffon et les remettre à l'endroit qui était le leur.

« Ces lois que vous avez. D'un côté elles sont belles, dit Araceli. Mais de l'autre elles sont affreuses. »

Les policiers américains vous relâchaient poliment s'ils apprenaient qu'en vérité vous étiez innocente. Apparemment, ils ne se laissaient pas soudoyer et ils déposaient dans des sacs transparents les objets des gens qu'ils arrêtaient et les leur restituaient plus tard. Pourtant, leurs tribunaux faisaient du chantage à une femme innocente en voulant lui imposer un pacte avec le diable, et cela uniquement pour que le flot d'inculpés puisse circuler plus rapidement dans leurs bâtiments de béton.

« *Entonces, a pelear* », dit Araceli.

Le visage de Ruthy Bacalan rayonna. « Oui, on va se battre. » Elle expliqua ce qui allait se passer maintenant : le tribunal allait programmer un mini-procès appelé « audience préliminaire ». « Je vais demander qu'il se tienne rapidement. Si on le perd, ce qui sera sans doute le cas, on demandera un procès en bonne et due forme. »

Les deux femmes échangèrent une poignée de main et se donnèrent une légère accolade avant de quitter la salle par des portes différentes. Araceli prit une feuille de papier que lui tendit un gardien et suivit, sur le sol en béton, une ligne jaune qui l'éloigna de la salle en la faisant tourner et retourner dans un labyrinthe de couloirs. Lors des rares moments où elle pouvait s'aventurer hors de sa cellule, elle était étonnée par l'étendue et le côté ouvert de cette prison de comté : les détenus allaient et venaient sans être escortés, ils arpentaient les couloirs de long en large et empruntaient les escaliers roulants ; des femmes se rendaient en groupe, d'un pas nonchalant, jusqu'à la cafétéria en portant des plateaux de nourriture, des boîtes et des enveloppes, guidées par un arc-en-ciel graisseux de lignes peintes sur le sol. La prison connaissait le même affairement encadré qu'un énorme immeuble de bureaux ; c'était une société bizarre où les secrétaires avaient le cheveu terne, sale ou rasé sur les tempes, et où chaque employée était habillée d'une combinaison bleue ou jaune.

Elle suivit encore pendant dix minutes des couloirs labyrinthiques pour regagner son quartier cellulaire tout en se souvenant de ce qu'elle venait de dire à son avocate : « Je ne suis pas une bagarreuse. » Mais peut-être l'était-elle. Elle pouvait devenir une lutteuse, une super-héroïne mexicaine, la Détenue masquée qui bondit dans les airs vêtue de sa combinaison de prison jaune, de chaussures de cuir rose montant jusqu'aux chevilles et d'une cape violette qui traîne derrière elle. Araceli poussa un autre gloussement solitaire et estima que c'était une bonne chose de pouvoir sortir de sa cellule et parler pendant une heure avec Ruth, puis de se frayer un chemin à travers une foule de secrétaires en combinaison jaune qui foncent et obstruent les corridors.

Elle était à mi-chemin, juste au-delà de l'endroit où la ligne jaune tournait vers la cafétéria, lorsqu'elle sentit un choc contre sa tête et trébucha, puis tomba, aveuglée un instant. Elle atterrit le visage contre le sol et recouvra la vue, mais elle touchait les lignes jaune, bleue et verte sans se rappeler celle qu'elle devait suivre.

« Voleuse de bébés ! » cria une voix au-dessus d'elle. « Kidnappeuse ! » Quelqu'un lui lança un coup de pied dans la colonne vertébrale au moment où elle tentait de se mettre à genoux, ce qui la renvoya sur le sol dur et froid. *Quelqu'un essaye de me tuer.* Les détenues formaient un cercle autour d'elle, Araceli voyait leurs pieds qui dépassaient des sandales en caoutchouc que tout le monde devait porter, les ongles de leurs orteils peints de frais en vermeil et en mandarine. *Où est-ce qu'elles trouvent du vernis, ici ? Comment est-ce que j'ai pu rater la distribution de vernis ?* Il y eut un coup de sifflet, et tous les ongles peints s'enfuirent pour être remplacés par les lourdes chaussures noires d'une gardienne. Araceli leva les yeux et vit une géante scandinave musclée, en uniforme, les cheveux en queue de cheval. La gardienne la tira pour la relever, mais la tête d'Araceli voulait rester par terre. « Il faut qu'on vous sorte d'ici, dit la gardienne. Levez-vous, sinon la foule va se reformer. » Ses jambes cédaient, mais la gardienne l'empêcha de tomber, et elles se mirent à marcher vers la cellule. Araceli faisait trois pas convenables et puis, lors du suivant, elle n'arrivait plus à soutenir son propre poids, mais elle était retenue par cette femme au torse d'haltérophile. « Vous allez y arriver ? demanda la gardienne.

— *Creo que sí.* »

Elles repartirent en avant, le bras de la gardienne autour de la taille d'Araceli. Soudain, la gardienne la souleva en poussant un grognement, et toutes les pensées de la Mexicaine furent effacées par la sensation inattendue d'être prise dans le solide échafaudage des bras de la géante qui la transportait par-dessus les lignes du sol. Araceli aurait voulu gazouiller, tellement cette sensation était agréable : toute la tension de son dos et de son visage, toute la douleur des coups reçus la quittaient soudain.

Maureen ouvrit la porte d'entrée à cinq heures moins dix de l'après-midi en pensant que c'était Scott, mais se trouva face à une version plus âgée, plus lourde et légèrement plus foncée de son mari. John Torres portait une valise, et il avait l'air d'un homme obligé de venir sauver une femme en train de se noyer parce qu'elle était si bête qu'elle ignorait qu'elle ne savait pas nager. « On m'a signalé que tout part à vau-l'eau, chez vous, déclara-t-il. C'est pourquoi je suis de retour. Et c'est pourquoi je vais m'installer ici. Je vais prendre la petite maison de derrière qu'avait votre bonne, car je suppose qu'elle va pas revenir. Je resterai quatre nuits par semaine. C'est sans doute tout ce que je pourrai supporter. »

Maureen ouvrit la bouche pour dire quelque chose, mais elle n'arrivait pas à trouver les mots pour résister à un tel affront.

« Je peux faire la cuisine. Et le ménage aussi bien que n'importe qui, dit-il avec une sorte de détermination blessée. Et, bon Dieu, s'il y a une chose que je sais faire, c'est les lits, et ça, c'est déjà mieux que mon fils. Je ferai pas la vaisselle, mais je sais préparer une bonne casserole de haricots et à peu près tout ce que ces gosses mangent pour leur petit-déjeuner. Tu peux laisser tes garçons avec moi ici, et je ferai le baby-sitting, tu pourras prendre un peu de temps pour toi avec ma petite-fille, ce qui est d'ailleurs la chose, si je comprends bien, qui a lancé cette foutue histoire. Et puis j'ai l'impression que tu as besoin de prendre un peu de temps parce que, pour parler franchement, tu me parais plutôt crevée, ma belle-fille. » Il mesura l'air épuisé de Maureen en la regardant rapidement de haut en bas. « Je sais qu'on n'est pas censé dire ce genre de chose à une femme, mais parlons sérieusement. Tu as besoin d'aide. Tu t'uses comme certains des types avec qui je récoltais des salades autrefois. Je travaillerai gratuitement. Permets-moi seulement de manger l'*arroz con pollo* que je prépare moi-même, c'est tout ce que je demande. »

El abuelo Torres disparut dans la cuisine, puis dans le jardin et dans le logement d'amis. Scott le trouva une demi-heure plus tard, la tête dans le frigo.

« Papa ? Qu'est-ce que tu fais ?

— Je cherche un fromage décent pour faire une *quesadilla* aux gamins. Ça, je sais qu'ils en mangeront s'ils en ont au dîner. »

Scott s'éloigna avec le sentiment qu'il venait d'entrer dans un cauchemar où il traversait en somnambule des scènes de son enfance. Le passé revenait, accompagné d'une sensation sinistre et trop connue de vie de famille vouée au désastre.

« C'est mon père qui prépare le dîner ? demanda-t-il à Maureen dans la salle de séjour.

— Et qui s'installe avec nous.

— Dans cette maison ?

— Dans le logement d'amis, oui.

— Pourquoi ?

— C'est pas moi qui en ai eu l'idée.

— On peut le faire partir ?

— Je suppose que oui », répondit Maureen. Elle huma l'odeur de fromage qui flottait dans l'air, arrivant de la cuisine. « Mais est-ce qu'on peut se le permettre ? »

Lorsqu'il eut servi à ses petits-fils et à sa petite-fille un repas de *quesadilla* et de pommes en tranches et que les garçons, en lui adressant de grands sourires, eurent crié : « On peut en avoir encore, papy ? », le vieux Torres retourna devant la cuisinière couleur acier. Il prépara des pommes de terre au four et des hauts de cuisse de poulets à l'estragon – le genre de repas simple et bon qu'on peut prendre dans un restaurant bon marché – et il les fit glisser sur la table en direction de son fils et de sa belle-fille.

« Régalez-vous, dit-il sans plus.

— Merci », répondit faiblement Maureen.

Quand ils eurent fini, il laissa la vaisselle dans l'évier pour Maureen et sortit dans le jardin de derrière où, après avoir pris un ballon de football américain, il cria à Brandon : « Longues passes ! » Après qu'ils eurent lancé quelques balles, Keenan se joignit à eux et ils jouèrent trente minutes à s'envoyer le ballon jusqu'à ce que le vieux Torres se mette à tousser et, en se laissant choir sur le gazon, déclare : « On va s'asseoir, se reposer un peu et regarder ce beau désert qu'on voit pousser ici. »

Le grand-père et ses petits-fils admirèrent les pétales raides du figuier de Barbarie, les yuccas épineux, et ils restèrent sans bouger quand ils virent une corneille se poser sur le sommet du cactus grimpant. Elle tourna sa tête d'un côté, puis de l'autre, pour examiner avec chaque œil les êtres humains au-dessous d'elle.

« Bon sang, que c'est joli, dit le vieux Torres. Il y avait longtemps que je n'avais pas vu un désert comme celui-là. J'ai grandi dans le désert, vous savez. »

Brandon sentait que l'attirance de son grand-père pour le cactus venait de quelque chose d'émotionnel et de profondément adulte, et il perçut à moitié – et imagina pour l'autre moitié – dans son intonation la façon de parler des cow-boys. Peut-être était-il un cow-boy du sud de la frontière, comme le flingueur vénal à l'accent mexicain de ce western spaghetti que le jeune garçon avait regardé un jour avec son père seulement jusqu'au moment où les cow-boys s'étaient mis à dire des gros mots, car son père lui avait alors dit de s'en aller.

« Le Mexique, ça ressemble à ça ? demanda Brandon.

— Je saurais pas dire. Je suis de Yuma, en Arizona. » Le vieux Torres regarda ses petits-enfants, vit leur expression d'innocente perplexité, et baissa alors la garde qu'il érigeait naturellement autour de lui. « Mon père était de Chihuahua. Je suis né là-bas, mais il y a longtemps. Je suppose que ça ressemble encore à ça.

— Est-ce qu'on est mexicains ?

— Juste un quart. À travers moi, faut croire.

— Rien qu'un quart ? » demanda Keenan. Il songeait aux leçons de maths de la fin du cours élémentaire et ne comprenait pas comment un être humain pouvait se diviser en fractions. Un quart, deux tiers, trois huitièmes. Ses os et ses muscles étaient-ils fractionnés en parties mexicaines et en parties américaines ? Ses pupilles vert-brun pouvaient-elles se découper en un quart de tarte mexicain, deux quarts américains et un quart irlandais ? Et s'il se regardait dans la glace avec une loupe, pourrait-il repérer ces quarts de tarte et les différencier ?

« Oui, répondit leur grand-père. Rien qu'un quart.

— Qu'est-ce qu'il vaut mieux ? Moins de mexicain, ou plus ?

— J'sais pas. Il y a des gens qui pensent qu'il vaut mieux en avoir moins. Mais, ces temps-ci, j'sais pas trop. »

À 20 h 45, le vieux Torres se retira dans le logement d'amis, et à 21 h 15, quand Maureen entra dans la cuisine pour se faire un thé, elle put l'entendre ronfler – un faible grondement animal, tenace manifestation de vulnérabilité qui filtrait à travers deux murs.

Le lendemain, il se réveilla à six heures du matin, entra dans la cuisine et prépara pour le petit-déjeuner de son fils une omelette au jambon, à la tomate et au fromage. Une fois que Scott eut fini de manger, son père lui donna un ordre.

« Sois sympa et récure deux cuvettes de W.-C. avant de partir pour ta journée.

— Quoi ?

— Écoute. Ta femme est allergique aux cuvettes de W.-C., et moi, je vais avoir un programme très chargé aujourd'hui.

— Mais je dois aller au travail. Je vais arriver en retard.

— Je croyais que c'était toi le patron, là-bas. »

Vingt minutes plus tard, le vieux Torres trouva son fils à quatre pattes dans l'une des quatre salles de bains de la maison en train d'attaquer la porcelaine avec un tampon à récurer.

« *Man*, c'est répugnant ! dit Scott.

— Tu as deux garçons. Tu t'attendais à quoi ? »

Scott se releva, abaissa l'abattant de la cuvette et s'assit dessus, prenant un moment de repos pour étudier le lavabo et la baignoire qui, tous deux, attendaient son intervention.

« Est-ce qu'Araceli faisait vraiment tout ça ? Toute seule ? » demanda-t-il. Il regarda ses mains qui sentaient l'eau de Javel. « Tu as fait le petit-déj' et hier soir le dîner. Maureen va s'occuper de la lessive du bébé. Je nettoie ces putains de W.-C. J'arrive pas à croire qu'une femme seule ait pu faire tout ça.

— Ouais, dit le vieux Torres. Et elle le faisait bien. » Il examina le travail de son fils et ajouta : « N'oublie pas de récurer les côtés. Il te faudra te remettre à genoux pour que ce soit bien propre. »

Pendant les jours qui suivirent, Scott et Maureen se souvinrent d'Araceli à travers leurs muscles, leurs mains fripées et javellisées, jusqu'à ce que ces travaux deviennent familiers, routiniers. Alors la place éminente qu'elle occupait dans leurs souvenirs commença à s'estomper, très légèrement.

23

« QUELQU'UN A PAYÉ VOTRE CAUTION. » La gardienne du nom de Nansen, celle qui, la veille, avait porté Araceli pour la mettre à l'abri, parut un peu déçue. « Dix bâtons, payés en entier. » Araceli suivit les couloirs de la prison en se demandant qui pouvait bien être son bienfaiteur : un homme, un homme de grande taille, un gringo ? Est-ce que son geste de bonté présageait de nouvelles complications ? Une fois que ses vêtements lui furent rendus au centre d'accueil des détenues, elle traversa un dernier ensemble de portes pour arriver dans une salle où les gardiennes ne s'occupèrent plus d'elle. C'était un espace destiné à attendre, meublé de chaises en plastique, qui donnait la sensation d'une gare routière minable. Debout au milieu de la pièce avec l'air d'être un passager qui aurait raté sa correspondance se trouvait un homme aux cheveux blancs, pâle, mince, la cinquantaine, la peau rose et criblée de petits trous, vêtu d'une veste en tweed marron et d'une chemise habillée en coton blanc qui flottait au-dessus de son jean.

L'avocat ouvrit les bras en guise de salut. « Araceli ! Je suis ici depuis plus d'une heure. Je suis Mitchell Glass. De la Coalition pour les immigrants de la côte sud, déclara-t-il. C'est nous qui avons payé votre caution.

— Pourquoi ? » demanda Araceli. Elle se rendit aussitôt compte, évidemment, qu'elle aurait dû dire merci, mais le besoin de comprendre ce qui se passait l'emportait sur tout faux-semblant. Il y eut un instant de silence gêné pendant que Glass réfléchissait à la question.

Il expliqua dans un anglais lent et condescendant qui s'accéléra et se fit moins condescendant quand Araceli l'eut regardé en fronçant les sourcils, que ladite coalition avait reçu, pour libérer Araceli, des fonds provenant d'un groupe dénommé « Immigrant Daylight Project[1] » composé d'un vaste cercle d'adhérents – des gens de bonne volonté, à l'esprit ouvert, qui habitaient Manhattan, Austin, Santa Monica, Cambridge et bien d'autres lieux encore. « D'habitude, ils fournissent la caution de personnes placées dans des centres de rétention. Pour qu'elles puissent sortir et vivre parmi les gens libres tout en faisant appel du verdict. Elles sortent de l'ombre pour passer à la lumière du jour. Vous saisissez ? Les directeurs ont estimé qu'ils allaient payer aussi votre caution, étant donné la publicité faite à votre cas. En plus, ce n'était pas une très grosse somme.

— *¿ Y qué tengo hacer ?* demanda-t-elle.

— Rien, répondit Glass. Ces gens veulent juste que vous soyez libre pendant que vous vous battez en justice. »

Araceli ne le savait pas, mais peu de temps après sa deuxième arrestation, le Daylight Project avait envoyé un flot de courriels et posté des lettres demandant à ses adhérents de contribuer à « mettre des bâtons dans les roues du complexe de l'industrie de l'incarcération » en « faisant libérer Araceli N. Ramírez, dernier membre en date de la fraction de prisonniers qui augmentait le plus vite, à savoir celle des immigrants sans papiers ». La rhétorique qu'utilisait cette association pour lever des fonds était plutôt lourde et faisait appel à des métaphores sur l'esclavage ; il y avait des chaînes brisées dans son logo et des références au chemin de fer souterrain[2] dans ses brochures. Mais comme elle s'occupait presque exclusivement de prisonniers détenus dans des centres fédéraux, sa décision de payer la caution d'Araceli prit Ian Goller et son bureau complètement au dépourvu. Il y avait une éternité que le bureau du procureur du comté d'Orange n'avait pas eu d'inculpé dont le sort puisse intéresser de lointains croisés de gauche. En général, les prisonniers étrangers qui n'avaient pas de famille à l'extérieur restaient dans les lieux de détention : pas d'habeas corpus pour eux, pas d'ordonnance en ce sens, pas d'appel, pas de liberté achetée.

Pour l'instant, cependant, Araceli était une bénéficiaire heureuse et improbable de la Déclaration des droits américaine, tout autant débarrassée de l'oppression des autorités que l'avaient été les

1. Ce qui pourrait se traduire par « Projet de lumière du jour pour immigrants ».

2. Réseau de routes clandestines et d'abris mis au point par d'anciens esclaves et des abolitionnistes au début du XIXe siècle pour permettre aux esclaves noirs fugitifs de gagner des lieux sûrs, en particulier le Canada.

habitants de Nouvelle-Angleterre qui s'étaient soulevés contre le roi George III. C'était là un fait stupéfiant qu'elle put confirmer en balayant du regard la rue et les voitures garées là, tandis qu'elle marchait vers le parking de la prison. *Personne ne me suit.* Qué milagro. *Le soleil brille sur mon visage. Lumière du jour.* Elle aurait voulu poser des questions sur son avocate commise d'office, mais Glass mentionna un « rassemblement ».

« Quoi ?

— On va aller à un petit meeting, dit-il quand ils montèrent dans sa voiture. Votre affaire nous a donné l'envie d'en organiser un. »

Ils arrivèrent à une église catholique et sur le campus du lycée qui lui était associé, se garèrent sur le terrain de basket et contournèrent la chapelle d'un pas vif. Glass la mena ainsi à un ensemble de pavillons et de constructions carrées peintes d'un brun clair de style bâtiment industriel. *Est-ce que c'est un meeting politique ? Je ne suis pas une fana de politique.* Ce Glass commençait à l'embêter, même s'il l'avait libérée de prison. Il la précédait d'un pas, mais elle tendit le bras et attrapa la manche poussiéreuse de sa veste.

« Attendez, dit-elle. *Necesito saber.*

— Quoi ? » Il cessa d'avancer et lui lança un regard légèrement énervé.

« Qu'est-ce que je dois faire pour cet argent ? voulut savoir Araceli. Pour la caution. Qu'est-ce qu'ils veulent ?

— Rien. Tout ce que vous avez à faire, c'est vous rendre au tribunal le jour qu'on vous dira.

— *¿ De veras ?*

— Oui. Allons-y, maintenant, dit Glass. S'il vous plaît. Il y a des gens qui nous attendent. » Ils se remirent à foncer à travers la cour de récréation en asphalte noir. Araceli se demanda pourquoi il n'y avait pas d'enfants dans les cours de récréation et les salles de classe, et puis elle se rappela qu'on était au milieu de l'été et qu'il n'y avait pas cours.

Ils pénétrèrent dans une longue salle haute de plafond, remplie de gens assis en rang sur des chaises pliantes. Sur une petite scène, une oratrice s'adressait au public en espagnol. C'était une femme très petite, au teint clair, qui s'exprimait par une sorte de chuchotement aigu amplifié. « *Es que son unos abusivos,* disait-elle avec un accent d'Amérique centrale. *A mí no me gusta que me hablen así.* » La plus grande partie du public se tourna vers Araceli et Glass quand la porte s'ouvrit, et plusieurs personnes sourirent à Araceli en l'apercevant. Mais personne n'eut de sourires plus rayonnants et plus larges qu'un homme vêtu de beau tissu en laine, à l'air bureaucratique et indubitablement mexicain, et ses acolytes également bien habillés, tous assis au premier rang. Ceux-là se levèrent d'un seul élan et, sans aucun égard pour le discours qui continuait sur scène, ils s'avancèrent la main tendue vers Araceli.

« Non, monsieur le consul, pas maintenant », dit brusquement Glass en interposant de force son corps entre Araceli et le diplomate mexicain.

« C'est le consul du Mexique à Santa Ana, chuchota Glass à l'oreille d'Araceli tandis qu'ils montaient les petites marches de la scène. Il ne s'intéresse qu'à sa publicité. Ne lui parlez pas. Il ne sert à rien. »

Araceli se trouvait à présent sur une estrade au-dessus d'un public d'environ cent personnes qui, toutes, la contemplaient avec ravissement comme s'ils reconnaissaient quelqu'un qu'ils n'attendaient plus. Ces gens-là connaissaient son visage pour l'avoir vu dans les reportages télévisés. Elle était devenue une célébrité, et le fait de s'en rendre compte amena sur ses lèvres un sourire sardonique qui sembla n'avoir d'autre effet que de renforcer encore la joie de tous ceux qui l'entouraient. *La détenue remise en liberté nous est reconnaissante parce que notre mouvement l'a libérée.* Araceli eut un instant à elle qui lui permit de s'émerveiller du pouvoir de la télévision et des journaux, capables de familiariser des inconnus avec son visage. Il y avait là des gens jeunes, pour la plupart des étudiants latinos, semblait-il, et des personnes plus âgées d'ascendance européenne en vêtements de coton artificiellement vieillis. Une des étudiantes, une jeune femme aux cheveux coiffés en une sorte de semi-choucroute, brandit un téléphone pour prendre une photo d'Araceli.

Glass s'approcha du micro. « Il y a à peine quelques minutes, nous avons payé la caution de notre amie Araceli Ramírez », dit-il pour commencer. À ces mots, le public applaudit avec ferveur. Et ce grand type dans le fond, était-ce Felipe ? *Est-ce que ça pourrait être lui ? Non.* À présent, tout le monde faisait de grands sourires, à l'exception de trois jeunes hommes à l'air sévère qui, tous trois, avaient les cheveux coupés ras et des boucles d'oreilles qui formaient des espaces creux et bizarres dans leurs lobes. Ils appartenaient à un club dont Araceli ne reconnaissait pas les règles, et leurs mâchoires étaient crispées en signe d'implacable défi, comme si c'étaient eux qui avaient été envoyés en prison et pas elle. Ils prenaient soin de mettre leurs mains en porte-voix et semblaient vouloir applaudir plus fort que les autres.

« Nous allons demander à Araceli de dire quelques mots, mais d'abord... »

Dire quelques mots ? Elle regarda Glass et eut envie de lui donner une petite tape sur l'épaule pour lui demander si elle avait bien entendu, mais il continuait à parler à la salle. « Vous et moi, nous savons tous quel est le fond de cette affaire, disait-il d'une voix de basse qui, en se faisant plus forte, prenait les intonations râpeuses d'un accent de Brooklyn. Il s'agit de racisme ; il s'agit pour les puissants d'imposer leur loi aux faibles. » Plusieurs spectateurs eurent des hochements de tête approbateurs parce que Glass venait d'énoncer une vérité que même Araceli pouvait constater malgré son trac. « Eh bien, nous sommes ici, nous sommes tous ici pour dire que nous en avons assez des raids de la police, nous en avons assez de voir nos jeunes Latinos, garçons et filles, harcelés. Nous en avons jusque-là, de la *migra.* » Sa voix s'était élevée encore d'un cran pour rester en phase avec le niveau sonore de plus en plus élevé de l'assistance qui criait « Oui ! » comme si elle assistait à un office évangélique.

« Et cette affaire, cette affaire que notre amie Araceli a sur le dos, c'est le comble. Elle n'a absolument rien fait de mal. Rien ! » Maintenant, il crachait dans le micro. « Et s'ils peuvent enfermer Araceli Ramírez et la priver de liberté pour rien, alors ils peuvent faire la même chose à n'importe lequel d'entre nous. Ce que nous disons, c'est que nous n'allons plus tolérer ce genre de chose. Nous n'allons plus laisser nos Latinos, hommes et femmes, se faire condamner injustement ! » Presque tous les gens se levèrent, quelques personnes crièrent des mots qu'Araceli ne parvint pas à distinguer – ces gens-là voulaient entendre Glass un peu plus longtemps, mais il semblait avoir épuisé son répertoire. Il se tourna vers Araceli, debout à côté de lui, et il la regarda : c'était son tour.

Elle lui chuchota à l'oreille : « *No sé qué decir.* » Dans la salle, cent personnes étaient debout devant leurs chaises pliantes, et tous les yeux étaient braqués sur elle.

« Dites-leur seulement que vous espérez qu'il y a une justice », déclara-t-il.

Il posa sa main sur le dos d'Araceli et la poussa vers le micro. Elle approcha ses lèvres de l'appareil et parla doucement. « *Quiero justicia.* » Le son de sa voix devenu métallique rebondit contre les murs. « *No hice nada.* » Elle s'interrompit, se demandant comment continuer, soudain à court de mots ; comme si elle avait feuilleté un texte imprimé de son discours et trouvé les pages vides. *C'est tout ce que j'ai à dire ?* « *No hice nada* », répéta-t-elle, en se sentant comme un perroquet. « *Soy inocente.* » Ils s'attendaient à un déluge de mots, et elle ne voulait pas les décevoir, mais l'urgence qui la tenaillait ne faisait que la museler un peu plus. « *No sé qué más decir* », dit-elle, et ses paroles s'accompagnèrent d'une sorte de gloussement nerveux dont elle se souviendrait comme la signature sonore de son échec. Un des crânes rasés au fond de la salle se mit à applaudir tout seul. Et puis ce fut comme s'il avait ouvert un robinet : tout le monde s'y mit et les applaudissements s'élevèrent en une onde sonore de plus en plus dense à mesure qu'elle s'approchait de l'estrade et s'écrasait aux pieds d'Araceli. C'est alors qu'elle songea à ce qu'elle pouvait ajouter : elle allait remercier les gens qui avaient payé sa caution, mais également Glass de l'avoir fait sortir de prison. Elle allait dire qu'elle était d'accord avec tout ce que Glass avait dit. Pourtant, maintenant qu'elle tenait les mots, elle ne pouvait pas les prononcer car les applaudissements n'arrêtaient pas. Ils avaient pris leur propre élan, et les gens tenaient à les faire durer, à montrer qu'ils ne mourraient pas. Toutes ces personnes qui frappaient de leurs mains la regardaient avec ce qui semblait être une fierté démesurée, comme si on venait de la décorer d'une médaille sur la poitrine. Au premier rang, il y avait un jeune homme mince qui portait une ceinture de cuir un peu lâche lardée de clous pyramide chromés et un jean déchiré au genou comme il se devait, et Araceli eut le temps de se dire qu'elle aimait son style. Quand elle l'examina d'un peu plus près, elle vit qu'il pleurait. *Il serait très bien à Mexico, sauf qu'il applaudit et qu'il pleure en même temps – dans ma ville, on est soit heureux, soit triste, mais rarement les deux à la fois.* Peut-être, si elle aussi se mettait à applaudir, s'arrêteraient-ils. Glass posa de nouveau sa main sur le dos d'Araceli, et elle comprit : elle s'écarta du micro, suivit Glass, descendit de scène, et tout le monde tendit le bras pour lui serrer la main.

Si Giovanni Lozano n'avait pas été en train de pleurer et de rire quand Araceli l'avait remarqué, elle aurait pris un peu plus de temps pour admirer sa tenue et ce style familier inspiré du punk dont la mode perdurait à Mexico autant qu'à Los Angeles. Sur sa veste en toile de jean noire, il arborait un bouton avec les mots NO HUMAN IS ILLEGAL[1] et un autre montrant Joey Ramone[2]. Il regagna sa voiture dans son jean déchiré, sa ceinture à clous pyramide et la démarche penchée, j'en-ai-rien-à-foutre, d'un musicien trop porté sur le sexe. Il rejeta vers l'arrière ses boucles noires avant de monter dans sa vieille Dodge et d'écouter le moteur tourner avec un cliquetis et un son traînant qui ressemblaient au prologue d'une chanson folk. Quand le moteur accéléra et se réchauffa, il résista à la tentation d'envoyer des SMS à des amis, car l'événement auquel il venait d'assister était simplement trop énorme, trop monumental, décida-t-il, pour être réduit aux abréviations et aux sigles qu'on utilise d'habitude dans les textos. Giovanni Lozano, vingt-six ans et non-conformiste, inscrit perpétuellement dans le programme d'Études chicanos de l'université Cal State de Fullerton sans jamais obtenir sa licence, suivait depuis des jours le cas d'Araceli à la télévision. C'était le commentateur le plus actif et le plus lu de la page consacrée à Araceli sur La Bloga Latina où il avait beaucoup de fidèles dans la population à nom de famille hispanique - population encore peu nombreuse mais en expansion - que Giovanni appelait l'« intelligentsia latino, telle qu'elle est ». Ceux qui lisaient ses commentaires étaient en grande partie des gens qui avaient fait des études et se trouvaient surqualifiés. Parmi eux, on relevait des employés municipaux sous-payés, des romanciers non publiés, des enseignants d'université non titulaires, des cadres moyens insuffisamment appréciés, des poètes non reconnus, et des directeurs d'organisations à but non lucratif manquant de fonds qui cherchaient à loger, à nourrir et à instruire une population tragiquement sous-éduquée. Ces lecteurs appréciaient les traits d'esprit en spanglish de Giovanni, son attitude *Y-Qué* de Chicano du comté d'Orange, et, grâce à eux, il était en train de remporter la guerre qui se déroulait sur Google à propos d'Araceli Ramírez, obtenant presque deux fois plus de visiteurs que le site One California hostile

1. « Il n'y a pas d'être humain illégal. »
2. Chanteur du groupe punk rock « Ramones », décédé en 2001.

aux immigrants. Tout en conduisant, il commença à rédiger dans sa tête un résumé succinct des événements qui venaient de se dérouler : *Araceli Noemi Ramírez est libérée sous caution ! La campagne de La Bloga a réussi ! Nous venons de la voir dans une église de San Clemente.* ¡ Qué mujer ! *Son discours : bref et pertinent. Son attitude : artiste et rebelle,* como siempre. *C'est une grande et forte* Mexicana *qui est passée d'un pas dansant devant notre bon à rien de consul local comme s'il n'était pas là ! Ah !* Dès qu'il l'avait aperçue dans la séquence filmée, en train de courir sous les lignes électriques de Huntington Park, Giovanni avait vu en Araceli un symbole de la persécution frappant les Mexicains branchés. Cette vision qu'il avait d'elle fut renforcée par les détails qu'il trouva enfouis dans les reportages sur ses deux arrestations et sa double incarcération, y compris par la révélation, qu'il dénicha à la fin d'un récit de Cynthia Villareal dans le *Times*, que la police avait découvert dans la chambre d'Araceli un travail artistique d'une nature « troublante ». Instinctivement, Giovanni avait compris qu'Araceli n'était pas seulement persécutée parce qu'elle était mexicaine, mais aussi parce que c'était une individualiste et une rebelle. Il avait étudié sur Internet le reportage photographique qui accompagnait le récit du *Times* sur sa seconde arrestation, et il avait attiré l'attention de ses lecteurs sur les minuscules clous d'argent qu'Araceli portait à l'oreille, le caleçon trop serré, l'ample chemisier à col ouvert avec son petit bord brodé qui fleurait le bon goût d'Oaxaca sans faire trop folklorique.

La présence d'Araceli était à sa façon un antidote à toutes ces tristes histoires de raids dans des lieux de travail suivis de déportations. Elle représentait l'endroit raffiné que devait être, dans l'imaginaire de Giovanni et de ses lecteurs pour la plupart nés aux États-Unis, le Mexique urbain profond. C'était un événement historique tombé du ciel dans le coin provincial de la planète où vivait Giovanni Lozano, quelque chose d'assez fort pour ôter à ces masses qui avaient des noms de famille espagnols leur autosatisfaction et leur tendance au déni. Car c'étaient des gens semblables à l'immigrante qu'était sa mère, qui s'occupait de ses roses dans leur maison de Garden Grove et racontait à Giovanni qu'elle sentait le Saint-Esprit dans la faible brise qui soufflait entre les fleurs. Elle feignait l'indifférence quand il lui disait qu'elle et son peuple étaient sans cesse rabaissés à la radio et à la télévision, dans les tribunaux et dans les supermarchés, par les racistes qui collaient le qualificatif insultant de « clandestin » à tous ceux qui avaient dans leurs veines du sang latino-américain. *Tu ne vois pas, maman ? Ils veulent nous détruire ! Nous expulser tous ! C'est une guerre contre notre culture !*

Non, mon peuple ne comprend pas les cris. Il comprend les victimes et les héros, se disait-il. Donc, il allait lui présenter une icône. Il prendrait une des photos d'Araceli sur le site Internet du journal et il en ferait une œuvre d'art, un portrait transformé en poster. Il prendrait le visage de la jeune femme et le multiplierait, de sorte qu'on verrait de nombreuses Araceli flotter au-dessus de la foule qui manifesterait lors du prochain rassemblement. Ce serait une formulation à la Warhol sur le pouvoir de sa célébrité et aussi de son côté ordinaire. Il la collerait sur les murs et mettrait du texte dessous. Peut-être cette déclaration d'Araceli parue dans le journal : *¡ No les tengo miedo !* Et pourquoi pas en anglais aussi ? Une Mexicaine, la bouche ouverte sur les mots : « Je n'ai pas peur ! »

« Je ne suis plus sûre de ce que je sais », dit Maureen au bout d'un quart d'heure d'entretien avec le procureur adjoint Arnold Chang. Maureen et Scott donnaient des indications évasives et embrouillées sur les horaires et leurs propres actions durant la disparition des enfants, et ils ne voulaient ou ne pouvaient pas dire sur l'accusée des choses susceptibles d'étayer une inculpation de crime pour mise en danger d'enfants. Ils venaient de se doucher et de se parfumer, ils observaient la politesse qui convenait, mais ils restaient également distants de l'homme qui était venu et qui, au procès, serait leur champion contre l'accusée.

« Elle n'a jamais rien fait qui vous ait paru étrange ? demanda Chang.

— Étrange ? Oh, si, plein de choses, dit Maureen. On l'appelait Madame Bizarre.

— On lui disait bonjour, et elle ne répondait pas, ajouta Scott.

— Je m'y suis habituée au bout d'un certain temps, dit Maureen. On n'a pas besoin d'entendre toujours "bonjour" quand on est chez soi. Mais elle paraissait malheureuse une grande partie du temps.

— Presque tout le temps, estima Scott. Mais je suppose que ce n'est pas un crime. La loi n'interdit pas d'être malheureux.

— Qu'est-ce qui la rendait malheureuse ? »

Maureen et Scott réfléchirent quelques instants à la question, passant en revue leurs souvenirs des quatre années passées avec Araceli pour tenter de trouver quelque indice de la vie intérieure de leur employée. Ils échangèrent des regards vides, puis chacun répondit au procureur par un haussement d'épaules gêné.

« On n'en a aucune idée, dit Scott.

— Je suppose qu'elle se sentait seule, hasarda Maureen. Qu'elle attendait quelque chose de plus de la vie – parce que, vous savez, elle est manifestement très intelligente. Mais elle travaillait dur. On doit lui accorder ça.

— Elle faisait tout, dit Scott. Tout. Et elle ne se plaignait jamais.

— Elle grognait, rectifia Maureen. Elle était impolie. Mais avons-nous jamais entendu une vraie plainte ? Non. »

Les « victimes » souhaitaient que l'affaire disparaisse, en conclut le procureur adjoint, et il s'agissait là d'une réaction assez fréquente. Ils avaient envie de reprendre leur vie normale, sans ennuis. Mais alors le mari porta la chose un peu plus loin.

« Je ne suis pas sûr qu'il faille poursuivre Araceli en justice, dit-il soudain sans détour. Je ne crois vraiment pas qu'elle ait fait quelque chose de mal. »

Maureen baissa les yeux, se sentant soudain nue, exposée aux regards, mais pas tout à fait étonnée. Elle laissa la déclaration de Scott remplir l'espace au-dessus de la table sans y réagir, sachant que son silence équivalait à un assentiment sonore. *Si Araceli n'a rien fait de mal, alors qu'ai-je fait, moi ?* Elle avait contribué à l'envoyer en prison par le petit mensonge qu'elle avait dit à l'opératrice du numéro d'urgence. Elle avait ensuite pratiquement accusé son ancienne bonne dans un entretien télévisé, et ses insinuations avaient provoqué le renvoi en prison de la Mexicaine. La simple déclaration que venait de faire son mari l'obligeait à voir ces vérités en face. Et tout cela se passait ici, dans sa salle de séjour, devant un autre étranger.

« Mais elle les a emmenés dans des lieux dangereux, ou, plutôt, les a mis dans une situation dangereuse, déclara le procureur adjoint.

— À cause de nous, dit Scott. C'était de notre faute.

— Stop ! lança sèchement le procureur en levant la main comme un policier réglant la circulation, et Maureen comme Scott comprirent pourquoi.

— Vous ne pourriez pas simplement laisser tomber l'affaire ? dit Scott avec une insistance frustrée. Parce que, plus ça dure, plus vous nous enfoncez dans un sale truc. Je veux parler des médias, de tout ça. Ça va finir par engloutir notre famille.

— Il y a une chose que vous devez comprendre, déclara le procureur adjoint Chang après quelques instants. Ce n'est pas à vous de décider. Ce cas ne vous appartient pas. Il appartient au peuple, à présent. »

« Eh bien, ça s'est passé sans accroc, déclara Scott une fois que le procureur adjoint fut parti.

— Nous avons passé les vingt dernières minutes à parler du jardin du désert et de ses gosses », observa Maureen. Là-dessus, elle se détourna de Scott, se dirigea vers le parc mobile au centre de la pièce et en fit sortir Samantha.

« Elle passe beaucoup de temps là-dedans », fit remarquer Scott, mais sa femme ne lui répondit pas, lui tendit le bébé, et au bout de quelques secondes disparut dans la cuisine avant de revenir avec un tablier.

« Il y a certaines choses dont nous devons parler », dit Scott. Avant l'arrivée du procureur adjoint, il avait passé la matinée au téléphone en conversation avec une représentante du Service de protection de l'enfance. Maintenant, il lui fallait s'asseoir avec sa femme et mettre au point un plan pour sortir de ce foutoir, mais voilà qu'elle s'éloignait à nouveau de lui, qu'elle nouait le tablier dans son dos et s'en allait encore dans la cuisine. *Comment se fait-il que les femmes soient si habiles à faire des choses dans le dos avec leurs doigts et que nous, les hommes, ne le soyons pas ?* Cette image de dextérité et de volonté maternelles lui resta tandis qu'il emportait le bébé dans le jardin. Dehors avec Samantha, il fit rouler une balle dans l'herbe avec elle et prit plaisir aux fous rires pleins de dents de bébé qu'elle faisait quand la balle lui échappait. « Balle », dit sa fille d'une voix aiguë, un couinement dans lequel elle articulait surtout une longue voyelle. Lorsqu'ils eurent fini de jouer, Scott chercha sa femme en pensant qu'il pourrait attirer et retenir son attention grâce à cette nouvelle capitale : leur fille venait de prononcer son premier mot. Il la trouva dans la chambre des garçons, à genoux, en train d'examiner le contenu de la bibliothèque.

« Hé, Samantha parle, maintenant.

— Je sais. Elle a dit "lait" il y a quelques jours. Je ne te l'avais pas dit ?

— Non. » Il contempla sa femme qui prenait des livres et les laissait tomber dans une caisse avec une sorte de délectation anxieuse. « Qu'est-ce que tu fais ?

— J'ai eu une révélation, dit Maureen en balayant du regard la pièce qu'Araceli appelait la Chambre aux mille merveilles. On a trop de choses.

— Quoi ?

— Les gosses ont des jouets avec lesquels ils n'ont pas joué depuis deux ou trois ans. Et des livres comme ceux-ci qu'ils ne reliront jamais. » Elle brandit deux petits volumes d'une série de romans policiers pour jeunes – un par lettre de l'alphabet. Leur fils cadet, lecteur précoce, les avait terminés, tous les vingt-six, plus d'un an auparavant. « Pourquoi les a-t-on gardés ? Tous ces machins qui prennent la poussière rendent la maison d'autant plus difficile à nettoyer.

— D'accord, fit Scott du ton qu'on emploie avec les enfants et les fous.

— Évidemment, la vraie solution serait de déménager dans une maison plus petite, poursuivit Maureen. C'est ce qu'on aurait déjà dû faire depuis quelque temps. » La pensée qu'elle devrait sous peu quitter cette maison aménagée avec tant de soin et de patience lui était pénible. Mais il n'y avait pas d'autre issue. En tout cas, aucune qu'elle puisse entrevoir. « On ne peut pas garder ton père avec nous pour toujours. Et si on n'a personne qui habite avec nous pour nous aider, impossible de rester dans un endroit aussi grand. Si nous arrivons à éliminer à peu près la moitié des affaires que nous avons, nous pourrons tenir dans une maison plus petite. Peut-être dans un endroit avec une zone scolaire à moitié décente. »

Scott voyait bien que sa femme allait désormais s'attaquer à la tâche de se débarrasser – et de débarrasser la maison – de ces objets superflus avec la même énergie qu'elle avait employée à les accumuler. La maison était son domaine, et lui, comme les enfants, vivraient selon les principes qu'elle défendrait, quels qu'ils soient : la beauté baroque et son excès, ou la simplicité et la modération. *Comment appelle-t-on ça, quand les femmes dirigent tout ? Le matriarcat ? La féminocratie ?* Il s'imagina une maisonnée plus petite, des factures de cartes bancaires réduites et un poste de télévision à l'écran plat moins imposant. Ou peut-être pas de télévision du tout. N'en avait-il pas été ainsi jadis, à une autre époque, dans la préhistoire de sa famille américaine – une époque dont se souviendrait son arrière-grand-père du Maine ? Il se laissa aller à s'imaginer en train de vivre avec les enfants dans une maison moins encombrée – peut-être y aurait-il un jardin potager à l'arrière, au lieu de cactus et de plantes semi-tropicales –, puis les lancinantes affaires du présent lui revinrent.

« Il nous faut discuter de certaines choses. »

Maureen l'entendit mais choisit de ne pas répondre : si elle le faisait, elle perdrait l'élan qui lui permettait d'accomplir son acrobatie domestique du jour. Si elle s'arrêtait, elle se roulerait en boule sur le lit avec un bol de crème glacée devant la télé, et sa journée serait remplie de fausses salles d'audience et d'animateurs d'émissions-débats en train de lancer leurs diatribes à des ménagères obtuses ou de les abreuver de discours pleins de bon sens. Mieux valait trier cette bibliothèque et mettre de côté certains vieux livres, comme ceux du Dr Seuss et d'autres, pour lecteurs débutants, dont Samantha pourrait profiter plus tard. Si elle parvenait à désencombrer la chambre des garçons, elle en tirerait la sensation d'avoir réussi une petite chose, et ce sentiment l'accompagnerait, lui donnerait des ailes pour préparer le déjeuner. Ensuite, elle attacherait Samantha dans sa poussette et la promènerait dans le quartier en espérant qu'elle s'endormirait, car le bébé commençait à sauter ses siestes, ce qui la transformait en enfant grognon qui, pendant l'après-midi, pouvait se mettre à hurler. La visite du délégué du bureau du procureur ayant déstabilisé Maureen, avait constitué un revers, mais à présent la vue de ces livres l'avait remise dans le sens de la marche. Chacun de ces ouvrages était chargé d'un peu de leur passé et de leurs espoirs, et il serait difficile de se séparer des pages colorées représentant des camions, des trains, des vaisseaux spatiaux – et cela d'autant plus que sur nombre d'entre eux figuraient un nom et la date d'achat : *le préféré de Brandon, à 3 ans*. Il y avait un ordre poétique, elle s'en apercevait à présent, dans le regroupement apparemment aléatoire des sujets et des images présentés dans ces volumes. *Ici, une tranche de l'Égypte antique évoquée de façon vivante par des dessins minutieux ; là, un exposé élémentaire sur l'évolution de l'homme. Australopithecus, Homo habilis*. Ils avaient acheté ces livres pour transformer leurs enfants en princes cosmopolites. Mais ça faisait trop. Elle contempla une collection d'ouvrages d'éveil à l'histoire que leurs fils n'avaient jamais ouverts. Michel-Ange et la chapelle Sixtine prenaient la poussière parce que les enfants de Maureen n'étaient nullement émus par la main de Dieu touchant l'homme.

« Le Service de protection de l'enfance a téléphoné ce matin, dit Scott derrière elle.

— Ouais-ouais. »

Scott posa Samantha par terre et la laissa entreprendre de traverser la pièce, se disant que cela obligerait peut-être sa femme à détourner son attention des livres qu'elle triait. Il songea que ce moment avait quelque chose d'extraordinaire et pourtant de très prévisible : sa femme et lui avaient été entraînés dans une crise devenue publique, avaient été l'objet de commentaires embarrassants aussi bien à la télévision que dans les journaux et sur Internet, et pourtant la dynamique fondamentale de leur couple restait inchangée. *Je fais tout pour éviter le désastre, et elle continue à ne pas m'écouter.*

« Maureen, insista-t-il, il faut qu'on fasse le point. Le Service de protection de l'enfance a été alerté à cause de l'histoire avec l'hôtel-spa. Parce que tu es allée au spa toute seule. Apparemment, il y aurait une nouvelle - je cite - "vague de mécontentement" qui se dresse contre nous. Les médias ont aussi découvert l'histoire de MindWare, et il paraît que je suis devenu millionnaire dans les logiciels. Ils prétendent aussi savoir combien vaut notre maison. D'après Peter Goldman, ils disent que nous sommes "des symboles de l'excès".

— C'est Peter qui t'a dit ça ? » Elle se retourna enfin pour le regarder en face. « Tu lui as parlé ?

— Oui. Ce matin. Je lui ai téléphoné après avoir eu quelqu'un du Service de l'enfance et ce cinglé de Goller. Goller a appelé juste avant que l'autre type se pointe ici. Il a dit que nous devrions nous rendre au tribunal quand l'audience d'Araceli débutera. Et que cette fois nous devrions amener les garçons avec nous.

— Mais la semaine dernière il a dit que ce n'était pas nécessaire.

— Pas au procès. Mais à un rassemblement devant le palais de justice. Le même jour.

— Un rassemblement ? Un rassemblement contre les immigrants ? Pour quoi faire ?

— À cause des enfants. Selon Goller, ça mettrait la pression sur le Service de protection de l'enfance, ce qui l'obligerait à nous laisser tranquille. C'est pour cette raison que j'avais dit à ce cinglé de lâcher l'affaire. Parce que tout ça commence à devenir trop fou, trop bizarroïde. Mais maintenant, je ne sais plus. Que va-t-il se passer si je dis aux gens du Service de l'enfance la même chose que j'ai dite à cet autre envoyé du procureur ? Que c'était notre faute. Qu'est-ce qu'il faut dire ? »

Au lieu de répondre, Maureen prit une profonde inspiration pour se ressaisir, puis elle se dirigea vers le grand placard de la chambre et l'ouvrit. Elle laissa le silence se prolonger un peu, avant de concentrer ses regards et son attention sur le défi maintenant devant elle : une demi-douzaine de caisses en plastique remplies de jouets. La seule solution, c'était d'ordonner aux garçons de tout trier, de garder ce qu'ils voulaient et d'envoyer le reste à Goodwill [1]. *Responsabilité : ils ont juste l'âge qu'il faut pour apprendre à organiser leur espace de vie.*

« Maureen, insista Scott. Je t'en prie ! Nous devons discuter de ça ! »

Elle se retourna, lui fit face et parla d'une voix calme mais déterminée. « Tu ne comprends donc pas ? J'essaye de prendre le contrôle de nos vies, moi aussi. » Elle écarta les bras et, les paumes des mains tournées vers le haut, décrivit d'un geste toute la pièce remplie de choses que leur folle avidité avait amassées, les étagères où s'entassaient des objets représentant des mondes fictifs, le plastique, le papier et le tissu qui débordaient du placard. « Ce sur quoi nous devons nous concentrer pour que notre famille ne s'écroule pas, c'est là-dedans. Dans ces pièces. Pas dehors. »

« J'ai vu cette femme et ces deux garçons traverser la rue au niveau de Broadway. Et c'était deux jours avant qu'on les disent "enlevés" à la télé. J'en suis sûr. » Voilà ce que déclara le juge Adalian à l'animatrice de télévision câblée qui le recevait dans le studio que la chaîne avait à Burbanks. « Je l'ai déjà dit en termes très clairs au bureau du procureur. D'abord par téléphone, et ensuite par écrit. Et alors, qu'ont-ils fait ? Ils m'ont ignoré. Pas de suite. J'ai donc insisté. Je suis juge, et il faut croire que j'ai l'habitude d'obtenir ce que je veux. Ils ne m'ont toujours pas rappelé. Je trouve ça assez irritant. J'ai

1. « Goodwill Industries » est une association caritative.

donc téléphoné au bureau du défenseur public et j'ai parlé à la jeune et très agréable avocate commise d'office à qui on a confié cette affaire. Elle a été ravie d'apprendre qu'un juge municipal fait une déclaration qui corrobore la version des événements donnée par la prévenue. »

Ian Goller, qui regardait cette émission dans son bureau très tranquille, un dimanche après-midi, se frotta les tempes pour s'empêcher de penser à autre chose, aux rotations de lanceurs dans l'équipe de base-ball des Angels, par exemple, ou aux dangers menaçant le parc de San Onofre, ou à tous ces sujets qui, d'habitude, lui permettaient de gagner du temps. Il resta concentré sur la présentatrice. Elle continuait à relever d'autres bribes d'information qui semblaient « faire pencher la balance de crédibilité » en faveur de l'accusée mexicaine : le « fait qu'on ait vu Mme Thompson, sans son mari, dans un hôtel-spa du désert pendant la période de l'enlèvement présumé », ainsi que les « nombreuses déclarations d'un conseiller municipal de Huntington Park que nous avons décidé de croire, bien qu'il ait un nom mexicain », dit-elle d'un ton moqueur. Le procès contre Araceli était en train de s'effondrer très publiquement et très vite – ou, du moins, il semblait en aller ainsi sur une chaîne câblée. Mais contre ce reportage tout récent qui, comme on pouvait s'y attendre, se montrait sceptique, un flot continu de lettres, d'e-mails et de commentaires télévisés incitaient le bureau du procureur à poursuivre agressivement Araceli N. Ramírez, surtout depuis qu'elle avait subitement été libérée sous caution. Ian Goller avait riposté au courant d'opinion favorable à la défense en organisant une série de fuites compromettantes, parmi lesquelles se trouvaient des passages choisis du récit que Brandon avait fait des journées qu'il avait passées dans ce pays mystérieux qui avait pour nom Los Angeles. Ian Goller avait donné ces informations à trois reporters différents lors d'une rencontre dans un restaurant Denny's de Santa Ana, et il s'était ensuite senti bizarrement épuisé et vide. Mener une guerre par médias interposés était assommant et bas, mais il y était obligé, faute de quoi il laisserait le parquet se ridiculiser et l'idée selon laquelle le procureur aurait engagé des poursuites « pour des raisons raciales » salir l'institution. Les informations qui ensuite reprirent à la télévision les histoires de « guerre », d'« esclavage » et de « bombes » racontées par Brandon fonctionnèrent parfaitement, provoquant les réactions attendues de soupçon et de dégoût. L'animateur d'un débat à la radio demanda ainsi : « Où cette sauvage a-t-elle emmené les enfants ? » La clameur ne mourait toujours pas, et, en certains lieux, elle s'amplifiait même, ce qui rendait Goller optimiste. Pour lui, une condamnation sous forme de délit de mise en danger d'enfants serait parfaitement justifiée à cause de la souffrance morale – même transitoire – que les actes d'Araceli avaient infligée aux deux garçons. Il réussirait presque à coup sûr à la faire plaider coupable de délit s'il sortait vainqueur de l'audience préliminaire et si le juge, par conséquent, décidait qu'Araceli serait jugée pour crime. Plusieurs réformes récentes de la procédure californienne en matière criminelle aideraient Goller à atteindre ce but. La plus importante résidait en une proposition récemment approuvée par des électeurs fatigués de tant de criminalité qui permettait aux policiers de donner des preuves « par ouï-dire » lors d'audiences préliminaires, pour épargner aux victimes présumées le traumatisme de témoigner en personne. Cette nouvelle loi permettrait donc à Scott Torres, Maureen Thompson et leurs enfants de ne pas être présents dans la salle d'audience, ce qui était particulièrement heureux. En effet, il était clair que, malgré sa forte prestation lors de son interview télévisée, Maureen allait sans doute s'écrouler à la barre. Arnold Chang, celui de ses assistants qui aidait le plus Goller en cette affaire, était rentré de son unique visite au couple en secouant la tête.

« Nos témoins sont un peu confus.

— C'est souvent le cas, dit Goller. Ainsi le veut la nature de la mémoire humaine.

— Non, c'est pire que ça.

— Je me disais que c'était bien possible.

— C'est mauvais.

— Ce sont des parents traumatisés.

— Non, c'est pire que ça. Ils ne veulent pas aller de l'avant. Ils ne veulent pas qu'on accuse cette femme de quoi que ce soit.

— Est-ce que vous leur avez dit que, désormais, le procès est dans les mains du peuple ?

— Oui. »

Goller hocha la tête pour signifier qu'il comprenait. « Eh bien, ça n'a pas vraiment d'importance.

— Patron, dit Chang, je ne suis pas sûr que cette affaire puisse décoller. »

Le procureur adjoint Goller réfléchit quelques instants à cette appréciation et répondit : « Notre chance, c'est qu'on a affaire à une étrangère reconductible à la frontière. Du coup, ça n'a pas à décoller longtemps.

— Oui, mais combien de temps ?

— Si on jette un poulet en l'air et qu'il batte des ailes deux ou trois secondes, on peut dire qu'il vole. D'accord ? »

« Au moins, *señor* Octavio, accordez-moi le plaisir de faire une salade. » Araceli coupait la laitue et les tomates dans la salle de séjour tandis qu'Octavio Covarrubias, dans la cuisine, s'escrimait à préparer un autre repas en honneur de la jeune femme – celui-ci devait célébrer sa libération de prison. Comme il voulait dépasser sa précédente prestation en ce domaine et communiquer le respect toujours élevé qu'il nourrissait à l'égard du martyre des immigrants, Octavio avait décidé de servir le plat le plus difficile que lui et sa femme savaient faire : le joyau de la cuisine mexicaine, une sauce tellement élaborée qu'il avait fait venir sa vieille tante de la vallée de San Fernando pour l'aider à la préparer. Du *mole*, le nectar au chocolat que les Aztèques servaient à leur empereur et à sa cour, étalé sur du blanc de poulet très tendre. « Nous avons passé quatre heures à localiser le natif d'Oaxaca qui aurait le meilleur *mole* du comté d'Orange, dit Octavio. Ces gens-là sont plus durs à trouver que des dealers. »

Ils s'assirent pour leur repas, et Octavio regarda Araceli avec des yeux pleins d'espoir pendant qu'elle mangeait très lentement sa première bouchée. À la fin, elle déclara : « *Espectacular*. Comme du miel. » Octavio fit un grand sourire, tout comme sa femme – mais pas sa tante qui semblait perplexe, se demandant pourquoi son neveu et sa femme s'entichaient tellement d'une immigrée sans papiers qui régnait sur la tablée et parlait comme si tout le monde devait l'écouter.

« Ils vont sans doute me renvoyer au Mexique, d'une façon ou d'une autre, dit Araceli tranquillement en espagnol, entre deux bouchées. C'est ce que mon avocate m'a expliqué, *más o menos*. Ils vont certainement me proposer un marché dans lequel ils renonceraient à leur accusation grave et absurde pour me donner à la place une simple contravention – comme si j'avais traversé au feu rouge. Une contravention pour avoir emmené les garçons dans un endroit dangereux. Mais si je signe le papier où j'accepte cette contravention, ils me feront partir. *Para el otro lado.* Si je n'accepte pas leur marché, il se peut que j'aille en prison, ici, en Californie, pendant deux ans avant d'être renvoyée au Mexique si je perds le procès. Et si je le gagne, il est possible qu'ils viennent quand même me chercher pour me renvoyer. Probablement ici, dans cette maison, ou là où ils me trouveront. » Son regard fit le tour de la table ; elle voulait voir leurs réactions. Octavio abaissa ses gros sourcils et eut un sourire de défi tandis que sa femme ouvrait de façon théâtrale de grands yeux pleins d'inquiétude.

« Tu ne pourrais pas juste t'enfuir ? Partir tout de suite ?

— Non, parce que j'ai fait une promesse à ceux qui ont payé ma caution. J'ai promis d'être là au procès.

— Alors, qu'est-ce que tu vas faire ? demanda Octavio.

— Il me semble que le mieux serait d'accepter la contravention, dit sa femme.

— Eh bien, il y a beaucoup de gens qui voudraient que je m'y oppose, répondit Araceli.

— Rien que pour leur montrer que notre peuple ne se laissera pas intimider, déclara Octavio.

— *A fin de cuentas, se trata de la dignidad de uno,* déclara-t-elle en prenant le temps de penser qu'il y avait très longtemps qu'elle n'avait pas utilisé ce mot abstrait – *dignidad* – par rapport à elle-même. Mais parfois il faut savoir être pratique. Pourquoi souffrir dans ces cellules où n'importe quelle folle peut vous donner un coup sur la tête rien que pour prouver quelque chose ? Il n'y a pas beaucoup de dignité, dans ces prisons américaines. »

Après le repas, Araceli alla s'asseoir toute seule sur les marches de la véranda en songeant aux choix qu'elle avait faits. Elle trouva la rue très calme. Peut-être les voisins étaient-ils allés se cacher en apprenant qu'elle était de retour. Elle savoura l'immobilité de l'été, la chaleur qui s'évanouissait dans le ciel rougeoyant du crépuscule, les moineaux qui voletaient autour des jacarandas et des érables. Il y avait quelques jours à peine, elle se tenait sur l'étroite allée en ciment qui traversait cette pelouse et faisait face au policier qui venait l'arrêter. Maintenant, elle était au même endroit et rendue à la liberté, mais il n'y avait personne pour photographier et mettre en mémoire le moment de liberté et d'ennui qu'elle vivait. Un marchand de glaces passa sur le trottoir, leva les yeux vers Araceli et la salua d'un geste. Un instant plus tard, un gros pick-up rouge tourna dans cette rue et se gara devant la maison des Covarrubias. Le conducteur lui parut vaguement familier.

« ¡ *Gordito !* s'écria-t-elle, s'avisant aussitôt qu'elle ne le connaissait pas assez pour s'adresser à lui de façon aussi familière. Felipe ! »

Felipe semblait à la fois plus grand et plus large que dans le souvenir d'Araceli, et ses boucles noires étaient plus longues. Il gravit l'allée en se dandinant dans un pantalon blanc éclaboussé de peinture jaune et couleur pêche, et il lui adressa le regard plein d'espoir et anxieux d'un chasseur d'autographes. *Lui aussi me prend pour une célébrité. Que c'est drôle !* Quand il fut arrivé à la véranda, il se tint devant elle, les mains enfouies dans ses poches. « On m'a dit que tu habitais ici, dans cette rue, mais je ne savais pas dans quelle maison. J'allais garer mon pick-up et frapper aux portes pour demander. Et je t'ai vue assise là.

— ¿ *Qué pasó ?* J'attendais que tu me téléphones. Et puis il y a eu tout ça avec les garçons.

— J'allais t'appeler, mais mon oncle nous a trouvé du travail pour une semaine à San Francisco. Quand je suis rentré, t'étais partout à la télévision. *No lo podía creer.* J'ai fait trois fois le numéro que tu m'avais donné, mais on a raccroché. »

Il s'assit sur la véranda à côté d'elle, posa ses deux longues mains sur ses genoux et laissa son grand corps pousser un soupir. Une heure se passa, ils discutèrent de l'arrestation d'Araceli, de toutes les émissions de télé et de radio qui avaient présenté et disséqué son cas, puis du Mexique, dans quel état se trouvait le pays et ce que signifierait pour Araceli d'y retourner si elle y était obligée. Comme il n'avait plus vécu au Mexique depuis l'âge de huit ans, Felipe avait une vision du pays assez innocente – comme d'un endroit où les oncles et les grands-parents vivaient dans des *ranchos* parmi les vaches, les chevaux et la volaille –, mais il savait que Mexico était un monde à part. « Je ne suis jamais allé dans le District fédéral, mais je me souviens de Sonora comme d'un lieu superbe dans le désert. » C'était aux États-Unis, surtout, que Felipe avait été scolarisé, ainsi que l'apprit alors Araceli, et il parlait impeccablement l'espagnol et l'anglais. Elle le poussa à dire quelque chose en anglais, et, quand il s'exécuta, elle fit semblant de frissonner et lança : ¡ *Ay ! Qué* sexy *eres* quand tu parles anglais. » C'était une de ces personnes qui naviguaient facilement de cercles anglophones en cercles hispanophones sans être pleinement apprécié des deux côtés. Chaque minute de conversation qui passait apportait un plaisir de plus à Araceli. Le ciel commença à perdre son éclat, les lampes s'allumèrent dans les maisons autour d'eux, mais ils continuèrent à parler pour ne s'arrêter que lorsque Luz Covarrubias sortit et leur porta deux verres d'*agua de tamarindo* en disant : « *Qué bonito* de voir un jeune homme et une jeune femme parler autant dans ma véranda. »

Dans le silence gêné qui suivit, le bruit d'un moteur se fit entendre, et Araceli et Felipe virent un monospace bleu équipé d'une antenne parabolique surgir à l'angle et se garer derrière le pick-up de Felipe.

« Ooooh. La presse, dit Araceli. *Vámonos.* »

Ils se levèrent, se retournèrent et se dirigèrent vers la porte d'entrée pour se mettre à l'abri, mais avant qu'ils aient réussi à s'échapper Araceli entendit une voix étrangement familière l'appeler avec la vivacité et l'accent de la haute société de Mexico : « *¡ Araceli ! ¡ No te me vas escapar ! ¡ No te lo permito !* »

Ils se retournèrent simultanément pour se retrouver face à un homme en costume bleu nuit et cravate jaune, assis dans le monospace côté passager, une jambe pendant à l'extérieur par la portière ouverte. « Où est-ce que j'ai déjà vu ce type ? » dit Felipe. Mais Araceli le reconnut instantanément. Il avait un teint méditerranéen et des cheveux bruns presque noirs, légèrement enduits de gel coiffant. Il présentait un tableau de raffinement vestimentaire masculin si frappant qu'Araceli pouvait déjà imaginer le nuage de musc qui l'entourait, alors même qu'il était encore de l'autre côté de la pelouse. Puis son nom lui revint, et elle le prononça à voix haute en donnant à la dernière des neuf syllabes espagnoles et françaises l'inflexion montante d'une question.

« *¿ Carlos Francisco Batres Goulet ?*

— *¡ El mismo !* » répondit-il.

C'était la personnalité de la télévision mexicaine numéro deux en termes de célébrité, l'animateur d'un talk-show d'informations matinales produit par une chaîne en situation de quasi-monopole sur les ondes mexicaines. Il remonta l'allée en tendant la main, et Araceli redressa le dos comme si elle saluait un monarque, car elle se souvint du poste de télévision que sa mère laissait allumé dans la cuisine chaque jour de travail et de cet homme à l'écran, assis sur un canapé de studio à échanger des bons mots avec des stars du rock, des chefs rebelles et des ministres du gouvernement, ou bien sur le terrain auprès de familles en pleurs devant une mine de Sonora où venait d'avoir lieu une catastrophe, ou encore vêtu d'une parka jaune en attendant un ouragan face aux eaux turquoise du Yucatan. Carlos Francisco Batres Goulet n'avait que trente ans et quelques, mais c'était déjà une sorte de livre d'histoire ambulant, et quand il tendit le bras pour saluer Araceli en lui serrant la main, ce fut en prenant l'allure d'un prince du peuple bienveillant qui se trouverait de sortie.

« *Qué gusto conocerte,* dit-il.

— *El gusto es mío* », murmura-t-elle en retour.

Carlos Francisco Batres Goulet s'était trouvé à Malibu le matin même, car il était venu en avion de Mexico pour interviewer une actrice mexicaine qui connaissait un grand succès également aux États-Unis. Il était allé dans la maison qu'elle venait d'acheter et qui était suspendue en porte-à-faux entre un bout de plage rocheuse et le Pacifique. Ensuite, il avait téléphoné au siège de sa chaîne dans le district San Ángel de Mexico pour proposer une interview de la célèbre *paisana* qui avait été injustement accusée d'enlèvement d'enfants. Il arrivait maintenant chez les Covarrubias en criant *¡ Hola !* et en levant la main pour saluer Octavio qui était sorti de sa salle de bains les mains mouillées et qui restait ébahi dans sa salle de séjour.

« Carlos Francisco Batres Goulet ? »

Au bout de quelques instants, l'équipe de l'animateur commença à remplir le séjour des Covarrubias avec des lampes et des câbles. Batres Goulet et son régisseur avaient rapidement décidé qu'Araceli s'assiérait sur le canapé et que l'animateur se mettrait en face d'elle sur un fauteuil pliant de metteur en scène. Avec ses coussins violets fanés et les peintures sur velours derrière lui, le canapé symbolisait à la fois la modestie de la classe ouvrière mexicaine et son mauvais goût. Batres Goulet, comme son régisseur, savait qu'un tel décor susciterait des échos bien différents dans les diverses tranches de population qui composaient son public. « Asseyez-vous là », dit-il à Araceli en espagnol sur un ton plus proche de l'inspiration artistique que de l'ordre.

Une fois qu'ils eurent appliqué quelques touches de poudre et de maquillage sur leurs visages et qu'ils eurent vérifié la sonorisation, Batres Goulet lança l'interview. Il sourit à Araceli et lui adressa un sympathique hochement de tête : « Araceli Noemi Ramírez Hinojosa », dit-il en prononçant ses deux prénoms, puis le nom de son père et celui de sa mère, avec la lenteur et le ton solennel qui sied à la lecture de l'adresse d'un article d'encyclopédie, comme s'il reconnaissait officiellement l'entrée de la jeune femme dans l'aire de la célébrité mexicaine. Araceli entendit les quatre noms et songea à tous les endroits du Mexique où ils seraient diffusés : dans la cuisine de sa mère, sur le poste de télévision posé près des tas de paquets de cigarettes dans l'*abarrote*, l'épicerie d'articles divers à un coin de rue de Nezahualcóyotl, dans le village de son père au fond de l'État d'Hidalgo, dans les stands pourvus de petits téléviseurs noir et blanc où des enfants et des hommes munis de machettes s'arrêtent pour boire de l'*atole* et regarder les informations, et même dans les restaurants de Polanco, à Mexico, où l'on sert des petits-déjeuners et où des hommes d'affaires la verraient en mangeant leurs *chilaquiles*.

« *... es usted una criminal, tal como nos dicen las autoridades del estado de California ?*

— Non », répondit-elle avec un air amusé qui égaya son visage. Les autorités de Californie pouvaient dire ce qu'elles voulaient, mais elle n'était pas une criminelle. « Je suis simplement une femme qui est venue dans ce pays pour travailler, faire mon travail, déclara-t-elle en espagnol. Et j'ai fini par avoir des ennuis pour avoir voulu le faire. »

Guidée par la manière douce mais adroite dont Batres Goulet l'interrogeait, elle expliqua les circonstances qui l'avaient conduite à quitter la maison en emmenant Brandon et Keenan. Elle mentionna la bagarre entre ses patrons et la table basse brisée, rendant ces détails publics pour la première fois.

« On a l'impression que c'était le chaos, dans cette maison où vous travailliez.

— Seulement ce soir-là et ce week-end-là. Pendant longtemps, ils ont été de bons employeurs. Exigeants, oui. Il fallait que tout soit fait d'une certaine façon, mais ça ne me gênait pas. Vous pouvez vous imaginer comment c'est de travailler pour une famille nord-américaine aussi riche que celle-là, et en plus qui a du goût. La nourriture était excellente. La femme qui m'employait, la *señora* Maureen, avait un œil formidable pour les tomates. Et, dans ce pays, il est bien plus difficile de trouver de bonnes tomates que chez nous. Ça, je ne le comprends pas. »

Le journaliste éclata de rire, faisant venir un sourire charmeur sur le visage d'Araceli qui, pendant un instant, eut l'air jovial de la Mexicaine ordinaire. Il la laissa encore parler un peu, puis la ramena au sujet de leur entretien.

« Il y a donc eu un moment où vous avez décidé de partir avec ces garçons. »

Supposant que la plupart des spectateurs au Mexique n'étaient pas au courant, Araceli expliqua alors que les autorités américaines enlevaient les enfants à leurs parents pour les mettre dans une institution appelée « Placement familial ».

« J'ai dû décider. Soit m'occuper d'eux, soit appeler la police. C'est sûr, rétrospectivement, j'aurais dû appeler la police. Ce seraient les parents qui auraient des ennuis, pas moi. Je regrette de ne pas l'avoir fait ! » Elle proféra ces paroles avec une force et une véhémence inconvenantes, mais elle exprimait ainsi sa colère d'avoir été pourchassée par des policiers, plaquée au sol et filmée, jetée en prison – deux fois – et finalement battue, tout cela pour un acte altruiste. Elle mentionna ces outrages à Batres Goulet, mais une grande partie de sa tirade ne parvint jamais au public mexicain car Batres Goulet et son régisseur allaient plus tard faire un montage de cette séquence de trois minutes pour rendre Araceli aussi sympathique que possible. Son souhait de protéger Brandon et Keenan, poursuivit-elle, ne lui avait valu que des ennuis, et elle pouvait voir à présent qu'on ne survivait dans ce pays qu'en gardant une certaine froideur et de la distance à l'égard des autres. C'était ce que les gens de chez elle disaient sur les États-Unis, et il était cruel de voir confirmé ce mot plein de sagesse. « M'occuper d'enfants ne me plaît même pas, dit Araceli. Mais qu'est-ce que je pouvais faire. *Los niños no tienen la culpa.* Je ne pouvais pas les laisser aller là où les Nord-Américains placent les enfants perdus. Non.

— Y a-t-il un message que vous aimeriez transmettre à votre famille de Ciudad Neza ? demanda Batres Goulet.

— Je suis désolée de ne pas avoir téléphoné », répondit-elle avec une décontraction qui suggérait qu'elle n'était pas désolée du tout. Cette remarque, elle aussi, serait supprimée au montage.

Batres Goulet repartit de la maison des Covarrubias en naviguant à travers une foule d'une centaine de personnes qui s'étaient massées sur la pelouse et qui débordaient sur le trottoir et autour du monospace. La nouvelle de sa présence s'était rapidement propagée dans le voisinage, provoquant l'effet à peu près inverse de celui de l'apparition de la police le jour où Araceli avait été arrêtée pour la deuxième fois. Tant que Carlos Francisco Batres Goulet se trouvait parmi eux, se disaient ces gens, l'aura parfaite de pouvoir que lui procurait la télévision mexicaine les protégerait, et ils répétaient le nom de l'animateur avec la déférence qu'on a pour les lieux sacrés et les saints. « Carlos Francisco Batres Goulet... Carlos Francisco Batres Goulet. » Quand il ouvrit la porte d'entrée et se trouva dans la véranda, on entendit un ou deux cris de filles ; il salua la foule d'un geste et serra quelques mains, puis il disparut en moins de deux minutes, et, dans son sillage, les gens continuaient à répéter son nom.

« Carlos Francisco Batres Goulet ! Carlos Francisco Batres Goulet ! »

Une demi-heure plus tard, la foule ayant arrêté de scander le nom du présentateur et s'étant dispersée, Araceli retourna dans la véranda avec Felipe. Ils plaisantèrent dans le calme du soir revenu en parlant du journaliste et de sa visite, jusqu'à ce qu'un 4 × 4 arrive et qu'en émerge un visage à moitié familier, suivi d'une troupe d'hommes en costume-cravate. Le plus âgé de ces hommes s'approcha des marches en tirant sur les revers de sa veste, puis lança un « *Buenas noches* » distrait tout en jetant un coup d'œil à l'intérieur de la maison des Covarrubias. « *¿ Qué se hizo Batres Goulet ?* demanda-t-il.

— *Se fue,* répondit sèchement Araceli. *¿ Y quién es usted ?*

— *Soy Emilio Ordaz Rivera,* déclara l'homme avec le sourire bizarre et lointain de quelqu'un qui a l'habitude de voir ses avances repoussées. *Soy el consul de Mexico en Santa Ana.* »

Derrière lui se tenaient trois hommes qui imitaient son allure générale - lunettes de soleil dans la poche poitrine, boutons de manchette et gourmette aux poignets -, et qui remplissaient leurs costumes gris et noir taillés sur mesure avec toute la suffisance de gens préparés dès leur jeune âge à la gloire que procure la bureaucratie mexicaine. C'étaient des animaux costumés qui avaient rôti toute la journée sous le soleil californien lors d'une cérémonie locale sans intérêt, et si l'on en jugeait à l'ennui qui se peignait si fort sur leurs visages, ils trouvaient cet endroit-ci également indigne d'eux.

« J'espérais qu'il serait encore là. Pour que je puisse apporter ma petite contribution à cette histoire.

— Vous vouliez passer à la télévision ? Avec moi ?

— Oui.

— Pourquoi ? »

Le consul baissa la voix et lui parla à l'oreille avec une franchise délibérée qu'il devait considérer comme une forme d'intimité. « Pourquoi quelqu'un voudrait-il passer sur Televisa [1] ? Parce que c'est Televisa, bien sûr. »

Le consul connaissait un enlisement de milieu de carrière, et il cherchait un poste plus glorieux que Santa Ana, car il avait trente-huit ans et était en train de perdre la bataille contre le temps et contre les hiérarchies byzantines du ministère des Affaires étrangères. Un an auparavant, on lui avait offert la place de numéro deux à l'ambassade de Tegucigalpa, au Honduras, et, comme un imbécile, il avait refusé, pensant qu'il serait mieux pour lui de se trouver dans le marché des médias de Californie du Sud. Mais il constatait à présent que le consul de Los Angeles captait toute l'attention de la presse, toutes les séances photo avec les starlettes et toutes les réunions avec les ministres en visite. À présent, il accepterait même la place de numéro deux à Lagos si on la lui offrait – tout sauf Santa Ana et ses longues files de gens pauvres et désespérés, où ce qu'il faisait de plus important, c'était d'expédier au pays les corps de *paisanos* tués dans des accidents de circulation ou de réparation de toitures.

Araceli ne savait rien des désirs et des incertitudes de ces diplomates de carrière trop instruits, frustrés et se rêvant poètes, mais elle pouvait sentir que cet homme était prêt à tout pour plaire à ses supérieurs et se faire remarquer, alors même qu'accompagnée de Felipe elle battait en retraite vers la salle de séjour et refermait la porte sur le consul en train de lancer une ultime requête.

« Appelez-moi si Batres Goulet revient ! »

1. Conglomérat multimédia mexicain, le plus important du monde hispanique.

24

ARACELI S'ÉTAIT DIT QU'ELLE NE REGARDERAIT PAS LA FOULE, et quand elle gravit les marches du palais de justice à côté de Ruthy Bacalan elle garda les yeux baissés et une main levée pour les protéger du soleil. Lorsqu'elle releva la tête un instant, son attention fut attirée par une image en blanc et noir, une affiche montrant une radiographie d'un crâne transpercé en son milieu par une tige. La légende était censée expliquer l'image, mais se contentait de : TUÉ PAR DES IMMIGRANTS CLANDESTINS. Araceli regarda les manifestants rassemblés autour de l'affiche, et elle aperçut une femme à l'air fatigué, en uniforme d'infirmière, qui la brandissait. Près de celle-ci, des hommes et des femmes tenaient fermement divers morceaux d'un tissu rouge-blanc-bleu, lançaient des cris, agitaient le poing vers elle et, maintenant, redoublaient de cris parce qu'elle avait daigné les regarder. Ils portaient d'autres panneaux où n'apparaissaient que des mots séparés : MEXIQUE = MALADIE + MORT + DESTRUCTION. Ils hurlaient : « Hors de chez nous ! » à Araceli, mais aussi aux contre-manifestants à la gauche d'Araceli. En suivant la direction de leurs cris, elle regarda ce deuxième groupe. Elle y reconnut quelques personnes qu'elle avait vues au meeting de l'église où elle n'avait pas réussi à faire de discours, et celles-là brandissaient toutes une affiche réalisée à partir d'une photographie absurde la montrant sur le point d'être arrêtée pour la deuxième fois. Il y avait là dix Araceli en deux dimensions qui sautillaient le long des marches, et elle se dit qu'elle devrait se retourner, lever le doigt et ouvrir la bouche en silence pour imiter la pose qui était la sienne sur ce portrait impromptu. Voilà qui ferait une bonne plaisanterie. Mais elle se l'interdit en se rappelant qu'elle se trouvait sur les marches de l'escalier d'un palais de justice dont elle devait respecter la solennité, même si les groupes de manifestants rivaux ne le faisaient pas. Un policier se dirigea vers ceux qui tenaient le drapeau ; il descendit quelques marches, traversa le grand escalier et, ouvrant les bras, ordonna : « N'avancez plus ! » Araceli songea un instant que c'était vraiment très inhabituel de voir un policier la protéger, puis elle regarda vers la gauche en entendant quelqu'un crier son nom : une jeune femme agitait un drapeau mexicain, et Araceli aperçut l'aigle dans le blason et se dit que son étendard faisait bien médiéval, comparé à la bannière étoilée en face. Au drapeau américain, donc, qui l'intriguait : pourquoi avait-on comprimé tant de rayures et d'étoiles dans un aussi petit espace ? *Ce drapeau est écrit en anglais.* Les deux factions semblaient être retenues par une frontière invisible qui permettait à la jeune femme et à son avocate d'avancer dans le large passage ménagé entre elles ; Araceli se demanda s'il y avait une ligne dessinée au sol pour les contenir, semblable aux traits à la craie chinoise qu'elle traçait sur le plancher sous les placards et dans les penderies du Paseo Linda Bonita pour empêcher les fourmis d'entrer. Il y avait un peu plus d'étudiants parmi ceux qui étaient venus la soutenir que chez les autres, des jeunes gens qui paraissaient âgés d'une vingtaine d'années et dont les corps agiles étaient vêtus de cotons séduisants aux couleurs vives. Ils avaient des airs blessés et fâchés, comme des enfants qui ont été trahis par des parents alcooliques. Araceli les trouva beaux et pleins de dignité, à côté de la foule plus âgée et moins agile des rouge-blanc-bleu qui semblaient tous partager l'indignation et la supériorité aigrie de braves gens persécutés par une racaille criminelle issue des taudis.

Brusquement, la femme en uniforme vert clair d'infirmière franchit la ligne invisible et fonça vers Araceli, faisant réagir Ruthy Bacalan qui cria « Hé ! »

« Dites la vérité ! » hurla Janet Bryson à quelques centimètres du visage d'Araceli, puis, pour la première fois de sa vie, elle énonça une phrase complète en espagnol, une phrase de quatre mots qu'elle avait concoctée avec l'aide d'un programme de traduction sur Internet : « *¡ Diga la verdad, usted ! ¡ Diga la verdad, usted !* »

Sur les marches de l'autre côté, Giovanno Lozano fut scandalisé de voir la femme en vert agresser verbalement son héroïne-martyre, et franchissant à son tour la ligne invisible il se précipita vers Araceli en tendant les bras pour repousser Janet Bryson. Un homme d'environ quarante ans, portant une chemise d'uniforme de conducteur d'autobus, se lança en avant pour attraper Giovanni, et en l'espace de quelques secondes les deux groupes se fondirent en une masse de cordes vocales et de muscles tendus sur l'escalier derrière Araceli et son avocate. Ruthy Bacalan saisit Araceli par le coude et lui dit « On y est presque », et, en effet, elles arrivaient au sommet des marches et passèrent entre deux escouades de policiers qui grommelaient et se dirigeaient vers la foule, la matraque levée. Un instant plus tard, les deux femmes pénétrèrent dans le calme absolu du nouveau tribunal annexe de Laguna Niguel et sa place en béton.

Entouré de palmiers mais aussi d'une foule d'attachés-cases et de ceux qui les portaient, le bâtiment, avec son architecture imitant celle des anciennes missions californiennes et son toit de tuiles rouges, suggérait un lieu de villégiature où des hommes de loi viendraient se détendre. Araceli et Ruthy rejoignirent la file des avocats, passèrent sous trois hautes arches et se dirigèrent vers une porte en verre où des hommes et des femmes munis d'appareils photo étaient regroupés en phalange. Ils sont revenus me photographier, songea Araceli. Elle leva la tête pour bien leur faire voir sa figure de *mestiza*. Mais un seul photographe s'avança pour la prendre en photo ; tous les autres regardaient derrière elle, et du coup elle se retourna pour voir ce qui avait attiré leur attention. Il n'y avait pourtant que la place de béton vide qu'elle venait de traverser. Vaguement déçue, elle éprouva un sentiment de rejet aussi bref qu'absurde. *Quoi ? Il y a une autre célébrité mexicaine plus importante que moi ? Qui est-ce ? Une tueuse en série ? Il faut qu'elle ait fait quelque chose de vraiment, vraiment terrible.*

Araceli ouvrit la dernière porte en verre, et, aux côtés de Ruthy Bacalan, pénétra dans le tribunal et son air glacé.

Olivia Garza avait douze ans quand une travailleuse sociale du comté de Kern se présenta chez elle. La petite Olivia fut impressionnée de voir une femme armée uniquement de qualifications en plastique insuffler la peur de Dieu et de la loi à son père qui ne se soûla jamais plus autant ni ne piqua d'aussi fortes colères. Et, lors des années qui suivirent, sa mère ne fut plus jamais obligée de se rendre aux urgences le samedi soir en traînant ses enfants derrière elle. La jeune Olivia en déduisit qu'elle voulait devenir comme cette travailleuse sociale, une inconnue capable d'imposer le pouvoir de la raison et de la loi à une famille dans sa propre salle de séjour. Après avoir fait des études supérieures et être entrée dans le Service de protection de l'enfance du comté d'Orange, elle se rendit compte que certaines mères l'avaient aperçue dans leurs rêves bien avant de la rencontrer en vrai, car elles aussi avaient été des petites filles qui avaient vu une inconnue munie d'un bloc-notes entrer dans leur salle de séjour. La première fois qu'Olivia Garza pénétra seule dans la maison du Paseo Linda Bonita, elle sentit que Maureen était une de ces filles – elle avait l'air particulier de celle qui reconnaît quelque chose qu'elle craint, lui donnant le sentiment d'être obligée de répéter un rituel familial très ancien et humiliant.

« Vous êtes seule ? demanda Maureen en guidant Olivia vers une table longue et large au milieu de laquelle était posé un plat. On vous a fait des petits gâteaux. Les gosses les ont décorés. »

Maureen se préparait depuis deux jours à la venue de la déléguée du Service de protection de l'enfance, et elle avait fait appel à tout le monde, sauf Samantha, pour le nettoyage de la maison, puis elle avait même enrôlé la fillette pour le glaçage et le saupoudrage finals des petits gâteaux, ce qui lui permit d'annoncer à la travailleuse sociale : « Même notre petite fille nous a aidés pour les gâteaux. » L'aïeul Torres avait tondu le gazon – une fois de plus –, Brandon avait balayé l'allée et Keenan avait aidé à ranger la chambre de sa sœur. Scott avait terminé de nettoyer les salles de bains, et Maureen était allée dans le jardin des plantes succulentes pour ramasser les minuscules explosions de laiterons. On aurait dit qu'on se préparait à une nouvelle fête d'anniversaire, sauf que cette fois Araceli n'était pas là pour prêter main-forte, ce qui laissait Maureen plus épuisée qu'elle ne l'aurait été autrement, et les garçons faisaient la tête : ils n'aimaient pas l'idée de « travailler » et prétextaient que c'était une activité d'adultes. « Est-ce qu'on est des esclaves, maintenant ? » demanda Brandon à sa mère qui ne l'entendit pas. Si la travailleuse sociale savait que ma mère m'a fait balayer, se demanda Brandon, et que je vais avoir des ampoules aux mains à force de tenir le balai et le râteau, est-ce que ça nous créerait des ennuis à tous ?

Quand Olivia Garza arriva, Brandon et Keenan l'accueillirent dans le séjour avec des cheveux bien peignés et humidifiés, et ils gardèrent leurs mains dans leurs poches, prenant une attitude qui reflétait plus ou moins leur idée de soldats au garde-à-vous, jusqu'à ce que leur mère leur dise qu'ils pouvaient aller dans leur chambre lire pendant que les adultes parlaient dans la salle à manger. Maureen apporta du café et prit place à table à côté de son mari, tandis qu'Olivia se sentait obligée de prendre un petit gâteau. « Merci », dit-elle. Tout en regardant le couple et le bébé qui était assis sur les genoux de sa mère et avait encore du glaçage de gâteau sur ses doigts pas plus gros que des vers de terre, Olivia Garza demanda : « Alors, comment allez-vous ? »

Maureen pressa ses lèvres entre ses doigts, baissa les yeux vers la table en chêne et les sets de table guatémaltèques brodés qui recouvraient le plateau récemment ciré, et puis ne dit rien parce qu'elle s'efforçait de faire croire qu'elle maîtrisait la situation, et qu'en disant un seul mot sur comment elle allait, elle risquait de libérer ses émotions et de les offrir comme divertissement à cette inconnue. Alors qu'elle battait des cils pour contenir les larmes qui lui montaient aux yeux, elle ne savait pas, ni ne devinait, qu'Olivia Garza était déjà parvenue à la conclusion que cette famille, fondamentalement normale, ne représentait pas de menace pour ses enfants et que, très vite, elle noterait ses dernières remarques dans le dossier avant de clore officiellement l'affaire. C'était une décision qu'elle avait prise quelques instants plus tôt, quand, voyant ce séjour pour la première fois sans inspecteurs de police ni adjoints du procureur, elle avait eu un éclair d'intuition. Elle pouvait à présent *sentir* ce foyer et le voir correctement. Et ce qu'elle voyait, c'était une mère dont le seul crime était de vouloir en faire plus qu'elle ne pouvait.

« Nous allons bien, dit enfin Scott. Nous essayons juste de revenir à une situation normale. »

Il y avait un seul sujet à éclaircir, l'entrée la plus récente dans le dossier, et Olivia Garza y passa directement. C'était une allégation de violence domestique en rapport avec un procès en cours, et la travailleuse sociale était donc obligée de s'en enquérir.

« Alors, parlez-moi de ce qui c'est passé ce soir-là avec la table basse. La dispute que vous avez eue. La dispute qui a tout déclenché.

— Comment avez-vous appris ça ? demanda rapidement Scott.

— La femme qui travaillait chez vous en a parlé hier soir à la télévision de langue espagnole. » Brusquement, le front et les joues de Maureen furent de la même couleur que la blouse de sa fille. « Personne ne vous l'a dit ? C'était sur la 34, mais je suis à peu près sûre qu'on en a reparlé plus tard en anglais sur les chaînes câblées.

— On filtre les appels, expliqua Maureen.

— J'imagine que c'est la table qui se trouvait à cet endroit-ci, dit Olivia Garza en indiquant un rectangle de carrelage vide entre deux sofas.

— Je suis tombée à la renverse, dit Maureen.

— Parce que je l'ai poussée. » Scott sentait qu'il ne pouvait pas mentir à cette femme qui tenait un bloc-notes mais n'y écrivait rien, et qui semblait tout examiner avec une expression neutre. S'il mentait, elle le saurait, et ça les précipiterait dans de nouveaux problèmes encore plus tortueux.

« On se disputait, dit Maureen. Les choses ont dérapé.

— Oui.

— Ça n'était jamais arrivé avant, poursuivit Maureen. Nous ne nous sommes encore jamais battus comme ça. Il n'est pas violent. Ce n'est pas comme ça qu'il prend les choses.

— Je suis programmeur.

— C'est quelqu'un de doux. J'ai dit des choses. On était simplement stressés à cause d'histoires d'argent.

— L'argent, on n'est pas en bonne posture de ce côté-là. »

En l'espace d'un quart d'heure, toute la vérité sortit dans la pièce. Scott commença par détailler leur situation financière : le prix d'achat de leur maison, le coût de l'école privée de leurs deux garçons, le fait qu'ils avaient dépensé davantage que prévu à la suite de complications dans la grossesse de Maureen, et la perte de revenus escomptés à cause d'investissements qui avaient « foiré ». Maureen fut frappé par la simple arithmétique de l'ensemble ; Scott lui avait déjà dit ces choses partiellement, mais elle n'avait jamais compris la globalité, jamais vu à quel point leurs folies financières étaient compliquées et enracinées. Tous les deux, elle s'en apercevait maintenant, souffraient d'un déficit de perspective parvenu à un stade chronique et avancé, d'une façon de vivre surdimensionnée et à courte vue.

Scott arriva enfin à la dispute concernant le jardin et au moment où il avait porté la main sur sa femme. « J'ai dérapé. Ça n'a duré qu'un instant. Elle s'est retrouvée sur le sol. Le lendemain matin, nous sommes partis tous les deux. Séparément. J'imagine qu'Araceli a tout nettoyé.

— Je suis allée dans le désert, dit Maureen. Seule. Avec ma fille. » Elle fut étonnée de s'entendre se repentir ainsi. *Non, je cède sur trop de choses.* « Mais Araceli n'aurait pas dû les emmener en ville. Si elle avait seulement attendu un jour de plus. »

La travailleuse sociale hocha la tête et, pour la première fois, gribouilla quelque chose sur son bloc-notes : une phrase, une expression, une conclusion, une « évaluation ».

« Vous voulez bien que j'aille parler avec vos garçons, seule, pendant une minute ou deux ? »

Scott conduisit Olivia Garza dans cet endroit qu'Araceli avait baptisé la Chambre aux mille merveilles, où Keenan se trouvait sur son lit à lire un roman graphique conçu selon un journal imaginaire de jeune garçon, tandis que Brandon, à plat ventre par terre, lisait un petit livre de poche – mais il se mit en position assise dès qu'il vit la travailleuse sociale.

« Bon, je vous laisse, dit Scott.

— Merci. »

Olivia Garza salua les enfants et indiqua du doigt leur bibliothèque. « Tous ces livres ! Vous les avez tous lus ?

— Presque tous, répondit Brandon.

— On en avait encore plus, mais maman les a jetés, dit Keenan.

— Non, fit Brandon en jetant un regard sévère à son frère. Elle les a donnés à la bibliothèque des enfants pauvres.

— Nous, on lit beaucoup, dit Keenan.

— Moi aussi, dit Olivia Garza. Quand j'étais à l'université, j'ai pris des cours de lecture, même si là-bas on n'appelle pas ça comme ça. On dit des cours de littérature. » La travailleuse sociale mentionna quelques-uns de ses livres préférés, y compris une série en treize volumes sur les mésaventures fantastiques de trois frères et sœurs qui gardent leur optimisme et leur innocence alors même qu'ils deviennent orphelins et errent dans le monde cruel des adultes.

« Ceux-là, dit Brandon, je les ai tous lus. Deux fois. Ils sont vraiment drôles. »

Parler avec des enfants était la chose la plus difficile au monde, et le but de ces « entretiens », comme elle l'avait appris depuis longtemps, n'était pas de demander des informations mais plutôt de sonder les humeurs et les peurs des enfants, d'explorer passivement leurs dispositions. Aux yeux expérimentés d'Olivia Garza, ces garçons faisaient preuve à la fois de curiosité intellectuelle et d'une pointe de cette solitude si courante dans les familles aisées. Peut-être y avait-il aussi, chez l'aîné, un peu de l'ennui qui frappe les préadolescents. S'ils avaient été traumatisés par la fuite de leurs parents et leur voyage à Los Angeles, cela ne se voyait en tout cas pas d'emblée.

« Qu'est-ce que tu lis en ce moment ? » demanda-t-elle à Brandon. Il lui montra la couverture du livre de poche puis le lui tendit de la même façon qu'un adolescent remet un paquet de cigarettes au principal du collège. « Waouh, un classique ! C'est un livre difficile, à ton âge.

— Je suis assez bon lecteur.

— Mais est-ce que tu comprends tout ce qu'il y a dedans ?

— À peu près quatre-vingt pour cent. Non, quatre-vingt-dix. Quand j'arrive à un endroit que je comprends pas, je fais comme si les mots n'existaient pas.

— Intéressant.

— Comme ça, je peux continuer.

— Je devrais apprendre à faire ça.

— C'est à peu près le meilleur livre que j'aie jamais lu. Il est vraiment réel. À côté de lui, presque tout ce que j'ai lu a l'air assez faux. »

Olivia tenait le livre et le feuilletait au moment où Maureen apparut dans l'embrasure de la porte. Elle avait Samantha dans les bras et s'efforçait un peu trop de donner un air de nonchalance maternelle.

« Tout se passe bien ? demanda-t-elle avec un sourire.

— Oui, oui. On parlait juste du livre que Brandon est en train de lire. Tu m'as dit que tu en étais à quelle page, Brandon ?

— Quatre-vingt-treize.

— Tu veux bien me le prêter une seconde ? Je te le rends tout de suite, je te le promets. »

Olivia Garza dit au revoir aux garçons et sortit de la Chambre aux mille merveilles avec Maureen.

« Tout se passe bien ? » répéta Maureen quand elles furent dans le séjour, car elle sentait que tout, justement, n'allait pas bien.

La travailleuse sociale lui donna le livre ouvert à la page quatre-vingt-treize. « Je ne suis pas sûre qu'il soit tout à fait assez grand pour lire ça. Surtout des passages comme celui-ci. »

Maureen prit l'exemplaire de *L'Attrape-cœur*, roman qu'elle n'avait jamais lu même si elle connaissait le nom du personnage principal. L'index épais de la travailleuse sociale reposait sur la page où

Holden Caulfield parlait l'argot plutôt cool du milieu du siècle dernier, fumait des cigarettes et se préparait à engager la conversation avec une prostituée. « C'était une sorte de blonde, mais on voyait bien qu'elle se teignait les cheveux. Ce n'était quand même pas une vieille peau. » Quelques pages plus loin, le même personnage argumentait avec le maquereau de cette femme, et le ton du narrateur laissait entrevoir la désinvolture et la moralité relâchée d'une époque ancienne des États-Unis.

« Oh, mon Dieu. Comment se fait-il qu'il lise ça ? Où est-ce qu'il l'a trouvé ? »

Tenant le livre en regardant la déléguée du Service de protection de l'enfance, Maureen sentait le poids d'un jugement à la fois sacré et officiel. Sa honte s'accrut encore quand elle s'aperçut que la travailleuse sociale avait découvert cette transgression après un quart d'heure seulement de conversation avec son fils. Comté d'Orange, voilà ce qui était inscrit sur le badge en plastique d'Olivia Garza : trois fruits éponymes reposaient dans un champ vert lui-même niché au milieu d'un soleil entouré d'une couronne flamboyante de bras jaunes dansants, et, pendant un petit moment, ce sceau fut aussi troublant pour Maureen que les vieilles icônes poussiéreuses de saint Patrick dans sa maison du Missouri, celles où le saint avait des serpents à ses pieds et des flammes autour de sa tête. Son fils de onze ans fréquentait des maquereaux et des prostituées après avoir été transporté dans un coin malfamé de Manhattan via l'art du roman, et il le faisait dans la maison même de Maureen et en sa présence. *C'est parce que je ne le regarde pas vraiment. Je ne suis pas là, dans la chambre avec lui.* Mais les saints qui gardent les Irlandais et le comté d'Orange connaissaient maintenant le secret de Brandon.

« Je suis désolée, vraiment désolée, dit Maureen en adressant ses paroles non seulement à la travailleuse sociale mais à tous ceux qu'elle connaissait. Je croyais que rien ne m'échappait. Je croyais que j'avais tout sous mon contrôle. »

Sous toute cette beauté et cet ordre qui m'entourent, les choses ne sont pas ce qu'elles devraient être. J'ai tout lustré pour que ça n'ait pas l'air d'un campement comme ceux des émigrants qui arrivaient autrefois du Missouri, mais, dessous, tout est aussi râpé que ce vieux sofa dans notre séjour, que ces planchers non cirés qui se fendillent. Elle se sentait idiote d'avoir fait tant d'efforts pour rien, et quand elle se revit en train de s'affairer dans ce séjour au milieu du cuir, du chêne et de la laine, elle éprouva un chagrin vide, comme si elle se tenait au début d'un sentier de terre qui la ramenait en des lieux qu'elle avait fuis. « Je suis vraiment désolée. » Elle se laissa tomber sur le divan en portant toujours Samantha contre sa hanche. Elle avait envie de pleurer, mais elle ne pouvait pas. À la place, elle restait assise là, défaite, et songeait que Brandon l'avait trahie et qu'elle ne devrait pas s'en étonner parce que, après tout, c'était un homme. Puis elle chassa cette pensée – c'était absurde, il n'avait que onze ans. *C'est pour ça que les femmes deviennent folles. Nous vivons avec des hommes qui se comportent comme des garçons et avec des garçons qui veulent être des hommes, et nous sommes coincées entre ce que nous savons être juste et le peu que nous pouvons faire, entre ce que nous pouvons voir et ce qui nous est invisible. Tout cela est impossible.* Elle secoua la tête et murmura le mot à haute voix : « Impossible. »

« Il n'y a pas de quoi en faire une montagne », dit Olivia Garza. Plongeant la main dans son sac, elle prit un mouchoir en papier dans la vaste réserve qu'elle transportait, et le tendit à Maureen.

Cette dernière se rendit alors compte qu'elle avait les larmes aux yeux. Elle s'essuya le visage et se mit à parler d'une voix étrangement ferme. « Nous allons changer.

— Pardon ? fit Olivia Garza.

— Nous allons déménager. Dans une maison plus petite.

— Maureen », dit Scott. Il voulait arrêter sa femme avant qu'elle n'aille trop loin parce qu'elle allait toujours trop loin.

« Nous allons inscrire nos enfants dans une école publique. Dans une autre ville. » C'était un sacrifice nécessaire, pensait Maureen. Une capitulation. Une défaite. Ils allaient quitter leur éden, et ce serait une punition juste. « S'ils vont dans une école publique et si nous vivons dans une maison plus petite, nous économiserons combien ? Vingt mille, trente mille dollars par an ? Non, davantage. C'est ça ?

— Oui », dit Scott. Il se sentit battu en voyant sa femme ainsi : elle repoussait d'abord ses larmes et puis, l'instant d'après, elle parlait d'un nouveau départ à une inconnue. *C'est moi qui en suis responsable.* Dans quelques semaines ou dans quelques mois, quand ils vivraient dans une autre maison, elle en viendrait à la même conclusion : elle regretterait tout ce qu'elle avait dit et trouverait le moyen de l'accuser, lui.

« Eh bien, tout cela me paraît très positif, dit Olivia Garza. Mais ne vous inquiétez pas. Nous n'enlevons pas des enfants parce qu'ils lisent du Salinger. » Elle se laissa aller à un grand rire de grosse femme. « Je pensais seulement que vous devriez savoir ce qu'il lit. Je pense que c'est le ton – c'est ça qu'il aime dans ce livre. Il m'a dit qu'il saute les parties qu'il ne comprend pas. Le ton rebelle. Préparez-vous. La puberté frappe de bonne heure, de nos jours. »

Scott la conduisit jusqu'à la porte et, après ce qu'il espérait être la poignée de main finale, la travailleuse sociale le tira près d'elle et lui dit furtivement, à voix basse :

« Vous n'avez rien à craindre.

— Quoi ?

— Je ne suis pas censée vous le dire, mais je vais le faire : mon service ne va plus vous embêter. Et personne d'autre non plus. Ni le shérif, ni le procureur. Personne.

— Vraiment ? »

Elle prit un instant pour dévisager Scott avec ses grands yeux, se demandant si elle pouvait lui faire confiance et lui donner cette information. « Vivez comme vous l'entendez. Mais je n'ai rien dit. Ce n'est pas de moi que vous le tenez.

— Nous sommes libres et innocentés ? Pourquoi est-ce que vous me le dites ?

— Vous êtes quelqu'un d'intelligent, Torres, dit-elle en roulant les *r* de son nom d'une façon suggestive. Je suis sûre que vous comprendrez. »

C'était un mystère de plus, comme tondre un gazon de manière nette, ou comme les règles de la Bourse, et Scott se demanda s'il comprendrait un jour. Pour l'instant, il décida de garder l'information secrète, même vis-à-vis de Maureen.

Le lendemain matin, le Service de protection de l'enfance émit un communiqué de presse de deux phrases au sujet des « événements concernant deux enfants d'une maison du Paseo Linda Bonita dans le domaine des Laguna Rancho Estates ». « Le Service a fait une enquête, disait le communiqué, et il a clos le dossier sans prendre de mesure supplémentaire. » Cette note fut transmise aux agences de presse par le biais du service de communication du conseil de surveillance, et elle aboutit dans le courrier électronique des journalistes avec les communiqués d'autres agences qui donnaient les chiffres du chômage, le nombre de résidents du comté bénéficiant de l'aide publique ou la date de la célébration du jour des Poids et des Mesures du comté d'Orange. À ce moment-là, seuls quelques journaleux particulièrement dévoués s'en avisèrent ou s'en souciaient encore, et il n'y en eut qu'un pour rédiger une brève publiée à côté du résumé des accidents de la circulation et des cambriolages dans les quotidiens du comté d'Orange. L'esprit et les yeux des reporters affectés aux affaires du comté avaient été détournés par un autre drame présenté sur quatre des chaînes câblées reliées au bureau de presse du comté. Cette nouvelle n'impliquait qu'un seul enfant disparu, et elle avait commencé à se dérouler l'après-midi précédent à Stanton, à peu près au moment où Olivia Garza quittait la maison des Torres-Thompson et où Araceli Noemi Ramírez Hinojosa était assise devant un juge dans la salle d'audience du tribunal annexe de Laguna Niguel. Les acteurs principaux de ce drame étaient une petite fille de huit ans, portée disparue et vêtue d'un tee-shirt Hello Kitty, et sa belle-mère, institutrice. Les seconds rôles étaient tenus par des équipes diverses qui draguaient le fond d'un lac. C'était une affaire dont la cruauté et l'horreur ne souffraient aucune ambiguïté et qui, une fois le corps de l'enfant retrouvé, unit les habitants de la ville dans un sentiment de tragédie et d'écœurement.

La petite fille morte avait quatre frères et sœurs dont la garde allait passer sous la responsabilité d'Olivia Garza qui, en plus, se chargerait du sort de la travailleuse sociale de niveau un qui s'était rendue par deux fois, lors de l'année écoulée, dans la caravane où vivait la fillette pour enquêter à la suite de plusieurs plaintes anonymes. Olivia Garza licencia elle-même cette travailleuse sociale et rendit plusieurs fois visite aux frères et sœurs dans leurs foyers d'accueil. Bien des semaines après, lorsqu'elle eut joué son rôle dans cette horrible affaire, Olivia Garza se souvint de son agréable moment avec les garçons Torres-Thompson dans le Paseo Linda Bonita et de la manière dont elle avait de nouveau rencontré *L'Attrape-cœur* vingt ans après. Elle lut le livre pendant le premier samedi après-midi qu'elle eut de libre et en conclut, avec quelque retard, que c'était sans doute une lecture acceptable pour un gosse intelligent de onze ans.

25

AVANÇANT DEPUIS LEURS NIDS CACHÉS DANS LA TERRE à l'extérieur de la maison, les fourmis faisaient chaque jour la conquête de nouveaux territoires de carrelage, d'aggloméré et de céramique. Elles se rassemblaient en multitudes qui pullulaient autour de petits bouts de poulet sous la table de la salle à manger, sur le papier toilette jeté dans les poubelles des salles de bains, et puis au fond de l'évier de la cuisine où elles emportaient tout ce qui restait dans le broyeur. À mesure que le nombre de jours passés sans Araceli augmentait, Maureen tombait de plus en plus, le matin, sur de nouvelles colonnes de fourmis alors que Scott ronflait encore dans les dernières minutes de fraîcheur qui suivaient l'aurore et que Samantha, réveillée et dans les bras de sa mère, prenait son premier biberon de la journée. Au début, Maureen attaqua les insectes à l'eau et au savon, les étouffant simplement avec des éponges mouillées et des serviettes en papier, reprenant le contrôle de la cuisine et d'autres lieux petit bout par petit bout, chassant avec l'eau du robinet les insectes dont le corps se convulsait encore. En l'espace d'un jour, cette victoire avait déjà perdu son efficacité et les colonnes étaient de retour, tout aussi féroces qu'avant. Les fourmis gagnèrent ensuite les chambres à coucher et le garage. Dans la cuisine, il y avait toujours deux ou trois éclaireuses sur le plan de travail où Maureen préparait les repas, explorant toutes les directions d'une démarche bizarre jusqu'à ce que Maureen les écrase entre ses doigts. *Comment faisait Araceli pour empêcher les fourmis d'entrer ?*

Ces insectes réveillèrent des souvenirs qui remontaient à leur première année au Paseo Linda Bonita, avant que la Mexicaine ne travaille pour eux. Les files que formaient alors les fourmis dans la cuisine durant un siège qui avait duré tout l'été avaient poussé Maureen à envisager brièvement de déménager. C'était son impuissance face à elles qui avait finalement persuadé Maureen d'engager une bonne, et elle avait employé successivement plusieurs femmes qui avaient toutes eu autant de mal que Maureen à les combattre, jusqu'à ce qu'elle trouve Araceli. Maintenant, Maureen soupçonnait Araceli de s'être servie secrètement de quelque puissant insecticide du tiers-monde, probablement interdit, et d'avoir ainsi décidé toute seule de passer outre à l'ordre qu'elle lui avait donné de ne pas recourir à des poisons chimiques. Pendant un jour ou deux, Maureen fouilla les placards et les étagères de la cuisine, de la buanderie et du garage à la recherche de la bouteille ou du bidon contenant cette potion magique, mais elle ne les trouva pas. Araceli avait vaincu les fourmis, finit par conclure Maureen, simplement en étant d'une vigilance extrême, en ne relâchant jamais la discipline qui voulait qu'elle nettoie chaque jour toutes les surfaces susceptibles de les attirer, en ne laissant jamais les ordures s'accumuler ni les choses renversées rester par terre. Maureen n'avait pas assez d'énergie pour se comporter de la sorte, pas plus d'ailleurs que celui qui l'aidait maintenant dans les tâches domestiques, son beau-père. Le vieux monsieur faisait la cuisine, s'occupait – plus ou moins – des enfants et faisait les lits, mais, malgré toutes les invitations discrètes de Maureen, il refusait de nettoyer les sols. *Il doit penser que passer le balai-éponge est un travail de femme.*

Maureen finit par nettoyer elle-même les sols de la cuisine, des salles de bains et du séjour, un soir où Samantha dormait et Scott lisait des histoires aux garçons dans leur chambre, et, un instant, elle se sentit revivre en respirant l'odeur de citron factice du désinfectant et en voyant les reflets brillants du carrelage propre. En se penchant sur le balai, Maureen remarqua des traits de craie à moitié effacés le long du bas de plusieurs murs, et elle se demanda pour quelle raison Araceli les avait tracés là et s'ils avaient une signification. On aurait dit des cercles de moissons, une apparition dotée de significations mystérieuses et étrangères ; c'était encore une des nombreuses marques subtiles qu'Araceli avait laissées dans le paysage de la maison, comme son idée de garder le café en poudre au frigo ou de laisser des feuilles de basilic dans un bol d'eau près de la fenêtre de la cuisine. Du basilic ? Était-ce une sorte de remède ? Mais pour quoi ? Maureen enleva les marques de craie avec la même insistance féroce que met un élève à effacer au tableau noir une équation fausse.

Lorsque Maureen se réveilla, le lendemain de sa première charge au balai-éponge, elle s'attendait à voir des sols sans fourmis. Au lieu de quoi elle trouva une nouvelle colonne qui entrait dans la cuisine par une gaine électrique et qui se séparait en deux branches dont l'une traversait la pièce jusqu'au garde-manger où les insectes étaient en train de dévorer une miche rassise de pain à la française. Une autre colonne venait du jardin de derrière, passait sous une des portes coulissantes en verre et traversait ce qui avait été une ligne de craie tracée par Araceli. Maureen la suivit jusqu'aux restes d'une sauterelle qui s'était trouvée coincée derrière une des bibliothèques. *C'est totalement insupportable.* Elle ne pouvait plus voir un instant de plus les segments écœurants de leur corps couleur de terre. Plusieurs fois par jour, elle en sentait une ou deux en train de ramper sur ses bras ou ses jambes, de courir vers son cou et ses seins, et elle fantasmait qu'elle trouvait la fourmilière et qu'elle la frappait d'un tel cataclysme que toute la culture et l'histoire des fourmis sur cette colline en étaient détruites à jamais. À la fin, cet après-midi-là, elle alla dans une travée de supermarché qu'elle prenait soin d'éviter d'habitude, et elle acheta deux bombes différentes de poison. Rentrée à la maison, elle était tellement pressée de voir l'effet de ces produits chimiques qu'elle ne prit pas la peine de faire sortir les enfants avant de se mettre à pulvériser.

Le soir venu, Maureen s'était de nouveau armée de la bombe insecticide, déterminée à repérer toute fourmi éclaireuse ou toute colonne qui aurait échappé à son offensive initiale, et elle circulait à travers les pièces de la maison lorsque le téléphone sonna.

Scott répondit dans la cuisine. « Bonsoir, monsieur Goller, dit-il, et Maureen tendit l'oreille, le regardant de profil tandis qu'il parlait sans se rendre compte qu'elle l'écoutait, ou bien sans en être gêné.

« Non, nous n'allons pas faire ça... Nous n'avons vraiment pas envie d'y aller. Non. Nous avons déjà fait nos dépositions... Allez-y et faites-le, et nous serons là si vous nous y obligez. Et puis, vous savez quoi ? Nous sommes au clair sur ce qui s'est réellement passé... Ce qui veut dire que chacun de nous est parti de son côté et nous n'avons pas... S'il vous plaît, laissez-moi terminer... Bon, je suppose qu'on peut dire ça, mais maintenant j'ai dépassé le stade de me soucier de quoi j'ai l'air... Non, ma femme non plus...

Exactement… Le Service de protection de l'enfance est déjà passé nous voir… Eh bien, j'ai eu la nette impression qu'on n'a pas de souci à se faire… Je regrette, monsieur Goller… Je crois que ce serait une injustice, monsieur Goller. Ce serait suprêmement injuste pour des raisons qui devraient être claires sans que j'aie à les expliquer… Je comprends bien que c'est la loi, oui… Il faut que j'y aille, monsieur Goller… Les gosses, vous savez, le dîner… Au revoir, monsieur Goller… Au revoir. »

Pour la première fois depuis la nuit où il l'avait poussée, Maureen autorisa son regard à se poser et à s'attarder sur son mari. Il était aussi épuisé qu'elle, mais entièrement dans le présent aussi, et ses yeux marron clair étaient comme des braises brûlant lentement et projetant la même lueur sereine que ceux d'une femme dans les jours qui suivent son accouchement. *Il est rare que des hommes aient cet air-là.* Scott avait subitement compris, on ne sait comment, qu'ils n'étaient plus à la merci de la machine mélodramatique des médias et du système de justice pénale. Cette prise de conscience l'avait frappé, devina Maureen, avec la soudaineté et l'intensité d'un eurêka, comme la solution à une énigme de programmation. *Ces procureurs et ces bureaucrates n'ont aucun pouvoir sur nous. Aucun. Parce que nous n'avons rien fait de mal. Nous sommes tout aussi innocents qu'Araceli. N'est-ce pas ?* De temps à autre, son mari arrivait à quelque chose de brillant comme ça, en modifiant sa manière de penser avec autant de facilité qu'il pouvait changer de posture physique ou déplacer ses pieds. La solution lui tombait alors dans les bras simplement parce qu'il était sorti de la boîte représentant le problème et qu'il l'avait considérée sous un tout autre éclairage. *C'est une chose qu'il peut faire, et pas moi.*

En le regardant, elle commença à voir que les sentiments simples et indéfinissables qui l'avaient attirée vers lui au début pourraient revenir.

« C'est terminé, maintenant ? demanda-t-elle.

— Je crois, oui.

— Vraiment ?

— Je ne pense pas qu'il nous rappellera.

— Dieu merci. »

Elle tenait encore la bombe jaune dont l'enveloppe de fer était décorée de dessins d'insectes et d'au moins mille mots de mise en garde en minuscules caractères.

Après être allée à plusieurs reprises dans des tribunaux, des commissariats et des prisons, Araceli avait fini par comprendre que les Américains associaient la justice à deux styles architecturaux principaux : les cubes de béton austères où les murs, les sols, les plafonds et les couloirs se fondent en une seule surface unie ; ou bien le confort familier de boiseries sombres qui suggèrent des forêts ombreuses pleines de mystère. Le nouveau tribunal annexe de Laguna Niguel comportait un peu des deux, et son atmosphère était aussi lourde que celle des autres tribunaux, bien qu'il y eût de vastes familles latinos dont les enfants étaient assis sur des bancs dans les couloirs et jouaient avec des petites voitures et des poupées. L'expression sur le visage des mères et des épouses disait : *C'est là que je dis adieu à mon* viejo. Adíos, pendejo, *et ouais, bien sûr, je m'occuperai des gosses, parce que, merde, qu'est-ce que je peux faire d'autre ?* C'était un lieu – Araceli le comprenait – où les damnés sortaient brièvement de leurs cachots pour se mêler à ceux qui n'étaient pas damnés. Voir dans leurs chaînes et leurs combinaisons de prisonnier des détenus qui étaient par ailleurs leur père et leur frère donnait le cafard à tous ceux qui se trouvaient autour d'eux. La morosité se peignait sur le visage des mères et des filles, sur celui des juges et des avocats, y compris sur ceux du procureur adjoint Arnold Chang et de Ruthy Bacalan dont les joues avaient perdu l'éclat de la grossesse et qui paraissait même plus vieille quand elle s'assit avec Araceli à la table placée devant le juge. Il y avait aussi de la tristesse dans l'effort douloureux qui se lisait sur les traits du premier témoin venu déposer lors de l'audience préliminaire, un policier qu'elle n'avait encore jamais vu.

Le shérif adjoint Ernie Suarez n'était pas en uniforme quand il prit place dans le box des témoins, mais il avait mis un jean et une chemisette en coton qui révélait sa musculature surdéveloppée. Il portait un petit anneau à l'oreille censé lui donner l'air masculin mais qui, pour Araceli, avait l'effet exactement contraire. Seul le badge sur sa ceinture indiquait qu'il faisait partie de la tribu des gardiens de la paix.

« Travaillez-vous actuellement ? lui demanda le substitut du procureur en guise d'introduction.

— Oui.

— Travaillez-vous aussi actuellement en tant que policier en civil ?

— Oui, monsieur.

— C'est quoi, un policier en civil ? » demanda Araceli à Ruthy en chuchotant. Ça lui semblait ne présager rien de bon.

« Je vous le dirai plus tard.

— Au moment de l'incident impliquant les enfants Torres-Thompson, vous étiez un agent chargé de patrouiller la zone de Laguna Rancho. Est-ce exact ?

— Oui. »

Guidé par les questions du ministère public, le shérif adjoint Suarez se mit à faire le récit de son arrivée au Paseo Linda Bonita, parla de l'état « d'égarement » dans lequel il avait trouvé Maureen et Scott, expliqua avoir fouillé leur maison pour trouver des indices de l'endroit où pouvaient se trouver leurs garçons, et dépeignit Maureen qui tournait en rond en tenant son bébé dans ses bras.

« La prévenue avait-elle laissé quelque message que ce soit aux parents ?

— Nous n'avons pas trouvé de mot ni de message, monsieur. Non.

— Les parents n'avaient donc aucune idée de l'endroit où se trouvaient leurs enfants ?

— C'est exact, monsieur. Et ils en étaient drôlement secoués. »

En écoutant le policier, Araceli perçut pour la première fois les événements qui s'étaient déroulés au Paseo Linda Bonita à travers le regard de Maureen et de Scott. Ses employeurs étaient complètement dépassés et paniqués dans cette maison bien rangée qu'elle leur avait laissée. *J'ai nettoyé l'évier avant de partir, mais je n'ai pas pensé à la chose la plus évidente : leur laisser un mot. C'est moi, autant qu'eux, qui suis à l'origine de ce bazar.*

À mesure que l'audience progressait, Araceli pouvait constater que le ministère public tissait une sombre histoire de préméditation à partir des actes naïfs et stupides qu'elle avait commis. Le procureur adjoint était un homme de petite taille qui portait des chaussures noires éraflées en forme de boîte et une cravate au nœud trop serré. Il se mit à bidouiller un ordinateur et un projecteur, puis il posa un écran dans le box des jurés qui était vide. Une image apparut sur l'écran, une vidéo issue d'une caméra de surveillance de la gare Union Station qui montrait Araceli, Brandon et Keenan vus de haut et de loin dans la zone d'attente. Les sols brillants reflétaient de manière aveuglante et étrange la lumière solaire de l'atrium, entourant Araceli et les garçons d'une lueur menaçante. Le substitut avait demandé à un inspecteur de confirmer l'origine de la vidéo et de raconter ce qu'on y voyait. « La prévenue entre dans le champ de la caméra à 13 h 45… On peut voir les victimes la suivre…

— Avez-vous été en mesure de vérifier si les deux garçons ont de la famille dans les environs de cette gare ?

— Autant que nous le sachions, ils n'ont aucun membre de leur famille à moins de cinquante kilomètres de la station. »

La vidéo montrait Araceli en train de tourner la tête dans diverses directions, cherchant où aller, tandis que les garçons examinaient les hauts plafonds au-dessus d'eux. L'Araceli de la vidéo sortait du champ de la caméra sans leur dire quoi que ce soit, et ils la suivaient. En regardant cette séquence, la Mexicaine vit ce que tous les autres y voyaient : une femme impatiente qui n'avait jamais voulu s'occuper des enfants, qui s'était précipitée hors de la maison sans laisser de mot parce qu'elle avait trop envie de s'en débarrasser. La vidéo la condamnait. *Est-ce que je suis vraiment aussi égoïste et méchante que ça ?* Mais comment avait-elle fait pour se laisser entraîner dans une situation aussi déplorable ? *Tu vas dans la mauvaise direction, ma petite ! Rentre à la maison et attends !* Pourquoi se trouvait-elle toujours à la merci des autres ? En voyant l'idiote qu'on projetait à l'écran, Araceli fut prise d'une rage impuissante qui lui disait de se lever et de crier en spanglish : *Je suis une* pendeja ! *Aller chercher le grand-père ?* ¡ Pendeja ! Mais elle ne dit rien et s'affala soudain sur sa chaise, croisa les bras et secoua la tête avec une violence silencieuse. « Qu'est-ce qui se passe ? » lui demanda Ruthy Bacalan. *Ils vont remettre en prison la femme de la vidéo, et puis ils la renverront chez elle avec des menottes en plastique autour des poignets parce que c'est une imbécile sans cœur.* Araceli lutta pour retenir les larmes qui lui montaient aux yeux ; elle ne pouvait pas laisser ces gens la voir pleurer. *Maintenant, je comprends pourquoi il y a toutes ces boîtes de mouchoirs en papier dans le tribunal.* Il y en avait une sur la table devant elle, une autre perchée sur la balustrade de la barre des témoins, et encore deux sur les sièges vides du box du jury. *Les gens viennent ici pour pleurer. Pour voir leurs folies projetées sur un écran et puis pour pleurer.*

Le substitut arrêta la vidéo, le shérif adjoint quitta la salle, et le témoin suivant entra.

L'inspecteur Blake, homme d'âge mûr pressé, traversa d'un pas énergique la partie de la salle réservée au public, se tint à la barre et répondit « Oui, je le jure » quand on lui fit prêter serment, puis il s'assit lourdement sur la chaise des témoins. On lui demanda aussitôt de rapporter le récit que Brandon avait fait de son voyage avec Araceli.

« Le quartier que ce garçon vous a décrit, commença le substitut. Diriez-vous qu'il une certaine ressemblance avec le quartier de l'intersection de South Broadway et de la 39e Rue ?

— Une certaine ressemblance, oui.

— Qu'est-ce que Brandon vous a dit sur cet endroit ?

— Qu'il était sale, crasseux. Qu'il y avait plein de gens qui allaient et venaient. Qu'il a entendu un homme hurler. Qu'il a dormi par terre à côté d'un enfant qui était un esclave, ou un orphelin, enfin quelque chose comme ça.

— Par terre à côté d'un orphelin ?

— Oui.

— Est-ce qu'il a dit qu'il a vu des gens avec des cicatrices au visage ?

— Oui. »

Quand le substitut eut terminé, Ruthy Bacalan se leva pour commencer son contre-interrogatoire. Elle portait sa version particulière d'une tenue d'été pour audience au tribunal : une veste blanche aux épaulettes bordées de galons dorés, un pantalon blanc ample et des sandales blanches – ses vêtements faisaient penser qu'elle était venue défendre une accusée traduite devant le capitaine d'un paquebot de luxe.

« De manière générale, pendant ces quelques soixante minutes que vous avez passées avec Brandon, vous a-t-il paru apeuré ? demanda-t-elle à l'inspecteur.

— Non.

— Ce qu'il avait vécu avec la prévenue semblait-il l'avoir intimidé ?

— Non, sans doute le contraire.

— Le contraire ?

— Ouais, il semblait éprouver beaucoup de plaisir à raconter son histoire. Tout ça, c'était un peu, disons, fantastique, pour lui. Le mot juste serait "magique", je suppose.

— Et cette histoire, dans quelle mesure avez-vous pu la vérifier ?

— Pardon ?

— Est-ce que vous avez tenté de découvrir jusqu'à quel point ce que racontait Brandon était vrai ? Par exemple, avez-vous trouvé des gens qui avaient l'air d'avoir traversé une guerre comme, entre guillemets, les "réfugiés" que Brandon a mentionnés ?

— Vous voulez savoir si on a trouvé les réfugiés de guerre dont Brandon nous a parlé ?

— Oui.

— Non. » Pour la première fois, l'inspecteur laissa tomber ses défenses et se fendit d'un large sourire. « Je sais pas où on aurait dû les chercher.

— Brandon a aussi parlé d'un voyage dans le temps. En train.

— Oui.

— Est-ce que vous avez pu vérifier ça ?

— On a laissé tomber l'affaire du voyage dans le temps, madame. »

Depuis sa chaise, Araceli sentit l'atmosphère de la salle d'audience s'alléger, devenir moins sérieuse. Le juge leva les yeux au ciel – deux fois ! *Ma Ruthy est en train de gagner !* Le substitut commençait à avoir l'air malade, il agrippait des deux mains la table devant lui comme si le bâtiment se déplaçait très lentement et comme si le plancher de la salle flottait soudain et qu'il ait été ballotté par une mer houleuse. « Brandon a dit que son frère, je cite, "tenait du feu dans ses mains". Avez-vous trouvé des brûlures sur les mains de Keenan Torres-Thompson ?

— Non, madame.

— Est-ce que vous avez trouvé des feux qui brûlaient sous la surface de la terre ?

— Pardon ?

— C'est dans sa déclaration. Brandon dit qu'il a vu un feu qui brûlait dans la terre.

— Apparemment, on a fait cuire un cochon. Dans la cour de la maison de Huntington Park.

— Et qu'en est-il du super-héros, le dénommé – je cite – M. Ray Forma ?

— Nous avons pu déterminer avec un taux de certitude élevé que personne n'a aperçu ce monsieur. »

Sur le banc, le juge eut un sourire narquois et perplexe qui s'accordait bien avec celui qui apparaissait sur le visage de l'inspecteur.

« Je n'ai pas d'autre question, Votre Honneur. »

Aux oreilles d'Araceli, « Ray Forma » avait tout d'un nom de scène. Elle avait connu un étudiant, à l'école des beaux-arts, qui travaillait en tant que clown dans des fêtes d'enfants et qui se faisait appeler Re-Gacho. Ce « Vraiment Nul » était un clown typique de Mexico qui amusait les gens autant qu'il les dérangeait, qui harcelait les mères avec des expressions à double sens que leurs enfants ne comprenaient pas. Oui, Re-Gacho irait parfaitement dans cette salle de tribunal où même l'huissier avait l'air reconnaissant d'avoir connu la brève légèreté des super-héros et des machines à remonter le temps à la fin d'une journée qu'il avait péniblement passée à satisfaire au rôle. Couvrez le chêne de serpentins rouges et jaunes, sortez les ballons et affublez le juge d'un chapeau haut de forme. *Qué divertido.*

« Je n'appelle plus de témoins, Votre Honneur », déclara le substitut. Ces mots réveillèrent le visage du juge, y firent passer une étincelle d'étonnement. C'était un homme au teint cireux, un peu chauve, avec une frange de cheveux blancs : jusqu'à cet instant, il avait conservé une égalité d'humeur délibérée et une certaine amabilité. Il contempla un instant le substitut assis devant lui, puis son visage se déforma en une grimace de désapprobation, comme si les portes de sortie d'un théâtre plongé dans le noir s'étaient soudain ouvertes pour interrompre un mauvais film et exposer aux regards de tous les travées collantes, parsemées de détritus.

« C'est tout ?

— Oui, Votre Honneur.

— Madame Bacalan, je vois que vous avez encore un témoin, dit le juge après un silence. Serait-il ici, par hasard ?

— Non, Votre Honneur. Je ne m'attendais pas à ce que le ministère public coupe court à sa liste de témoins.

— Bien. Dans ce cas, demain matin à neuf heures ?

— Oui, Votre Honneur », répondirent à l'unisson Ruthy et le substitut.

Assis au dernier rang de la partie de la salle réservée au public, les jambes croisées, le procureur adjoint Ian Goller fusillait du regard

Madame Bizarre, cette Mexicaine qui aurait pu lui rendre la vie plus facile en faisant le choix de la raison, c'est-à-dire en acceptant l'accord proposé. Très soucieux d'éviter une défaite, Goller avait rassemblé toute une troupe d'avocats et d'inspecteurs qui devaient se consacrer à maintenir en vie la machinerie de l'affaire AB5387516 en attendant qu'il parvienne à forcer cette femme rétive à accepter l'inévitable. Mais quand il vit la prévenue quitter la salle d'audience derrière son avocate, Ian Goller comprit qu'elle n'allait pas céder. Araceli Ramírez était une femme de nationalité mexicaine qui semblait n'avoir aucun autre atout que son grand dévouement au travail et qui vivait sans se rendre compte de sa relative impuissance par rapport à n'importe quel Américain de naissance résidant dans le comté d'Orange. Alors qu'elle n'était pas propriétaire, n'avait pas de numéro de Sécurité sociale ni de dossier de crédit, elle passa devant lui comme une impératrice exilée, vêtue de jean et de tennis, parce qu'elle habitait une autre réalité où l'on parlait espagnol et où ces choses-là n'avaient pas d'importance, un monde où les gens étaient heureux de connaître les plaisirs plébéiens des orgues de Barbarie et des pick-up. Le procureur adjoint savait, d'ailleurs, qu'un pick-up et son conducteur attendaient la prévenue sur le parking. Goller avait reçu cette information par l'inspecteur qu'il avait désigné pour suivre les déplacements d'Araceli – un détournement monumental de ressources déjà maigres –, mais le procureur adjoint venait seulement de comprendre quel tour malsain avait pris son obsession pour cette affaire. Vouloir gagner pouvait-il devenir une mauvaise chose quand le côté qu'on défendait s'appelait le *peuple* ? Il voulait que cette femme adopte le calcul rationnel qui serait celui d'un criminel américain écrasé, mais, évidemment, elle refusait. Ce qu'il avait appris avec les Mexicains qui avaient croisé son chemin, c'était qu'ils s'attendaient au pire et qu'ils devenaient impossibles à manœuvrer dès qu'ils se mettaient en tête que la proposition de compromis avancée par le procureur n'était qu'un stratagème d'escroc anglophone. En réfléchissant à tout cela, Ian Goller commença à déprimer parce que, dans cette affaire, le chemin vers la victoire passait nécessairement par la capitulation d'Araceli.

Peut-être devrait-il aller affronter les vagues, cajoler cette eau mouvante aux formes changeantes qui a le pouvoir de soulever un homme et de le faire voler.

Le procureur adjoint Ian Goller était sur le parking ; il venait d'ouvrir le coffre de sa voiture et s'était assuré de la présence de sa combinaison de surf et de sa mini-planche quand le bip de son téléphone lui annonça un nouveau SMS : son inspecteur suivait la prévenue à la sortie du parking et voulait savoir s'il devait poursuivre la filature.

Non, répondit le procureur adjoint dans un message.

À présent, il voyait *Le Peuple de Californie contre Araceli N. Ramírez* avec plus de clarté. Il était inhabituel d'être gêné, à ce stade relativement tardif, par tant de faits négatifs : les parents pris dans des contradictions et des traces écrites de leurs mensonges, le fils aîné et ses élucubrations fantastiques. Au nom de l'efficacité, on envoyait d'habitude à la poubelle les affaires telles que celle-ci, impossibles à gagner. Et pourtant, la marche de la logique institutionnelle était toujours là, la probabilité écrasante qui voulait que le juge décide qu'il y aurait procès, ce qui ajoutait le passage du temps à l'équation. Quatre mois au moins s'écouleraient avant le début du procès : ce genre de délai opérait souvent des miracles, car il faisait jouer le penchant des prévenus à bousiller leur propre vie. La prévenue risquait ainsi de commettre une autre infraction alors qu'elle était en liberté sous caution, ce qui permettrait de l'arrêter pour un autre motif sans rapport avec celui-ci. Ou bien le ministère public parviendrait à obtenir son compromis. Si rien de tout cela ne se produisait, il y aurait toujours un autre immigrant à arrêter et à juger dans une nouvelle affaire à fort retentissement médiatique – un jour ou l'autre, inévitablement. Les chiffres suggéraient que ça se produirait sous peu, même si l'on avait du mal à imaginer une affaire aussi parfaite, avec autant de potentiel, que celle de deux beaux petits garçons enlevés par leur nounou mexicaine, une femme vraiment sans humour.

Ian Goller avait refermé le coffre et se demandait quelle était la meilleure route à suivre pour rejoindre la mer quand son téléphone crépita de nouveau pour annoncer un nouvel SMS.

Araceli n'avait pas remarqué le procureur adjoint lorsqu'elle avait quitté la salle d'audience pour arriver dans un hall plein de gens portant des vêtements de fin d'été très amples. Elle marchait, un pas derrière Ruthy Bacalan qui, elle, parlait dans son téléphone portable. Elles s'engagèrent dans un long couloir où un homme et une femme se dirigeaient vers elle, mais à reculons, en leur montrant leur dos et leurs talons. Au bout d'un moment, Araceli se rendit compte qu'il s'agissait de deux photographes qui avaient braqué leurs objectifs sur un sujet et qui reculaient à mesure que ledit sujet arrivait vers eux, comme si se déplacer à reculons était la chose la plus naturelle du monde.

Les photographes aux pieds adroits dansèrent en reculant pour éviter Araceli et Ruthy, et soudain les deux femmes se trouvèrent seules face au sujet, un homme aux yeux de saphir, au teint clair rehaussé par le soleil, et aux cheveux comme un champ de blé qu'on aurait cru sorti de la palette de Van Gogh par un matin que le peintre aurait trouvé particulièrement ensoleillé. C'était une star de cinéma de tout premier plan, reconnu et adulé dans le monde entier, qui se trouvait au tribunal pour témoigner au procès d'un paparazzi gênant dont il savourait les ennuis judiciaires. En voyant cet acteur plus que célèbre, Ruthy Bacalan et Araceli s'arrêtèrent toutes les deux au milieu du couloir pour l'admirer. Brusquement, il repéra Araceli et s'arrêta.

« Hé, je vous connais », dit-il à Araceli. Il tendit le bras, lui serra la main et ajouta : « J'ai suivi votre affaire.

— *¿ De veras ?*

— Oui, je l'ai suivie. » Il eut un sourire spectaculaire avant de poursuivre : « Et je veux juste vous dire bonne chance, *señorita* », d'une voix qui ressemblait à une imitation consciente de James Stewart ou de Cary Grant ou d'une autre star d'une époque révolue, et en un clin d'œil il s'évapora lui aussi, se dirigeant vers le Département 186B pour assister à la condamnation d'un homme qui arrêterait ainsi de pourchasser les riches et célèbres personnalités de Laguna Beach, de Brentwood et de Bel Air.

« Waouh, fit Ruthy en portant une main à sa poitrine.

— *Sí*, waouh », dit Araceli en signe d'approbation.

Il les avait laissées en transe, mais elles suivirent le couloir jusqu'à la grande porte et sortirent sur la place en béton dans tout son éclat entrecoupé de longues ombres. Aucun des journalistes debout au milieu de la place n'avait remarqué qu'Araceli arrivait parmi eux. Ils étaient cinq à former un demi-cercle et à discuter en contemplant les rectangles noirs qu'ils tenaient dans leurs mains levées, de la même façon que Hamlet tenait le crâne de son pauvre ami Yorick, et, avec leur pouce, ils convoquaient les dernières nouvelles concernant une tragédie. On sortait le corps d'une petite fille d'une valise tirée du lac, la belle-mère de la fillette avait été arrêtée et Ian Goller faisait route à toute vitesse vers la scène du crime. Les journalistes se demandaient tous où on allait les expédier maintenant, parce que c'était un de ces moments où on envoie tout le monde sur le pont, mais comme Araceli ne savait rien de tout cela, elle supposa qu'ils en avaient simplement assez d'elle, et elle s'accorda un moment pour mesurer leur inconstance et se dire qu'ils n'arrivaient vraiment pas à se concentrer bien longtemps. Aucun d'entre eux n'était venu dans la salle du Département 181 pour voir Ruthy, dans son costume nautique blanc, démolir les arguments du procureur.

Araceli quitta son avocate et se dirigea vers le parking où Felipe l'attendait. Il avait passé là quatre heures à attendre, assis dans la cabine de son pick-up, et, muni d'un bloc de papier et d'un crayon, il avait dessiné. Il jeta le bloc à l'arrière de la cabine dès qu'Araceli s'approcha. Alors qu'ils rentraient à Santa Ana, elle lui raconta comment Ruthy avait mis à mal l'accusation, et quand ils arrivèrent à la maison des Covarrubias il l'accompagna jusqu'à la porte d'entrée et lui dit au revoir de manière très chaste, comme s'il retenait d'autres sentiments plus profonds qu'il avait envie d'exprimer mais qu'il avait peur de mettre en mots. Quelque chose était maintenant suspendu entre eux, prêt à survenir, et Araceli se demanda s'il permettrait à cette chose de se produire.

« *¿ Mañana ?* À la même heure ? demanda-t-il.

— Oui, mais seulement si tu en as envie.

— Oui, j'en ai vraiment envie. Je n'ai pas de travail pour l'instant – les choses se ralentissent. Mais même si j'avais du travail, je serais ici, *porque es importante.*

— *Hasta mañana entonces.*

— *Hasta mañana.* »

C'est un au revoir trop formel, trop poli, plein de désirs informulés, comme dans nos villages, se dit Araceli, et elle chercha la main de Felipe. Leurs doigts demeurèrent ensemble assez longtemps pour qu'elle remplisse très lentement ses poumons d'air et le rejette tout aussi lentement, et, en cet instant, la jeune femme sentit infiniment plus d'électricité lui traverser la peau que lorsque la star de cinéma ultra-célèbre avait touché cette même main.

26

LE MATIN DU DEUXIÈME JOUR où Araceli comparaissait au tribunal, la grande foule des manifestants avait disparu des marches du palais de justice. À leur place se tenait la seule Janet Bryson qui fouillait du regard la rue et le parking à la recherche des amis qu'elle s'était faits la veille. D'abord étonnée par leur absence, elle fut finalement déçue par leur manque de détermination. « Ils avaient promis qu'ils seraient là », se dit-elle à haute voix, et quand la prévenue dans l'affaire *Le Peuple de Californie contre Araceli N. Ramírez* apparut au bas de l'escalier en compagnie d'un autre Mexicain, Janet Bryson s'en aperçut à peine, tellement elle était contrariée par le manque de ponctualité et de consistance de ses concitoyens de Californie. *Que font-ils donc de si important qu'ils ne puissent pas venir ? Qu'est-ce qui passe à la télé de tellement fascinant ? Quelles excuses du genre problèmes de circulation vont-ils inventer ?* Araceli gravit les marches avec Felipe sans voir Janet Bryson. La femme qui avait hurlé la veille venait de disparaître à l'arrière-plan, pour Araceli, parce qu'au bas de l'escalier Felipe lui avait pris la main.

Il avait brusquement, instinctivement, entrelacé ses doigts avec ceux d'Araceli car il avait été soulevé par une vague d'émotion en conduisant sa nouvelle amie dans un tribunal qu'il imaginait comme un lieu où les gens disparaissaient sans retour. Les autorités avaient le pouvoir d'enlever Araceli et de l'envoyer dans une prison au cœur du désert, dans des vallées lointaines où rendre visite à un père ou à un frère incarcéré exigeait des expéditions sur des routes impossibles, des voyages qu'on pensait pouvoir adoucir par une glace pour les gosses dans un Burger King sur le chemin du retour. Felipe avait dû affronter ce genre de voyage pour aller voir son frère aîné – qui était encore en prison treize ans plus tard –, et quand il prit la main d'Araceli, c'était autant pour chercher du réconfort que pour en prodiguer. Il savait que c'était quelqu'un de spécial et de brillant dont la liberté et l'avenir étaient menacés. Ils gravirent l'escalier main dans la main pendant vingt-quatre marches, puis pendant les trente-huit pas qui les séparaient de la porte et du détecteur de métaux. Là, il la lâcha et lui permit d'entrer seule dans le bâtiment, en disant : « *Te espero en el* parking, comme hier. »

À l'intérieur de la salle d'audience lambrissée, la séance démarra quand Ruthy Bacalan se leva et déclara : « Votre Honneur, nous appelons Salomón Luján. » Le conseiller municipal de Huntington Park entra dans la salle. Il avait un jean noir et une épaisse ceinture de cuir dont la boucle en bronze portait les initiales SL. Sa concession aux formalités du tribunal consistait en une chemise écossaise bien repassée aux boutons de nacre et en bottes si bien cirées qu'elles ressemblaient à la surface de la table en chêne du Paseo Linda Bonita. À la barre, il parla de l'appel téléphonique qui avait amené Araceli Ramírez chez lui, et il décrivit l'arrivée de la prévenue et des deux enfants dont elle avait la charge. « Elle m'a dit qu'elle cherchait leur grand-père, expliqua-t-il dans un anglais avec peu d'accent espagnol. Parce que la mère et le père l'avaient abandonnée dans la maison, seule avec deux *gringuitos*.

— Avec deux quoi ? l'interrompit le juge.

— Excusez-moi. Avec deux petits Américains.

— Et ces enfants, demanda vite Ruthy, quand vous les avez vus, est-ce qu'ils vous ont semblé bien traités ?

— Oui. Ils paraissaient un peu fatigués. Mais cette dame, Araceli, s'en occupait. Ils avaient des cheveux longs, mais elle leur disait de les peigner. Elle s'occupait d'eux, oui. » Après avoir demandé à Luján de décrire dans quelles circonstances Brandon, Keenan et Araceli avaient dormi tous les trois dans la chambre de sa fille – « celle qui fait ses études à Princeton, est-ce bien cela ? » – et avoir eu confirmation par Luján qu'il faisait bien partie du conseil municipal de Huntington Park, Ruthy passa au moment où Araceli s'était enfuie seule de chez lui.

« Vous a-t-elle dit pourquoi elle partait ?

— Oui, à cause des services de l'immigration.

— Elle avait peur parce qu'elle pensait qu'elle risquait d'être mise en détention à cause de son statut d'immigrante ?

— Oui.

— Et quand elle est partie, a-t-elle laissé les enfants sous votre garde ?

— Oui. Elle pouvait voir, à la télévision, que leur père et leur mère étaient rentrés chez eux. Elle n'était donc plus obligée de s'occuper d'eux.

— Et vous les avez gardés jusqu'à ce que la police arrive ?

— Oui.

— Rien d'autre, Votre Honneur. »

Arnold Chang déclara ne pas avoir de question pour le conseiller municipal – le substitut semblait être aussi pressé de quitter la salle qu'Araceli.

« La défense n'appelle pas d'autres témoins, Votre Honneur, dit Ruthy.

— D'autres éléments de défense ou des requêtes ? voulut savoir le juge.

— Requête en vue de classer l'affaire pour insuffisance de preuves, dit l'avocate. Je souhaiterais que la cour veuille m'entendre.

— Allez-y. »

Araceli regarda et écouta Ruthy qui, après s'être de nouveau levée, se lança dans un monologue inspiré qu'elle adressa au juge et, avec parfois un regard en coin, au substitut. « Le fait d'accuser la seule adulte de la maisonnée qui ait agi de manière responsable nous apparaît comme un abus du pouvoir de poursuivre », commença Ruthy. Elle soutenait parfois son ventre avec sa main en parlant, et elle se pencha une ou deux fois sur la balustrade en décrivant comment Araceli avait tenté de trouver un lieu sûr pour les enfants, d'abord chez leur grand-père, puis à Huntington Park dans « une maison traditionnelle où vit une famille respectable ». « Manifestement, conclut-elle, ce sont là les actes d'une adulte qui a pris la responsabilité de s'occuper sérieusement de deux enfants. » Quand elle eut fini, elle se laissa choir sur sa chaise, et tous les hommes dans la salle en parurent soulagés, car ils craignaient qu'elle commence à avoir des contractions si elle continuait à parler.

« Et le Peuple ? » demanda le juge.

Arnold Chang se leva alors et se mit à employer les mêmes termes juridiques que Ruthy, mais d'un ton dédaigneux, comme s'il renvoyait des balles de tennis par-dessus le filet. « Les faits apportés comme preuves établissent la vulnérabilité qui est au cœur de la loi sur la mise en danger », déclara-t-il, et Araceli fronça les sourcils dans sa direction parce que, malgré son anglais abstrait et compliqué, le sens de ce qu'il avançait apparaissait clairement dans l'énervement et la tension qu'on lisait sur son front et dans sa façon de tendre le bras vers Araceli pour faire ses remarques. « La vulnérabilité n'implique pas forcément une menace physique immédiate mais peut provenir d'une menace émotionnelle qui plane sur le psychisme des victimes. Le Peuple maintient que le caractère pernicieux d'une expédition entreprise par la prévenue avec les deux enfants mineurs dans une zone de dangers physiques persistants – le tout à la suite de mauvaises décisions prises par la prévenue – entre dans le domaine d'application de cette loi. »

Quand le substitut eut terminé et regagné son siège, le juge se cala dans les coussins de son fauteuil pivotant et déclara : « Bon, alors. » Araceli comprit que c'était maintenant lui qui allait décider la prochaine étape de son voyage dans ces bâtiments et leurs pièces en béton et en panneaux de bois. Il se frotta vigoureusement la tête de ses deux mains comme s'il accomplissait quelque rituel judiciaire bizarre, puis fixa l'horloge murale. Il regarda l'aiguille des secondes avancer dans son mouvement circulaire jusqu'à ce qu'elle arrive au six en bas et, là, se mette à remonter vers le douze. Ce qui poussa Araceli à se demander s'il examinait le cadran et l'étudiait pour en tirer un message que lui seul pouvait percevoir. Finalement, il se tourna vers les avocats.

« Je vais vous accorder votre requête, madame Bacalan. »

Cette brève déclaration fut suivie d'un long silence dont Araceli ne saisit pas bien les contours parce qu'elle ne savait pas ce que signifiait le mot « requête », dans ce contexte. Le substitut se redressa sur son fauteuil comme s'il se préparait à se lancer dans de nouveaux arguments tandis que Ruthy se penchait en arrière sur sa chaise et faisait tourner vivement son stylo entre ses doigts.

S'adressant au substitut, le juge déclara : « Vous êtes très loin de présenter des preuves qui emportent la conviction.

— Je me permettrai, respectueusement, d'avoir un avis différent, Votre Honneur.

— Eh bien, si vous en avez envie, vous pouvez toujours vous pourvoir en appel, monsieur le substitut. Si vous estimez que ça en vaut la peine. Ce tribunal-ci a rendu sa décision.

— Votre Honneur, avant que vous ne leviez la séance, lança Arnold Chang, il y a aussi le sujet du statut de la prévenue au regard de la législation sur l'immigration.

— Pardon ? » répliqua sèchement le juge. Il se pencha en avant et jeta un regard exaspéré au substitut.

« Objection ! » lança Ruthy, crachant presque le mot alors qu'elle se levait rapidement.

D'un geste, le juge lui demanda de s'asseoir, puis, se penchant en arrière dans son grand fauteuil rembourré, il joignit les mains devant son visage comme s'il se mettait à prier. « Monsieur le substitut, dit-il, il y a deux choses. D'abord, mon registre de jugements à rendre, là, est plutôt chargé. Je n'ai malheureusement pas le loisir de prendre une heure, ou même un quart d'heure, à discuter de choses étrangères à l'affaire en cours. Ensuite, chose encore plus pertinente, vous voyez ce grand sceau de bronze qui trône derrière moi, un peu au-dessus ? Vous le voyez ?

— Oui, Votre Honneur.

— On y voit la baie de San Francisco et une femme qui tient une lance. On y lit "État de Californie". Y a-t-il une loi sur l'immigration, dans le code de Californie, que vous souhaitiez me voir appliquer, monsieur le substitut ?

— Non, Votre Honneur.

— Affaire classée, déclara le juge. Madame Ramírez, vous êtes libre de partir. » Il donna un coup de marteau qui résonna d'un clac-clac étrange, puis se leva et se retira en emportant une tasse de café vide qu'il comptait remplir avant de revenir dans la salle pour l'audience suivante.

Ils gravirent un escalier très large en granit usé par les intempéries pour entrer dans la maison ouverte. Une famille de cinq : Maureen tenait Samantha par la main tandis que la petite fille levait haut les jambes pour passer chaque marche ; Brandon, Keenan et leur père venaient ensuite. Maureen s'arrêta dans son ascension pour regarder avec convoitise les fenêtres de style Prairie, inspirées de Frank Lloyd-Wright, dont chacune présentait un agencement géométrique, agréable à l'œil, de neuf rectangles séparés par de fines baguettes de bois. C'étaient des fenêtres américaines authentiquement anciennes, comme l'étaient les piliers en pierre de rivière qui soutenaient les chevrons de la véranda à l'avant de la maison, et comme l'étaient aussi les parquets cirés du salon dont le miroir marron accueillit la famille Torres-Thompson quand elle franchit la porte d'entrée.

« C'est beau », dit Scott.

Parmi toutes les maisons de style American Craftsman qu'ils avaient vues à South Pasadena, celle-ci était un pur joyau. Elle n'était pas aussi vaste que d'autres, mais c'était la mieux conservée, et elle séduisit Maureen par ses avant-toits triangulaires, par la solidité de ses chevrons apparents, ces longues poutres au-dessus du salon qui dépassaient sur la véranda, à l'extérieur. C'était une construction trapue d'un étage et demi, perchée à mi-hauteur d'une légère montée au-dessus du lit cimenté de l'Arroyo Seco.

Les garçons traversèrent le salon en courant vers l'escalier et montèrent jusqu'aux deux pièces du premier étage blotti sous les plafonds qui étaient inclinés à cause du toit en pente. Les planchers craquaient et gémissaient sous chacun de leurs pas. « On dirait un nid d'aigle, ici », déclara Brandon, et, se mettant à plat ventre, il regarda par une fenêtre dont le châssis commençait à quinze centimètres seulement du plancher. Il passa le voisinage en revue, le feuillage ondulant des sycomores et des chênes, les fruits verts tachetés d'un noyer noir, les ombres et les rayons de lumière qui traversaient feuilles et rameaux pour moucheter le trottoir, et il se souvint d'un roman qu'il avait lu longtemps auparavant où apparaissaient de minuscules créatures parlantes qui vivaient dans la forêt.

En bas, dans le salon, Maureen allait et venait sur les parquets qui résonnaient, et elle se disait qu'elle aimait beaucoup la simplicité et le côté direct du style American Craftsman qui épouse les valeurs d'ouverture et de retenue caractéristiques du début du XXe siècle américain. La lumière du soleil et la brise traversaient à toute vitesse ces espaces ouverts, et cela lui paraissait familier, un peu comme le Midwest. Cette maison incarnait la nouvelle personne qu'elle voulait devenir, et Maureen prit comme un bon présage le fait que dans cette affaire, contrairement à toutes les autres, l'agent immobilier n'avait pas marqué un temps d'arrêt quand il avait vu cette famille tristement célèbre du comté d'Orange arriver devant sa porte.

« Elle date de 1919, déclara Scott en lisant la note descriptive alors qu'il gravissait l'escalier derrière Maureen. La plomberie ne doit pas être fantastique.

— On se fiche de la plomberie », dit Maureen. *Nous cherchons un recommencement et ce ne sont pas de vieux tuyaux qui vont nous arrêter.*

Elle retourna dans la véranda et admira la rue, avec ses grands chênes et ses jacarandas dénudés au milieu d'une mare de fleurs violettes. C'était une version de l'Amérique d'autrefois, celle de Main Street USA[1] et du Music Man[2]. Elle songea : *Il n'y manque que les tramways. C'est le genre de rue dans laquelle les garçons peuvent même faire du vélo.* Il n'y avait pas de murs séparant ce quartier du reste de la ville, et pas de barreaux aux fenêtres non plus, rien qui donnait à croire que les résidents puissent vivre dans la peur. *C'est ainsi que ça devrait être.* Certes, l'air était calme et sale, ici ; la brise de mer lui manquerait, maintenant qu'elle allait vivre à l'intérieur des terres. Elle perdait la maison californienne de ses rêves – en réalité, elle en avait été chassée, mais peut-être cela valait-il mieux. *J'ai payé ma vue sur l'océan par un terrible isolement, là-haut sur cette colline, dans ce quartier insulaire et fermé.*

« Rien que cent soixante-seize mètres carrés, dit Scott. Est-ce qu'on va arriver à tenir ?

— C'est le but, dit Maureen. De faire plus avec moins. »

Scott examina le prix demandé. Il dépassait tout juste le premier numéro à sept chiffres, et c'était encore plus que ce qu'il avait déboursé pour la maison du Paseo Linda Bonita cinq ans plus tôt. *Alors, je paierais plus pour moins de maison et pas de vue du tout sur l'océan ?* Cela n'avait de sens qu'à cause de l'excellence supposée des écoles publiques et du fait que la maison était assez petite pour qu'ils se passent d'une Mexicaine à demeure.

« Et si nous proposons un petit peu moins ? demanda Scott à l'agent immobilier, un homme aux cheveux très lisses et à la peau rose qui arrivait alors au sommet de l'escalier.

— Il se peut qu'ils acceptent. Vous avez de la chance ; c'est un bon moment pour acheter. Les prix se sont tassés depuis à peu près un mois.

---

1. « Main Street USA » est une reconstitution d'une petite ville américaine typique du début du XXe siècle qu'on peut voir à Disneyland.

2. *The Music Man* est une comédie musicale américaine produite en 1957.

— Vous croyez qu'ils vont se mettre à baisser ?

— Non. Ça ne risque pas ».

Au premier étage, Brandon était resté à plat ventre, et il regardait toujours par la fenêtre, un peu déçu que ce nouveau paysage ne déclenche pas de grande vision et ne le lance pas vers une quelconque aventure. Et puis une fille de douze ou treize ans apparut en bas. De son perchoir, il la regarda passer devant la maison : ses mains repliées contre sa poitrine tenaient un livre, une longue natte noire se balançait sur sa nuque, et elle avançait en douceur d'un pas lent et féminin sur les dalles du trottoir. La vue de cette fille provoqua au creux de son estomac une sensation qu'il ne connaissait pas. *Quelle jolie fille !* Il oublia aussitôt ses créatures des forêts et tout ce qui se trouvait dans la rue jusqu'à ce que l'adolescente disparaisse de son champ de vision. Et, durant l'heure qui suivit, il ne pensa à aucun des livres qu'il lisait, pas plus à Holden Caulfield qu'au dragon d'Eragon, et, au lieu de cela, il forma secrètement le vœu d'emménager dans cette maison pour qu'il puisse la voir encore et peut-être même lui parler.

Maureen sortit par la porte de derrière et descendit l'escalier avec Samantha, puis elle laissa la petite fille se promener sur la pelouse de fétuque. Il n'y avait pas de piscine ni assez de place pour en mettre une. Bien. C'était mieux comme ça. La cour n'était pas séparée de celle des voisins par de hauts murs, comme dans le domaine de Laguna Rancho, mais par une clôture en piquets de bois qui n'était guère plus grande que Samantha. Debout devant la porte de la cuisine qui donnait vers l'extérieur, Maureen avait une vue directe sur la propriété voisine, une autre maison de style Craftsman. Elle y vit une femme portant un grand chapeau de paille qui, munie d'un sarcloir, se penchait sur une rangée de plantes. Un jardin occupait la plus grande partie de la cour, chez cette femme ; il était rempli de courges vert émeraude, de tournesols qui montaient vers le ciel et de pieds de maïs qui auraient bientôt la taille d'un homme et qui, tous, semblaient aussi solides et raides que des arbres.

« Bonjour, lança la femme.

— Bonjour, répondit Maureen.

— C'est une maison formidable.

— Oui, elle est adorable.

— Vous allez l'acheter ?

— On y réfléchit. »

La femme eut un sourire. Elle se redressa et saisit une boîte. Elle vint jusqu'à la clôture et souleva la boîte pour en montrer le contenu : une dizaine de boules rouges grandes comme des mandarines. Maureen traversa le gazon pour aller voir, et la femme se servit de sa main protégée par un gant pour enlever quelques petits bouts de terre, puis elle tendit une tomate à Maureen.

« Elles sont superbes.

— J'en ai trop, c'est à peine croyable. Je vais donner celles-ci à une de mes amies.

— Vous avez fait pousser tout ça ?

— C'est ma récolte d'été. Des tomates cerises noires, plantées en avril. C'est une variété ancienne, non commercialisée. Culture biologique.

— Biologique, répéta Maureen, et elle pensa que ce mot avait un son délicieux qui correspondait à sa signification – proximité avec la nature, pureté, simplicité.

— Vous jardinez ? » lui demanda la voisine.

Maureen ouvrit la bouche pour dire non, puis oui, mais elle bredouilla et ne dit ni l'un ni l'autre.

À la fin, elle demanda : « C'est dur d'apprendre ? »

« Ça n'arrive pratiquement jamais, vous savez, dit Ruthy. Mais de temps à autre nous avons un de ces tout petits miracles. Je suppose que c'est pour cela que je n'ai pas encore laissé tomber.

— *¿ Se acabó todo ?* » demanda Araceli. Elles étaient seules, devant la salle d'audience, et Araceli était encore désorientée. Un instant, elle était une femme qui avait encore sur la peau les ligatures de la jurisprudence américaine et, l'instant suivant, elle avait toute liberté de quitter le tribunal et de voyager de nouveau à travers ce continent. Le juge avait décidé que l'État avait tort. Mais un juge en avait-il le droit ?

« Oui, c'est terminé, dit Ruthy. L'affaire a été classée sans suite. Il n'y a plus d'accusations contre vous. Comme vous l'a dit le juge, vous êtes libre d'aller où vous voulez. *Se puede ir.* D'ailleurs, vous feriez bien de partir tout de suite, de ne pas traîner par ici. Parce que le bureau du procureur est devenu totalement fou. Le substitut voulait que le juge vous garde en détention pour les services d'immigration, ce qui est totalement hors sujet. C'est assez stupéfiant d'entendre un procureur de comté demander une telle chose lors d'une audience publique. Vous avez vu comment le juge s'est mis en colère ? Donc, ne retournez même pas à votre adresse de Santa Ana. C'est là que les gens de l'ICE viendront vous chercher en priorité – parce qu'il doit être en train de téléphoner à l'immigration, à l'heure qu'il est.

— Merci. Merci beaucoup pour tout », dit Araceli en posant ses mains sur les épaules de Ruthy comme si elle voulait l'empêcher de vaciller. Elle lui dit au revoir en lui donnant un baiser sur la joue comme on le fait à Mexico, et elle partit seule le long du couloir puis jeta un dernier coup d'œil à la silhouette ronde de Ruthy qui tournait de l'autre côté et à sa main qui reposait sur le flanc de colline rebondi que formait son ventre. Elle marcha d'un pas vif jusqu'au parking où elle apprendrait la bonne nouvelle à Felipe et réfléchirait à quoi faire ensuite. Juste à l'extérieur de l'entrée en verre du tribunal, derrière les cordons en nylon qui interdisaient l'accès à un carré de béton désormais sans photographes, Araceli passa devant Janet Bryson qui était debout, seule, avec une banderole enroulée qu'elle n'avait déployée que brièvement sur les marches du tribunal.

« Ils la laissent partir ? dit Janet Bryson qui venait d'entendre la nouvelle quelques secondes auparavant de la bouche du substitut qui s'en allait. Où sont les médias ? Où est la vague d'indignation ? »

Araceli passa ensuite devant Giovanni Lozano qui tenait encore l'affiche-portrait d'Araceli mais la laissait pendre à l'envers. « Ils vous laissent partir ?

— *Sí*, répondit Araceli en haletant. *¡ Me voy !* » Elle pressa le pas autant qu'elle le pouvait sans se mettre à courir, mais le souvenir du sprint qu'elle avait raté en partant de Huntington Park restait vivant dans ses cuisses, et dans sa poitrine battait le tam-tam de la panique. *Ne cours pas, ça t'attirera des ennuis, mais bouge vite,* mujer, *parce qu'ils risquent de t'attraper d'un moment à l'autre.* Les agents de l'ICE portaient soit des uniformes vert forêt, soit des blousons coupe-vent bleu marine, et elle scruta le chemin menant au parking pour voir s'ils étaient là. La veille, un homme les avait suivis depuis le tribunal, dans une voiture qu'il conduisait lentement – peut-être était-ce quelqu'un de l'ICE. En se retournant, elle aperçut un homme basané d'âge mûr, en costume, qui courait pour la rattraper en faisant de longues enjambées dans son pantalon de laine taillé sur mesure. Était-ce possible ? Oui, c'était le consul mexicain. « Araceli ! cria-t-il. Ramírez ! » Elle était sur le point de piquer un sprint lorsqu'elle sentit une main atterrir fermement sur son épaule et entendit le consul crier son nom avec l'accent de Mexico : « Araceli Noemi Ramírez Hinojosa ! »

Ayant passé son bras entier autour des épaules d'Araceli, le consul ramena la jeune femme encore sous le coup de la surprise sur la place du tribunal où attendait un groupe d'hommes en costume.

« Nous sommes venus vous aider, annonça le diplomate, et Araceli détecta dans ses paroles l'ironie furtive et légère par laquelle les fonctionnaires mexicains pimentent leurs déclarations officielles. Et, ce qui est encore plus important, nous avons quelque chose à vous donner. »

Un de ses assistants en costume-cravate produisit une enveloppe et la tendit au consul tandis qu'un deuxième se reculait et réglait sur eux son appareil photo.

« Nous avons reçu une demande de quelques personnes de Santa Ana, dit le consul. Nous avons pris le numéro de compte en banque qu'ils nous indiquaient. Et grâce à la bienveillante coopération et à la signature de votre ancien patron, *el señor* Torres, nous avons récupéré l'argent qui se trouvait sur votre compte. Comme vous l'avez demandé.

— Je n'ai jamais demandé ça. En tout cas, pas à vous.

— Eh bien, quelqu'un a pris contact avec moi. Et vous devriez le remercier. Me remercier aussi, d'ailleurs. Pedro, qui est ici, travaille au consulat. En plus, c'est un journaliste pigiste et photographe pour *Reforma*. Il va nous faire un petit article. N'est-ce pas, Pedro ?

— *Por supuesto, licenciado.* »

Araceli jeta un coup d'œil dans l'enveloppe. « C'est un chèque.

— Un chèque de banque. Moins risqué que du liquide. Et, si je peux me le permettre, c'est une somme étonnamment grosse. On est heureux de voir une de nos *paisanas* se débrouiller aussi bien. Il est établi au nom qui figurait sur votre carte d'électrice. Et, au cas où vous l'auriez perdue, en voici une nouvelle que je vous ai fait établir et envoyer depuis le District fédéral. Et même un passeport, car il me semble que vous n'en avez encore jamais obtenu. »

Elle examina les nouveaux documents, leurs sceaux et leurs hologrammes carrés, et elle se rappela le chemin de croix – sous forme de files, de salles d'attente et de fonctionnaires agressifs – que devaient faire les gens à Mexico pour obtenir ce genre de papier. Et maintenant on les lui donnait sans même qu'elle les demande : c'était bien là ce qu'un bureaucrate pouvait avoir comme idée de cadeau de Noël.

« Si vous n'y voyez pas d'inconvénient, nous aimerions prendre une ou deux photos pour illustrer cette histoire.

— Vous voulez vous prendre en photo en train de me remettre mon propre argent ?

— Ça ne prendra pas plus d'une seconde. Et nous, au consulat, ça nous aidera énormément. »

Araceli n'aurait pas su dire si ce consul était quelqu'un de bien ou pas. Manifestement, il était victime de la culture clanique de Mexico qui sévissait chez les hauts fonctionnaires, les professeurs d'université et même chez certains peintres et poètes pour les transformer en bavards obséquieux. Elle avait échappé à tout cela, et elle songea qu'elle devrait dire au consul d'aller se faire voir ailleurs et de la laisser tranquille, car, après tout, son gouvernement avait-il fait quoi que ce soit pour elle ? *Ils ont dit qu'ils me donneraient des cours de dessin et des professeurs qui m'apprendraient à maîtriser la technique de la peinture à l'huile, mais c'était bidon parce qu'ils ne nous donnent pas de pinceaux ni de toiles, ni d'atelier, ni même de temps pour devenir ce dont nous rêvons. À la place, notre gouvernement nous donne les routes que nous prenons pour fuir vers le nord, et les flics qui se curent les dents en nous jaugeant pour voir si nous pourrons leur verser un pot-de-vin. Il nous donne les images d'Épinal de Juarez*[1] *dans nos livres de classe et les leçons sur la réforme agraire et la Constitution de 1917.*

Araceli aurait voulu être en colère, mais finalement ce fut de la pitié qu'elle éprouva. Elle se retourna et posa, un pied en avant et la jambe tendue, comme dans un concours de beauté, parce que, au bout du compte, tout cela n'était qu'une plaisanterie, et parce que, si la police ou l'ICE la rattrapaient, elle aurait peut-être réellement besoin de l'aide de ce bureaucrate. *Clic. Clic-clic. Clic.*

« *¡ Gracias, paisana !* »

Il lui offrit sa carte de visite et elle la prit en murmurant « *Gracias* » puis fila en se disant qu'un rectangle de papier imprimé au Mexique n'était pas une grande protection contre l'ICE. *Ils peuvent s'emparer de*

1. Benito Juárez (1806-1872) a été Président du Mexique.

moi à n'importe quel moment et me renvoyer dans ces minuscules cubes fermés à clé parce que c'est ce qu'exigent de gros sourcils à la télé et une femme qui hurle dans l'escalier.

Araceli trouva Felipe endormi dans la cabine de son pick-up, une casquette de base-ball enfoncée sur ses yeux, et son grand corps à peine contenu par la carrosserie rouge abîmée par les intempéries. De sa bouche sortaient de petites bouffées humides, mais même dans cette position peu flatteuse il lui parut attirant : surtout parce qu'elle sentait en lui un dévouement innocent en train de s'installer. Il attendrait une journée entière sans manger, s'il le fallait. Elle finit par le réveiller.

« Tu es de retour, dit-il, tiré brusquement de son sommeil.

— *Ganamos*, dit-elle.

— Tu as gagné ?

— Je suis libre. *Se acabó todo.*

— *¿ Estás libre ?*

— Oui, sauf que maintenant il faut que je m'en aille vite.

— D'accord.

— Tu as combien d'essence, dans ton camion ? Il faut que j'aille loin. »

Felipe manœuvra son pick-up dans les rues de Laguna Niguel avec une agressivité qu'elle n'avait pas encore connue chez lui. Il fit crisser les pneus à deux ou trois angles de rues par des accélérations à la fois maîtrisées et furieuses, et puis, au bout de quelques minutes, ils arrivèrent sur l'autoroute, en direction du nord, où Felipe adopta une vitesse de croisière rapide. « Il faut qu'on sorte de cette ville », disait Araceli. Des tours surmontées d'antennes en forme de rasoir se dressaient au-dessus de l'autoroute, et un danger semblait se tapir dans chaque bretelle d'accès, dans chaque restaurant Denny's ou Taco Bell, dans chaque parking : un journaliste, un policier ou un agent des services de l'immigration était peut-être posté en embuscade dans l'une ou l'autre de ces cachettes urbaines.

« Dans ce cas, allons dans le désert, vers l'est, dit Felipe. C'est la sortie la plus rapide.

— Et après le désert ?

— Le désert est grand. Si on continue, on arrive en Arizona. À Phoenix.

— Tu irais avec moi jusque-là ? demanda Araceli.

— J'irai où tu voudras. Aussi longtemps que tu le voudras. Après Phoenix, c'est le Nouveau-Mexique. Encore après, le Texas, je crois. Et puis, je sais pas. Le Tennessee, peut-être ? Le pays est grand. Tout au bout, de l'autre côté, il y a la Caroline. La Caroline du Nord et la Caroline du Sud. »

Felipe regardait l'asphalte, les lignes blanches, les voitures qui venaient lentement vers lui et celles qui s'éloignaient. Il se retourna et lança à Araceli un sourire doux et espiègle. Ils entreprenaient un voyage sans destination, sans limites, sous l'impulsion du moment, sans rien d'autre que les vêtements qu'ils avaient sur le dos. Araceli supposait que Felipe n'était pas, habituellement, quelqu'un qui transgressait les règles ou qui prenait des risques. Sans doute devait-il de l'argent sur ce pick-up. Il ne prenait pas non plus de risques quant à sa garde-robe : c'était un homme aux habitudes stables, peu changeantes. Et pourtant, il continuait à conduire. Ils se retrouvèrent rapidement sur une autre autoroute, en direction de l'est et d'une ville du nom d'Indio, d'après les panneaux verts qui flottaient au-dessus de leurs têtes. Felipe expliqua que la partie difficile du trajet commençait après Indio, car on arrivait là au début du désert de Mojave qu'on devait traverser pour aller en Arizona. Mais avant le désert il fallait se coltiner encore une partie de la ville, le flot tortueux de camions, de caravanes, de cabriolets et de breaks qui, tous, avançaient si lentement qu'on aurait cru chaque parechocs attaché au précédent – une file de feux rouges clignotants, comme des danseurs de conga, qui suivaient les courbes de l'autoroute, faisaient le tour de complexes de bureaux et grimpaient dans des collines à l'herbe sèche jusqu'aux immeubles aux couleurs de nectarine qui les couronnaient. Comme la climatisation du pick-up de Felipe ne fonctionnait pas, il baissa les vitres. Le rugissement de la circulation et le vent s'ajoutèrent alors au grondement du moteur, de sorte que, quand ils voulaient parler, ils devaient crier. « Je crois qu'on devrait acheter de l'eau, dit Araceli. Pour qu'on ait à boire quand on sera dans le désert ! » Ils sortirent de l'autoroute, s'arrêtèrent à une station-service et sautèrent de nouveau dans le pick-up. Araceli s'attendait à voir des cactus d'un moment à l'autre, mais la circulation était lente et la mégapole s'étendait toujours plus loin : une sortie après l'autre annonçait une partie de la ville dont elle n'avait jamais entendu parler – Covina, Claremont, Redlands –, et de nouveaux centres commerciaux avec leurs parkings s'étalaient le long de l'autoroute comme des champs cultivés au bord d'un fleuve. Los Angeles ne voulait pas laisser Araceli partir ; par son étendue, elle gardait son emprise sur elle.

« C'est long, dit-elle. Quand est-ce qu'on arrive à Indio ?

— *Una hora más*. Je fais ce trajet une ou deux fois par an. Pour voir ma famille à Imuris et à Cananea. Quelquefois, j'y vais avec mon père. On passe par Phoenix, puis Tucson, et de là on roule vers le sud, au Mexique. Je suis né à Cananea, est-ce que je te l'avais dit ? Tu sais, on pourrait y aller. Ça ne m'embêterait pas. Ce serait un bon endroit pour recommencer. Mexico n'est pas si mal que ça. On est pauvre, là-bas, mais c'est *más calmado*. »

Elle songea au Mexique et au chèque qu'elle avait en poche. Cette somme représentait une vraie fortune de l'autre côté de la frontière. Elle pourrait lancer un petit commerce, ou acheter une maison, construire un barbecue à l'arrière et recouvrir le patio de briques. Ou alors louer un studio avec de grandes fenêtres qui laisseraient entrer la lumière et un sol en ciment sur lequel elle pourrait renverser de la peinture.

D'un autre côté, il y avait toujours les États-Unis et leur promesse de s'enrichir encore plus, ainsi que la satisfaction d'être une femme qui n'avait pas cédé. Si elle voulait, elle pourrait trouver un appartement à Phoenix. C'était une ville située dans une vallée désertique où les gens ne pouvaient pas survivre sans air conditionné, et Araceli se demanda si elle serait capable de vivre dans un tel endroit, sans pluie ni nuages ni saisons ; elle se le demandait surtout maintenant que la circulation était plus rapide, qu'ils atteignaient enfin les abords d'Indio et que le paysage devenait sec et crayeux. Ils passèrent devant des parcs à caravanes créés sur des lotissements en terre où le vent chassait sur le sol des tourbillons de poussière marron. Une amarante roulait sur la bande de terre au milieu de l'autoroute, et Araceli, se redressant sur son siège, la désigna à Felipe. « Regarde, Felipe, c'est une de ces mauvaises herbes. Comment ça s'appelle ? Une amarante ! » Elle se sentit fière de s'être rappelé ce nom, et elle se demanda où et comment elle avait pu apprendre un américanisme aussi obscur. Amarante, la plante qui roule comme une roue : c'était justement ce que faisait le spécimen qu'elle venait de voir ; elle se dirigeait vers l'Arizona, comme Araceli et Felipe.

Un vent chaud soufflait par la fenêtre ouverte, la chaleur désertique de la route noire montait dans le pick-up, ce qui faisait transpirer Felipe : sa sueur dégoulinait le long de son cou et recouvrait son tee-shirt. Araceli baissa le bras entre ses pieds et prit une autre bouteille d'eau qu'elle ouvrit et tendit à Felipe. On aurait cru qu'elle lui donnait un bouquet de roses. *Le moindre geste de gentillesse de ma part le rend tout heureux – il doit être amoureux. Mais quand m'embrassera-t-il ?*

« La Caroline, c'est loin ? demanda-t-elle.

— Très loin. Il faudrait peut-être quatre ou cinq jours.

— Est-ce que tu roulerais cinq jours avec moi ?

— Oui. Bien sûr.

— Tu n'as pas peur ?

— Peur de quoi ?

— De te faire attraper. Par les gens de l'immigration.

— Non. Je suis citoyen.

— Des États-Unis ?

— Oui. J'ai reçu mes papiers l'an dernier. Grâce à mon oncle. Ça m'a pris dix ans.

— Mais moi, j'ai pas de papiers, et tu pourrais avoir des ennuis parce que tu m'aides. Tu enfreins la loi.

— Et alors ?

— Tu veux quand même rouler avec moi. Et m'aider à m'échapper ?

— Ouais. »

Il lui fallut un moment pour intégrer ce petit miracle, sentir que c'était vrai. Oui, on pouvait le vérifier dans la sérénité et le contentement avec lesquels il étudiait la route devant eux. C'était le regard d'un peintre en bâtiment après une journée de travail impeccable. Cet homme de grande taille avec d'épais cheveux sexy était à elle. Il transgresserait même la loi pour elle.

« *¡ Qué romántico !* » s'écria-t-elle en se mettant à rire. Il rit à son tour, avec retenue et nervosité.

« Une fois qu'on sera arrivés à Phoenix, il faudra décider, dit-il. On peut prendre deux directions. Soit continuer vers l'est et aller au Texas ou en Caroline. Soit aller vers le sud, à Sonora, à Nogales et Imuris – sur ma *tierra*. Si nous prenons vers le sud, nous ne pourrons pas revenir au nord parce qu'il y a des postes de contrôle aux frontières. » Il se retourna vers elle et lui demanda : « Où veux-tu aller ?

— *A mí me da igual* », répondit-elle parce qu'elle pouvait se voir suivre l'une des deux directions aussi bien que l'autre.

Rapidement, les dernières implantations humaines furent derrière eux, et ils roulèrent à grande vitesse à travers une vaste plaine de sable qui avait la couleur et la texture de la farine. Elle était couverte de buissons squelettiques, des montagnes bordeaux s'élevaient au loin, rocailleuses et sans vie. « Nous sommes arrivés dans le désert ! » s'écria Araceli. La route était devenue une ligne droite qui basculait par-dessus l'horizon en un mirage liquide.

« C'est le Mojave ! » s'exclama Felipe.

Ils se trouvaient au milieu d'un flot de véhicules roulant vers l'est, et des voitures de sport aux couleurs primaires étincelantes, tels des missiles lancés au ras du sol, doublaient leur pick-up à toute vitesse. Et il y avait de grandes berlines dont les occupants lisaient des livres et regardaient de minuscules écrans, dont les passagers comme le conducteur paraissaient au frais et confortablement installés derrière leurs boucliers de verre teinté. C'étaient des gens de toutes les couleurs de l'Amérique qui donnaient une sensation de richesse confiante et d'avoir un avenir à eux : La route leur appartient et ils le savent, pensa Araceli ; ils en sont même reconnaissants. Il y avait aussi des véhicules aussi grands que des petites maisons, dont les plaques d'immatriculation de couleurs très diverses proclamaient que leur propriétaire vivait dans le PAYS ENCHANTÉ ou le PAYS DES VACANCES, ou qu'il se dirigeait vers le PARADIS DU SPORTIF.

La plaine de buissons et de sable ondulait comme une vaste mare liquide, ou un océan, et les montagnes qui se dressaient au loin semblaient être des îles. Une heure s'écoula sans qu'ils parlent pendant qu'ils traversaient cette mer, et Araceli songerait plus tard que le temps était passé à la nage, qu'il avait filé près d'eux sans heurt, ravissant et tranquille. Elle s'imagina glisser à travers ce désert océanique avec Felipe à côté d'elle jusqu'à ce qu'ils atteignent la Caroline du Nord, ou Veracruz, et la vraie mer au bout de leur voyage pour recommencer leur vie.

Plusieurs plantes de grande taille poussaient à présent au bord de la route : il y avait là les longues extrémités succulentes des cactus grimpants, leurs doigts couverts de barbes, semblables à des cannes de Noël qui montaient vers le soleil tout blanc. Brusquement il y en eut des dizaines, puis des centaines qui recouvraient un pan de montagne. Araceli allait faire un commentaire sur la beauté de ces cactus grimpants quand un autre pick-up identique au leur se mit à rouler à côté d'eux, et les deux véhicules restèrent suffisamment longtemps à la même hauteur pour qu'Araceli, en regardant par la vitre ouverte, puisse examiner le visage du conducteur. C'était un Mexicain, comme elle, bien qu'il ait peut-être dix ans de plus. Il avait le front sillonné de rides soucieuses et un teint boueux qui faisait penser à quelqu'un du Michoacán ou du Guerrero, ou d'un autre coin de son pays où l'on faisait pousser du maïs. Il portait un regard distant sur cette autoroute rectiligne, comme s'il se rappelait d'autres voyages sur des routes semblables, et soudain elle se rendit compte qu'il représentait ce qu'elle pourrait devenir si elle restait aux États-Unis. Elle imagina une biographie pour cet homme, une histoire de traversées de frontières, d'arrivées, d'argent et de déception. *Les gens comme nous sont si nombreux, sur ces routes. Si nombreux à venir de villages en adobe et de cités en parpaings. Nous sommes éparpillés sur cette autoroute entre les camping-cars et les voitures de sport, nous qui assurons le nettoyage et la construction, les plantations et la cuisine, nous qui sommes à la recherche de notre prochain lieu, de notre prochain espoir.*

« Il y a beaucoup de gens qui vont en Arizona, dit Felipe. J'ai un cousin qui y vit. Il dit que, quel que soit l'endroit où on va, on peut trouver du travail dans la journée. On y sera dans une heure. La frontière, c'est le fleuve, le Colorado. Dès qu'on l'aura traversé, on sera en Arizona. »

Araceli n'était jamais allée dans un autre État que la Californie. *On les appelle les États-Unis parce qu'il y a beaucoup d'États, cinquante en tout.* Elle se demanda s'il y aurait des gardes à la frontière, un poste de contrôle officiel où on exigerait de voir ses papiers. Dans ce cas, ils découvriraient qu'elle n'avait pas les tampons nécessaires, ceux avec les aigles des États-Unis – elle avait bien un passeport, à présent, mais un passeport sans visa n'était qu'un rappel de plus de sa qualité de Mexicaine. Son inquiétude à la pensée de traverser le fleuve et la frontière l'accapara jusqu'à ce qu'ils arrivent dans un endroit du nom de Blythe où les panneaux indiquaient l'Arizona à seulement huit kilomètres.

« Qu'est-ce qui va se passer quand nous franchirons la frontière ? finit-elle par lâcher.

— Quoi ?

— En Arizona. Est-ce qu'on va me demander mes papiers ?

— Non. On traverse, c'est tout.

— Ils ne vérifient rien ?

— Non. Seulement les camions qui transportent des fruits et des légumes. »

Ils continuèrent à rouler bruyamment le long de l'autoroute vers une oasis de voûtes d'arbres et de buissons verdoyants. Ils arrivèrent rapidement sur un pont de belle largeur et roulèrent vers l'autre côté. VOUS QUITTEZ LA CALIFORNIE, signalait un panneau alors qu'ils passaient au-dessus d'un fleuve boueux.

« *¡ Adiós California !* hurla Araceli, les bras levés, comme si elle était dans la dernière descente de montagnes russes.

— *Bye !* » lança Felipe. Ils se mirent à rire et à crier ensemble.

De l'autre côté, ils furent accueillis par un autre panneau où l'on lisait BIENVENUE EN ARIZONA. Il était orné de ce qui était, supposa-t-elle, le drapeau de cet État : des rayons rouges et jaunes s'élevaient au-dessus d'une zone bleue, et au centre, il y avait une étoile cuivrée. Araceli en admira l'expressivité abstraite et simple, et elle se dit : C'est à ça que devrait ressembler un drapeau.

Ils passèrent devant le poste de contrôle pour camions que Felipe avait mentionné, puis ils commencèrent à gravir une côte qui les éloignait du fleuve et les menait dans un paysage rocailleux. *C'est l'Arizona, ces roches rouges, le paysage est déjà très différent. J'ai vu ces pierres couleur de feu au cinéma et j'ai cru que c'était en Californie, mais je me trompais.* Elle était arrivée dans un nouveau lieu, et, brusquement, des jours et des semaines d'inquiétude et de peur s'évaporèrent ; elle reposa sa tête contre la portière, et elle eut la sensation qu'elle allait s'endormir d'un instant à l'autre dans cet endroit paisible, couleur rouille, où une dizaine de grands cactus saguaros avaient levé les bras pour la saluer.

Araceli tomba dans des ténèbres apaisantes et, pour la première fois, rêva de Brandon et de Keenan : elle leur tenait la main et les guidait le long des rochers de l'Arizona pour les éloigner d'une mare. Puis le soleil la frappa en plein visage et ses rêves se colorèrent en jaune. Mais tant que vivaient ces rêves dorés, ils effaçaient les souvenirs de nombreuses années, de tous ses voyages sur les routes, des frontières traversées, des au revoir et des bonjour.

Elle se réveilla avec un goût d'air humide dans la bouche, et, quand elle regarda autour d'elle, elle vit qu'ils étaient toujours dans le désert. La forêt de saguaros s'était épaissie et un amoncellement de nuages de tempête qui s'étaient infiltrés avec leur dôme d'un blanc brillant et leur ventre gris foncé dominait l'horizon, majestueux comme une cathédrale. Un instant, Araceli se demanda si ces nuages n'étaient pas une apparition, une extension de ses rêves, parce que le ciel avait été bleu et vide quand ils avaient traversé le fleuve.

« Regarde ces nuages, dit-elle.

— C'est une mousson, répondit Felipe. On en voit dans le désert, l'été. On dirait qu'on va droit dedans. »

L'air se rafraîchit, s'alourdit, et en peu de temps le soleil disparut derrière l'orage, dardant ses rayons dans les intervalles de bleu entre les nuages. C'étaient des lignes qui se déployaient comme un éventail, à l'image du drapeau de l'Arizona qu'elle avait vu en passant la frontière – des raies jaunes rayonnant autour d'une étoile. Elle sentit de nouveau un goût d'air humide et comprit que cette tempête venait du sud, d'un endroit situé au fond du cœur tropical de la terre, du Mexique ou d'un autre pays humide et pauvre.

Ils se retrouvèrent vite sous l'amoncellement de nuages et la pluie se mit à tomber. Ce furent d'abord quelques gouttes larges et lourdes sur le pare-brise, puis des nappes épaisses qui recouvrirent la voie de ruisseaux tourbillonnants, tant et si bien que Felipe dut s'arrêter sur le bas-côté et attendre que l'orage passe. Araceli ouvrit la fenêtre et laissa l'eau tiède tomber sur son visage. Elle ne se souvenait pas d'avoir connu une pluie aussi forte, une averse qui emportait toute la poussière du désert et la transformait en boue.

Elle se retourna et vit que le visage de Felipe était mouillé lui aussi. Se penchant alors dans la cabine, elle l'embrassa. Leurs lèvres se rencontrèrent en une caresse humide. Puis un autre baiser. Et encore un autre, jusqu'à ce qu'ils s'arrêtent pour se regarder et qu'Araceli, se sentant soudain plus légère et plus jeune, recommence à l'embrasser, puis ils se cherchèrent aussi avec leurs bras et leurs mains jusqu'à ce qu'elle le repousse doucement et dise : « Pas si vite. »

La pluie cessa et le bruit des voitures qui passaient sur la chaussée mouillée en soulevant des gerbes d'eau les ramena à l'endroit où ils étaient : sur le bas-côté d'une grande route de l'Arizona, en train de fuir.

« Il faut continuer », dit-elle.

Ils repartirent, et, quelques minutes plus tard, entrèrent dans la métropole de Phoenix, longeant des entrepôts longs et bas et des quartiers où, dans le jardin devant les maisons, on voyait des rochers et des cactus. Le soleil revint, les nuages se retirèrent, et l'autoroute s'élargit, passant de deux à trois voies en direction de l'est. Ils arrivèrent alors au centre-ville où les tours de verre palpitaient sous la chaleur qui reprenait. L'autoroute s'enfonça sous d'autres rues et s'élargit à quatre, puis cinq voies. Plusieurs rectangles vert et blanc fixés sur les ponts au-dessus d'eux affichaient des routes aux numéros impairs et des destinations nouvelles : 17.FLAGSTAFF. 225.TUCSON.

« Il faut nous décider, déclara Felipe. Où est-ce que nous allons ? À Flagstaff si nous restons aux États-Unis. À Tucson si nous allons au Mexique. »

Araceli leva la tête vers les panneaux et pensa : Oui, c'est à moi de choisir.

Elle leva le bras, l'étendit jusqu'à ce que sa main touche presque le pare-brise, et elle pointa son index.

« *¡ Para allá !* » cria-t-elle par-dessus le rugissement du vent et des moteurs. Puis elle le dit aussi en anglais, simplement parce qu'elle le pouvait.

« Par là. »

Collection « Littérature étrangère »

ADAMS Poppy
Le Temps des métamorphoses

ADDERSON Caroline
La Femme assise

AGUÉEV M.
Roman avec cocaïne

ALI Monica
Sept mers et treize rivières
Café Paraíso
En cuisine

ALLISON Dorothy
Retour à Cayro

ANDERSON Scott
Triage
Moonlight Hotel

ARLT Roberto
Les Sept Fous
Les Lance-Flammes

ARPINO Giovanni
Une âme perdue
Le Pas de l'adieu
Mon frère italien

AUSLANDER Shalom
La Lamentation du prépuce
Attention Dieu méchant

BAXTER Charles
Festin d'amour

BENIOFF David
24 heures avant la nuit

BLOOM Amy
Ailleurs, plus loin

BROOKNER Anita
Hôtel du Lac
États seconds
La Vie, quelque part
Une chute très lente
Une trop longue attente
Fêlures
Le Dernier Voyage

BROOKS Geraldine
Le Livre d'Hanna
La Solitude du Dr March
L'Autre Rive du monde

BROWN Clare
Un enfant à soi

CABALLERO Antonio
Un mal sans remède

CAICEDO Andrés
Que viva la musica !

CAÑÓN James
Dans la ville des veuves intrépides

CONNELL D. J.
Julian Corkle est un fieffé menteur
Sherry Cracker et les sept voleurs

CONROY Pat
Le Prince des marées
Le Grand Santini

COURTENAY Bryce
La Puissance de l'Ange

CUNNINGHAM Michael
La Maison du bout du monde
Les Heures
De chair et de sang
Le Livre des jours
Crépuscule

DORRESTEIN Renate
Vices cachés
Un cœur de pierre

Sans merci
Le Champ de fraises
Tant qu'il y a de la vie

DOUGHTY Louise
Je trouverai ce que tu aimes

DUNANT Sarah
La Courtisane de Venise
Un cœur insoumis

DUNMORE Helen
Un été vénéneux
Ils iraient jusqu'à la mer
Malgré la douleur
La Faim
Les Petits Avions de Mandelstam
La Maison des orphelins

EDELMAN Gwen
Dernier refuge avant la nuit

ELTON Ben
Nuit grave
Ze Star

FERRARIS Zoë
La Disparue du désert
Les Mystères de Djeddah

FEUCHTWANGER Lion
Le Juif Süss

FLANAGAN Richard
La Fureur et l'Ennui
Désirer

FREY James
Mille morceaux
Mon ami Leonard

FROMBERG SCHAEFFER Susan
Folie d'une femme séduite

FRY Stephen
L'Hippopotame
Mensonges, mensonges
L'Île du Dr Malo

GALE Patrick
Chronique d'un été
Une douce obscurité
Tableaux d'une exposition
Jusqu'au dernier jour

GARLAND Alex
Le Coma

GEE Maggie
Ma bonne

GEMMELL Nikki
Les Noces sauvages
Love Song

GILBERT David
Les Normaux
Les Marchands de vanité

GUSTAFSSON Lars
La Mort d'un apiculteur

HAGEN George
La Famille Lament
Les Grandes Espérances du jeune Bedlam

HOMES A. M.
Mauvaise mère

HOSSEINI Khaled
Les Cerfs-Volants de Kaboul
Mille soleils splendides
Les Cerfs-Volants de Kaboul (roman graphique)

JOHNSTON Jennifer
Petite musique des adieux
Ceci n'est pas un roman
De grâce et de vérité
Un Noël en famille

JONES Kaylie
La fille d'un soldat ne pleure jamais
Dépendances

JORDAN Hillary
Mississippi

KAMINER Wladimir
Musique militaire
Voyage à Trulala

KANON Joseph
L'Ultime Trahison
L'Ami allemand
Alibi

KENNEDY Douglas
La Poursuite du bonheur
Rien ne va plus
Une relation dangereuse
L'homme qui voulait vivre sa vie
Les Désarrois de Ned Allen
Les Charmes discrets de la vie conjugale
Piège nuptial
La Femme du Ve
Quitter le monde
Cet instant-là

KLIMKO Hubert
La Maison de Róża
Berceuse pour un pendu
Les Toutes Premières Choses

KNEALE Matthew
Les Passagers anglais
Douce Tamise
Cauchemar nippon
Petits crimes dans un âge d'abondance
Maman, ma sœur, Hermann et moi

KOCH Herman
Le Dîner

LAMB Wally
Le Chant de Dolorès
La Puissance des vaincus
Le Chagrin et la Grâce

LAW Benjamin
Les Lois de la famille

LAWSON Mary
Le Choix des Morrison
L'Autre Côté du pont

LEONI Giulio
La Conjuration du Troisième Ciel
La Conspiration des miroirs
La Croisade des ténèbres

LI YIYUN
Un millier d'années de bonnes prières
Un beau jour de printemps

LISCANO Carlos
La Route d'Ithaque
Le Fourgon des fous
Souvenirs de la guerre récente
L'Écrivain et l'Autre
Le Lecteur inconstant suivi de *Vie du corbeau blanc*

LOTT Tim
Frankie Blue
Lames de fond
Les Secrets amoureux d'un don Juan
L'Affaire Seymour

MADDEN Deirdre
Authenticité

MARCIANO Francesca
L'Africaine
Casa Rossa
La Fin des bonnes manières

MCCANN Colum
Danseur
Les Saisons de la nuit
La Rivière de l'exil
Ailleurs, en ce pays
Le Chant du coyote
Zoli
Et que le vaste monde poursuive sa course folle

MCCOURT Frank
Les Cendres d'Angela
C'est comment l'Amérique ?
Teacher Man, un jeune prof à New York

MCGARRY MORRIS Mary
Mélodie du temps ordinaire
Fiona Range
Un abri en ce monde
Une douloureuse absence
Le Dernier Secret
À la lueur d'une étoile distante

MERCURIO Jed
La Vie sexuelle d'un Américain sans reproche

MILLS Jenni
Le Murmure des pierres

MORTON Brian
Une fenêtre sur l'Hudson
Des liens trop fragiles

MURAKAMI Haruki
Au sud de la frontière, à l'ouest du soleil
Les Amants du Spoutnik
Kafka sur le rivage
Le Passage de la nuit
La Ballade de l'impossible
L'éléphant s'évapore
Saules aveugles, femme endormie
Autoportrait de l'auteur en coureur de fond
Sommeil
1Q84 (Livre 1)
1Q84 (Livre 2)
1Q84 (Livre 3)
Chroniques de l'oiseau à ressort

NICHOLLS David
Un jour
Pourquoi pas ?

O'CONNOR Scott
Ce que porte la nuit

O'DELL Tawni
Le Temps de la colère
Retour à Coal Run
Le ciel n'attend pas
Animaux fragiles

O'FARRELL Maggie
Quand tu es parti
La Maîtresse de mon amant
La Distance entre nous
L'Étrange Disparition d'Esme Lennox
Cette main qui a pris la mienne

OWENS Damien
Les Trottoirs de Dublin

PARLAND Henry
Déconstructions

PAYNE David
Le Dragon et le Tigre : confessions d'un taoïste à Wall Street
Le Monde perdu de Joey Madden
Le Phare d'un monde flottant
Wando Passo

PEARS Iain
Le Cercle de la Croix
Le Songe de Scipion
Le Portrait
La Chute de John Stone

PENNEY Stef
La Tendresse des loups

PICKARD Nancy
Mémoire d'une nuit d'orage

PIZZOLATTO Nic
Galveston

POLLEN Bella
L'Été de l'ours

RADULESCU Domnica
Un train pour Trieste

RAVEL Edeet
Dix mille amants
Un mur de lumière

RAYMO Chet
Le Nain astronome

Valentin, une histoire d'amour

ROBERTIS Carolina De
La Montagne invisible

ROSEN Jonathan
La Pomme d'Ève

SANSOM C. J.
Dissolution
Les Larmes du diable
Sang royal
Un hiver à Madrid
Prophétie
Corruption

SAVAGE Thomas
Le Pouvoir du chien
La Reine de l'Idaho
Rue du Pacifique

SCHWARTZ Leslie
Perdu dans les bois

SEWELL Kitty
Fleur de glace

SHARPE Tom
Fumiers et Cie
Panique à Porterhouse
Wilt 4
Le Gang des mégères inapprivoisées ou Comment kidnapper un mari quand on n'a rien pour plaire
Wilt 5 – Comment enseigner l'histoire à un ado dégénéré en repoussant les assauts d'une nymphomane alcoolique

SHREVE Anita
Le Poids de l'eau
Un seul amour
La Femme du pilote
Nostalgie d'amour
Ultime rencontre
La Maison du bord de mer
L'Objet de son désir
Une lumière sur la neige
Un amour volé
Un mariage en décembre
Le Tumulte des vagues
Une scandaleuse affaire
Un jour après l'autre

SHRIVER Lionel
Il faut qu'on parle de Kevin
La Double Vie d'Irina
Double faute
Tout ça pour quoi

SMITH Tom Rob
Enfant 44

SOLER Jordi
Les Exilés de la mémoire
La Dernière Heure du dernier jour
La Fête de l'Ours

SWARUP Vikas
Les Fabuleuses Aventures d'un Indien malchanceux qui devint milliardaire
Meurtre dans un jardin indien

TOLTZ Steve
Une partie du tout

TSIOLKAS Christos
La Gifle
Jesus Man

ULINICH Anya
La Folle Équipée de Sashenka Goldberg

UNSWORTH Barry
Le Nègre du paradis
La Folie Nelson

VALLEJO Fernando
La Vierge des tueurs
Le Feu secret
La Rambla paralela
Carlitos qui êtes aux cieux

MIXTE
Papier issu de sources responsables
FSC
www.fsc.org
FSC® C003309

Composition et mise en pages : Facompo, Lisieux

Achevé d'imprimer sur Roto-Page
par l'Imprimerie Floch
à Mayenne en avril 2012

N° d'impression : 82279
Dépôt légal : août 2012
Imprimé en France